四世同堂

老舍/著

北京出版社出版集团
北京十月文艺出版社

内容提要

　　这是一部中国现代长篇小说经典名著，是老舍先生的代表作。

　　小说在卢沟桥事变爆发、北平沦陷的时代背景下，以祁家四世同堂的生活为主线，形象、真切地描绘了以小羊圈胡同住户为代表的各个阶层、各色人等的荣辱浮沉、生死存亡。作品记叙了北平沦陷后的畸形世态中，日寇铁蹄下广大平民的悲惨遭遇，那一派古老、宁静生活被打破后的不安、惶惑与震撼，鞭挞了附敌作恶者的丑恶灵魂，揭露了日本军国主义的残暴罪行，更反映出百姓们面对强敌愤而反抗的英勇无畏，讴歌、弘扬了中国人民伟大的爱国主义精神和坚贞高尚的民族气节，史诗般地展现了第二次世界大战期间，中国人民为世界反法西斯战争做出的杰出贡献，气度恢弘，可歌可泣。

　　老舍先生以深厚精湛的艺术功力和炉火纯青的小说技艺刻画了祁老人、瑞宣、大赤包、冠晓荷等一系列栩栩如生的艺术形象，展现了风味浓郁的北平生活画卷，至今传读不衰，历久弥新……

老舍(1899—1966)

目录

第一部　小羊圈

一

祁老太爷什么也不怕，只怕庆不了八十大寿。在他的壮年，他亲眼看见八国联军怎样攻进北京城。后来，他看见了清朝的皇帝怎样退位，和接续不断的内战；一会儿九城的城门紧闭，枪声与炮声日夜不绝；一会儿城门开了，马路上又飞驰着得胜的军阀的高车大马。战争没有吓倒他，和平使他高兴。逢节他要过节，遇年他要祭祖，他是个安分守己的公民，只求消消停停的过着不至于愁吃愁穿的日子。即使赶上兵荒马乱，他也自有办法：最值得说的是他的家里老存着全家够吃三个月的粮食与咸菜。这样，即使炮弹在空中飞，兵在街上乱跑，他也会关上大门，再用装满石头的破缸顶上，便足以消灾避难。

为什么祁老太爷只预备三个月的粮食与咸菜呢？这是因为在他的心理上，他总以为北平是天底下最可靠的大城，不管有什么灾难，到三个月必定灾消难满，而后诸事大吉。北平的灾难恰似一个人免不了有些头疼脑热，过几天自然会好了的。不信，你看吧，祁老太爷会屈指算计：直皖战争有几个月？直奉战争又有好久？啊！听我的，咱们北平的灾难过不去三个月！

七七抗战那一年，祁老太爷已经七十五岁。对家务，他早已不再操心。他现在的重要工作是浇浇院中的盆花，说说老年间的故事，给笼中的小黄鸟添食换水，和携着重孙子孙女极慢极慢的去逛大街和护国寺。可是，卢沟桥的炮声一响，他老人家便没法不稍微操点心了，谁教他是四世同堂的老太爷呢。

儿子已经是过了五十岁的人，而儿媳的身体又老那么病病歪歪的，所以祁老太爷把长孙媳妇叫过来。老人家最喜欢长孙媳妇，因为

3

第一，她已给祁家生了儿女，教他老人家有了重孙子孙女；第二，她既会持家，又懂得规矩，一点也不像二孙媳妇那样把头发烫得烂鸡窝似的，看着心里就闹得慌；第三，儿子不常住在家里，媳妇又多病，所以事实上是长孙与长孙媳妇当家，而长孙终日在外教书，晚上还要预备功课与改卷子，那么一家十口的衣食茶水，与亲友邻居的庆吊交际，便差不多都由长孙媳妇一手操持了；这不是件很容易的事，所以老人天公地道的得偏疼点她。还有，老人自幼长在北平，耳习目染的和旗籍人学了许多规矩礼路：儿媳妇见了公公，当然要垂手侍立。可是，儿媳妇既是五十多岁的人，身上又经常的闹着点病；老人若不教她垂手侍立吧，便破坏了家规；教她立规矩吧，又于心不忍，所以不如干脆和长孙媳妇商议商议家中的大事。

祁老人的背虽然有点弯，可是全家还属他的身量最高。在壮年的时候，他到处都被叫作"祁大个子"。高身量，长脸，他本应当很有威严，可是他的眼睛太小，一笑便变成一条缝子，于是人们只看见他的高大的身躯，而觉不出什么特别可敬畏的地方来。到了老年，他倒变得好看了一些：黄暗的脸，雪白的须眉，眼角腮旁全皱出永远含笑的纹溜；小眼深深的藏在笑纹与白眉中，看去总是笑眯眯的显出和善；在他真发笑的时候，他的小眼放出一点点光，倒好像是有无限的智慧而不肯一下子全放出来似的。

把长孙媳妇叫来，老人用小胡梳轻轻的梳着白须，半天没有出声。老人在幼年只读过三本小书与六言杂字；少年与壮年吃尽苦处，独力置买了房子，成了家。他的儿子也只在私塾读过三年书，就去学徒；直到了孙辈，才受了风气的推移，而去入大学读书。现在，他是老太爷，可是他总觉得学问既不及儿子——儿子到如今还能背诵上下《论语》，而且写一笔被算命先生推奖的好字——更不及孙子，而很怕他们看不起他。因此，他对晚辈说话的时候总是先愣一会儿，表示自己很会思想。对长孙媳妇，他本来无须这样，因为她识字并不多，而且一天到晚嘴中不是叫孩子，便是谈论油盐酱醋。不过，日久天长，他已养成了这个习惯，也就只好教孙媳妇多站一会儿了。

长孙媳妇没入过学校，所以没有学名。出嫁以后，才由她的丈夫像赠送博士学位似的送给她一个名字——韵梅。韵梅两个字仿佛不甚走运，始终没能在祁家通行得开。公婆和老太爷自然没有喊她名字的习惯与必要，别人呢又觉得她只是个主妇，和"韵"与"梅"似乎都没多少关系。况且，老太爷以为"韵梅"和"运煤"既然同音，也就应该同一个意思，"好吗，她一天忙到晚，你们还忍心教她去运煤吗？"这样一来，连她的丈夫也不好意思叫她了，于是她除了"大嫂"，"妈妈"等应得的称呼外，便成了"小顺儿的妈"——小顺儿是她的小男孩。

小顺儿的妈长得不难看，中等身材，圆脸，两只又大又水灵的眼睛。她走路，说话，吃饭，做事，都是快的，可是快得并不发慌。她梳头洗脸擦粉也全是快的，所以有时候碰巧了把粉擦得很匀，她就好看一些；有时候没有擦匀，她就不大顺眼。当她没有把粉擦好而被人家嘲笑的时候，她仍旧一点也不发急，而随着人家笑自己。她是天生的好脾气。

祁老人把白须梳够，又用手掌轻轻擦了两把，才对小顺儿的妈说：

"咱们的粮食还有多少啊？"

小顺儿的妈又大又水灵的眼很快的转动了两下，已经猜到老太爷的心意。很脆很快的，她回答：

"还够吃三个月的呢！"

其实，家中的粮食并没有那么多。她不愿因说了实话，而惹起老人的罗唆。对老人和儿童，她很会运用善意的欺骗。

"咸菜呢？"老人提出第二个重要事项来。

她回答的更快当："也够吃的！干疙疸，老咸萝卜，全还有呢！"她知道，即使老人真的要亲自点验，她也能马上去买些来。

"好！"老人满意了。有了三个月的粮食与咸菜，就是天塌下来，祁家也会抵抗的。可是老人并不想就这么结束了关切，他必须给长孙媳妇说明白了其中的道理：

"日本鬼子又闹事哪！哼！闹去吧！庚子年，八国联军打进了北京城，连皇上都跑了，也没把我的脑袋掰了去呀！八国都不行，单是

5

几个日本小鬼还能有什么蹦儿？咱们这是宝地，多大的乱子也过不去三个月！咱们可也别太粗心大胆，起码得有窝头和咸菜吃！"

老人说一句，小顺儿的妈点一次头，或说一声"是"。老人的话，她已经听过起码有五十次，但是还当作新的听。老人一见有人欣赏自己的话，不由的提高了一点嗓音，以便增高感动的力量：

"你公公，别看他五十多了，论操持家务还差得多呢！你婆婆，简直是个病包儿，你跟她商量点事儿，她光会哼哼！这一家，我告诉你，就仗着你跟我！咱们俩要是不操心，一家子连裤子都穿不上！你信不信？"

小顺儿的妈不好意思说"信"，也不好意思说"不信"，只好低着眼皮笑了一下。

"瑞宣还没回来哪？"老人问。瑞宣是他的长孙。

"他今天有四五堂功课呢。"她回答。

"哼！开了炮，还不快快的回来！瑞丰和他的那个疯娘们呢？"老人问的是二孙和二孙媳妇——那个把头发烫成鸡窝似的妇人。

"他们俩——"她不知道怎样回答好。

"年轻轻的公母俩，老是蜜里调油，一时一刻也离不开，真也不怕人家笑话！"

小顺儿的妈笑了一下："这早晚的年轻夫妻都是那个样儿！"

"我就看不下去！"老人斩钉截铁的说。"都是你婆婆宠得她！我没看见过，一个年轻轻的妇道一天老长在北海，东安市场和——什么电影园来着？"

"我也说不上来！"她真说不上来，因为她几乎永远没有看电影去的机会。

"小三儿呢？"小三儿是瑞全，因为还没有结婚，所以老人还叫他小三儿；事实上，他已快在大学毕业了。

"老三带着妞子出去了。"妞子是小顺儿的妹妹。

"他怎么不上学呢？"

"老三刚才跟我讲了好大半天，说咱们要再不打日本，连北平都要保不住！"小顺儿的妈说得很快，可是也很清楚。"说的时候，他把

6

脸都气红了，又是搓拳，又是磨掌的！我就直劝他，反正咱们姓祁的人没得罪东洋人，他们一定不能欺侮到咱们头上来！我是好意这么跟他说，好教他消消气；喝，哪知道他跟我瞪了眼，好像我和日本人串通一气似的！我不敢再言语了，他气哼哼的扯起妞子就出去了！您瞧，我招了谁啦？"

老人愣了一小会儿，然后感慨着说："我很不放心小三儿，怕他早晚要惹出祸来！"

正说到这里，院里小顺儿撒娇的喊着：

"爷爷！爷爷！你回来啦？给我买桃子来没有？怎么，没有？连一个也没有？爷爷你真没出息！"

小顺儿的妈在屋中答了言："顺儿！不准和爷爷讪脸！再胡说，我就打你去！"

小顺儿不再出声，爷爷走了进来。小顺儿的妈赶紧去倒茶。爷爷（祁天佑）是位五十多岁的黑胡子小老头儿。中等身材，相当的富泰，圆脸，重眉毛，大眼睛，头发和胡子都很重很黑，很配作个体面的铺店的掌柜的——事实上，他现在确是一家三间门面的布铺掌柜。他的脚步很重，每走一步，他的脸上的肉就颤动一下。作惯了生意，他的脸上永远是一团和气，鼻子上几乎老拧起一旋笑纹。今天，他的神气可有些不对。他还要勉强的笑，可是眼睛里并没有笑时那点光，鼻子上的一旋笑纹也好像不能拧紧；笑的时候，他几乎不敢大大方方的抬起头来。

"怎样？老大！"祁老太爷用手指轻轻的抓着白胡子，就手儿看了看儿子的黑胡子，心中不知怎的有点不安似的。

黑胡子小老头很不自然的坐下，好像白胡子老头给了他一些什么精神上的压迫。看了父亲一眼，他低下头去，低声的说：

"时局不大好呢！"

"打得起来吗？"小顺儿的妈以长媳的资格大胆的问。

"人心很不安呢！"

祁老人慢慢的立起来："小顺儿的妈，把顶大门的破缸预备好！"

二

祁家的房子坐落在西城护国寺附近的"小羊圈"。说不定，这个地方在当初或者真是个羊圈，因为它不像一般的北平的胡同那样直直的，或略微有一两个弯儿，而是颇像一个葫芦。通到西大街去的是葫芦的嘴和脖子，很细很长，而且很脏。葫芦的嘴是那么窄小，人们若不留心细找，或向邮差打听，便很容易忽略过去。进了葫芦脖子，看见了墙根堆着的垃圾，你才敢放胆往里面走，像哥伦布看到海上有漂浮着的东西才敢更向前进那样。走了几十步，忽然眼一明，你看见了葫芦的胸：一个东西有四十步，南北有三十步长的圆圈，中间有两棵大槐树，四围有六七家人家。再往前走，又是一个小巷——葫芦的腰。穿过"腰"，又是一块空地，比"胸"大着两三倍，这便是葫芦肚儿了。"胸"和"肚"大概就是羊圈吧？这还待历史家去考查一番，而后才能断定。

祁家的房便是在葫芦胸里。街门朝西，斜对着一棵大槐树。在当初，祁老人选购房子的时候，房子的地位决定了他的去取。他爱这个地方。胡同口是那么狭窄不惹人注意，使他觉到安全；而葫芦胸里有六七家人家，又使他觉到温暖。门外呢，两株大槐下可供孩子们玩耍，既无车马，又有槐豆槐花与槐虫可以当作儿童的玩具。同时，地点虽是陋巷，而西通大街，背后是护国寺——每逢七八两日有庙会——买东西不算不方便。所以，他决定买下那所房。

房子的本身可不很高明。第一，它没有格局。院子是东西长而南北短的一个长条，所以南北房不能相对；假若相对起来，院子便被挤成一条缝，而颇像轮船上房舱中间的走道了。南房两间，因此，是紧

8

靠着街门，而北房五间面对着南院墙。两间东房是院子的东尽头；东房北边有块小空地，是厕所。南院墙外是一家老香烛店的晒佛香的场院，有几株柳树。幸而有这几株树，否则祁家的南墙外便什么也没有，倒好像是火车站上的房子，出了门便是野地了。第二，房子盖得不甚结实。除了北房的木料还说得过去，其余的简直没有值得夸赞的地方。在祁老人手里，南房的山墙与东房的后墙便塌倒过两次以上，而界墙的——都是碎砖头砌的——坍倒是每年雨季所必不能免的。院中是一墁土地，没有甬路；每逢雨季，院中的存水就能有一尺多深，出入都须打赤脚。

祁老人可是十分喜爱这所房。主要的原因是，这是他自己置买的产业，不论格局与建筑怎样不好，也值得自傲。其次，自从他有了这所房，他的人口便有增无减，到今天已是四世同堂！这里的风水一定是很好！在长孙瑞宣结婚的时候，全部房屋都彻底的翻盖了一次。这次是祁天佑出的力——他想把父亲置买的产业变成一座足以传世的堡垒，好上足以对得起老人，下对得起儿孙。木料糟了的一概撤换，碎砖都换上整砖，而且见木头的地方全上了油漆。经这一修改，这所房子虽然在格局上仍然有欠体面，可是在实质上却成了小羊圈数一数二的好房子。祁老人看着新房，满意的叹了口气。到他作过六十整寿，决定退休以后，他的劳作便都放在美化这所院子上。在南墙根，他逐渐的给种上秋海棠，玉簪花，绣球，和虎耳草。院中间，他养着四大盆石榴，两盆夹竹桃，和许多不须费力而能开花的小植物。在南房前面，他还种了两株枣树，一株结的是大白枣，一株结的是甜酸的"莲蓬子儿"。

看着自己的房，自己的儿孙，和手植的花草，祁老人觉得自己的一世劳碌并没有虚掷。北平城是不朽之城，他的房子也是永世不朽的房子。

现在，天佑老夫妇带着小顺儿住南屋。五间北房呢，中间作客厅；客厅里东西各有一个小门，通到瑞宣与瑞丰的卧室；尽东头的和尽西头的一间，都另开屋门，东头是瑞全的，西头是祁老太爷的卧室。东屋作厨房，并堆存粮米，煤球，柴火；冬天，也收藏石榴树和夹竹桃什么的。当初，在他买过这所房子来的时候，他须把东屋和南屋都租出去，才能显着院内不太空虚；今天，他自己的儿孙都快住不下了。屋子都住满了自家的人，老者的心里也就充满了欢喜。他像一株老树，在院里生满了枝条，每一条枝上的花叶都是由他生出去的！

在胡同里，他也感到得意。四五十年来，他老住在这里，而邻居们总是今天搬来，明天搬走，能一气住到十年二十年的就少少的。他们生，他们死，他们兴旺，他们衰落，只有祁老人独自在这里生了根。因家道兴旺而离开这陋巷的，他不去巴结；因家道衰落而连这陋巷也住不下去的，他也无力去救济；他只知道自己老在这里不动，渐渐的变成全胡同的老太爷。新搬来的人家，必定先到他这里来拜街坊；邻居有婚丧事设宴，他必坐首席；他是这一带的老人星，代表着人口昌旺，与家道兴隆！

在得意里，他可不敢妄想。他只希望能在自己的长条院子里搭起喜棚，庆祝八十整寿。八十岁以后的事，他不愿去想；假若老天教他活下去呢，很好；老天若收回他去呢，他闭眼就走，教子孙们穿着白孝把他送出城门去！

在葫芦胸里，路西有一个门，已经堵死。路南有两个门，都是清水脊门楼，房子相当的整齐。路北有两个门，院子都不大，可都住着三四家人家。假若路南是贵人区，路北便是贫民区。路东有三个门，尽南头的便是祁宅。与祁家一墙之隔的院子也是个长条儿，住着三家子人。再过去，还有一家，里外两个院子，有二十多间房，住着至少有七八家子，而且人品很不齐。这可以算作个大杂院。祁老太爷不大看得起这个院子，所以拿那院子的人并不当作街坊看待；为掩饰真正的理由，他总说那个院子只有少一半在"胸"里，而多一半在葫芦腰里，所以不能算作近邻，倒好像"胸"与"腰"相隔有十几里路似的。

把大杂院除外，祁老人对其余的五个院子的看待也有等级。最被他重视的是由西数第一个——门牌一号——路南的门。这个门里住着一家姓钱的，他们搬走过一次，可是不久又搬了回来，前后在这里已住过十五六年。钱老夫妇和天佑同辈，他的两个少爷都和瑞宣同过学。现在，大少爷已结了婚，二少爷也定了婚而还未娶。在一般人眼中，钱家的人都有点奇怪。他们对人，无论是谁，都极有礼貌，可是也都保持着个相当的距离，好像对谁都看得起，又都看不起。他们一家人的服装都永远落后十年，或二十年，到如今，钱老先生到冬天还戴红呢子大风帽。他家的妇女似乎永远不出大门一步；遇必要的时候，她们必须在门口买点针线或青菜什么的，也只把门开开一点缝子，仿佛怕走漏了门中什么秘密似的。他们的男人虽然也和别家的一样出来进去，可是他们的行动都像极留着神，好使别人莫测高深。钱老先生没有作事，很少出门；只有在他脸上有点酒意的时候，才穿着古老的衣服在门口立一会儿，仰头看着槐花，或向儿童们笑一笑。他们的家境如何？他们有什么人生的乐趣？有什么生活上的痛苦？都没有人知道。他们的院子里几乎永远没有任何响动。遇上胡同里有什么娶亲的，出殡的，或是来了跑旱船或耍猴子的，大家都出来看看热闹，只有钱家的门照旧关得严严的。他们不像是过日子，而倒像终年的躲债或避难呢。

在全胡同里，只有祁老人和瑞宣常到钱家来，知道一些钱家的"秘密"。其实，钱家并没有什么秘密。祁老人心中很明白这个，但是不愿对别人说。这样，他就仿佛有一种替钱家保守秘密的责任似的，而增高了自己的身分。

钱家的院子不大，而满种着花。祁老人的花苗花种就有许多是由这里得来的。钱老先生的屋里，除了鲜花，便是旧书与破字画。他的每天的工作便是浇花，看书，画画，和吟诗。到特别高兴的时候，他才喝两盅自己泡的茵陈酒。钱老先生是个诗人。他的诗不给别人看，而只供他自己吟味。他的生活是按照着他的理想安排的，并不管行得通行不通。他有时候挨饿，挨饿他也不出一声。他的大少爷在中学教几点钟书，在趣味上也颇有父风。二少爷是这一家中最没有诗意的，他开驶汽车。钱老先生决不反对儿子去开汽车，而只不喜闻儿子身上的汽油味；因此，二少爷不大回家来，虽然并没有因汽油味和父亲犯了什么意见。至于钱家的妇女，她们并不是因为男子专制而不出大门，而倒是为了服装太旧，自惭形秽。钱先生与儿子绝对不是肯压迫任何人的人，可是他们的金钱能力与生活的趣味使他们毫不注意到服装上来，于是家中的妇女也就只好深藏简出的不出去多暴露自己的缺陷。

在祁老人与钱先生的交往中，祁老人老来看钱先生，而钱先生绝对不到祁家去。假若祁老人带来一瓶酒，送给钱先生，钱先生必定马上派儿子送来比一瓶酒贵着两三倍的一些礼物；他永远不白受人家的东西。他的手中永远没有宽裕过，因为他永远不算账，不记账。有钱他就花掉，没钱他会愣着想诗。他的大少爷也有这样的脾气。他宁可多在家中练习几点钟的画，而不肯去多教几点钟的书，增加一点收入。

论性格，论学识，论趣味，祁老人都没有和钱先生成为好友的可能。可是，他们居然成了好朋友。在祁老人呢，他，第一，需要个年老的朋友，好有个地方去播放他的陈谷子烂芝麻。第二，他佩服钱老人的学问和人品。而钱先生呢，他一辈子不肯去巴结任何人，但是有愿与他来往的，他就不便拒绝。他非常的清高，可并没有看不起人的恶习气。假若有人愿意来看他，他是个顶和蔼可亲的人。

虽然已有五十七八岁，钱默吟先生的头发还没有多少白的。矮个子，相当的胖，一嘴油光水滑的乌牙，他长得那么厚厚敦敦的可爱。圆脸，大眼睛，常好把眼闭上想事儿。他的语声永远很低，可是语气老是那么谦恭和气，教人觉得舒服。他和祁老人谈诗，谈字画，祁老人不懂。祁老人对他讲重孙子怎么又出了麻疹，二孙媳怎么又改烫了飞机头，钱先生不感趣味。但是，两个人好像有一种默契：你说，我就听着；我说，你就听着。钱默吟教祁老人看画，祁老人便点头夸好。祁老人报告家中的琐事，默吟先生便随时的答以"怎么好？""真的吗？""对呀！"等等简单的句子。若实在无词以答，他也会闭上眼，连连的点头。到最后，两个人的谈话必然的移转到养花草上来，而二人都可以滔滔不绝的说下去，也都感到难得的愉快。虽然祁老人对石榴树的趣味是在多结几个大石榴，而钱先生是在看花的红艳与石榴的美丽，可是培植的方法到底是有相互磋磨的必要的。

畅谈了花草以后，钱先生往往留祁老人吃顿简单的饭，而钱家的妇女也就可以借着机会来和老人谈谈家长里短——这时节，连钱先生也不能不承认在生活中除了作诗作画，也还有油盐酱醋这些问题的。

瑞宣有时候陪着祖父来上钱家串门儿，有时候也独自来。当他独自来的时候，十之八九是和太太或别人闹了脾气。他是个能用理智控制自己的人，所以虽然偶尔的动了怒，他也不愿大喊大叫的胡闹。他会一声不响的溜到钱家去，和钱家父子谈一谈与家事国事距离很远的事情，便把胸中的恶气散尽。

在钱家而外，祁老人也喜欢钱家对门，门牌二号的李家。在全胡同里，只有李家的老人与祁老太爷同辈，而且身量只比祁老人矮着不到一寸——这并不是李四爷的身子比祁老人的短这么些，而是他的背更弯了一点。他的职业的标志是在他的脖子上的一个很大的肉包。在二三十年前，北平有不少这种脖子上有肉包的人。他们自成一行，专给人们搬家。人家要有贵重的东西，像大瓷瓶，座钟，和楠木或花梨的木器，他们便把它们捆扎好，用一块窄木板垫在脖子上，而把它们扛了走。他们走得要很稳，脖子上要有很大的力量，才能负重而保险不损坏东西。人们管这一行的人叫作"窝脖儿的"。自从有板子车以后，这行的人就渐渐的把"窝"变成了"拉"，而年轻的虽然还吃这一行的饭，脖子上可没有那个肉包了。李四爷在年轻的时候一定是很体面，尽管他脖子有肉包，而背也被压得老早就有点弯。现在，他的年纪已与祁老人不相上下，可是长脸上还没有多少皱纹，眼睛还不花，一笑的时候，他的眼与牙都放出光来，使人还能看出一点他年轻时的漂亮。

二号的院子里住着三家人，房子可是李四爷的。祁老人的喜欢李四爷，倒不是因为李四爷不是个无产无业的游民，而是因为李四爷的为人好。在他的职业上，他永远极尽心，而且要钱特别克己；有时候他给穷邻居搬家，便只要个饭钱，而不提工资。在职业以外，特别是在有了灾难的时节，他永远自动的给大家服务。例如：地方上有了兵变或兵灾，他总是冒险的顶着枪子儿去到大街上探听消息，而后回来报告给大家应当怎样准备。城门要关闭了，他便在大槐树下喊两声："要关城了！赶紧预备点粮食呀！"及至灾难过去，城门又开了，他便又去喊："太平没事啦，放心吧！"祁老人虽然以这一带的老人星自

13

居，可是从给大家服务上来说，他自愧不如李四爷。所以，从年纪上和从品德上说，他没法不尊敬李四爷。虽然李家的少爷也是"窝脖儿的"，虽然李家院子是个又脏又乱的小杂院。两个老人若在大槐树下相遇而立定了，两家的晚辈便必定赶快的拿出凳子来，因为他们晓得两个老人的谈话多数是由五六十年前说起，而至少须花费一两钟头的。

李四爷的紧邻四号，和祁老人的紧邻六号都也是小杂院。四号住着剃头匠孙七夫妇；马老寡妇与她的外孙子，外孙以沿街去叫："转盘的话匣子"为业；和拉洋车的小崔——除了拉车，还常打他的老婆。六号也是杂院，而人们的职业较比四号的略高一级：北房里住着丁约翰，信基督教，在东交民巷的"英国府"作摆台的。北耳房住着棚匠刘师傅夫妇，刘师傅在给人家搭棚而外，还会练拳和耍"狮子"。东屋住着小文夫妇，都会唱戏，表面上是玩票，而暗中拿"黑杵"。

对四号与六号的人们，祁老人永远保持着不即不离的态度，有事就量力相助，无事便各不相扰。李四爷可就不然了，他对谁都愿意帮忙，不但四号与六号的人们都是他的朋友，就连七号——祁老人所不喜欢的大杂院——也常常的受到他的协助。不过，连这样，李四爷还时常遭受李四妈的指摘与责骂。李四妈，满头白发，一对大近视眼，几乎没有一天不骂那个"老东西"的。她的责骂，多数是她以为李四爷对朋友们还没有尽心尽力的帮忙，而这种责骂也便成为李四爷的见义勇为的一种督促。全胡同里的孩子，不管长得多么丑，身上有多么脏臭，都是李四妈的"宝贝儿"。对于成年人，李四妈虽然不好意思叫出来，而心中以为他们和她们都应该是她的"大宝贝儿"。她的眼看不清谁丑谁俊，她的心也不辨贫富老幼；她以为一切苦人都可怜可爱，都需要他们老夫妇的帮忙。因此，胡同里的人有时候对祁老人不能不敬而远之，而对李老夫妇便永远热诚的爱戴；他们有什么委屈都去向李四妈陈诉，李四妈便马上督促李四爷去帮忙，而且李四妈的同情的眼泪是既真诚而又丰富的。

夹在钱家与祁家中间的三号是祁老人的眼中钉。在祁家的房还没有翻修以前，三号是小羊圈里最体面的房。就是在祁家院子重修以

14

后，论格局也还不及三号的款式像样。第一，三号门外，在老槐下面有一座影壁，粉刷得黑是黑，白是白，中间油好了二尺见方的大红福字。祁家门外，就没有影壁，全胡同里的人家都没有影壁！第二，论门楼。三号的是清水脊，而祁家的是花墙子。第三，三号是整整齐齐的四合房，院子里方砖墁地。第四，三号每到夏天，院中必由六号的刘师傅给搭起新席子的凉棚，而祁家的阴凉儿只仗着两株树影儿不大的枣树供给。祁老人没法不嫉妒！

论生活方式，祁老人更感到精神上的压迫与反感。三号的主人，冠晓荷，有两位太太，而二太太是唱奉天大鼓的，曾经红过一时的，尤桐芳。冠先生已经五十多岁，和祁天佑的年纪仿上仿下，可是看起来还像三十多岁的人，而且比三十多岁的人还漂亮。冠先生每天必定刮脸，十天准理一次发，白头发有一根拔一根。他的衣服，无论是中服还是西装，都尽可能的用最好的料子；即使料子不顶好，也要做得最时样最合适。小个子，小长脸，小手小脚，浑身上下无一处不小，而都长得匀称。匀称的五官四肢，加上美妙的身段，和最款式的服装，他颇像一个华丽光滑的玻璃珠儿。他的人虽小，而气派很大，平日交结的都是名士与贵人。家里用着一个厨子，一个顶懂得规矩的男仆，和一个老穿缎子鞋的小老妈。一来客，他总是派人到便宜坊去叫挂炉烤鸭，到老宝丰去叫远年竹叶青。打牌，讲究起码四十八圈，而且饭前饭后要唱鼓书与二簧。对有点身分的街坊四邻，他相当的客气，可是除了照例的婚丧礼吊而外，并没有密切的交往。至于对李四爷，刘师傅，剃头的孙七，和小崔什么的，他便只看到他们的职业，而绝不拿他们当作人看。"老刘，明天来拆天棚啊！""四爷，下半天到东城给我取件东西来，别误了！""小崔，你要是跑得这么慢，我就不坐你的车了！听见没有？"对他们，他永远是这样的下简单而有权威的命令。

冠太太是个大个子，已经快五十岁了还专爱穿大红衣服，所以外号叫作大赤包儿。赤包儿是一种小瓜，红了以后，北平的儿童拿着它玩。这个外号起得相当的恰当，因为赤包儿经儿童揉弄以后，皮儿便皱起来，露出里面的黑种子。冠太太的脸上也有不少的皱纹，而且鼻

15

子上有许多雀斑，尽管她还擦粉抹红，也掩饰不了脸上的褶子与黑点。她比她的丈夫的气派更大，一举一动都颇像西太后。她比冠先生更喜欢，也更会，交际；能一气打两整天整夜的麻雀牌，而还保持着西太后的尊傲气度。

冠太太只给冠先生生了两个小姐，所以冠先生又娶了尤桐芳，为是希望生个胖儿子。尤桐芳至今还没有生儿子。可是和大太太吵起嘴来，她的声势倒仿佛有十个儿子作后援似的。她长得不美，可是眉眼很媚；她的眉眼一天到晚在脸上乱跑。两位小姐，高第与招弟，本质都不错，可是在两位母亲的教导下，既会修饰，又会满脸上跑眉毛。

祁老人既嫉妒三号的房子，又看不上三号所有的男女。特别使他不痛快的是二孙媳妇的服装打扮老和冠家的妇女比赛，而小三儿瑞全又和招弟小姐时常有些来往。因此，当他发脾气的时候，他总是手指西南，对儿孙说："别跟他们学！那学不出好来！"这也就暗示出：假若小三儿再和招弟姑娘来往，他会把他赶出门去的。

三

祁老人用破缸装满石头，顶住了街门。

李四爷在大槐树下的警告："老街旧邻，都快预备点粮食啊，城门关上了！"更使祁老人觉得自己是诸葛亮。他不便隔着街门告诉李四爷："我已经都预备好了！"可是心中十分满意自己的未雨绸缪，料事如神。

在得意之间，他下了过于乐观的判断：不出三天，事情便会平定。

儿子天佑是个负责任的人，越是城门紧闭，他越得在铺子里。

儿媳妇病病歪歪的，听说日本鬼子闹事，长叹了一口气，心中很怕万一自己在这两天病死，而棺材出不了城！一急，她的病又重了一些。

瑞宣把眉毛皱得很紧，而一声不出；他是当家人，不能在有了危险的时候，长吁短叹的。

瑞丰和他的摩登太太一向不注意国事，也不关心家事；大门既被祖父封锁，只好在屋里玩扑克牌解闷。老太爷在院中罗唆，他俩相视，缩肩，吐一吐舌头。

小顺儿的妈虽然只有二十八岁，可是已经饱经患难。她同情老太爷的关切与顾虑；同时，她可也不怕不慌。她的心好像比她的身体老的多，她看得很清楚：患难是最实际的，无可幸免的；但是，一个人想活下去，就不能不去设法在患难中找缝子，逃了出去——尽人事，听天命。总之生在这个年月，一个人须时时勇敢的去面对那危险的，而小心提防那"最"危险的事。你须把细心放在大胆里，去且战且走。

17

你须把受委屈当作生活，而从委屈中呕摸出一点甜味来，好使你还肯活下去。

她一答一和的跟老人说着话儿，从眼泪里追忆过去的苦难，而希望这次的危险是会极快便过去的。听到老人的判断——不出三天，事情便会平定——她笑了一下："那敢情好！"而后又发了点议论："我就不明白日本鬼子要干什么！咱们管保谁也没得罪过他们，大家伙平平安安的过日子，不比拿刀动杖的强？我猜呀，日本鬼子准是天生来的好找别扭，您说是不是？"

老人想了一会儿才说："自从我小时候，咱们就受小日本的欺侮，我简直想不出道理来！得啦，就盼着这一回别把事情闹大了！日本人爱小便宜，说不定这回是看上了卢沟桥。"

"干吗单看上了卢沟桥呢？"小顺儿的妈纳闷。"一座大桥既吃不得，又不能搬走！"

"桥上有狮子呀！这件事要搁着我办，我就把那些狮子送给他们，反正摆在那里也没什么用！"

"哼！我就不明白他们要那些狮子干吗？"她仍是纳闷。

"要不怎么是小日本呢！看什么都爱！"老人很得意自己能这么明白日本人的心理。"庚子年的时候，日本兵进城，挨着家儿搜东西，先是要首饰，要表；后来，连铜纽扣都拿走！"

"大概拿铜当作了金子，不开眼的东西！"小顺儿的妈挂了点气说。她自己是一棵草也不肯白白拿过来的人。

"大嫂！"瑞全好像自天而降的叫了声。

"哟！"大嫂吓了一跳。"三爷呀！干吗？"

"你把嘴闭上一会儿行不行？你说得我心里直闹得慌！"

在全家里，没有人敢顶撞老太爷，除了瑞全和小顺儿。现在他拦阻大嫂说活，当然也含着反抗老太爷的意思。

老太爷马上听出来那弦外之音。"怎么？你不愿意听我们说话，把耳朵堵上就是了！"

"我是不爱听！"瑞全的样子很像祖父，又瘦又长，可是在思想上，他与祖父相隔了有几百年。他的眼也很小，但很有神，眼珠像两

18

颗发光的黑豆子。在学校里，他是篮球选手。打球的时候，他的两颗黑豆子随着球乱转，到把球接到手里，他的嘴便使劲一闭，像用力咽一口东西似的。他的眼和嘴的表情，显露出来他的性格——性子急，而且有决断。现在，他的眼珠由祖父转到大嫂，又由大嫂转到祖父，倒好像在球场上监视对方的球手呢。"日本人要卢沟桥的狮子？笑话！他们要北平，要天津，要华北，要整个的中国！"

"得了，得了！老三！少说一句。"大嫂很怕老三把祖父惹恼。

其实，祁老人对孙子永远不动真气——若是和重孙子在一处，则是重孙子动气，而太爷爷赔笑了。

"大嫂，你老是这样！不管谁是谁非，不管事情有多么严重，你老是劝人少说一句！"三爷虽然并不十分讨厌大嫂，可是心中的确反对大嫂这种敷衍了事的办法。现在，气虽然是对大嫂发的，而他所厌恶的却是一般的——他不喜欢任何不论是非，而只求敷衍的人。

"不这样，可教我怎样呢？"小顺儿的妈并不愿意和老三拌嘴，而是为她多说几句，好教老太爷不直接的和老三开火。"你们饿了找我要吃，冷了向我要衣服，我还能管天下大事吗？"

这，把老三问住了。像没能把球投进篮去而抓抓头那样，他用瘦长而有力的手指抓了两下头。

祖父笑了，眼中发出点老而淘气的光儿。"小三儿！在你嫂子面前，你买不出便宜去！没有我和她，你们连饭都吃不上，还说什么国家大事！"

"日本鬼子要是打破了北平，谁都不用吃饭！"瑞全咬了咬牙。他真恨日本鬼子。

"那！庚子年，八国联军……"老人想把拿手的故事再重述一遍，可是一抬头，瑞全已经不见了。"这小子！说不过我就溜开！这小子！"

门外有人拍门。

"瑞宣！开门去！"祁老人叫。"多半是你爸爸回来了。"

瑞宣又请上弟弟瑞全，才把装满石头的破缸挪开。门外，立着的不是他们的父亲，而是钱默吟先生。他们弟兄俩全愣住了。钱先生来访是件极稀奇的事。瑞宣马上看到时局的紧急，心中越发不安。瑞全也看到危险，可是只感到兴奋，而毫无不安与恐惧。

钱先生穿着件很肥大的旧蓝布衫，袖口与领边已全磨破。他还是很和蔼，很镇定，可是他自己知道今天破例到友人家来便是不镇定的表示。含着笑，他低声的问："老人们都在家吧？"

"请吧！钱伯父！"瑞宣闪开了路。

钱先生仿佛迟疑了一下，才往里走。

瑞全先跑进去，告诉祖父："钱先生来了。"

祁老人听见了，全家也都听到，大家全为之一惊。祁老人迎了出来。又惊又喜，他几乎说不上话来。

钱默吟很自然，微抱歉意的说着："第一次来看你老人家，第一次！我太懒了，简直不愿出街门。"

到北屋客厅坐下，钱先生先对瑞宣声明："千万别张罗茶水！一客气，我下次就更不敢来了！"这也暗示出，他愿意开门见山的把来意说明，而且不希望逐一的见祁家全家的老幼。

祁老人先提出实际的问题："这两天我很惦记着你！咱们是老邻居，老朋友了，不准说客气话，你有粮食没有。没有，告诉我一声！粮食可不比别的东西，一天，一顿，也缺不得！"

默吟先生没说有粮，也没说没粮，而只含混的一笑，倒好像即使已经绝粮，他也不屑于多去注意。

"我——"默吟先生笑着，闭了闭眼。"我请教瑞宣世兄，"他的眼也看了瑞全一下，"时局要演变到什么样子呢？你看，我是不大问国事的人，可是我能自由地生活着，全是国家所赐。我这几天什么也干不下去！我不怕穷，不怕苦，我只怕丢了咱们的北平城！一朵花，长在树上，才有它的美丽；拿到人的手里就算完了。北平城也是这样，它顶美，可是若被敌人占据了，它便是被折下来的花了！是不是？"

见他们没有回答。他又补上了两句："假若北平是树，我便是花，尽管是一朵闲花。北平若不幸丢失了，我想我就不必再活下去！"

祁老人颇想说出他对北平的信仰，而劝告钱先生不必过于忧虑。

20

可是，他不能完全了解钱先生的话；钱先生的话好像是当票子上的字，虽然也是字，而另有个写法——你要是随便的乱猜，赎错了东西才麻烦呢！于是，他的嘴唇动了动，而没说出话来。

瑞宣，这两天心中极不安，本想说些悲观的话，可是有老太爷在一旁，他不便随便开口。

瑞全没有什么顾忌。他早就想谈话，而找不到合适的人。大哥的学问见识都不坏，可是大哥是那么能故意的缄默，非用许多方法不能招出他的话来。二哥，呕，跟二哥二嫂只能谈谈电影与玩乐。和二哥夫妇谈话，还不如和祖父或大嫂谈谈油盐酱醋呢——虽然无趣，可是至少也还和生活有关。现在，他抓住了钱先生。他知道钱先生是个有些思想的人——尽管他的思想不对他的路子。他立起来挺了挺腰，说：

"我看哪，不是战，就是降！"

"至于那么严重?"钱先生的笑纹僵在了脸上，右腮上有一小块肉直抽动。

"有田中奏折在那里，日本军阀不能不侵略中国；有九一八的便宜事在那里，他们不能不马上侵略中国。他们的侵略是没有止境的，他们征服了全世界，大概还要征服火星!"

"火星?"祖父既不相信孙子的话，更不知道火星在哪条大街上。

瑞全没有理会祖父的质问，理直气壮的说下去："日本的宗教，教育，气量，地势，军备，工业，与海盗文化的基础，军阀们的野心，全都朝着侵略的这一条路子走。走私，闹事，骑着人家脖子拉屎，都是侵略者的必有的手段！卢沟桥的炮火也是侵略的手段之一，这回能敷衍过去，过不了十天半月准保又在别处——也许就在西苑或护国寺——闹个更大的事。日本现在是骑在虎背上，非乱撞不可!"

瑞宣脸上笑着，眼中可已经微微的湿了。

祁老人听到"护国寺"，心中颤了一下：护国寺离小羊圈太近了！

"三爷，"钱先生低声的叫。"咱们自己怎么办呢?"

瑞全，因为气愤，话虽然说的不很多，可是有点声嘶力竭的样子。心中也仿佛很乱，没法再说下去。在理智上，他知道中国的军备

21

不是日本的敌手，假若真打起来，我们必定吃很大的亏。但是，从感情上，他又愿意马上抵抗，因为多耽误一天，日本人便多占一天的便宜；等到敌人完全布置好，我们想还手也来不及了！他愿意抵抗。假若中日真的开了仗，他自己的生命是可以献给国家的。可是，他怕被人问倒："牺牲了性命，准能打得胜吗?"他决不怀疑自己的情愿牺牲，可是不喜欢被人问倒，他已经快在大学毕业，不能在大家面前显出有勇无谋，任着感情乱说。他身上出了汗。抓了抓头，他坐下了，脸上起了好几个红斑点。

"瑞宣?"钱先生的眼神与语气请求瑞宣发表意见。

瑞宣先笑了一下，而后声音很低的说："还是打好!"

钱先生闭上了眼，详细咂摸瑞宣的话的滋味。

瑞全跳了起来，把双手放在瑞宣的双肩上："大哥！大哥!"他的脸完全红了，又叫了两声大哥，而说不上话来。

这时候，小顺儿跑了进来，"爸！门口，门口……"

祁老人正找不着说话的机会与对象，急快的抓到重孙子："你看！你看！刚开开门，你就往外跑，真不听话！告诉你，外边闹日本鬼子哪!"

小顺儿的鼻子皱起来，撇着小嘴："什么小日本儿，我不怕！中华民国万岁!"他得意的伸起小拳头来。

"顺儿！门口怎么啦?"瑞宣问。

小顺儿手指着外面，神色相当诡秘的说："那个人来了！说要看看你!"

"哪个人?"

"三号的那个人!"小顺儿知道那个人是谁，可是因为听惯了大家对那个人的批评，所以不愿意说出姓名来。

"冠先生?"

小顺儿对爸爸点了点头。

"谁？呕，他!"钱先生要往起立。

"钱先生！坐着你的!"祁老人说。

"不坐了!"钱先生立起来。

"你不愿意跟他谈话，走，上我屋里去！"祁老人诚意的相留。

"不啦！改天谈，我再来！不送！"钱先生已很快的走到屋门口。

祁老人扶着小顺儿往外送客。他走到屋门口，钱先生已走到南屋外的枣树下。瑞宣，瑞全追着送出去。

冠晓荷在街门坎里立着呢。他穿着在三十年前最时行，后来曾经一度极不时行，到如今又二番时行起来的团龙蓝纱大衫，极合身，极大气。下面，白地细蓝道的府绸裤子，散着裤角；脚上是青丝袜，白千层底青缎子鞋；更显得连他的影子都极漂亮可爱。见钱先生出来，他一手轻轻拉了蓝纱大衫的底襟一下，一手伸出来，满面春风的想和钱先生拉手。

钱先生既没失去态度的自然，也没找任何的掩饰，就那么大大方方的走出去，使冠先生的手落了空。

冠先生也来得厉害，若无其事的把手顺便送给了瑞宣，很亲热的握了一会儿。然后，他又和瑞全拉手，而且把左手放在上面，轻轻的按了按，显出加劲儿的亲热。

祁老人不喜欢冠先生，带着小顺儿到自己屋里去。瑞宣和瑞全陪着客人在客厅里谈话。

冠先生只到祁家来过两次。第一次是祁老太太病故，他过来上香奠酒，并没坐多大一会儿就走了。第二次是谣传瑞宣要作市立中学的校长，他过来预为贺喜，坐了相当长的时间。后来，谣言并未变成事实，他就没有再来过。

今天，他是来会钱先生，而顺手看看祁家的人。

冠晓荷在军阀混战的时期，颇作过几任地位虽不甚高，而油水很厚的官。他作过税局局长，头等县的县长，和省政府的小官儿。近几年来，他的官运不甚好，所以他厌恶南京政府，而每日与失意的名士，官僚，军阀，鬼混。他总以为他的朋友中必定有一两个会重整旗鼓，再掌大权的，那么，他自己也就还有一步好的官运——也就是财运。和这些朋友交往，他的模样服装都很够格儿；同时，他的几句二簧，与八圈麻将，也都不甚寒伧。近来，他更学着念佛，研究些符咒与法术；于是，在遗老们所常到的恒善社，和其他的宗教团体与慈善机关，他也就有资格参加进去。他并不怎么信佛与神，而只拿佛法与神道当作一种交际的需要，正如同他须会唱会赌那样。

只有一样他来不及，他作不上诗文，画不上梅花或山水来。他所结交的名士们，自然用不着说，是会这些把戏的了；就连在天津作寓公的，有钱而失去势力的军阀与官僚，也往往会那么一招两招的。连大字不识的丁老帅，还会用大麻刷子写一丈大的一笔虎呢。就是完全不会写不会画的阔人，也还爱说道这些玩艺；这种玩艺儿是"阔"的一种装饰，正像阔太太必有钻石与珍珠那样。

他早知道钱默吟先生能诗善画，而家境又不甚宽绰。他久想送几个束脩，到钱家去熏一熏。他不希望自己真能作诗或作画，而只求知道一点术语和诗人画家的姓名，与派别，好不至于在名人们面前丢丑。

他设尽方法想认识钱先生，而钱先生始终像一棵树——你招呼他，他不理你。他又不敢直入公堂的去拜访钱先生，因为若一度遭了拒绝，就不好再谋面了。今天，他看见钱先生到祁家去，所以也赶过来。在祁家相识之后，他就会马上直接送两盆花草，或几瓶好酒去，而得到熏一熏的机会。还有，在他揣测，别看钱默吟很窘，说不定家中会收藏着几件名贵的字画。自然喽，他若肯出钱买古玩的话，有的是现成的"琉璃厂"。不过，他不想把钱花在这种东西上。那么，假若与钱先生交熟了以后，他想他必会有方法弄过一两件宝物来，岂不怪便宜的么？有一两件古物摆在屋里，他岂不就在陈年竹叶青酒，与漂亮的姨太太而外，便又多一些可以展览的东西，而更提高些自己的身分么？

没想到，他会碰了钱先生一个软钉子！他的心中极不高兴。他承认钱默吟是个名士，可是比钱默吟的名气大着很多的名士也没有这么大的架子呀！"给脸不要脸，好，咱们走着瞧吧！"他想报复，"哼！只要我一得手，姓钱的，准保有你个乐子！"在表面上，他可是照常的镇定，脸上含着笑与祁家弟兄敷衍。

"这两天时局很不大好呢！有什么消息没有？"

"没什么消息，"瑞宣也不喜欢冠先生，可是没法不和他敷衍。

"荷老看怎样？"

"这个——"冠先生把眼皮垂着，嘴张着一点，作出很有见解的样子。"这个——很难说！总是当局的不会应付。若是应付得好，我想事情绝不会弄到这么严重！"

瑞全的脸又红起来，语气很不客气的问："冠先生，你看应当怎样应付呢？"

"我？"冠先生含笑的愣了一小会儿。"这就是不在其位，不谋其政了！我现在差不多是专心研究佛法。告诉二位，佛法中的滋味实在是其妙无穷！知道一点佛说佛法，心里就像喝了点美酒似的，老那么晕晕忽忽的好受！前天，在孙清老家里，（丁老帅，李将军，方锡老，都在那儿，）我们把西王母请下来了，还给她照了个像。玄妙，妙不可言！想想看，西王母，照得清楚极了，嘴上有两条长须，就和鲇鱼的须一样，很长很长，由这儿——"他的手指了指嘴，"一□□□□的嘴等着他的手向肩上绕，"伸到这儿，玄妙！"

□□□也是佛法？"瑞全很不客气的问。

"当然！当然！"冠先生板着脸，十分严肃的说。"佛法广大无边，变化万端，它能显示在两条鲇鱼须上！"

他正要往下说佛法，他的院里一阵喧哗。他立起来，听了听。"呕，大概是二小姐回来了！昨天她上北海去玩，大概是街上一乱，北海关了前后门，把她关在里边了。内人很不放心，我倒没怎么慌张，修佛的人就有这样好处，心里老是晕晕忽忽的，不着急，不发慌；佛会替咱们安排一切！好，我看看去，咱们改天再畅谈。"说罢，他脸上镇定，而脚步相当快的往外走。

祁家弟兄往外相送。瑞宣看了三弟一眼，三弟的脸红了一小阵儿。

已到门口，冠先生很恳切的，低声的向瑞宣说："不要发慌！就是日本人真进了城，咱们也有办法！有什么过不去的事，找我来，咱们是老邻居，应当互助！"

四

天很热，而全国的人心都凉了，北平陷落！

李四爷立在槐荫下，声音凄惨的对大家说："预备下一块白布吧！万一非挂旗不可，到时候用胭脂涂个红球就行！庚子年，我们可是挂过！"他的身体虽还很强壮，可是今天他感到疲乏。说完话，他蹲在了地上，呆呆的看着一条绿槐虫儿。

李四妈在这两天里迷迷忽忽的似乎知道有点什么危险█████也没细打听。今天，她听明白了是日本兵进了城，她的大近视█的眨巴，脸上白了一些。她不再骂她的老头子，而走出来与他蹲在了一处。

拉车的小崔，赤着背出来进去的乱晃。今天没法出车，而家里没有一粒米。晃了几次，他凑到李老夫妇的跟前："四奶奶！您还得行行好哇！"

李四爷没有抬头，还看着地上的绿虫儿。李四妈，不像平日那么哇啦哇啦的，用低微的声音回答："待一会儿，我给你送二斤杂合面儿去！"

"那敢情好！我这儿谢谢四奶奶啦！"小崔的声音也不很高。

"告诉你，好小子，别再跟家里的吵！日本鬼子进了城！"李四妈没说完，叹了口气。

剃头匠孙七并不在剃头棚子里耍手艺，而是在附近一带的铺户作包月活。从老手艺的水准说，他对打眼，掏耳，捶背，和刮脸，都很出色。对新兴出来的花样，像推分头，烫发什么的，他都不会，也不屑于去学——反正他作买卖家的活是用不着这一套新手艺的。今天，

26

铺子都没开市，他在家中喝了两盅闷酒，脸红扑扑的走出来。借着点酒力，他想发发牢骚：

"四太爷！您是好意。告诉大伙儿挂白旗，谁爱挂谁挂，我孙七可就不能挂！我恨日本鬼子！我等着，他们敢进咱们的小羊圈，我教他们知道知道我孙七的厉害！"

要搁在平日，小崔一定会跟孙七因辩论而吵起来；他们俩一向在辩论天下大事的时候是死对头。现在，李四爷使了个眼神，小崔一声没出的躲开。孙七见小崔走开，颇觉失望，可是还希望李老者跟他闲扯几句，李四爷一声也没出。孙七有点不得劲儿。待了好大半天，李四爷抬起头来，带着厌烦与近乎愤怒的神气说："孙七！回家睡觉去！"孙七，虽然有点酒意，也不敢反抗李四爷，笑了一下，走回家去。

六号没有人出来。小文夫妇照例现在该吊嗓子，可是没敢出声。刘师傅在屋里用力的擦自己的一把单刀。

头上已没有了飞机，城外已没有了炮声，一切静寂。只有响晴的天上似乎有一点什么波动，随人的脉搏轻跳，跳出一些金的星，白的光。亡国的晴寂！

瑞宣，胖胖的，长得很像父亲。不论他穿着什么衣服，他的样子老是那么自然，文雅。这个文文雅雅的态度，在祁家是独一份儿。祁老太爷和天佑是安分守己的买卖人，他们的举止言谈都毫无掩饰的露出他们的本色。瑞丰受过教育，而且有点不大看得起祖父与父亲，所以他拼命往文雅，时髦里学。可是，因为学的过火，他老显出点买办气或市侩气；没得到文雅，反失去家传的纯朴。老三瑞全是个愣小子，毫不关心哪是文雅，哪是粗野。只有瑞宣，不知从何处学来的，或者学也不见就学得到，老是那么温雅自然。同他的祖父，父亲一样，他作事非常的认真。但是，在认真中——这就与他的老人们不同了——他还很自然，不露出剑拔弩张的样子。他很俭省，不虚花一个铜板，但是他也很大方——在适当的地方，他不打算盘。在他心境不好的时候，他像一片春阴，教谁也能放心不会有什么狂风暴雨。在他

27

快活的时候，他也只有微笑，好像是笑他自己为什么要快活的样子。

他很用功，对中国与欧西的文艺都有相当的认识。可惜他没机会，或财力，去到外国求深造。在学校教书，他是顶好的同事与教师，可不是顶可爱的，因为他对学生的功课一点也不马虎，对同事们的酬应也老是适可而止。他对任何人都保持着个相当的距离。他不故意的冷淡谁，也不肯绕着弯子去巴结人。他是凭本事吃饭，无须故意买好儿。

在思想上，他与老三很接近，而且或者比老三更深刻一点。所以，在全家中，他只与老三说得来。可是，与老三不同，他不愿时常发表他的意见。这并不是因为他骄傲，不屑于对牛弹琴，而是他心中老有点自愧——他知道的是甲，而只能作到乙，或者甚至于只到丙或丁。他似乎有点女性，在行动上他总求全盘的体谅。举个例说：在他到了该结婚的年纪，他早已知道什么恋爱神圣，结婚自由那一套。可是他娶了父亲给他定下的"韵梅"。他知道不该把一辈子拴在个他所不爱的女人身上，但是他又不忍看祖父，父母的泪眼与愁容。他替他们想，也替他的未婚妻想。想过以后，他明白了大家的难处，而想得到全盘的体谅。他只好娶了她。他笑自己这样的软弱。同时，赶到他一看祖父与父母的脸上由忧愁改为快活，他又感到一点骄傲——自我牺牲的骄傲。

当下过雪后，他一定去上北海，爬到小白塔上，去看西山的雪峰。在那里，他能一气立一个钟头。那白而远的山峰把他的思想引到极远极远的地方去。他愿意摆脱开一切俗事，到深远的山中去读书，或是乘着大船，在海中周游世界一遭。赶到不得已的由塔上下来，他的心便由高山与野海收回来，而想到他对家庭与学校的责任。他没法卸去自己的人世间的责任而跑到理想的世界里去。于是，他顺手儿在路上给祖父与小顺儿买些点心，像个贤孙慈父那样婆婆妈妈的！好吧，既不能远走高飞，便回家招老小一笑吧！他的无可如何的笑纹又摆在他冻红了的脸上。

他几乎没有任何嗜好。黄酒，他能喝一斤。可是非到过年过节的时候，决不动酒。他不吸烟。茶和水并没有什么分别。他的娱乐只有帮着祖父种种花，和每星期到"平安"去看一次或两次电影。他的看电影有个实际的目的：他的英文很不错，可是说话不甚流利，所以他愿和有声片子去学习。每逢他到"平安"去，他总去的很早，好买到前排的座位——既省钱，又得听。坐在那里，他连头也不回一次，因为他知道二爷瑞丰夫妇若也在场，就必定坐头等座儿；他不以坐前排为耻，但是倒怕老二夫妇心里不舒服。

北平陷落了，瑞宣像个热锅上的蚂蚁，出来进去，不知道要作什么好。他失去了平日的沉静，也不想去掩饰。出了屋门，他仰头看看天，天是那么晴朗美丽，他知道自己还是在北平的青天底下。一低头，仿佛是被强烈的阳光闪的，眼前黑了一小会儿——天还是那么晴蓝，而北平已不是中国人的了！他赶紧走回屋里去。到屋里，他从平日积蓄下来的知识中，去推断中日的战事与世界的关系。忽然听到太太或小顺儿的声音，他吓了一跳似的，从世界大势的阴云中跳回来：他知道中日的战争必定会使世界的地理与历史改观，可是摆在他面前的却是这一家老少的安全与吃穿。祖父已经七十多岁，不能再去出力挣钱。父亲挣钱有限，而且也是五十好几的人。母亲有病，禁不起惊慌。二爷的收入将将够他们夫妇俩花的，而老三还正在读书的时候。天下太平，他们都可以不愁吃穿，过一份无灾无难的日子。今天，北平亡了，该怎么办？平日，他已是当家的；今天，他的责任与困难更要增加许多倍！在一方面，他是个公民，而且是个有些知识与能力的公民，理当去给国家作点什么，在这国家有了极大危难的时候。在另一方面，一家老的老，小的小，平日就依仗着他，现在便更需要他。他能甩手一走吗？不能！不能！可是，不走便须在敌人脚底下作亡国奴，他不能受！不能受！

出来进去，出来进去，他想不出好主意。他的知识告诉他那最高的责任，他的体谅又逼着他去顾虑那最迫切的问题。他想起文天祥，史可法，和许多许多的民族英雄，同时也想起杜甫在流离中的诗歌。

老二还在屋中收听广播——日本人的广播。

老三在院中把脚跳起多高："老二，你要不把它关上，我就用石头砸碎了它！"

小顺儿吓愣了，忙跑到祖母屋里去。祖母微弱的声音叫着："老三！老三！"

瑞宣一声没出的把老三拉到自己的屋中来。

哥儿俩对愣了好大半天，都想说话，而不知从何处说起。老三先打破了沉寂，叫了声："大哥！"瑞宣没有答应出来，好像有个枣核堵住了他的嗓子。老三把想起来的话又忘了。

屋里，院中，到处，都没有声响。天是那么晴，阳光是那么亮，可是整个的大城——九门紧闭——像晴光下的古墓！忽然的，远处有些声音，像从山上往下轱辘石头。

"老三，听！"瑞宣以为是重轰炸机的声音。

"敌人的坦克车，在街上示威！"老三的嘴角上有点为阻拦嘴唇颤动的惨笑。

老大又听了听。"对！坦克车！辆数很多！哼！"他咬住了嘴唇。

坦克车的声音更大了，空中与地上都在颤抖。

最爱和平的中国的最爱和平的北平，带着它的由历代的智慧与心血而建成的湖山，宫殿，坛社，寺宇，宅园，楼阁与九条彩龙的影壁，带着它的合抱的古柏，倒垂的翠柳，白玉石的桥梁，与四季的花草，带着它的最轻脆的语言，温美的礼貌，诚实的交易，徐缓的脚步，与唱给宫廷听的歌剧……不为什么，不为什么，突然的被飞机与坦克强奸着它的天空与柏油路！

"大哥！"老三叫了声。

街上的坦克，像几座铁矿崩炸了似的发狂的响着，瑞宣的耳与心仿佛全聋了。

"大哥！"

"啊？"瑞宣的头偏起一些，用耳朵来找老三的声音。"呕！说吧！"

"我得走！大哥！不能在这里作亡国奴！"

"啊？"瑞宣的心还跟着坦克的声音往前走。

"我得走！"瑞全重复了一句。

"走？上哪儿？"

坦克的声音稍微小了一点。

"上哪儿都好，就是不能在太阳旗下活着！"

"对！"瑞宣点了点头，胖脸上起了一层小白疙疸。"不过，也别太忙吧？谁知道事情准变成什么样子呢。万一过几天'和平'解决了，岂不是多此一举？你还差一年才能毕业！"

"你想，日本人能叼住北平，再撒了嘴？"

"除非把华北的利益全给了他！"

"没了华北，还有北平？"

瑞宣愣了一会儿，才说："我是说，咱们允许他用经济侵略，他也许收兵。武力侵略没有经济侵略那么合算。"

坦克车的声音已变成像远处的轻雷。

瑞宣听了听，接着说："我不拦你走，只是请你再稍等一等！"

"要等到走不了的时候，可怎么办？"

瑞宣叹了口气。"哼！你……我永远走不了！"

"大哥，咱们一同走！"

瑞宣的浅而惨的笑又显露在抑郁的脸上："我怎么走？难道叫这一家老小都……"

"太可惜了！你看，大哥，数一数，咱们国内像你这样受过高等教育，又有些本事的人，可有多少？"

"我没办法！"老大又叹了口气，"只好你去尽忠，我来尽孝了！"

这时候，李四爷已立起来，轻轻的和白巡长谈话。白巡长已有四十多岁，脸上剃得光光的，看起来还很精神。他很会说话，遇到住户们打架拌嘴，他能一面挖苦，一面恫吓，而把大事化小，小事化无。因此，小羊圈一带的人们都怕他的利口，而敬重他的好心。

今天，白巡长可不十分精神。他深知道自己的责任是怎样的重大——没有巡警就没有治安可言。虽然他只是小羊圈这一带的巡长，可是他总觉得整个的北平也多少是他的。他爱北平，更自傲能作北平城内的警官。可是，今天北平被日本人占据了；从此他就得给日本人维持治安了！论理说，北平既归了外国人，就根本没有什么治安可

31

讲。但是，他还穿着那身制服，还是巡长！他不大明白自己是干什么呢！

"你看怎样呀？巡长！"李四爷问，"他们能不能乱杀人呢？"

"我简直不敢说什么，四大爷！"白巡长的语声很低。"我仿佛是教人家给扣在大缸里啦，看不见天地！"

"咱们的那么多的兵呢？都哪儿去啦？"

"都打仗来着！打不过人家呀！这年月，打仗不能专凭胆子大，身子棒啦！人家的枪炮厉害，有飞机坦克！咱们……"

"那么，北平城是丢铁了？"

"大队坦克车刚过去，你难道没听见？"

"铁啦？"

"铁啦！"

"怎么办呢？"李四爷把声音放得极低，"告诉你，巡长，我恨日本鬼子！"

巡长向四外打了一眼："谁不恨他们！得了，说点正经的：四大爷，你待会儿到祁家，钱家去告诉一声，教他们把书什么的烧一烧。日本人恨念书的人！家里要是存着三民主义或是洋文书，就更了不得！我想这条胡同里也就是他们两家有书，你去一趟吧！我不好去——"巡长看了看自己的制服。

李四爷点头答应。白巡长无精打采的向葫芦腰里走去。

四爷到钱家拍门，没人答应。他知道钱先生有点古怪脾气，又加上在这兵荒马乱的时候不便惹人注意，所以等了一会儿就上祁家来。

祁老人的诚意欢迎，使李四爷心中痛快了一点。为怕因祁老人提起陈谷子烂芝麻而忘了正事，他开门见山的说明了来意。祁老人对书籍没有什么好感，不过书籍都是钱买来的，烧了未免可惜。他打算教孙子们挑选一下，把该烧的卖给"打鼓儿的"好了。

"那不行！"李四爷对老邻居的安全是诚心关切着的。"这两天不会有打鼓儿的；就是有，他们也不敢买书！"说完，他把刚才没能叫开钱家的门的事也告诉了祁老者。

祁老者在院中叫瑞全："瑞全，好孩子，把洋书什么的都烧了

32

吧！都是好贵买来的，可是咱们能留着它们惹祸吗？"

老三对老大说："看！焚书坑儒！你怎样？"

"老三你说对了！你是得走！我既走不开，就认了命！你走！我在这儿焚书，挂白旗，当亡国奴！"老大无论如何再也控制不住自己，他落了泪。

"听见没有啊，小三儿？"祁老者又问了声。

"听见了！马上就动手！"瑞全不耐烦的回答了祖父，而后小声的向瑞宣："大哥！你要是这样，教我怎好走开呢？"

瑞宣用手背把泪抹去。"你走你的，老三！要记住，永远记住，你家的老大并不是个没出息的人……"他的嗓子里噎了几下，不能说下去。

五

瑞全把选择和焚烧书籍的事交给了大哥。他很喜爱书，但是现在他觉得自己与书的关系已不十分亲密了。他应该放下书而去拿起枪刀。他爱书，爱家庭，爱学校，爱北平，可是这些已并不再在他心中占有重要的地位。青年的热血使他的想象飞驰。他，这两天，连作梦都梦到逃亡。他还没有能决定怎样走，和向哪里走，可是他的心似乎已从身中飞出去；站在屋里或院中，他看见了高山大川，鲜明的军旗，凄壮的景色，与血红的天地。他要到那有鲜血与炮火的地方去跳跃，争斗。在那里，他应该把太阳旗一脚踢开，而把青天白日旗插上，迎着风飘荡！

被压迫百多年的中国产生了这批青年，他们要从家庭与社会的压迫中冲出去，成个自由的人。他们也要打碎民族国家的镣铐，成个能挺着胸在世界上站着的公民。他们没法有滋味的活下去，除非他们能创造出新的中国史。他们的心声就是反抗。瑞全便是其中的一个。他把中国几千年来视为最神圣的家庭，只当作一种生活的关系。到国家在呼救的时候，没有任何障碍能拦阻得住他应声而至；像个羽毛已成的小鸟，他会毫无栈恋的离巢飞去。

祁老人听李四爷说叫不开钱家的门，很不放心。他知道钱家有许多书。他打发瑞宣去警告钱先生，可是瑞全自告奋勇的去了。

已是掌灯的时候，门外的两株大槐像两只极大的母鸡，张着慈善的黑翼，仿佛要把下面的五六户人家都盖覆起来似的。别的院里都没有灯光，只有三号——小羊圈唯一的安了电灯的一家——冠家的院里灯光辉煌，像过年似的，把影壁上的那一部分槐叶照得绿里透白。瑞

34

全在影壁前停了一会儿，才到一号去叫门。不敢用力敲门，他轻轻的叩了两下门环，又低声假嗽一两下，为是双管齐下，好惹起院内的注意。这样作了好多次，里面才低声的问了声："谁呀？"他听出来，那是钱伯伯的声音。

"我，瑞全！"他把嘴放在门缝上回答。

里面很轻很快的开了门。

门洞里漆黑，教瑞全感到点不安。他一时决定不了是进去还是不进去好。他只好先将来意说明，看钱伯伯往里请他不请！

"钱伯伯！咱们的书大概得烧！今天白巡长嘱咐李四爷告诉咱们！"

"进去说，老三！"钱先生一边关门，一边说。然后，他赶到前面来："我领路吧，院里太黑！"

到了屋门口，钱先生教瑞全等一等，他去点灯。瑞全说不必麻烦。钱先生语声中带着点凄惨的笑："日本人还没禁止点灯！"

屋里点上了灯，瑞全才看到自己的四围都是长长短短的，黑糊糊的花丛。

"老三进来！"钱先生在屋中叫。瑞全进去，还没坐下，老者就问："怎样？得烧书？"

瑞全的眼向屋中扫视了一圈。"这些线装书大概可以不遭劫了吧？日本人恨咱们的读书人，更恨读新书的人；旧书或者还不至于惹祸！"

"呕！"钱默吟的眼闭了那么一下。"可是咱们的士兵有许多是不识字的，也用大刀砍日本人的头！对不对？"

瑞全笑了一下。"侵略者要是肯承认别人也是人，也有人性，会发火，他就无法侵略了！日本人始终认为咱们都是狗，踢着打着都不哼一声的狗！"

"那是个最大的错误！"钱先生的胖短手伸了一下，请客人坐下。他自己也坐下。"我是向来不问国家大事的人，因为我不愿谈我所不深懂的事。可是，有人来亡我的国，我就不能忍受！我可以任着本国的人去发号施令，而不能看着别国的人来作我的管理人！"他的声音还像平日那么低，可是不像平日那么温柔。愣了一会儿，他把声音放得更低了些，说："你知道吗，我的老二今天回来啦！"

"二哥在哪儿呢？我看看他！"

"又走啦！又走啦！"钱先生的语声里似乎含着点什么秘密。

"他说什么来着？"

"他？"钱默吟把声音放得极低，几乎像对瑞全耳语呢。"他来跟我告别！"

"他上哪儿？"

"不上哪儿！他说，他不再回来了！教我在将来报户口的时候，不要写上他；他不算我家的人了！"钱先生的语声虽低，而眼中发着点平日所没有的光；这点光里含着急切，兴奋，还有点骄傲。

"他要干什么去呢？"

老先生低声的笑了一阵。"我的老二就是个不爱线装书，也不爱洋装书的人。可是他就不服日本人！你明白了吧？"

瑞全点了点头。"二哥要跟他们干？可是，这不便声张吧？"

"怎么不便声张呢？"钱先生的声音忽然提高，像发了怒似的。

院中，钱太太咳嗽了两声。

"没事！我和祁家的老三说闲话儿呢！"钱先生向窗外说。而后，把声音又放低，对瑞全讲："这是值得骄傲的事！我——一个横草不动，竖草不拿的人——会有这样的一个儿子，我还怕什么？我只会在文字中寻诗，我的儿子——一个开汽车的——可是会在国破家亡的时候用鲜血去作诗！我丢了一个儿子，而国家会得到一个英雄！什么时候日本人问到我的头上来：那个杀我们的是你的儿子？我就胸口凑近他们的枪刺，说：一点也不错！我还要告诉他们：我们还有多少多少像我的儿子的人呢！你们的大队人马来，我们会一个个的零削你们！你们在我们这里坐的车，住的房，喝的水，吃的饭，都会教你们中毒！中毒！"钱先生一气说完，把眼闭上，嘴唇上轻颤。

瑞全听愣了。愣着愣着，他忽然的立起来，扑过钱先生去，跪下磕了一个头："钱伯伯！我一向以为你只是个闲人，只会闲扯！现在……我给你道歉！"没等钱先生有任何表示，他很快的立起来。"钱伯伯，我也打算走！"

"走?"钱先生细细的看了看瑞全。"好！你应当走，可以走！你的心热，身体好！"

"你没有别的话说?"瑞全这时候觉得钱伯伯比任何人都可爱，比他的父母和大哥都更可爱。

"只有一句话！到什么时候都不许灰心！人一灰心便只看到别人的错处，而不看自己的消沉堕落！记住吧，老三！"

"我记住！我走后，只是不放心大哥！瑞宣大哥是那么有思想有本事，可是被家所累，没法子逃出去！在家里，对谁他也说不来，可是对谁他也要笑眯眯的像个当家人似的！我走后，希望伯伯你常常给他点安慰；他最佩服你！"

"那，你放心吧！咱们没法子把北平的一百万人都搬了走，总得有留下的。我们这走不开的老弱残兵也得有勇气，差不多和你们能走开的一样。你们是迎着炮弹往前走，我们是等着锁镣加到身上而不能失节！来吧，我跟你吃一杯酒！"

钱先生向桌底下摸了会儿，摸出个酒瓶来，浅绿，清亮，像翡翠似的——他自己泡的茵陈。不顾得找酒杯，他顺手倒了两半茶碗。一仰脖，他把半碗酒一口吃下，咂了几下嘴。

瑞全没有那么大的酒量，可是不便示弱，也把酒一饮而尽。酒力登时由舌上热到胸中。

"钱伯伯！"瑞全咽了几口热气才说："我不一定再来辞行啦，多少要保守点秘密！"

"还辞行？老实说，这次别离后，我简直不抱再看见你们的希望！风萧萧兮易水寒，壮士一去兮不复还！"钱先生手按着酒瓶，眼中微微发了湿。

瑞全腹中的酒渐渐发散开，他有点发晕，想到空旷的地方去痛快的吸几口气。"我走啦！"他几乎没敢再看钱先生。

钱先生还手按酒瓶愣着。直到瑞全走出屋门，他才追了上来。他一声没出的给瑞全开了街门，看着瑞全出去；而后，把门轻轻关好，长叹了一声。

瑞全的半碗酒吃猛了点，一着凉风，他的血流得很快，好像河水开了闸似的。立在槐树的黑影下，他的脑中像走马灯似的，许多许多似乎相关，又似乎不相关的景象，连续不断的疾驰。他看见这是晚饭后，灯火辉煌的时候，在煤市街，鲜鱼口那一带，人们带着酒臭与热脸，打着响亮满意的"嗝儿"，往戏园里挤。戏园里，在亮得使人头疼的灯光下，正唱着小武戏。一闪，他又看见：从东安市场，从北河沿，一对对的青年男女，倚着肩，眼中吐露出爱的花朵，向真光，或光陆，或平安电影场去；电影园放着胡鲁胡鲁响的音乐，或情歌。他又看见北海水上的小艇，在灯影与荷叶中摇荡；中山公园中的古柏下坐着，走着，摩登的仕女。这时候，哪里都应当正在热闹，人力车，马车，电车，汽车，都在奔走响动。

　　一阵凉风把他的幻影吹走。他倾耳细听，街上没有一点声音。那最常听到的电车铃声，与小贩的呼声，今天都一律停止。北平是在悲泣！

　　忽然的，槐树尖上一亮，像在梦中似的，他猛孤丁的看见了许多房脊。光亮忽然又闪开，眼前依旧乌黑，比以前更黑。远处的天上，忽然又划过一条光来，很快的来回闪动；而后，又是一条，与刚才的一条交叉到一处，停了一停；天上亮，下面黑，空中一个颤动的白的十字。星星失去了光彩，侵略者的怪眼由城外扫射着北平的黑夜。全城静寂，任着这怪眼——探照灯——发威！

　　瑞全的酒意失去了一半，脸上不知何时已经被泪流湿。他不是个爱落泪的人。可是，酒意，静寂，颤动的白光，与他的跳动的心，会合在一处，不知不觉的把泪逼出来。他顾不得去擦眼。有些泪在面上，他觉得心中舒服了一些。

　　三号的门开了。招弟小姐出来，立在阶上，仰着头向上找，大概是找那些白光呢。她是小个子，和她的爸爸一样的小而俊俏。她的眼最好看，很深的双眼皮，一对很亮很黑的眼珠，眼珠转到眶中的任何部分都显着灵动俏媚。假若没有这一对眼睛，她虽长得很匀称秀气，可就显不出她有什么特别引人注意的地方了。她的眼使她全身都灵动起来，她的眼把她所有的缺点都遮饰过去，她的眼能替她的口说出最难以表达的心意与情感，她的眼能替她的心与脑开出可爱的花来。尽管她没有高深的知识，没有什么使人佩服的人格与行动，可是她的眼会使她征服一切；看见她的眼，人们便忘了考虑别的，而只觉得她可爱。她的眼中的光会走到人们的心里，使人立刻发狂。

她现在穿着件很短的白绸袍，很短很宽，没有领子。她的白脖颈全露在外面，小下巴向上翘着；仿佛一个仙女往天上看有什么动静呢。院内的灯光照到大槐上，大槐的绿色又折到她的白绸袍上，给袍子轻染上一点灰暗，像用铅笔轻轻擦上的阴影。这点阴影并没能遮住绸子的光泽，于是，光与影的混合使袍子老像微微的颤动，毛毛茸茸的像蜻蜓的翅翼在空中轻颤。

瑞全的心跳得更快了。他几乎没加思索，就走了过来。他走得极轻极快，像自天而降的立在她的面前。这，吓了她一跳，把手放在了胸口上。

"你呀？"她把手放下去，一双因惊恐而更黑更亮的眼珠定在了他的脸上。

"走一会儿去？"瑞全轻轻的说。

她摇了摇头，而眼中含着点歉意的说："那天我就关在了北海一夜，不敢再冒险了！"

"咱们是不是还有逛北海的机会呢？"

"怎么没有？"她把右手扶在门框上，脸儿稍偏着点问。

瑞全没有回答她。他心中很乱。

"爸爸说啦，事情并不怎么严重！"

"噢！"他的语气中带着惊异与反感。

"瞧你这个劲儿！进来吧，咱们凑几圈小牌，好不好？多闷得慌啊！"她往前凑了一点。

"我不会！明天见吧！"像往前带球似的，他三两步跑到自己家门前。开开门，回头看了一眼，她还在那里立着呢。他想再回去和她多谈几句，可是像带着怒似的，梆的一声关上门。

他几乎一夜没能睡好。在理智上，他愿坚决的斩断一切情爱——男女，父母，兄弟，朋友的——而把自己投在战争的大浪中，去尽自己的一点对国家的责任。可是，情爱与爱情——特别是爱情——总设法挤入他的理智，教他去给自己在无路可通的地方开一条路子。他想：假若他能和招弟一同逃出北平去，一同担任起抗战中的工作，够多么美好！他对自己起誓，他决定不能在战争未完的时候去讲恋爱。他只希望有一个自己所喜爱的女友能同他一道走，一同工作。能这样，他的工作就必定特别的出色！

招弟的语言，态度，教他极失望。他万没想到在城池陷落的日子，她还有心想到打牌！

再一想，他就又原谅了招弟，而把一切罪过都加到她的父母身上去。他不能相信她的本质就是不堪造就的。假若她真爱他的话，他以为必定能够用言语，行为，和爱情，把她感化过来，教她成个有用的小女人。

呕！即使她的本质就不好吧，她还可爱！每逢一遇到她，他就感到他的身与心一齐被她的黑眼睛吸收了去；她是一切，他什么也不是。他只感到快活，温暖，与任何别人所不能给他的一种生命的波荡。在她的面前，他觉得他是荷塘里，伏在睡莲的小圆叶上的一个翠绿的嫩蛙。他的周围全是香，美，与温柔！

去她的吧！日本人已入了城，还想这一套？没出息！他闭紧了眼。

但是，他睡不着。由头儿又想了一遍，还是想不清楚。

想过了一遍，两遍，三遍，他自己都觉得不耐烦了，可是还睡不着。

他开始替她想：假若她留在北平，她将变成什么样子呢？说不定，她的父亲还会因求官得禄而把她送给日本人呢！想到这里，他猛的坐了起来。教她去伺候日本人？教她把美丽，温柔，与一千种一万种美妙的声音，眼神，动作，都送给野兽？

不过，即使他的推测不幸而变为事实，他又有什么办法呢？还是得先打出日本鬼子去吧？他又把脊背放在了床上。

头一遍鸡鸣！他默数着一二三四……

六

玉泉山的泉水还闲适的流着，积水滩，后海，三海的绿荷还在吐放着清香；北面与西面的青山还在蓝而发亮的天光下面雄伟的立着；天坛，公园中的苍松翠柏还伴着红墙金瓦构成最壮美的景色；可是北平的人已和北平失掉了往日的关系；北平已不是北平人的北平了。在苍松与金瓦的上面，悬着的是日本旗！人们的眼，画家的手，诗人的心，已经不敢看，不敢画，不敢想北平的雄壮伟丽了！北平的一切已都涂上耻辱与污垢！人们的眼都在相互的问："怎么办呢?"而得到的回答只是摇头与羞愧！

只有冠晓荷先生的心里并没感觉到有什么不舒服。他比李四爷，小崔，孙七，刘师傅……都更多知道一些什么"国家""民族""社会"这类的名词；遇到机会，他会运用这些名词去登台讲演一番。可是，小崔们虽然不会说这些名词，心里却有一股子气儿，一股子不服人的，特别不服日本人的，气儿。冠先生，尽管嘴里花哨，心中却没有这一股子气。他说什么，与相信什么，完全是两回事。他口中说"国家民族"，他心中却只知道他自己。他自己是一切。他自己是一颗光华灿烂的明星，大赤包与尤桐芳和他的女儿是他的卫星——小羊圈三号的四合房是他的宇宙。在这个宇宙里，作饭，闹酒，打牌，唱戏，穿好衣服，彼此吵嘴闹脾气，是季节与风雨。在这个宇宙里，国家民族等等只是一些名词；假若出卖国家可以使饭食更好，衣服更漂亮，这个宇宙的主宰——冠晓荷——连眼也不眨巴一下便去出卖国家。在他心里，生命就是生活，而生活理当奢华舒服。

从老早，他就恨恶南京，因为国民政府，始终没有给他一个差

41

事。由这点恨恶向前发展，他也就看不起中国。他觉得中国毫无希望，因为中国政府没有给他官儿作！再向前发展，他觉得英国法国都可爱，假若英国法国能给他个官职。现在，日本人攻进了北平；日本人是不是能启用他？想了半天，他的脸上浮起点笑意，像春风吹化了的冰似的，渐渐的由冰硬而露出点水汪汪的意思来。他想：日本人一时绝难派遣成千成万的官吏来，而必然要用些不抗日的人们去办事。那么，他便最有资格去作事，因为凭良心说，他向来没存过丝毫的抗日的心思。

在全城的人都惶惑不安的时节，冠晓荷开始去活动。在他第一次出门的时候，他的心中颇有些不安。街上重要的路口，像四牌楼，新街口，和护国寺街口，都有武装的日本人站岗，枪上都上着明晃晃的刺刀。人们过这些街口，都必须向岗位深深的鞠躬。他很喜欢鞠躬，而且很会鞠日本式的躬；不过，他身上并没有什么特别的证章或标志，万一日本兵因为不认识他而给他一些麻烦呢？人家日本人有的是子弹，随便闹着玩也可以打死几个人呀！

冠晓荷"马不停蹄"，可是，他并没奔走出什么眉目来。和大赤包转了两天，他开始明白，政治与军事的大本营都在天津。北平是世界的城园，文物的宝库，而在政治与军事上，它却是天津的附属。策动侵华的日本人在天津，最愿意最肯帮助日本人的华人也在那里。假若天津是唱着文武带打的大戏，北平只是一出空城计。

可是，冠晓荷并不灰心。他十分相信他将要交好运，而大赤包的鼓励与协助，更教他欲罢不能。自从娶了尤桐芳以后，他总是与小太太串通一气，夹攻大赤包。大赤包虽然气派很大，敢说敢打敢闹，可是她的心地却相当的直爽，只要得到几句好话，她便信以为真的去原谅人。冠晓荷常常一方面暗中援助小太太，一方面给大赤包甜蜜的话听，所以她深恨尤桐芳，而总找出理由原谅她的丈夫。同时，她也知道在姿色上，在年龄上，没法与桐芳抗衡，所以原谅丈夫仿佛倒是一种无可奈何的败中取胜的办法。她交际，她热心的帮助丈夫去活动，也是想与桐芳争个各有千秋。这回在城亡国辱之际，除了凑不上手打牌，与不能出去看戏，她并没感到有什么可痛心的，也没想到晓荷的

42

好机会来到。及至听到他的言论，她立刻兴奋起来。她看到了官职，金钱，酒饭，与华美的衣服。她应当拼命去帮助丈夫，好教这些好东西快快到她的手中。她的热诚与努力，颇使晓荷感动，所以这两天他对太太特别的和蔼客气，甚至于善意的批评她的头发还少烫着几个鬈儿！这，使她得到不少的温暖，而暂时的与桐芳停了战。

第三天，她决定和晓荷分头出去。由前两天的经验，她晓得留在北平的朋友们都并没有什么很大的势力，所以她一方面教晓荷去找他们，多有些联络反正是有益无损的；在另一方面，她自己去另辟门路，专去拜访妇友们——那些在天津的阔人们的老太太，太太，姨太太，或小姐，因为爱听戏或某种原因而留在北平的。她觉得这条路子比晓荷的有更多的把握，因为她既自信自己的本领，又知道运动官职地位是须走内线的。把晓荷打发走，她嘱咐桐芳看家，而教两个女儿也出去：

"你们也别老坐在家里白吃饭！出去给你爸爸活动活动！"

高第和招弟并不像妈妈那么热心。虽然她们的家庭教育教她们喜欢热闹，奢侈，与玩乐，可是她们究竟是年轻一代的人；她们多少也知道些亡国的可耻。

招弟先说了话。她是妈妈的"老"女儿，所以比姐姐得宠。今天，因为怕日本兵挨家来检查，所以她只淡淡的敷了一点粉，而没有抹口红。"妈，听说路上遇见日本兵，就要受搜查呢！他们专故意的摸女人的胸口！"

"教他们摸去吧！还能摸掉你一块肉！"大赤包一旦下了决心，是什么也不怕的。"你呢?"她问高第。

高第比妹妹高着一头，后影儿很好看，而面貌不甚美——嘴唇太厚，鼻子太短，只有两只眼睛还有时候显着挺精神。她的身量与脾气都像妈妈，所以不得妈妈的喜欢；两个硬的碰到一块儿，谁也不肯退让，就没法不碰出来火光。在全家中，她可以算作最明白的人，有时候她敢说几句他们最不爱听的话。因此，大家都不敢招惹她，也就都有点讨厌她。

"我要是你呀，妈，我就不能让女儿在这种时候出去给爸爸找官

43

儿作！丢人！"高第把短鼻子纵成一条小硬棒子似的说。

"好！你们都甭去！赶明儿你爸爸挣来钱，你们可别伸手跟他要啊！"大赤包一手抓起刺绣的手提包，一手抓起小檀香骨的折扇，像战士冲锋似的走出去。

"妈！"招弟把娘叫住。"别生气，我去！告诉我上哪儿？"

大赤包匆忙的由手提包里拿出一张小纸，和几块钱的钞票来。指着纸条，她说："到这几家去！别直入公堂的跟人家求事，明白吧？要顺口答音的探听有什么路子可走！你打听明白了，明天我好再亲自去。我要是一个人跑得过来，决不劳动你们小姐们！真！我跑酸了腿，决不为我自己一个人！"

交代完，大赤包口中还唧唧咕咕的叨唠着走出去。招弟手中拿着那张小纸和几张钞票，向高第吐了吐舌头。"得！先骗过几块钱来再说！姐姐，咱们俩出去玩会儿好不好？等妈妈回来，咱们就说把几家都拜访过了，可是都没有人在家，不就完啦。"

"上哪儿去玩。还有心情去玩？"高第皱着眉说。

"没地方去玩倒是真的！都是臭日本鬼子闹的！"招弟噘着小嘴说。"也不知什么时候才能太平？"

"谁知道！招弟，假若咱们打不退日本兵，爸爸真去给鬼子作事，咱们怎办呢？"

"咱们？"招弟眨着眼想了一会儿。"我想不出来！你呢？"

"那，我就不再吃家里的饭！"

"哟！"招弟把脖儿一缩，"你净拣好听的说！你有挣饭吃的本事吗？"

"嗨！"高第长叹了一口气。

"我看哪，你是又想仲石了，没有别的！"

"我倒真愿去问问他，到底这都是怎么一回事！"

仲石是钱家那个以驶汽车为业的二少爷。他长得相当的英俊，在驶着车子的时候，他的脸蛋红红的，头发蓬松着，显出顶随便，而又顶活泼的样子；及至把蓝布的工人服脱掉，换上便装，头发也梳拢整齐，他便又像个干净利落的小机械师。虽然他与冠家是紧邻，他可是

44

向来没注意过冠家的人们，因为第一他不大常回家来，第二他很喜爱机械，一天到晚他不是要弄汽车上的机件，（他已学会修理汽车），便是拆开再安好一个破表，或是一架收音机；他的心里几乎没想过女人。他的未婚妻是他嫂子的叔伯妹妹，而由妈妈硬给他定下的。他看嫂子为人老实规矩，所以也就相信她的叔伯妹妹也必定错不了。他没反对家中给他定婚，也没怎样热心的要结婚。赶到妈妈问他"多咱办喜事啊"的时候，他总是回答："不忙！等我开了一座修理汽车行再说！"他的志愿是开这么一个小铺，自东自伙，能够装配一切零件。他愿意躺在车底下去摆弄那些小东西；弄完，看着一部已经不动的车又能飞快的跑起来，他就感到最大的欣悦。

有一个时期，他给一家公司开车，专走汤山。高第，有一次，参加了一个小团体，到汤山旅行，正坐的是仲石的车。她有点晕车，所以坐了在司机台上。她认识仲石，仲石可没大理会她。及至说起话来，他才晓得她是冠家的姑娘，而对她相当的客气。在他，这不过是情理中当然的举动，丝毫没有别的意思。可是，高第，因为他的模样的可爱，却认为这是一件罗曼司的开始。她的耳朵几乎是钉在了西墙上，西院里的一咳一响，都使她心惊。她耐心的，不怕费事的，去设尽心机打听钱家的一切，而钱家的事恰好又没多少人晓得。她从电话簿子上找到公司的地址，而常常绕着道儿到公司门外走来走去，希望能看到仲石，可是始终也见不到。越是这样无可捉摸，她越感到一种可爱的苦痛。她会用幻想去补充她所缺乏的事实，而把仲石的身世，性格，能力等等都填满，把他制造成个最理想的青年。

在招弟看来钱家全家的人都有些古怪；仲石虽然的确是个漂亮青年，可是职业与身分又都太低。尽管姐姐的模样不秀美，可还犯不上嫁个汽车司机的。在高第心中呢，仲石必是个能作一切，知道一切的人，而暂时的以开车为好玩，说不定哪一天他就会脱颖而出，变成个英雄，或什么承受巨大遗产的财主，像小说中常见到的那样的人物。每逢招弟嘲讽她，她就必定很严肃的回答，"我真愿意和他谈谈，他一定什么都知道！"

今天，招弟又提起仲石来，高第依然是那么严肃的回答，而且又补充上：

"就算他是个不折不扣的汽车夫吧，也比跪下向日本人求官作的强，强的多！"

七

瑞宣没顾得戴帽子，匆匆的走出去。

他是在两处教书。一处是市立中学，有十八个钟点，都是英语。另一处是一个天主教堂立的补习学校，他只教四个钟头的中文。兼这四小时的课，他并不为那点很微薄的报酬，而是愿和校内的意国与其他国籍的神父们学习一点拉丁文和法文。他是个不肯教脑子长起锈来的人。

大街上并没有变样子。他很希望街上有了惊心的改变，好使他咬一咬牙，管什么父母子女，且去身赴国难。可是，街上还是那个老样儿，只是行人车马很少，教他感到寂寞，空虚，与不安。正如他父亲所说的，铺户已差不多都开了门，可是都没有什么生意。那些老实的，规矩的店伙，都静静的坐在柜台内，有的打着盹儿，有的向门外呆视。胡同口上已有了洋车，车夫们都不像平日那么嘻皮笑脸的开玩笑，有的靠着墙根静立，有的在车簸箕上坐着。耻辱的外衣是静寂。

到了学校，果然已经上了课，学生可是并没有到齐。今天没有他的功课，他去看看意国的窦神父。平日，窦神父是位非常和善的人；今天，在祁瑞宣眼中，他好像很冷淡，高傲。瑞宣不知道这是事实，还是因自己的心情不好而神经过敏。说过两句话后，神父板着脸指出瑞宣的旷课。瑞宣忍着气说："在这种情形之下，我想必定停课！"

"呕！"神父的神气十分傲慢。"平常你们都很爱国，赶到炮声一响，你们就都藏起去！"

瑞宣咽了口吐沫，愣了一会儿。他又忍住了气。他觉得神父的指摘多少是近情理的，北平人确是缺乏西洋人的那种冒险的精神与英雄

47

气概。神父，既是代表上帝的，理当说实话。想到这里，他笑了一下，而后诚意的请教：

"窦神父！你看中日战争将要怎么发展呢？"

神父本也想笑一下，可是被一点轻蔑的神经波浪把笑拦回去。"我不知道！我只知道改朝换代是中国史上常有的事！"

瑞宣的脸上烧得很热。他从神父的脸上看到人类的恶根性——崇拜胜利（不管是用什么恶劣的手段取得的胜利），而对失败者加以轻视及污蔑。他一声没出，走了出来。

已经走出半里多地，他又转身回去，在教员休息室写了一张纸条，叫人送给窦神父——他不再来教课。

再由学校走出来，他觉得心中轻松了一些。可是没有多大一会儿，他又觉得这实在没有什么可得意的，一个被捉进笼中的小鸟，尽管立志不再啼唱，又有什么用处呢？他有点头疼。

进了家门，他看见祁老人，天佑，瑞丰夫妇，都围着枣树闲谈呢。瑞丰手里捧着好几个半红的枣子，一边吃，一边说："这就行了！甭管日本人也罢，中国人也罢，只要有人负责，诸事就都有了办法。一有了办法，日本人和咱们的心里就都消停了！"说着，把枣核儿用舌头一顶，吐在地上；又很灵巧的把另一个枣子往高处一扔，用嘴接住。

瑞丰长得干头干脑的，什么地方都仿佛没有油水。因此，他特别注意修饰，凡能以人工补救天然的，他都不惜工本，虔诚修治。他的头发永远从当中分缝，生发油与生发蜡上得到要往下流的程度。他的小干脸永远刮得极干净，像个刚刚削去皮的荸荠；脸蛋上抹着玉容油。他的小干手上的指甲，永远打磨得十分整齐，而且擦上油。他的衣服都作得顶款式，鲜明，若在天桥儿闲溜，人家总以为他是给哪个红姑娘弹弦子的。

或者因为他的头小，所以脑子也不大，他所注意的永远是最实际的东西与问题，所走的路永远是最省脚步的捷径。他没有丝毫的理想。

现在，他是一家中学的庶务主任。

瑞宣与瑞全都看不上老二。可是祁老人，天佑，和天佑太太都相当的喜欢他，因为他的现实主义使老人们觉得他安全可靠，不至于在外面招灾惹祸。假若不是他由恋爱而娶了那位摩登太太，老人们必定会派他当家过日子；他是那么会买东西，会交际，会那么婆婆妈妈的和七姑姑八老姨都说得来。不幸，他娶了那么位太太。他实际，她自私；二者归一，老人们看出不妥之处来，而老二就失去了家庭中最重要的地位。为报复这个失败，他故意的不过问家事，而等到哥嫂买贵了东西，或处置错了事情，他才头头是道的去批评，甚至于攻击。

"大哥！"瑞丰叫得很亲切，显出心中的痛快，"我们学校决定了用存款维持目前，每个人——不论校长，教员，和职员——都暂时每月拿二十块钱维持费。大概你们那里也这么办。二十块钱，还不够我坐车吸烟的呢！可是，这究竟算是有了个办法，是不是？听说，日本的军政要人今天在日本使馆开会，大概不久就能发表中日两方面的负责人。一有人负责，我想，经费就会有了着落，维持费或者不至于发好久。得啦，这总算都有了头绪；管他谁组织政府呢，反正咱们能挣钱吃饭就行！"

瑞宣很大方的一笑，没敢发表自己的意见。在父子兄弟之间，他知道，沉默有时候是最保险的。

祁老人连连的点头，完全同意于二孙子的话。他可是没开口说什么，因为二孙媳妇也在一旁，他不便当众夸奖孙子，而增长他们小夫妇的骄气。

"你到教堂去啦？怎么样？"天佑问瑞宣。

瑞丰急忙把嘴插进来："大哥，那个学校可是你的根据地！公立学校——或者应当说，中国人办的学校——的前途怎样，谁还也不敢说。外国人办的就是铁杆儿庄稼！你马上应当运动，多得几个钟点！洋人决不能教你拿维持费！"

瑞宣本来想暂时不对家中说他刚才在学校中的举动，等以后自己找到别的事，补偿上损失，再告诉大家。经老二这么一通，他冒了火。还笑着，可是笑得很不好看，他声音很低，而很清楚的说："我已经把那四个钟头辞掉了！"

说完，他突然转过身，走进老三屋里去。老三正在床上躺着，看一本线装书——洋书都被大哥给烧掉，他一来因为无聊，二来因要看看到底为什么线装书可以保险，所以顺手拿起一本来。看了半天，他才明白那是一本大学衍义。他纳着气儿慢慢的看那些大字。字都印得很清楚，可是仿佛都像些舞台上的老配角，穿戴着残旧的衣冠，在那儿装模作样的扭着方步，一点也不精神。当他读外文的或中文的科学书籍的时候，书上那些紧凑的小字就像小跳蚤似的又黑又亮。他皱紧了眉头，用眼去捉它们，一个个的捉入脑中。他须花费很大的心力与眼力，可是读到一个段落，他便整个的得到一段知识，使他心中高兴，而脑子也仿佛越来越有力量。那些细小的字，清楚的图表，在他了解以后，不但只使他心里宽畅，而且教他的想象活动——由那些小字与图解，他想到宇宙的秩序，伟大，精微，与美丽。假若在打篮球的时候，他觉得满身都是力量与筋肉，而心里空空的；赶到读书的时候，他便忘了身体，而只感到宇宙一切的地方都是精微的知识。现在，这本大字的旧书，教他摸不清头脑，不晓得说的到底是什么。他开始明白为什么敌人不怕线装书。

　　“大哥！你出去啦？”他把书扔在一边，一下子坐起来。

　　瑞宣把与窦神父见面的经过，告诉了弟弟，然后补上：“无聊！不过，心里多少痛快点！”

　　“我喜欢大哥你还有这么点劲儿！”瑞全很兴奋的说。

　　“谁知道这点劲儿有什么用处呢？能维持多么久呢？”

　　“当然有用处！人要没有这点劲儿，跟整天低着头拣食的鸡有什么分别呢？至于能维持多么久，倒难说了；大哥你就吃了这一家子人的亏；连我也算上，都是你的累赘！”

　　“一想起窦神父的神气，我真想跺脚一走，去给中国人争点气！连神父都这样看不起咱们，别人更可想见了！我们再低着头装窝囊废，世界上恐怕就没一个人同情咱们，看得起咱们了！”

　　“大哥你尽管这么说，可是老拦着我走！”

　　“不，我不拦你走！多咱我看走的时机到了，我必定放了你！”

　　“可要保守秘密呀，连大嫂也别告诉。”老三声音很低的说。

50

"当然!"

"我就不放心妈妈!她的身子骨那么坏,我要偷偷的走了,她还不哭个死去活来的?"

瑞宣愣了一会儿才说:"那有什么法子呢!国破,家就必亡啊!"

八

八

冠晓荷的俊美的眼已陷下两个坑儿，脸色也黑了一些。他可是一点也不灰心，他既坚信要转好运，又绝不疏忽了人事。他到处还是侃侃而谈，谈得嗓子都有点发哑，口中有时候发臭。他买了华达丸含在口中，即使是不说话的时候，口中好还有些事作。他的事情虽然还没有眉目，他可是已经因到各处奔走而学来不少名词与理论；由甲处取来的，他拿到乙处去卖；然后，由乙处又学来一半句，再到丙处去说。

假若他的事情已经成功，他一定不会有什么闲心去关切，或稍稍的注意，老街旧邻们。现在，事情还没有任何把握，他就注意到邻居们：为什么像祁瑞宣那样的人们会一声不响，大门不出，二门不迈的呢？他们究竟有什么打算与把握呢？对钱默吟先生，他特别的注意。他以为，像钱先生那样的年纪，学问，与为人，必定会因日本人来到而走一步好运。在他这几天的奔走中，他看到不少的名士们，有的预备以诗文结交日本朋友，打算创立个诗社什么的。有的预备着以绘画和书法为媒，与日本人接近。还有的预备着以种花草为保身之计。

于是，冠晓荷想起了钱默吟。钱先生既会诗文，又会绘画，还爱种花；全才！他心中一动：呕！假若打着钱先生的旗号，成立个诗社或画社，或开个小鲜花店，而由他自己去经营，岂不就直接的把日本人吸引了来，何必天天求爷爷告奶奶的谋事去呢？

想到这里，他也恍然大悟，呕！怨不得钱先生那么又臭又硬呢，人家心里有数儿呀！他很想去看看钱先生，但是又怕碰壁。想起上次在祁家门口与钱先生相遇的光景，他不肯再去吃钉子。他想还是先到

52

祁家打听一下好。假若祁瑞宣有什么关于钱默吟的消息，他再决定怎样去到钱宅访问——只要有希望，碰钉子也不在乎。同时，他也纳闷祁瑞宣有什么高深莫测的办法，何以一点也不慌不忙的在家里蹲着。含上一颗华达丸，梳了梳头发，他到祁家来看一眼。

"瑞宣！"他在门口拱好了手，非常亲切的叫，"没事吧？我来看看你们！"

同瑞宣来到屋中，落了坐，他先夸奖了小顺儿一番，然后引入正题："有什么消息没有？"

"没有呢！"

"太沉闷了！"冠晓荷以为瑞宣是故意有话不说，所以想用自己的资料换取情报，"我这几天不断出去，真实的消息虽然很少，可是大致的我已经清楚了大势所趋。一般的说，大家都以为中日必须合作。"

"哪个大家？"瑞宣本不想得罪人，但是一遇到冠先生这路人，他就不由的话中带着刺儿。

冠先生觉到了那个刺儿，转了转眼珠，说："自然，我们都希望中国能用武力阻止住外患，不过咱们打得过日本与否，倒是个问题。北平呢，无疑的是要暂时由日本人占领，那么，我想，像咱们这样有点用处的人，倒实在应当出来作点事，好少教我们的人民吃点亏。在这条胡同里，我就看得起你老哥和钱默翁，也就特别的关切你们。这几天，默翁怎样？"

"这两天，我没去看他。"

"他是不是有什么活动呢？"

"不知道！他恐怕不会活动吧，他是诗人！"

"诗人不见得就不活动呀！听说诗人杜秀陵就很有出任要职的可能！"

瑞宣不愿再谈下去。

"咱们一同看看默翁去，好不好？"

"改天吧！"

"哪一天？你定个时间！"

瑞宣被挤在死角落里，只好改敷衍为进攻。"找他干什么呢？"

"是呀，"晓荷的眼放出光来，"这就是我要和你商量商量的呀！我知道钱先生能诗善画，而且爱养花草。日本人呢，也喜欢这些玩艺儿。咱们——你，我，钱先生——要是组织个什么诗画社，消极的能保身，积极的还许能交往上日本人，有点什么发展！我们一定得这么作，这确乎是条平妥的路子！"

"那么，冠先生，你以为日本人就永远占据住咱们的北平了？"

"他们占据一个月也好，一百年也好，咱们得有个准备。说真的，你老哥别太消极！在这个年月，咱们就得充分的活动，好弄碗饭吃，是不是？"

"我想钱先生决不肯作这样的事！"

"咱们还没回养他呢，怎能断定？谁的心里怎么样，很难不详谈就知道！"

瑞宣的胖脸微微红起来。"我自己就不干！"他以为这一句话一定开罪于冠先生，而可以不再多罗嗦了。

冠先生并没恼，反倒笑了一下："你不作诗，画画，也没关系！我也不会！我是说由默翁作文章，咱们俩主持事务。早一点下手，把牌子创开，日本人必闻风而至，咱们的小羊圈就成了文化中心！"

瑞宣再不能控制自己，冷笑得出了声。

"你再想想看！"冠先生立起来。"我觉得这件事值得作！作好了，于我们有益；作不好呢也无损！"一边说，他一边往院中走。"要不这样好不好？我来请客，把钱先生请过来，大家谈谈？他要是不愿上我那里去呢，我就把酒菜送到这边来！你看怎样？"

瑞宣答不出话来。

走到大门口，冠先生又问了声："怎样？"

瑞宣自己也不知道哼了一句什么，便转身进来。他想起那位窦神父的话。把神父的话与冠晓荷的话加在一处，他打了个冷战。

冠晓荷回到家中，正赶上冠太太回来不久。她一面换衣服，一面喊洗脸水和酸梅汤。她的赤包儿式的脸上已褪了粉，口与鼻大吞大吐的呼吸着，声势非常的大，仿佛是刚刚抢过敌人的两三架机关枪来

54

似的。

大赤包对丈夫的财禄是绝对乐观的。这并不是她信任丈夫的能力，而是相信她自己的手眼通天。在这几天内，她已经和五位阔姨太太结为干姊妹，而且顺手儿赢了两千多块钱。她预言：不久她就会和日本太太们结为姊妹，而教日本的军政要人们也来打牌。

因为满意自己，所以她对别人不能不挑剔。"招弟！你干了什么？高第你呢？怎么？该加劲儿的时候，你们反倒歇了工呢？"然后，指槐骂柳的，仍对两位小姐发言，而目标另有所在："怎么，出去走走，还晒黑了脸吗？我的脸皮老，不怕晒！我知道帮助丈夫兴家立业，不能专仗着脸子白，装他妈的小妖精！"

说完，她伸着耳朵听；假若尤桐芳有什么反抗的表示，她准备大举进攻。

尤桐芳，可是，没有出声。

大赤包把枪口转向丈夫来：

"你今天怎么啦？也不出去？把事情全交给我一个人了？你也不害羞！走，天还早呢，你给我乖乖的再跑一趟去！你又不是裹脚的小妞儿，还怕走大了脚？"

"我走！我走！"冠先生拿腔作调的说。"请太太不要发脾气！"说罢，戴起帽子，懒洋洋的走出去。

他走后，尤桐芳对大赤包开了火。她颇会调动开火的时间：冠先生在家，她能忍就忍，为是避免祸首的罪名；等他一出门，她的枪弹便击射出来。大赤包的嘴已很够野的，桐芳还要野上好几倍。骂到连她自己都觉难以入耳的时候，她会坦率的声明："我是唱玩艺儿出身，满不在乎！"

尤桐芳不记得她的父母是谁，"尤"是她养母的姓。四岁的时候，她被人拐卖出来。八岁她开始学鼓书。她相当的聪明，十岁便登台挣钱。十三岁，被她的师傅给强奸了，影响到她身体的发育，所以身量很矮。小扁脸，皮肤相当的细润，两只眼特别的媚。她的嗓子不错，只是底气不足，往往唱着唱着便声嘶力竭。她的眼补救了嗓子的不足。为生活，她不能不利用她的眼帮助歌唱。她一出台，便把眼从右至左打个圆圈：使台下的人都以为她是看自己呢。因此，她曾经红过一个时期。她到北平来献技的时候，已经是二十二岁。一来是，北平的名角太多；二来是她曾打过二次胎，中气更不足了；所以，她在北平不甚得意。就是在她这样失意的时候，冠先生给她赎了身。大赤包的身量——先不用多说别的——太高，所以他久想娶个矮子。

假若桐芳能好好的读几年的书，以她的身世，以她的聪明，她必能成为一个很有用的小女人。退一步说，即使她不读书，而能堂堂正正的嫁人，以她的社会经验，和所受的痛苦，她必能一扑纳心的作个好主妇。她深知道华美的衣服，悦耳的言笑，丰腴的酒席，都是使她把身心腐烂掉，而被扔弃在烂死岗子的毒药。在表面上，她使媚眼，她歌唱，她开玩笑，而暗地里她却以泪洗面。没有父母，没有兄弟姊妹亲戚，睁开眼，世界是不欢的。什么的世界中，她须向任何人都微笑，都飞眼，为是赚两顿饭吃。在二十岁的时候，她已明白了一切都是空虚，她切盼遇到个老实的男人，给她一点生活的真实。可是，她只能作姨太太！除了她的媚眼无法一时改正——假如她遇上一个好男人——她愿立刻改掉一切的恶习。但是，姨太太是“专有”的玩物；她须把媚惑众人的手段用来取悦一个人。再加上大赤包的嫉妒与压迫，她就更须向丈夫讨好，好不至于把到了口的饭食又丢掉。一方面，她须用旧有的诱惑技巧拴住丈夫的心，另一方面，她决定不甘受欺侮，以免变成垫在桌腿下的青蛙。况且，在心里，她不比任何人坏；或者，因为在江湖上走惯了，她倒比一般的人更义气一些。以一个女人来说，她也不比任何女人更不贞节。虽然她十三岁就破了身，二十二岁就已堕过两次胎，可是那并不是她自己的罪恶。因此，大赤包越攻击她，她便越要抗辩，她觉得大赤包没有骂她的资格。不幸，她的抗辩，本来是为得到了解，可是因为用了诟骂的形式来表达，便招来更多的攻击与仇恨。她也就只好将错就错的继续反攻。

今天，她的责骂不仅是为她自己，而且是为了她的老家——辽宁。她不准知道自己是关外人不是，但是她记得在沈阳的小河沿卖过艺，而且她的言语也是那里的。既无父母，她愿妥定的有个老家，好教自己觉得不是无根的浮萍。她知道日本人骗去了她的老家，也晓得

56

日本人是怎样虐待着她的乡亲，所以她深恨大赤包的设尽方法想接近日本人。

在全家里，她只和高第说得来。冠晓荷对她相当的好，但是他的爱她纯粹是宠爱玩弄，而毫无尊重的意思。高第呢，既不得父母的欢心，当然愿意有个朋友，所以对桐芳能平等相待，而桐芳也就对高第以诚相见。

桐芳叫骂了一大阵以后，高第过来劝住了她。雷雨以后，多数是晴天；桐芳把怨气放尽，对高第特别的亲热。两个人谈起心来。一来二去的，高第把自己的一点小秘密告诉了桐芳，引起桐芳许多的感慨。

"托生个女人，唉，就什么也不用说了！我告诉你，大小姐，一个女人就像一个风筝。别看它花红柳绿的，在半天空中摇摇摆摆，怪美的，其实那根线儿是在人家手里呢！不服气，你要挣断那根线儿，好，你就头朝下，不是落在树上，就是挂在电线上，连尾巴带翅膀，全扯得稀烂，比什么都难看！"牢骚了一阵，她把话拉回来，"我没见过西院里的二爷。不过，要嫁人的话，就嫁个老老实实的人；不怕穷点，只要小两口儿能消消停停的过日子就好！你甭忙，我去帮你打听！我这一辈子算完了，睁开眼，天底下没有一个亲人！不错，我有个丈夫；可是，又不算个丈夫！也就是我的心路宽，脸皮厚；要不然，我早就扎在尿窝子里死啦！得啦，我就盼着你有一门子好亲事，也不枉咱们俩相好一程子！"

高第的短鼻子上纵起不少条儿笑纹。

九

北平的天又高起来！八一三！上海的炮声把久压在北平人的头上的黑云给掀开了！

瑞丰有点见风使舵。见大家多数的都喜欢上海开仗的消息，他觉得也应当随声附和。在他心里，他并没细细的想到底打好，还是不打好。他只求自己的态度不使别人讨厌。

瑞丰刚要赞美抗战，又很快的改了主意，因为太太的口气"与众不同"。

瑞丰太太，往好里说，是长得很富泰；往坏里说呢，干脆是一块肉。身量本就不高，又没有脖子，猛一看，她很像一个啤酒桶。脸上呢，本就长得蠢，又尽量的往上涂抹颜色，头发烫得像鸡窝，便更显得蠢而可怕。瑞丰干枯，太太丰满，所以瑞全急了的时候就管他们叫"刚柔相济"。她不只是那么一块肉，而且是一块极自私的肉。她的脑子或者是一块肥油，她的心至好也不过是一块像蹄膀一类的东西。

"打上海有什么可乐的？"她的厚嘴唇懒懒的动弹，声音不大，似乎喉眼都糊满脂肪。"我还没上过上海呢！炮轰平了它，怎么办？"

"轰不平！"瑞丰满脸赔笑的说："打仗是在中国地，大洋房都在租界呢，怎能轰平？就是不幸轰平了，也没关系；赶到咱们有钱去逛的时候，早就又修起来了；外国人多么阔，说修就修，说拆就拆，快得很！"

"不论怎么说，我不爱听在上海打仗！等我逛过一回再打仗不行吗？"

瑞丰很为难，他没有阻止打仗的势力，又不愿得罪太太，只好不

58

敢再说上海打仗的事。

"有钱去逛上海,"太太并不因瑞丰的沉默而消了气,"你多咱才能有钱呢? 嫁了你才算倒了霉! 看这一家子,老少男女都是啬刻鬼,连看回电影都好像犯什么罪似的! 一天到晚,没有说,没有笑,没有玩乐,老都噘着嘴像出丧的!"

"你别忙啊!"瑞丰小干脸上笑得要裂缝子似的,极恳切的说,"你等我事情稍好一点,够咱们花的,再分家搬出去呀!"

"等! 等! 等! 老是等! 等到哪一天?"瑞丰太太的胖脸涨红,鼻洼上冒出油来。

中国的飞机出动! 北平人的心都跳起多高! 小崔的耳边老像有飞机响似的,抬着头往天上找。他看见一只敌机,但是他硬说是中国的,红着倭瓜脸和孙七辩论:

"要讲剃头刮脸,我没的可说;你拜过师,学过徒! 说到眼神,就该你闭上嘴了; 尊家的一对眼有点近视呀! 我看得清楚极了! 飞机的翅膀上画着青天白日,一点错没有! 咱们的飞机既能炸上海,就能炸北平!"

孙七心中本来也喜欢咱们的飞机能来到北平,可是经小崔一说,他就不能不借题抬几句杠。及至小崔攻击到他的近视眼,他认了输,夹着小白布包,笑嘻嘻的到铺户去作活。到了铺户中,他把小崔的话扩大了一些,告诉给小商人们。他一手按着人家的脸,一手用刀在脸上和下巴底下刮剃,低声而恳切的说:"我刚才看见七架咱们的轰炸机,好大个儿! 翅儿上画着青天白日,清楚极了!"人家在他的剃刀威胁之下,谁也不敢分辩。

小崔哼唧着小曲,把车拉出去。到车口,他依然广播着他看见了中国飞机。在路上,看到日本兵,他扬着点脸飞跑;跑出相当的远,他高声的宣布:"全杀死你们忘八日的!"而后,把咱们的飞机飞过天空的事,告诉给坐车的人。

李四爷许久也没应下活来——城外时时有炮声,有几天连巡警都罢了岗,谁还敢搬家呢。今天,他应下一当儿活来,不是搬家,而是

59

出殡。他的本行是"窝脖儿"，到了晚年，他也应丧事；他既会稳当的捆扎与挪移箱匣桌椅，当然也能没有失闪的调动棺材。在护国寺街口上，棺材上了杠。一把纸钱像大白蝴蝶似的飞到空中，李四爷的尖锐清脆的声音喊出："本家儿赏钱八十吊啊！"抬杠的人们一齐喊了声"啊！"李四爷，穿着孝袍，精神百倍的，手里打着响尺，好像把满怀的顾虑与牢骚都忘了。

李四大妈在小羊圈口上，站得紧靠马路边，为是看看丈夫领殡——责任很重的事——的威风。擦了好几把眼，看见了李四爷，她含笑的说了声："看这个老东西！"

棚匠刘师傅也有了事作。警察们通知有天棚的人家，赶快把棚席拆掉。警察们没有告诉大家拆棚的理由，可是大家都猜到这是日本鬼子怕中丸的飞机来轰炸，席棚是容易起火的。刘师傅忙着出去拆棚。高高的站在房上，他希望能看到咱们的飞机。

小文夫妇今天居然到院中来调嗓子，好像已经不必再含羞带愧的作了。

连四号的马老寡妇也到门口来看看。她最胆小，自从卢沟桥响了炮，她就没迈过街门的门坎。她也不许她的外孙——十九岁的程长顺——去作生意，唯恐他有什么失闪。她的头发已完全白了，而浑身上下都收拾得干干净净的，手指上还戴着四十年前的式样的，又重又大的，银戒指。她的相貌比李四妈还更慈祥；心理也非常的和善，和李四妈差不多。可是，她在行动上，并不像李四妈那样积极，活跃，因为自从三十五岁她就守寡，不能不沉稳谨慎一些。

她手中有一点点积蓄，可是老不露出来。过日子，她极俭省，并且教她的外孙去作小生意。外孙程长顺在八岁的时候父母双亡，就跟着外婆。他的头很大，说话有点囔鼻，像患着长期伤风似的。因为头大，而说话又呜囔呜囔的，所以带着点傻相；其实他并不傻。外婆对他很好，每饭都必给他弄点油水，她自己可永远吃素。在给他选择个职业的时候，外婆很费了一番思索；结果是给他买了一架旧留声机和一两打旧唱片子，教他到后半天出去转一转街。长顺非常喜欢这个营业，因为他自己喜欢唱戏。他的营业也就是消遣。他把自己所有的唱

60

片上的戏词与腔调都能唱上来。遇到片子残破，中间断了一点的时候，他会自己用嘴哼唧着给补充上。有时候，在给人家唱完半打或一打片子之后，人家还特烦他大声的唱几句。他说话时虽呜嚷呜嚷的，唱起来可并不这样；反之，正因为他的鼻子的关系，他的歌唱的尾音往往收入鼻腔，听起来很深厚有力。他的生意很不错，有几条街的人们专等着他，而不照顾别人。他的嚷鼻成了他的商标。他的志愿是将来能登台去唱黑头，因他的脑袋既大，而又富于鼻音。

这一程子，长顺闷得慌极了！外婆既不许他出去转街，又不准他在家里开开留声机。每逢他刚要把机器打开，外婆就说："别出声儿呀，长顺，教小日本儿，听见还了得！"

今天，长顺告诉外婆："不要紧了，我可以出去作买卖啦！上海也打上了，咱们的飞机，一千架，出去炸日本鬼子！咱们准得打胜！上海一打胜，咱们北平就平安了！"

外婆不大信长顺的话，所以大着胆子亲自到门外调查一下；倒仿佛由门外就能看到上海似的。

老太太的白发，在阳光下，发着一圈儿银光。大槐树的绿色照在她的脸上，给皮肤上的黄亮光儿减去一些，有皱纹的地方都画上一些暗淡的细道儿。胡同里没有行人，没有动静，她独自立了一会儿，慢慢的走回屋中去。

"怎样？外婆！"长顺急切的问。

"倒没有什么，也许真是平安了！"

"上海一开仗，咱们准打胜！外婆你信我的话，准保没错儿！"长顺开始收拾工具，准备下午出去作生意。

全胡同中，大家都高兴，都准备着迎接胜利，只有冠晓荷心中不大痛快。他的事情还没有眉目。假若事情已定，他大可以马上去浑水摸鱼，管什么上海开仗不开仗。但是，事情既没决定，而上海已经在抗战，万一中国打胜，他岂不是没打到狐狸而弄来一屁股臊？他很不痛快的决定这两天暂时停止活动，看看风色再说。

大赤包可深不以为然："你怎么啦？事情刚开头儿，你怎么懈了劲儿呢？上海打仗？关咱们什么屁事？凭南京那点兵就打得过日本？

61

笑话！再有六个南京也不行！"大赤包差不多像中了邪。她以为后半世的产业与享受都凭此一举，绝对不能半途而废。

凑巧，六号住的丁约翰回来了。丁约翰的父亲是个基督徒，在庚子年被义和团给杀了。父亲殉道，儿子就得到洋人的保护；约翰从十三岁就入了"英国府"作打杂儿的。渐渐的，他升为摆台的，现在已经是四十多岁的人了。虽然摆台的不算什么很高贵的职业，可是由小羊圈的人们看来，丁约翰是与众不同的。他自己呢也很会吹嘘，一提到身家，他便告诉人家他是世袭基督徒，一提到职业，他便声明自己是在英国府作洋事——他永远管使馆叫作"府"，因为"府"只比"宫"次一等儿。他在小羊圈六号住三间正房，并不像孙七和小崔们只住一间小屋。他的三间房都收拾得很干净，而且颇有些洋摆设：案头上有许多内容一样而封面不同的洋书，四幅青书和壁诗；橱子里有许多残破而能将就使用的啤酒杯，香槟杯，和各式样的玻璃瓶与咖啡盒子。论服装，他也有特异之处，他往往把旧西服上身套在大衫上当作马褂——当然是洋马褂。

在全胡同里，他只与冠家有来往。这因为：第一，他看不起别的人家，而大家也并不怎么特别尊敬他，所以彼此两便，不必往来；第二，他看得起冠家，而冠家也能欣赏他的洋气，这已经打下友谊的基础，再加上，他由"府"里拿出来的一点黄油，咖啡，或真正的牛津橙子酱什么的，只有冠家喜欢要，懂得它们是多么地道，所以双方就更多了一些关系——他永远把这类的洋货公道的卖给冠家。

这次，他只带来半瓶苏格兰的灰色奇酒，打算白送给冠先生。

假若丁约翰是在随便的一家西餐馆摆台，大赤包必定不会理会他，即使他天天送来黄油与罐头。丁约翰是在英国府摆台，这就大有文章了。假若宫里的太监本来是残废的奴役，而因在皇宫里的关系被人另眼看待，那么，大赤包理当另眼看待丁约翰。她觉得丁约翰本人与丁约翰所拿来的东西，都不足为奇，值得注意的倒是"英国府"那三个有声势的字。丁约翰来自英国府，那些东西来自英国府，这教大赤包感到冠家与英国使馆有了联系，一点可骄傲的联系！每逢她给客人拿出咖啡或果酱的时候，她必要再三的说明："这是由英国府拿出来的！""英国府"三个字仿佛粘在了她的口中，像口香糖似的那么甜美。

见丁约翰提着酒瓶进来，她立刻停止了申斥丈夫，而把当时所能搬运到脸上的笑意全搬运上来："哟！丁约翰！"她也非常喜欢"约翰"这两个字。虽然它们不像"英国府"那么堂皇雄伟，可是至少也可以与"沙丁鱼""灰色奇酒"并驾齐驱的含有洋味。

丁约翰，四十多岁，脸刮得很光，背挺得很直，眼睛永远不敢平视，而老向人家的手部留意，好像人们的手里老拿着刀叉似的。听见大赤包亲热的叫他，他只从眼神上表示了点笑意——在英国府住惯了，他永远不敢大声的说笑。

"拿着什么？"大赤包问。

"灰色奇！送给你的，冠太太！"

"送？"她的心里颤动了一下。她顶喜欢小便宜。接过去，像抱吃奶的婴孩似的，她把酒瓶搂在胸前。"谢谢你呀，约翰！你喝什么茶？还是香片吧？你在英国府常喝红茶，该换换口味！"

"坐下，约翰！"冠先生也相当的客气。"有什么消息没有？上海的战事，英国府方面怎么看？"

"中国还能打得过日本吗？外国人都说，大概有三个月，至多半年，事情就完了！"丁约翰很客观的说，倒仿佛他不是中国人，而是英国的驻华外交官。

"怎么完？"

"中国军队教人家打垮！"

大赤包听到此处，一兴奋，几乎把酒瓶掉在地上。"冠晓荷！你听见没有？虽然我是个老娘们，我的见识可不比你们男人低！把胆子壮起点来，别错过了机会！"

十

冠晓荷听了丁约翰的一番话，决定把全面的抗战放在一边，绝对不再加以考虑。市长和警察局长既然发表了，他便决定向市政府与警察局去活动。对市政与警政，他完全不懂，但是总以为作官是一种特别的技巧，而不□□□□□□□□□□□□□。他相大赤包又奔走了三四天，依然没有什么结果。

这时候，真的消息与类似谣言的消息，像一阵阵方向不同，冷暖不同的风似的刮入北平。北平，在世界人的心中是已经死去，而北平人却还和中国一齐活着，他们的心还和中华一切地方的英勇抵抗而跳动。东北的义勇军又活动了，南口的敌人，伤亡了二千，青岛我军打退了登陆的敌人，石家庄被炸……这些真的假的消息，一个紧跟着一个，一会儿便传遍了全城。特别使小羊圈的人们兴奋的是一个青年汽车夫，在南口附近，把一部卡车开到山涧里去，青年和车上的三十多名日本兵，都摔成了肉酱。青年是谁？没有人知道。但是，人们猜测，那必是钱家的二少爷。他年轻，他在京北开车，他老不回家……这些事实都给他们的猜测以有力的佐证，一定是他！

可是，钱宅的街门还是关得严严的，他们无从去打听消息。他们只能多望一望那两扇没有门神，也没有多少油漆的门，表示尊敬与钦佩！

瑞宣听到人们的嘀咕，心中又惊又喜。他常听祖母说，在庚子年八国联军入城的时候，许多有地位的人全家自尽殉难。不管他们殉难的心理是什么，他总以为敢死是气节的表现。这回日本人攻进北平，人们仿佛比庚子年更聪明了，除了阵亡的将士，并没有什么殉难的官

64

员与人民。这是不是真正的聪明呢？他不敢断定。现在，听到钱二少爷的比自杀殉难更壮烈，更有意义的举动，他觉得北平人并不尽像他自己那么因循苟安，而是也有英雄。他相信这件事是真的，因为钱老人曾经对瑞全讲过二少爷的决定不再回家。同时，他深怕这件事会连累到钱家的全家，假若大家因为钦佩钱仲石而随便提名道姓的传播。他找了李四爷去。

李四爷答应了暗地里嘱咐大家，不要再声张，而且赞叹着："咱们要是都像人家钱二少，别说小日本，就是大日本也不敢跟咱们刺毛啊！"

瑞宣本想去看看钱老先生，可是没有去，一来他怕惹起街坊们的注意，二来怕钱先生还不晓得这回事，说出来倒教老人不放心。

李四爷去嘱咐大家，大家都觉得应该留这点神。可是，在他遇到小崔以前，小崔已对尤桐芳说了。小崔虽得罪了冠先生和大赤包，尤桐芳和高第可是还坐他的车；桐芳对苦人，是有同情心的，所以故意的雇他的车，而且多给点钱，好教小崔没白挨了大赤包的一个嘴巴；高第呢是成心反抗母亲，母亲越讨厌小崔，她就越多坐他的车子。

坐着小崔的车，桐芳总喜欢和他说些闲话。在家里，一切家务都归大赤包处理，桐芳不能过问。她虽嫁了人，而不能作主妇，她觉得自己好像是住在旅馆中的娼妓！因此，她爱问小崔一些家长里短，并且羡慕小崔的老婆——虽然穷苦，虽然常挨打，可究竟是个管家的主妇。小崔呢，不仅向桐芳报告家政，也谈到街坊四邻的情形。照着往常的例子，他把他引以为荣的事也告诉了她。

"冠太太！"不当着冠家的人，他永远称呼她太太，为是表明以好换好。"咱们的胡同里出了奇事！"

"什么奇事？"她问，以便叫他多喘喘气。

"听说钱家的二爷，摔死了一车日本兵！"

"是吗？听谁说的？"

"大家伙儿都那么说！"

"喝！他可真行！"

"北平人也不都是窝囊废！"

65

"那么他自己呢？"

"自然也死喽！拼命的事嘛！"

桐芳回到家中，把这些话有枝添叶的告诉给高第，而被招弟偷偷听了去。招弟又"本社专电"似的告诉了冠先生。

晓荷听完了招弟的报告，心中并没有什么感动。他只觉得钱二少爷有点愚蠢：一个人只有一条命，为摔死别人，而也把自己饶上，才不上算！除了这点批判而外，他并没怎样看重这条专电。顺口答音的，他告诉了大赤包。

大赤包要是决定作什么，便连作梦也梦见那回事。她的心思，现在，完全萦绕在给冠晓荷运动官上，所以刮一阵风，或房檐上来了一只喜鹊，她都以为与冠先生的官运有关。听到钱二少的消息，她马上有了新的决定。

"晓荷！"她的眼一眨一眨的，脸儿上笼罩着一股既庄严又神秘的神气，颇似西太后与内阁大臣商议国家大事似的。"去报告！这是你的一条进身之路！"

晓荷愣住了。教他去贪赃受贿，他敢干；他可是没有挺着胸去直接杀人的胆气。

"怎么啦？你！"大赤包审问着。

"去报告？那得抄家呀！"晓荷觉得若是钱家被抄了家，都死在刀下，钱先生一定会来闹鬼！

"你这个松头日脑的家伙！你要管你自己的前途，管别人抄家不抄家干吗！再说，你不是吃过钱老头子的钉子，想报复吗？这是机会！"

听到"报复"，他动了点心。他以为钱默吟大不该那么拒人千里之外；那么，假若钱家真被抄了家，也是咎由自取——大概也就不会在死后还闹鬼！他也琢磨出来：敢情钱默吟的又臭又硬并不是因为与日本人有关系，而是与南京通着气。那么，假若南京真打胜了，默吟得了势，还有他——冠晓荷——的好处吗？

"这个消息真不真呢？"他问。

"桐芳听来的，问她！"大赤包下了懿旨。

审问桐芳的结果，并不能使晓荷相信那个消息是千真万确的。他不愿拿着个可信可疑的消息去讨赏。大赤包可是另有看法：

"真也罢，假也罢，告他一状再说！即使消息是假的，那又有什么关系，我们的消息假，而心不假；教上面知道咱们是真心实意的向着日本人，不也有点好处吗？你要是胆子小，我去！"

晓荷心中还不十分安帖，可是又不敢劳动皇后御驾亲征，只好答应下来。

桐芳又很快的告诉了高第。高第在屋里转开了磨。仲石，她的幻想中的英雄，真的成了英雄。她觉得这个英雄应当是属于她的。可是，他已经死去。她的爱，预言，美好的幻梦，一齐落了空！假若她不必入尼姑庵，而世界上还有她的事作的话，她应当首先去搭救钱家的人。但是，她怎么去见钱先生呢？钱先生既不常出来，而街门又永远关得严严的；她若去叫门，必被自己家里的人听到。写信，从门缝塞进去？也不妥当。她必须亲自见到钱先生，才能把话说得详尽而恳切。

她去请桐芳帮忙。桐芳建议从墙头上爬过去。她说："咱们的南房西边不是有一棵小槐树？上了槐树，你就可以够着墙头！"

高第愿意这样去冒险。她的心里，因仲石的牺牲，装满了奇幻的思想的。她以为仲石的死是受了她的精神的感召，那么，在他死后，她也就应当作些非凡的事情。她决定去爬墙，并且嘱咐桐芳给她观风。

大概有九点钟吧。冠先生还没有回来。大赤包有点头痛，已早早的上了床。招弟在屋中读着一本爱情小说。高第决定乘这时机，到西院去。她嘱咐桐芳听着门，因为她回来的时候是不必爬墙的。

她的短鼻子上出着细小的汗珠，手与唇都微颤着。爬墙的危险，与举动的奇突，使她兴奋，勇敢，而又有点惧怕。爬到墙那边，她就可以看见英雄的家；虽然英雄已死，她可是还能看到些英雄的遗物；她应当要过一两件来，作为纪念！想到那里，她的心跳得更快了；假若不是桐芳托她两把，她必定上不去那棵小树。上了树，她的心中清醒了好多，危险把幻想都赶了走。她的眼睁得很大，用颤抖的手牢牢的抓住墙头。

　　费了很大的事，她才转过身去。转了身，手扒着墙头，脚在半空，她只顾了喘气，把一切别的事都忘掉。她不敢往下看，又不敢松手，只闭着眼挣扎着挂在那里。好久，她心里一迷糊，手因无力而松开，她落在了地上。她的身量高，西院的地又因种花的关系而颇松软，所以她只觉得心中震动了一下，腿脚倒都没碰疼。这时候，她清醒了好多，心跳得很快。再转过身来，她看明白：其余的屋子都黑忽忽的，只有北房的西间儿有一点灯光。灯光被窗帘遮住，只透出一点点。院中，高矮不齐，一丛丛的都是花草；在微弱的灯光中，像一些蹲伏着的人。高第的心跳得更快了；她大着胆，手捂着胸口，慢慢的用脚试探着往前挪动，底襟时时挂在刺梅一类的枝上。好容易，她挪移到北屋外，屋里有两个人轻轻的谈话。她闭着气，蹲在窗下。屋里的语声是一老一少，老的（她想）一定是钱老先生，少的或者是钱大少爷。听了一会儿，她辨清那年少的不是北平口音，而是像胶东的人。这，引起她的好奇心，想立起来看看窗帘有没有缝隙。急于立起来，她忘了窗台，而把头碰在上面。她把个"哎哟"只吐出半截，可是已被屋中听到。灯立刻灭了。隔了一小会儿，钱先生的声音在问："谁？"

　　她慌成了一团，一手捂着胸口，一手按着头，半蹲半立的木在那里。

　　钱先生轻轻的出来，又低声的问了声"谁？"

　　"我！"她低声的回答。

　　钱先生吓了一跳："你是谁？"

　　高第留着神立起来："小点声！我是隔壁的大小姐，有话对你说。"

　　"进来！"钱先生先进去，点上灯。

　　高第的右手还在头上摸弄那个包，慢慢的走进去。

　　钱先生本来穿着短衣，急忙找到大衫穿上，把钮扣扣错了一个。"冠小姐？你打哪儿进来的？"

　　高第一脚的露水，衣服被花枝挂破了好几个口子，头上一个包，头发也碰乱，看了看自己，看了看钱先生，觉得非常的好笑。她微笑了一下。

钱先生的态度还镇静，可是心里有点莫名其妙之感，眨巴着眼呆看着她。

"我由墙上跳过来的，钱伯伯！"她找了个小凳，坐下。

"跳墙？"诗人向外打了一眼。"干吗跳墙？"

"有要紧的事！"她觉得钱先生是那么敦厚可爱，不应当再憋闷着他。"仲石的事！"

"仲石怎样？"

"伯伯，你还不知道？"

"不知道！他没有回来！"

"大家都说，都说……"她低下头去，愣着。

"都说什么？"

"都说他摔死一车日本兵！"

"真的？"老人的油汪水滑的乌牙露出来，张着点嘴，等她回答。

"大家都那么说！"

"噢！他呢？"

"也……"

老人的头慢慢往下低，眼珠往旁边挪，不敢再看她。高第急忙的立起来，以为老人要哭。老人忽然又抬起头来，并没有哭，只是眼中湿润了些。纵了一下鼻子，他伸手把桌下的酒瓶摸上来。"小姐，你……"他的话说得不甚真切，而且把下半句——你不喝酒吧？——咽了回去。厚敦敦的手微有点颤，他倒了大半茶杯茵陈酒，一扬脖喝了一大口。用袖口抹了抹嘴，眼亮起来，他看着高处，低声的说："死得好！好！"打了个酒嗝，他用乌牙咬上了下唇。

"钱伯伯，你得走！"

"走？"

"走！大家现在都吵嚷这件事，万一闹到日本人耳朵里去，不是要有灭门的罪过吗？"

"噢！"钱先生反倒忽然笑了一下，又端起酒来。"我没地方去！

69

这是我的家，也是我的坟墓！况且，刀放脖子上的时候，我要是躲开，就太无勇了吧！小姐，我谢谢你！请回去吧！怎么走？"

高第心里很不好受。她不能把她父母的毒计告诉钱先生，而钱先生又是这么真纯，正气，可爱。她把许多日子构成的幻想全都忘掉，忘了对仲石的虚构的爱情，忘了她是要来看看"英雄之家"，她是面对着一位可爱，而将要遭受苦难的老人；她应当设法救他。可是，她一时想不出主意。她用一点笑意掩饰了她心中的不安，而说了声：

"我不用再跳墙了吧？"

"当然！当然！我给你开门去！"他先把杯中的余酒喝尽，而后身子微晃了两晃，仿佛头发晕似的。

高第扶住了他。他定了定神，说："不要紧！我开门去！"他开始往外走。一边走一边嘟囔："死得好！死得好！我们……"他扑哧的叫出儿子的名字来，把手扶在屋门的门框上，立了一会儿。院中的草茉莉与夜来香放着浓烈的香味，他深深的吸了一口气。

高第不能明白老诗人心中的复杂的感情，而只觉得钱先生的一切都与父亲不同。她所感到的不同并不是在服装面貌上，而是在一种什么无以名之的气息上，钱先生就好像一本古书似的，宽大，雅静，尊严。到了大门内，她说了句由心里发出来的话："钱伯伯，别伤心吧！"

钱老人嗯嗯的答应了两声，没说出话来。

出了大门，高第飞也似的跑了几步。她跳墙的动机是出于好玩，冒险，与诡秘的恋爱；搭救钱先生只是一部分。现在，她感到了充实与热烈，忘了仲石，而只记住钱先生；她愿立刻的一股脑儿都说给桐芳听。桐芳在门内等着她呢，没等叫门，便门开开了。

默吟先生立在大门外，仰头看着大槐树的密丛丛的黑叶子，长叹了一声。忽然，灵机一动，他很快的跑到祁家门口。正赶上瑞宣来关街门，他把瑞宣叫了出来。

"有工夫没有？我有两句话跟你谈谈！"他低声的问。

"有！要不是你来，我就关门睡觉去了！完全无事可作，连书也看不下去！"瑞宣低声的答对。

"好！上我那里去！"

"我进去说一声。"

默吟先生先回去，在门洞里等着瑞宣。瑞宣紧跟着就来到，虽然一共没有几步路，可是他赶得微微有点喘；他知道钱先生夜间来访，必有要紧的事。

到屋里，钱先生握住瑞宣的手，叫了声："瑞宣！"他想和瑞宣谈仲石的事。不但要谈仲石殉国，也还要把儿子的一切——他幼时是什么样子，怎样上学，爱吃什么……——都说给瑞宣听。可是，他咽了两口气，松开手，嘴唇轻轻的动了几动，仿佛是对自己说："谈那些干什么呢！"

比了个手式，请瑞宣坐下，钱先生把双肘都放在桌儿上，面紧对着瑞宣的，低声而恳切的说："我要请你帮个忙！"

瑞宣点了点头，没问什么事；他觉得只要钱伯伯教他帮忙，他就应当马上答应。

钱先生拉过一个小凳来，坐下，脸仍旧紧对着瑞宣，闭了会儿眼。睁开眼，他安详了好多，脸上的肉松下来一些。

"前天夜里，"他低声的安详说，"我睡不着。这一程子了，我夜夜失眠！我想，亡了国的人，大概至少应当失眠吧！睡不着，我到门外去散散步。轻轻的开开门，我看见一个人紧靠着槐树立着呢！我赶紧退了回来。你知道，我是不大爱和邻居们打招呼的。退回来，我想了想：这个人不大像附近的邻居。虽然我没看清楚他的脸，可是以他的通身的轮廓来说，他不像我认识的任何人。这引起我的好奇心。我本不是好管闲事的人，可是失眠的人的脑子特别精细，我不由的想看清他到底是谁，和在树底下干什么。"说到这里，他又闭了闭眼，然后把杯中的余滴倒在口中，咂摸着滋味。"我并没往他是小偷或土匪上想，因为我根本没有值钱的东西怕偷。我也没以为他是乞丐。我倒是以为他必定有比无衣无食还大的困难。留了很小的一点门缝，我用一只眼往外看。果然，不出我所料，他是有很大的困难。他在槐树下面极慢极慢的来回绕，一会儿立住，仰头看看；一会儿又低着头慢慢的走。走了很久，忽然他极快的走向路西的堵死的门去了。他开始

71

解腰带！我等着，狠心的等着！等他把带子拴好了才出去；我怕出去早了会把他吓跑！"

"对的！"瑞宣本不想打断老人的话，可是看老人的嘴角已有了白沫儿，所以插进一两个字，好教老人喘口气。

"我极快的跑出去！"默吟先生的眼发了光。"一下子搂住他的腰！他发了怒，回手打了我两拳。我轻轻的叫了声'朋友！'他不再挣扎，而全身都颤起来。假若他一个劲儿跟我挣扎，我是非松手不可的，他年轻力壮！'来吧！'我放开手，说了这么一句。他像个小羊似的跟我进来！"

"现在还在这里？"

钱先生点了点头。

"他是作什么的？"

"诗人！"

"诗人？"

钱先生笑了一下："我说他的气质像诗人，他实在是个军人。他姓王，王排长。在城内作战，没能退出去。没有钱，只有一身破裤褂，逃走不易，藏起来又怕连累人，而且怕被敌人给擒住，所以他想自尽。他宁可死，而不作俘虏！我说他是诗人，他并不会作诗；我管富于情感，心地爽朗的人都叫作诗人；我和他很说得来。我请你来，就是为这个人的事。咱们得设法教他逃出城去。我想不出办法来，而且，而且，"老先生又愣住了。

"而且，怎样？钱伯伯！"

老人的声音低得几乎不易听见了："而且，我怕他在我这里吃连累！你知道，仲石，"钱先生的喉中噎了一下："仲石，也许已经死啦！说不定我的命也得陪上！据说，他摔死一车日本兵，日本人的气量是那么小，哪能白白饶了我！不幸，他们找上我的门来，岂不也就发现了王排长？"

"听谁说的，仲石死了？"

"不用管吧！"

"伯伯，你是不是应当躲一躲呢？"

72

"我不考虑那个！我手无缚鸡之力，不能去杀敌雪耻，我只能临危不苟，儿子怎死，我怎么陪着。我想日本人会打听出他是我的儿子，我也就不能否认他是我的儿子！是的，只要他们捕了我去，我会高声的告诉他们，杀你们的是钱仲石，我的儿子！好，我们先不必再谈这个，而要赶快决定怎样教王排长马上逃出城去。他是军人，他会杀敌，我们不能教他死在这里！"

瑞宣的手摸着脸，细细的思索。

钱先生倒了半杯酒，慢慢的喝着。

想了半天，瑞宣忽然立起来。"我先回家一会儿，和老三商议商议；马上就回来。"

"好！我等着你！"

十一

老三因心中烦闷，已上了床。瑞宣把他叫起来。极简单扼要的，瑞宣把王排长的事说给老三听。老三的黑豆子眼珠像夜间的猫似的，睁得极黑极大，而且发着带着威严的光。他的颧骨上红起两朵花。听完，他说上声："我们非救他不可！"

瑞宣也很兴奋，可是还保持着安详，不愿因兴奋而卤莽，因卤莽而败事。慢条斯理的，他说："我已经想了个办法，不知道你以为如何？"

老三慌手忙脚的登上裤子，下了床，倒仿佛马上他就可以把王排长背出城似的。"什么办法？大哥！"

"先别慌！我们须详细的商量一下，这不是闹着玩的事！"

瑞全忍耐的坐在床沿上。

"老三！我想啊，你可以同他一路走。"

老三又立了起来："那好极了！"

"这有好处，也有坏处。好处是王排长既是军人，只要一逃出城去，他就必有办法；他不会教你吃亏。坏处呢，他手上的掌子，和说话举止的态度神气，都必教人家一看就看出他是干什么的。日本兵把着城门，他不容易出去；他要是不幸而出了岔子，你也跟着遭殃！"

"我不怕！"老三的牙咬得很紧，连脖子上的筋都挺了起来。

"我知道你不怕，"瑞宣要笑，而没有笑出来。"有勇无谋可办不了事！我们死，得死在晴天大日头底下，不能窝窝囊囊的送了命！我想去找李四大爷去。"

"他是好人，可是对这种事他有没有办法，我就不敢说！"

74

"我——教给他办法！只要他愿意，我想我的办法还不算很坏！"

"什么办法？什么办法？"

"李四大爷要是最近给人家领杠出殡，你们俩都身穿重孝，混出城去，大概不会受到检查！"

"大哥！你真有两下子！"瑞全跳了起来。

"老实点！别教大家听见！出了城，那就听王排长的了。他是军人，必能找到军队！"

"就这么办了，大哥！"

"你愿意？不后悔？"

"大哥你怎么啦？我自己要走的，能后悔吗？况且，别的事可以后悔，这种事——逃出去，不作亡国奴——还有什么可后悔的呢？"

瑞宣沉静了一会儿才说："我是说，逃出去以后，不就是由地狱入了天堂，以后的困难还多的很呢。前些日子我留你，不准你走，也就是这个意思。五分钟的热气能使任何人登时成为英雄，真正的英雄却是无论受多么久，多么大的困苦，而仍旧毫无悔意或灰心的人！记着我这几句话，老三！记住了，在国旗下吃粪，也比在太阳旗下吃肉强！你要老不灰心丧气，老像今天晚上这个劲儿，我才放心！好，我找李四大爷去。"

瑞宣去找李四爷。老人已经睡了觉，瑞宣现把他叫起来。李四妈也跟着起来，夹七夹八的一劲儿问：是不是祁大奶奶要添娃娃？还是谁得了暴病，要请医生？经瑞宣解释了一番，她才明白他是来与四爷商议事体，而马上决定非去给客人烧一壶水喝不可，瑞宣拦不住她，而且觉得她离开屋里也省得再打岔，只好答应下来。她掩着怀，瞇摸合眼的走出去，现找劈柴生火烧水。乘着她在外边瞎忙，瑞宣把来意简单的告诉了老人。老人横打鼻梁，愿意帮忙。

"老大，你到底是读书人，想得周到！"老人低声的说，"城门上，车站上，检查得极严，实在不容易出去。当过兵的人，手上脚上身上仿佛全有记号，日本人一看就认出来；捉住，准杀头！出殡的，连棺材都要在城门口教巡警拍一拍，可是穿孝的人倒还没受过多少麻烦。这件事交给我了，明天就有一档子丧事，你教他们俩一清早就跟我走，杠房有孝袍子，我给他们赁两身。然后，是教他俩装作孝子，还是打执事的，我到时候看，怎么合适怎办！"

四大妈的水没烧开，瑞宣已经告辞，她十分的抱歉，硬说柴禾被雨打湿了："都是这个老东西，什么事也不管；下雨的时候，连劈柴也不搬进去！"

"闭上你的嘴！半夜三更的你嚷什么！"老人低声的责骂。

瑞宣又去找钱老者。

这时候，瑞全在屋里兴奋得不住的打嗝，仿佛被食物噎住了似的。想想这个，想想那个，他的思想像走马灯似的，随来随去，没法集中。他恨不能一步跳出城去，加入军队去作战。刚想到这里，他又看见自己跟招弟姑娘在北海的莲花中荡船。他很愿意马上看见她，告诉她也要逃出城去，作个抗战的英雄！不，不，不，他又改了主意，她没出息，绝对不会欣赏他的勇敢与热烈。

妈妈咳嗽了两声。他的心立时静下来。可怜的妈妈！只要我一出这个门，恐怕就永远不能相见了！他轻轻的走到院中。一天的明星，天河特别的白。他只穿着个背心，被露气一侵，他感到一点凉意，胳臂上起了许多小冷疙疸。他想急忙走进南屋，看一看妈妈，跟她说两句极温柔的话。极轻极快的，他走到南屋的窗外。他立定，没有进去的勇气。在平日，他万也没想到母子的关系能够这么深切。他常常对同学们说："一个现代青年就像一只雏鸡，生下来就可以离开母亲，用自己的小爪掘食儿吃！"现在，他木在那里。他决不后悔自己的决定，他一定要逃走，去尽他对国家应尽的责任；但是，他至少也须承认他并不像一只鸡雏，而是永远，永远与母亲在感情上有一种无可分离的联系。

瑞宣从外面轻轻的走进来，直奔了三弟屋中去。老三轻手蹑脚的紧跟来，他问："怎样？大哥！"

"明天早晨走！"瑞宣好像已经筋疲力尽了似的，一下子坐在床沿上。

"明——"老三的心跳得很快，说不上话来。以前，瑞宣不许他走，他非常的着急；现在，他又觉得事情来的太奇突了似的。用手摸了摸他的胳臂,他觉得东西都没有预备,自己只穿着件背心,实在不像将有远行的样子。半天,他才问出来:"带什么东西呢?"

"啊?"瑞宣仿佛把刚才的一切都忘记了,眼睛直钩钩的看着弟弟,答不出话来。

"我说,我带什么东西?"

"呕!"瑞宣听明白了,想了一想,"就拿着点钱吧!还带着,带着,你的纯洁的心,永远带着!"他还有千言万语,要嘱告弟弟,可是他已经不能再说出什么来。摸出钱袋,他的手微颤着拿出三十块钱的票子来,轻轻的放在床上。然后,他立起来,把手搭在老三的肩膀上,细细的看着他。"明天早上我叫你!别等祖父起来,咱们就溜出去!老三!"他还要往下说,可是闭上了嘴。一扭头,他轻快的走出去。老三跟到门外,也没说出什么来。

弟兄俩谁也睡不着。在北平陷落的那一天,他们也一夜未曾合眼。但是,那一夜,他们只觉得渺茫,并抓不住一点什么切身的东西去思索或谈论。现在,他们才真感到国家,战争,与自己的关系,他们须把一切父子兄弟朋友的亲热与感情都放在一旁,而且只有摆脱了这些最难割难舍的关系,他们才能肩起更大的责任。他们——既不准知道明天是怎样——把过去的一切都想起来,因为他们是要分离;也许还是永久的分离。瑞宣等太太睡熟,又穿上衣服,找了老三去。他们直谈到天明。

听到祁老人咳嗽,他们溜了出去。李四爷是惯于早起的人,已经在门口等着他们。把弟弟交给了李四爷,瑞宣的头,因为一夜未眠和心中难过,疼得似乎要裂开。他说不出什么来,只紧跟在弟弟的身后东转西转。

"大哥!你回去吧!"老三低着头说。见哥哥不动,他又补了一句:"大哥,你在这里我心慌!"

"老三!"瑞宣握住弟弟的手。"到处留神哪!"说完,他极快的跑回家去。

多么长的天啊!太阳影儿仿佛随时的停止前进,钟上的针儿也像不会再动。好容易,好容易,到了四点钟,他在枣树下听见四大妈高声向李四爷说话。他急忙跑出去。李四爷低声的说：

"他们出了城！"

十二

"怎么？大哥你教他走的？"瑞丰的小干脸绷得像鼓皮似的。

"他决心要走，我不好阻止；一个热情的青年，理当出去走走！"

"大哥你可说得好！你就不想想，他不久就毕业，毕业后抓俩钱儿，也好帮着家里过日子呀！真，你怎么把只快要下蛋的鸡放了走呢？再说，赶明儿一调查户口，我们有人在外边抗战，还不是磨菇？"

假若老二是因为不放心老三的安全而责备老大，瑞宣一定不会生气，因为人的胆量是不会一样大的。胆量小而情感厚是可以原谅的。现在，老二的挑剔，是完全把手足之情抛开，而专从实利上讲，瑞宣简直没法不动气了。

可是，他咽了好几口气，到底控制住了自己。他是当家的，应当忍气；况且，在城亡国危之际，家庭里还闹什么饥荒呢。他极勉强的笑了一笑。"老二，你想得对，我没想到！"

"现在最要紧的是千万别声张出去！"老二相当骄傲的嘱告哥哥。"一传说出去，咱们全家都没命！我早就说过，大哥你不要太宠着老三，你老不听！我看哪，咱们还是分居的好！好吗，这玩艺儿，老三闯出祸来，把咱二老的头要下去，才糟糕一马司！"

瑞宣不能再忍。他的眼只剩了一条缝儿，胖脸上的肉都缩紧。还是低声的，可是每个字都像小石子落在渊涧里，声小而结实，他说："老二！你滚出去！"

老二没想到老大能有这么一招，他的小干脸完全红了，像个用手绢儿擦亮了的小山里红似的。他要发作。可是一看大哥的眼神和脸色,他忍住了气:"好,我滚就是了!"

老大拦住了他:"等等!我还有话说呢!"他的脸白得可怕。"平日,我老敷衍你,因为这里既由我当家,我就不好意思跟你吵嘴。这可是个错误!你以为我不跟你驳辩,就是你说对了,久而久之,就养成了你的坏毛病——你总以为搂住便宜就好,牺牲一点就坏。我很抱歉,我没能早早的矫正你!今天,我告诉你点实话吧!老三走得对,走得好!假若你也还自居为青年,你也应当走,作点比吃喝打扮更大一点的事去!两重老人都在这里,我自己没法子走开,但是我也并不以此就原谅自己!你想想看,日本人的刀已放在咱们的脖子上,你还能单看家中的芝麻粒大的事,而不往更大点的事上多瞧一眼吗?我并不逼着你走,我是教你先去多想一想,往远处大处想一想!"他的气消了一点,脸上渐渐的有了红色。"请你原谅我的臭脾气,老二!但是,你也应当知道,好话都是不大受听的!好,你去吧!"

这时候,学校当局们看上海的战事既打得很好,而日本人又没派出教育负责人来,都想马上开学,好使教员与学生们都不至于精神涣散。瑞宣得到通知,到学校去开会。教员们没有到齐,因为已经有几位逃出北平。谈到别人的逃亡,大家的脸上都带出愧色。谁都有不能逃走的理由,但是越说道那些理由越觉得惭愧。

校长来到。他是个五十多岁,极忠诚,极谨慎的一位办中等教育的老手。大家坐好,开会。校长立起来,眼看着对面的墙壁,足有三分钟没有说出话来。瑞宣低着头,说了声:"校长请坐吧!"校长像犯了过错的小学生似的,慢慢的坐下。

一位年纪最轻的教员,说出大家都要问而不好意思问的话来:

"校长!我们还在这儿作事,算不算汉奸呢?"

大家都用眼盯住校长。校长又僵着身子立起来,用手摆弄着一管铅笔。他轻嗽了好几下,才说出话来:

"诸位老师们!据兄弟看,战事不会在短期间里结束。按理说,我们都应当离开北平。可是,中学和大学不同。大学会直接向教育部请示,我们呢只能听教育局的命令。城陷之后教育局没人负责,我们

80

须自打主张。大学若接到命令，迁开北平，大学的学生以年龄说，有跋涉长途的能力，以籍贯说，各省的人都有，可以听到消息便到指定的地方集合。咱们的学生，年纪既小，又百分之——"他又嗽了两下，"之——可以说百分之九十是在城里住家。我们带着他们走，走大道，有日本兵截堵，走小道，学生们的能力不够。再说，学生的家长们许他们走吗？也是问题。因此，我明知道，留在这里是自找麻烦，自讨无趣——怎么呢?！日本人占定了北平，必首先注意到学生们，也许大肆屠杀青年，也许收容他们作亡国奴，这两个办法都不是咱们所能忍受的！可是，我还想暂时维持学校的生命，在日本人没有明定办法之前，我们不教青年们失学；在他们有了办法之后，我们忍辱求全的设法不教青年们受到最大的损失——肉体上的，精神上的。老师们，能走的请走，我决不拦阻，国家在各方面都正需要人才。不能走的，我请求大家像被奸污了的寡妇似的，为她的小孩子忍辱活下去。我们是不是汉奸？我想，不久政府就会派人来告诉咱们；政府不会忘了咱们，也一定知道咱们逃不出去的困难！"他又嗽了两声，手扶住桌子，"兄弟还有许多的话，但是说不上来了。诸位同意呢，咱们下星期一开学。"他眼中含着点泪，极慢极慢的坐下去。

沉静了好久，有人低声的说："赞成开学！"

"有没有异议?"校长想往起立，而没能立起来。没有人出声。他等了一会儿，说："好吧，我们开学看一看吧！以后的变化还大得很，我们能尽心且尽心吧！"

由学校出来，瑞宣像要害热病似的那么憋闷。他想安下心去，清清楚楚的看出一条道路来。可是，他心中极乱，抓不住任何一件事作为思索的起点。他嘴中开始嘟囔。听见自己的嘟囔，心中更加烦闷。平日，他总可怜那些有点神经不健全，而一边走路一边自己嘟囔嘟囔的人。今天，他自己也这样了；莫非自己要发疯？他想起来屈原的披发行吟。但是，他有什么可比屈原的呢？"屈原至少有自杀的勇气，你有吗?"他质问自己。他不敢回答。他想到北海或中山公园去散散闷，可是又阻止住自己："公园是给享受太平的人们预备着的，你没有资格去！"他往家中走。"打败了的狗只有夹着尾巴往家中跑，别无

81

办法!"他低声的告诉自己。

走到胡同口，巡警把他截住。"我在这里住。"他很客气的说。

"等一会儿吧!"巡警也很客气。"里边拿人呢!"

"拿人?"瑞宣吃了一惊。"谁? 什么案子?"

"我也不知道!"巡警抱歉的回答。"我只知道来把守这儿，不准行人来往。"

"日本宪兵?"瑞宣低声的问。

巡警点了点头。然后，看左右没有人，他低声的说："这月的饷还没信儿呢，先帮着他们拿咱们的人! 真叫窝囊! 谁知道咱们北平要变成什么样子呢! 先生，你绕个圈儿再回来吧，这里站不住!"

瑞宣本打算在巷口等一会儿，听巡警一说，他只好走开。"拿谁呢?"他一边走一边猜测。第一个，他想到钱默吟："假若真是钱先生，"他对自己说，"那——"他想不出来别的话了，而只觉得腿有点发软。第二个，他想到自己的家，是不是老三被敌人捉住了呢? 他身上出了汗。

这时候，日本宪兵在捉捕钱诗人，那除了懒散，别无任何罪名的诗人。胡同两头都临时设了岗，断绝交通。冠晓荷领路。他本不愿出头露面，但是日本人一定教他领路，似乎含有既是由他报告的，若拿不住人，就拿他是问的意思。事前，他并没想到能有这一招；现在，他只好硬着头皮去干。他的心跳得很快，脸上还勉强的显出镇定，而眼睛像被猎犬包围了的狐狸似的，往四外看，唯恐教邻居们看出他来。他把帽子用力往前扯，好使别人不易认出他来。胡同里的人家全闭了大门，除了槐树上悬着的绿虫儿而外，没有其他的生物。他心中稍为平静了些，以为人们都已藏起去。其实，棚匠刘师傅，还有几个别的人，都扒着门缝往外看呢，而且很清楚的认出他来。

白巡长，脸上没有一点血色，像失了魂似的，跟在冠晓荷的身后。全胡同的人几乎都是他的朋友，假若他平日不肯把任何人带到区署去，他就更不能不动感情的看着朋友们被日本人捕去。对于钱默吟先生，他不甚熟识，因为钱先生不大出来，而且永远无求于巡警。但是，白巡长准知道钱先生是一百二十成的老好人；假若人们都像钱先生，巡警们必可以无为而治。到了钱家门口，他才晓得是捉捕钱先生，他恨不能一口将冠晓荷咬死！可是，身后还有四个铁棒子似的兽兵，他只好把怒气压抑住。自从城一陷落，他就预想到，他须给敌人作爪牙，去欺侮自己的人。除非他马上脱去制服，他便没法躲避这种最难堪的差事。他没法脱去制服，自己的本领，资格，与全家大小的衣食，都替他决定下他须作那些没有人味的事！今天，果然，他是带着兽兵来捉捕最老实的，连个苍蝇都不肯得罪的，钱先生！

敲了半天的门，没有人应声。一个铁棒子刚要用脚踹门，门轻轻的开了。开门的是钱先生。像刚睡醒的样子，他的脸上有些红的折皱，脚上拖着布鞋，左手在扣着大衫的纽子。头一眼，他看见了冠晓荷，他忙把眼皮垂下去。第二眼，他看到白巡长；白巡长把头扭过去。第三眼，他看到冠晓荷向身后的兽兵轻轻点了点头，像犹大出卖耶稣的时候那样。极快的，他想到两件事：不是王排长出了毛病，便是仲石的事泄漏了。极快的，他看清楚是后者，因为眼前是冠晓荷——他想起高第姑娘的警告。

很高傲自然的，他问了声："干什么？"

这三个字像是烧红了的铁似的。冠晓荷一低头，仿佛是闪躲那红热的火花，向后退了一步。白巡长也跟着躲开。两个兽兵像迎战似的，要往前冲。钱先生的手扶在门框上，挡住他们俩，又问了声："干什么？"一个兽兵的手掌打在钱先生的手腕上，一翻，给老诗人一个反嘴巴。诗人的口中流出血来。兽兵往里走。诗人愣了一会儿，用手扯住那个敌兵的领子，高声的喊喝："你干什么！"敌兵用全身的力量挣扭，钱先生的手，像快溺死的人抓住一条木棍似的，还了扣。白巡长怕老人再吃亏，急快的过来用手一托老先生的肘；钱先生的手放开，白巡长的身子挤进来一点，隔开了老先生与敌兵；敌兵一脚正端在白巡长的腿上。白巡长忍着疼，把钱先生拉住，假意威吓着。钱先生没再出声儿。

一个兵守住大门，其余的全进入院中；白巡长拉着钱先生也走进来。白巡长低声的说："不必故意的赌气，老先生！好汉不吃眼前亏！"

冠晓荷的野心大而胆量小，不敢进来，也不敢在门外立着。他走进了门洞，掏出闽漆嵌银的香烟盒，想吸支烟。打开烟盒，他想起门外的那个兵，赶紧把盒子递过去，卖个和气。敌兵看了看他，看了看烟盒，把盒子接过去，关上，放在了衣袋里。冠先生惨笑了一下，学着日本人说中国话的腔调："好的！好的！大大的好！"

钱大少爷——孟石——这两天正闹痢疾。本来就瘦弱，病了两天，他就更不像样子了。长头发蓬散着，脸色发青，他正双手提着裤子往屋中走，一边走，一边哼哼。看见父亲被白巡长拉着，口中流着血，又看三个敌兵像三条武装的狗熊似的在院中晃，他忘了疾痛，摇摇晃晃的扑过父亲来。白巡长极快的想到：假若敌人本来只要捉钱老人，就犯不上再白饶上一个。假若钱少爷和日本人冲突，那就非也被捕不可。想到这儿，他咬一咬牙，狠了心。一手他还拉着钱先生，一手他握好了拳。等钱少爷走近了，他劈面给了孟石一个满脸花。孟石倒在地上。白巡长大声的呼喝着"大烟鬼！大烟鬼！"说完，他指了指孟石，又把大指与小指翘起，放在嘴上，嘴中吱吱的响，作给日本人看。他知道日本人对烟鬼是向来"优待"的。

敌兵没管孟石，都进了北屋去检查。白巡长乘这个机会解释给钱先生听："老先生你年纪也不小了，跟他们拼就拼吧；大少爷可不能也教他们捉了去！"

钱先生点了点头。孟石倒在地上，半天没动；他已昏了过去。钱先生低头看着儿子，心中虽然难过，可是难过得很痛快。二儿子的死——现在已完全证实——长子的受委屈，与自己的苦难，他以为都是事所必至，没有什么可稀奇的。太平年月，他有花草，有诗歌，有茶酒；亡了国，他有牺牲与死亡；他很满意自己的遭遇。他看清他的前面是监牢，毒刑，与死亡，而毫无恐惧与不安。他只盼着长子不被捕，那么他的老妻与儿媳妇便有了依靠，不至于马上受最大的耻辱与困苦。他不想和老妻诀别，他想她应该了解他：她受苦一世，并无怨言；他殉难，想必她也能明白他的死的价值。对冠晓荷，他不愿去怨恨。他觉得每个人在世界上都像庙中的五百罗汉似的，各有各的一定的地位；他自己的应当死，正如冠晓荷的应当卖人求荣。这样的——

84

想罢，他的心中很平静坦然。在平日，他有什么感触，便想吟诗。现在，他似乎与诗告别了，因为他觉得二子仲石的牺牲，王排长的宁自杀不投降，和他自己的命运，都是"亡国篇"中的美好的节段——这些事实，即使用散文记录下来，依然是诗的；他不必再向音节词律中找诗了。

这时候，钱太太被兽兵从屋里推了出来，几乎跌倒。他不想和她说什么，可是她慌忙的走过来："他们拿咱们的东西呢！你去看看！"

钱先生哈哈的笑起来。白巡长拉了钱先生好几下，低声的劝告："别笑！别笑！"钱太太这才看清，丈夫的口外有血。她开始用袖子给他擦。"怎么啦？"老妻的袖口擦在他的口旁，他像忽然要发痧似的，心中疼了一阵，身上都出了汗。手扶着她，眼闭上，他镇定了一会儿。睁开眼，他低声的对她说："我还没告诉你，咱们的老二已经不在了，现在他们又来抓我！不用伤心！不用伤心！"他还有许多话要嘱咐她，可是再也说不出来。

钱太太觉得她是作梦呢。她看到的，听到的，全接不上榫子来。自从卢沟桥开火起，她没有一天不叨念小儿子的，可是丈夫和大儿子总告诉她，仲石就快回来了。那天，夜里忽然来了位客人，像是种地的庄稼汉儿，又像个军人。她不敢多嘴，他们也不告诉她那是谁。忽然，那个人又不见了。她盘问丈夫，他只那么笑一笑，什么也不说。还有一晚上，她分明听见院中有动静，又听到一个女子的声音喊喊喳喳的；第二天，她问，也没得到回答。这些都是什么事呢？今天，丈夫口中流着血，日本兵在家中乱搜乱抢，而且丈夫说二儿子已经不在了！她想哭，可是惊异与惶惑截住了她的眼泪。她拉住丈夫的臂，想一样一样的细问。她还没开口，敌兵已由屋中出来，把一根皮带子扔给了白巡长。钱先生说了话："不必绑！我跟着你们走！"白巡长拿起皮绳，低声的说："松拢上一点，省得他们又动打！"老太太急了，喊了声："你们干什么？要把老头弄了到哪儿去？放开！"她紧紧的握住丈夫的臂。白巡长很着急，唯恐敌兵打她。正在这时候，孟石苏醒过来，叫了声："妈！"钱先生在老妻的耳边说："看老大去！我去去就来，放心！"一扭身，他挣开了她的手，眼中含着两颗怒，愤，傲，烈，种种感情混合成的泪，挺着胸往外走。走了两步，他回头看了看他手植的花草，一株秋葵正放着大朵的鹅黄色的花。

瑞宣从护国寺街出来，正碰上钱先生被四个敌兵押着往南走。他们没有预备车子，大概为是故意的教大家看看。钱先生光着头，左脚拖着布鞋，右脚光着，眼睛平视，似笑非笑的抿着嘴。他的手是被捆在身后。瑞宣要哭出来。钱先生并没有看见他。瑞宣呆呆的立在那里，看着，看着，渐渐的他只能看到几个黑影在马路边上慢慢的动，在晴美的阳光下，钱先生的头上闪动着一些白光。

迷迷瞪瞪的他走进小羊圈，除了李四爷的门开着半扇，各院的门还全闭着。他想到钱家看看，安慰安慰孟石和老太太。刚在钱家的门口一愣，李四爷——在门内坐着往外偷看呢——叫了他一声。他找了四大爷去。

先别到钱家去！"李四爷把瑞宣拉到门里说，"这年月，亲不能顾亲，友不能顾友，小心点！"

瑞宣没有回答出什么来，愣了一会儿，走出来。到家中，他的头痛得要裂。谁也没招呼，他躺在床上，有时候有声，有时候无声的，自己嘟囔着。

全胡同里的人，在北平沦陷的时候，都感到惶惑与苦闷，及至听到上海作战的消息，又都感到兴奋与欣悦。到现在为止，他们始终没有看见敌人是什么样的面貌，也想不出到底他们自己要受什么样的苦处。今天，他们才嗅到了血腥，看见了随时可以加在他们身上的损害。他们都跟钱先生不大熟识，可是都知道他是连条野狗都不得罪的人。钱先生的被打与被捕，使他们知道了敌人的厉害。他们心中的"小日本"已改了样子；小日本儿们不仅是来占领一座城，而是来要大家的命！同时，他们斜眼扫着冠家的街门，知道了他们须要极小心，连"小日本"也不可再多说；他们的邻居里有了甘心作日本狗的人！

冠晓荷把门闭的紧紧的，心中七上八下的不安。太阳落下去以后，他更怕了，唯恐西院里有人来报仇。不敢明言，他暗示出，夜间须有人守夜。

大赤包可是非常的得意，对大家宣布：

"得啦，这总算是立了头一功！咱们想退也退不出来了，就卖着力气往前干吧！"交代清楚了这个，她每五分钟里至少下十几条命令，把三个仆人支使得脚不挨地的乱转。一会儿，她主张喝点酒，给丈夫庆功；一会儿，她要请干姊妹们来打牌；一会儿，她要换衣裳出去打听打听钱先生的消息；一会儿，她把刚换好的衣服又脱下来，而教厨子赶快熬点稀米粥。

及至她看清冠晓荷有点害怕，她不免动了气：

"你这小子简直不知好歹，要吃，又怕烫，你算哪道玩艺儿呢？这不是好容易找着条道路，立了点功，你怎反倒害了怕呢？姓钱的是你的老子，你怕教人家把他一个嘴巴打死？"

晓荷勉强的打着精神说："大丈夫敢作敢当，我才不怕！"

"这不结啦！"大赤包的语气温柔了些。

西院里钱太太放声哭起来，连大赤包也不再出声了。

十三

中秋前后是北平最美丽的时候。天气正好不冷不热，昼夜的长短也划分得平匀。没有冬季从蒙古吹来的黄风，也没有伏天里挟着冰雹的暴雨。天是那么高，那么蓝，那么亮，好像是含着笑告诉北平的人们：在这些天里，大自然是不会给你们什么威胁与损害的。西山北山的蓝色都加深了一些，每天傍晚还披上各色的霞帔。

在太平年月，街上的高摊与地摊，和果店里，都陈列出只有北平人才能一一叫出名字来的水果。各种各样的葡萄，各种各样的梨，各种各样的苹果，已经叫人够看够闻够吃的了，偏偏又加上那些又好看好闻好吃的北平特有的葫芦形的大枣，清香甜脆的小白梨，像花红那样大的白海棠，还有只供闻香儿的海棠木瓜，与通体有金星的香槟子，再配上为拜月用的，贴着金纸条的枕形西瓜，与黄的红的鸡冠花，可就使人顾不得只去享口福，而是已经辨不清哪一种香味更好闻，哪一种颜色更好看，微微的有些醉意了！

那些水果，无论是在店里或摊子上，又都摆列的那么好看，果皮上的白霜一点也没蹭掉，而都被摆成放着香气的立体的图案画，使人感到那些果贩都是些艺术家，他们会使美的东西更美一些。况且，他们还会唱呢！他们精心的把摊子摆好，而后用清脆的嗓音唱出有腔调的"果赞"："唉——一毛钱儿来耶，你就挑一堆我的小白梨儿，皮儿又嫩，水儿又甜，没有一个虫眼儿，我的小嫩白梨儿耶！"歌声在香气中颤动，给苹果葡萄的静丽配上音乐，使人们的脚步放慢，听着看着嗅着北平之秋的美丽。

同时，良乡的肥大的栗子，裹着细沙与糖蜜在路旁唰啦唰啦的炒着，连锅下的柴烟也是香的。"大酒缸"门外，雪白的葱白正拌炒着肥嫩的羊肉；一碗酒，四两肉，有两三毛钱就可以混个醉饱。高粱红的河蟹，用席篓装着，沿街叫卖，而会享受的人们会到正阳楼去用小小的木锤，轻轻敲裂那毛茸茸的蟹脚。

同时，在街上的"香艳的"果摊中间，还有多少个兔儿爷摊子，一层层的摆起粉面彩身，身后插着旗伞的兔儿爷——有大有小，都一样的漂亮工细，有的骑着老虎，有的坐着莲花，有的肩着剃头挑儿，有的背着鲜红的小木柜；这雕塑的小品给千千万万的儿童心中种下美的种子。

同时，以花为粮的丰台开始一挑一挑的往城里运送叶齐苞大的秋菊，而公园中的花匠，与爱美的艺菊家也准备给他们费了半年多的苦心与劳力所养成的奇葩异种开"菊展"。北平的菊种之多，式样之奇，足以甲天下。

同时，像春花一般骄傲与俊美的青年学生，从清华园，从出产莲花白酒的海甸，从东南西北城，到北海去划船；荷花久已残败，可是荷叶还给小船上的男女身上染上一些清香。

同时，那文化过熟的北平人，从一入八月就准备给亲友们送节礼了。街上的铺店用各式的酒瓶，各种馅子的月饼，把自己打扮得像鲜艳的新娘子；就是那不卖礼品的铺户也要凑个热闹，挂起秋节大减价的绸条，迎接北平之秋。

北平之秋就是人间的天堂，也许比天堂更繁荣一点呢！

祁老太爷的生日是八月十三。口中不说，老人的心里却盼望着这一天将与往年的这一天同样的热闹。每年，过了生日便紧跟着过节，即使他正有点小小的不舒服，他也必定挣扎着表示出欢喜与兴奋。在六十岁以后，生日与秋节的联合祝贺几乎成为他的宗教仪式——在这天，他须穿出最心爱的衣服；他须在事前预备好许多小红纸包，包好最近铸出的银角子，分给向他祝寿的小儿；他须极和善的询问亲友们的生活近况，而后按照着他的生活经验逐一的给予鼓励或规劝；他须留神观察，教每一位客人都吃饱，并且捡出他所不大喜欢的瓜果或点心给儿童们拿了走。他是老寿星，所以必须作到老寿星所应有的一切慈善，客气，宽大，好免得教客人们因有所不满而暗中抱怨，以致损了他的寿数。生日一过，他感到疲乏；虽然还表示出他很关心大家怎样过中秋节，而心中却只把它作为生日的尾声，过不过并不太紧要，因为生日是他自己的，过节是大家的事；这一家子，连人口带产业，都是他创造出来的，他理应有点自私。

　　今年，他由生日的前十天，已经在夜间睡得不甚安帖了。他心中很明白，有日本人占据着北平，他实在不应该盼望过生日与过节能和往年一样的热闹。虽然如此，他可是不愿意就轻易的放弃了希望。钱默吟不是被日本宪兵捉去，至今还没有消息么？谁知道能再活几天呢！那么，能够活着，还不是一件喜事吗？为什么不快快活活的过一次生日呢？这么一想，他不但希望过生日，而且切盼这一次要比过去的任何一次——不管可能与否——更加的热闹！谁不晓，这也许就是末一次了呢！况且，他准知道自己没有得罪过日本人，难道日本人——不管怎样不讲理——还不准一个老实人庆一庆七十五的寿日吗？

　　他决定到街上去看看。北平街市上，在秋节，应该是什么样子，他一闭眼就能看得清清楚楚；他实在没有上街去的必要。但是，他要出去，不是为看他所知道的秋节街市，而是为看看今年的街市上是否有过节的气象。假若街上照常的热闹，他便无疑的还可以快乐的过一次生日。而日本人的武力占领北平也就没什么太了不得的地方了。

　　到了街上，他没有闻到果子的香味，没有遇到几个手中提着或肩上担着礼物的人，没有看见多少中秋月饼。他本来走的很慢，现在完全走不上来了。他想得到，城里没有果品，是因为，城外不平安，东西都进不了城。他也知道，月饼的稀少是大家不敢过节的表示。他忽然觉得浑身有些发冷。在他心中，只要日本人不妨碍他自己的生活，他就想不起恨恶他们。对国事，正如对日本人，他总以为都离他很远，无须乎过问。他只求能平安的过日子，快乐的过生日；他觉得他既没有辜负过任何人，他就应当享有这点平安与快乐的权利！现在，他看明白，日本已经不许他过节过生日！

　　以祁老人的饱经患难，他的小眼睛里是不肯轻易落出泪来的。但是，现在他的眼有点看不清前面的东西了。找了个豆汁儿摊子，他借坐了一会，心中才舒服了一些。

他开始往家中走。路上，他看见两个兔儿爷摊子，都摆着许多大小不同的，五光十色的兔儿爷。在往年，他曾拉着儿子，或孙子，或重孙子，在这样的摊子前一站，就站个把钟头，去欣赏，批评，和选购一两个价钱小而手工细的泥兔儿。今天，他独自由摊子前面过，他感到孤寂。同时，往年的兔儿爷摊子是与许多果摊儿立在一处的，使人看到两种不同的东西，而极快的把二者联结到一起——用鲜果供养兔子王。由于这观念的联合，人们的心中就又立刻勾出一幅美丽的，和平的，欢喜的，拜月图来。今天，两个兔儿爷的摊子是孤立的，两旁并没有那色香俱美的果子，使祁老人心中觉得异样，甚至于有些害怕。

他想给小顺儿和妞子买两个兔儿爷。很快的他又转了念头——在这样的年月还给孩子们买玩艺儿？可是，当他还没十分打定主意的时候，摆摊子的人，一个三十多岁的瘦子，满脸含笑的叫住了他："老人家照顾照顾吧！"由他脸上的笑容，和他声音的温柔，祁老人看出来，即使不买他的货物，而只和他闲扯一会儿，他也必定很高兴。祁老人可是没停住脚步，他没有心思买玩具或闲扯。瘦子赶过来一步："照顾照顾吧！便宜！"听到"便宜"，几乎是本能的，老人停住了脚。瘦子的笑容更扩大了，假若刚才还带有不放心的意思，现在仿佛是已把心放下去。他笑着叹了口气，似乎是说："我可抓到了一位财神爷！"

"老人家，您坐一会儿，歇歇腿儿！"瘦子把板凳拉过来，而且用袖子拂拭了一番。"我告诉您，摆出来三天了，还没开过张，您看这年月怎办？货物都是一个夏天作好的，能够不拿出来卖吗？可是……"看老人已经坐下，他赶紧入了正题："得啦，你老人家拿我两个大的吧，准保赔着本儿卖！您要什么样子的？这一对，一个骑黑虎的，一个骑黄虎的，就很不错！玩艺作的真地道！"

"给两个小孩儿买，总得买一模一样的，省得争吵！"祁老人觉得自己是被瘦子圈弄住了，不得不先用话搪塞一下。

91

"有的是一样的呀，您挑吧!"瘦子决定不放跑了这个老人。"您看，是要两个黑虎的呢，还是来一对莲花座儿的? 价钱都一样，我贱贱的卖!"

"我不要那么大的! 孩子小，玩艺儿大，容易摔了!"老人又把瘦子支回去，心中痛快了一点。

"那么您就挑两个小的，得啦!"瘦子决定要把这号生意作成。"大的小的，价钱并差不多，因为小的工细，省了料可省不了工!"他轻轻的拿起一个不到三寸高的小兔儿爷，放在手心上细细的端详:"您看，活儿作得有多么细致!"

小兔儿的确作得细致: 粉脸是那么光润，眉眼是那么清秀，就是一个七十五岁的老人也没法不像小孩子那样的喜爱它。脸蛋上没有胭脂，而只在小三瓣嘴上画了一条细线，红的，上了油; 两个细长白耳朵上淡淡的描着点浅红; 这样，小兔儿的脸上就带出一种英俊的样子，倒好像是兔儿中的黄天霸似的。它的上身穿着朱红的袍，从腰以下是翠绿的叶与粉红的花，每一个叶折与花瓣都精心的染上鲜明而匀调的彩色，使绿叶红花都闪闪欲动。

祁老人的小眼睛发了光。但是，他晓得怎样控制自己。他不能被这个小泥东西诱惑住，而随便花钱。他会像悬崖勒马似的勒住他的钱——这是他成家立业的首要的原因。

"我想，我还是挑两个不大不小的吧!"他看出来，那些中溜儿的玩具，既不像大号的那么威武，也不像小号的那么玲珑，当然价钱也必合适一点。

瘦子有点失望。可是，凭着他的北平小贩应有的修养，他把失望都严严的封在心里，不准走漏出半点味儿来。"您爱哪样的就挑哪样的，反正都是小玩艺儿，没有好大的意思!"

老人费了二十五分钟的工夫，挑了一对。又费了不到二十五分也差不多的时间，讲定了价钱。讲好了价钱，他又坐下了——非到无可如何的时候，他不愿意往外掏钱; 钱在自己的口袋里是和把狗拴在屋里一样保险的。

瘦子并不着急。他愿意有这么位老人坐在这里，给他作义务的广告牌。同时，交易成了，彼此便变成朋友，他对老人说出心中的话：

"要照这么下去，我这点手艺非绝了根儿不可！"

"怎么？"老人把要去摸钱袋的手又拿了出来。

"您看哪，今年我的货要是都卖不出去，明年我还傻瓜似的预备吗？不会！要是几年下去，这行手艺还不断了根？您想是不是？"

"几年？"老人的心中凉了一下。

"东三省……不是已经丢了好几年了吗？"

"哼！"老人的手有点发颤，相当快的掏出钱来，递给瘦子。"哼！几年！我就入了土喽！"说完，他几乎忘了拿那一对泥兔儿，就要走开，假若不是瘦子很小心的把它们递过来。

"几年！"他一边走一边自己嘟囔着。口中嘟囔着这两个字，他心中的眼睛已经看到，他的棺材恐怕是要从有日本兵把守着的城门中抬出去，而他的子孙将要住在一个没有兔儿爷的北平；随着兔儿爷的消灭，许多许多可爱的，北平特有的东西，也必定绝了根！不知不觉的，他已走到了小羊圈，像一匹老马那样半闭着眼而能找到了家。走到钱家门外，他不由的想起钱默吟先生，同时觉得手中拿着两个兔儿爷是非常不合适的；钱先生怎样了，是已经被日本人打死，还是熬着苦刑在狱里受罪？好友生死不明，而他自己还有心程给重孙子买兔儿爷！

一号的门开开了。老人受了一惊。几乎是本能的，他往前赶了几步；他不愿意教钱家的人看见他——手中拿着兔儿爷！

紧走了几步以后，他后了悔。凭他与钱老者的友谊，他就是这样的躲避着朋友的家属吗？他马上放缓了脚步，很惭愧的回头看了看。钱太太——一个比蝴蝶还温柔，比羊羔还可怜的年近五十的矮妇人——在门外立着呢。她的左腋下夹着一个不很大的蓝布包儿，两只凹进很深的眼看看大槐树，又看看蓝布包儿，好像在自家门前迷失了路的样子。祁老人向后转。钱太太的右手拉起来一点长袍——一件极旧极长的袍子，长得遮住脚面——似乎也要向后转。老人赶了过去，叫了声钱太太。钱太太不动了，呆呆的看着他。她脸上的肌肉像是已经忘了怎样表情，只有眼皮慢慢的开闭。

"钱太太！"老人又叫了一声，而想不起别的话来。

她也说不出话来，极度的悲苦使她心中成了一块空白。

老人咽了好几口气，才问出来："钱先生怎样了？"

她微微的一低头，可是并没有哭出来；她的泪仿佛已经早已用完了。她很快的转了身，迈进了门坎。老人也跟了进去。在门洞中，她找到了自己的声音，一种失掉了言语的音乐的哑涩的声音：

"什么地方都问过了，打听不到他在哪里！祁伯伯！我是个终年不迈出这个门坎的人，可是现在我找遍了九城！"

"大少爷呢？"

"快，快，快不行啦！父亲被捕，弟弟殉难，他正害病；病上加气，他已经三天没吃一口东西，没说一句话了！祁伯伯，日本人要是用炮把城轰平了，倒比这么坑害人强啊！"说到这里，她的头扬起来，眼中，代替眼泪的，是一团儿怒的火；她不住的眨眼，好像是被烟火烧炙着似的。

老人愣了一会儿。他很想帮她的忙，但是事情都太大，他无从尽力。假若这些苦难落在别人的身上，他会很简单的判断："这都是命当如此！"可是，他不能拿这句话来判断眼前的这一回事，因为他的确知道钱家的人都是一百一十成的好人，绝对不应该受这样的折磨。

"现在，你要上哪儿去呢？"

她看了看腋下的蓝布包儿，脸上抽动了一下，而后又扬起头来，决心把害羞压服住："我去当当！"紧跟着，她的脸上露出极微的，可是由极度用力而来的，一点笑意，像在浓云后努力透出的一点阳光。"哼！平日，我连拿钱买东西都有点害怕，现在我会也上当铺了！"

祁老人得到可以帮忙的机会："我，我还能借给你几块钱！"

"不，祁伯伯！"她说得那么坚决，哑涩的嗓子中居然出来一点尖锐的声音。

"咱们过得多呀！钱太太！"

"不！我的丈夫一辈子不求人，我不能在他不在家的时候……"她没有能说完这句话，她要刚强，可是她也知道刚强的代价是多么大。她忽然的改了话："祁伯伯！你看，默吟怎样呢？能够还活着吗？能够还回来吗？"

祁老人的手颤起来。他没法回答她。想了半天，他声音很低的说："钱太太！咱们好不好去求求冠晓荷呢？"他不会说："解铃还是系铃人"，可是他的口气与神情帮忙他，教钱太太明白了他的意思。

"他？求他？"她的眉有点立起来了。

"我去！我去！"祁老人紧赶着说。"你知道，我也很讨厌那个人！"

"你也不用去！他不是人！"钱太太一辈子不会说一个脏字，"不是人"已经把她所有的愤恨与诅咒都说尽了。"啊，我还得赶紧上当铺去呢！"说着，她很快的往外走。

祁老人完全不明白她了。她，那么老实，规矩，好害羞的一个妇人，居然会变成这么坚决，烈性，与勇敢！愣住一会，看她已出了大门，他才想起跟出来。出了门，他想拦住她，可是她已拐了弯——她居然不再注意关上门，那永远关得严严的门！老人叹了口气，不知道怎的很想把手中的一对泥东西摔在大槐树的粗干子上。可是，他并没肯那么办。他也想进去看看钱大少，可是也打不起精神来，他觉得心里堵得慌！

到了家中，他仿佛疲倦得已不能支持。把两个玩艺儿交给小顺儿的妈，他一语未发的走进自己的屋中。小顺儿的妈只顾了接和看两个泥东西，并没注意老人的神色。她说了声："哟！还有卖兔儿爷的哪！"说完，她后了悔；她的语气分明是有点看不起老太爷，差不多等于说："你还有心思买玩艺儿哪，在这个年月！"她觉得不大得劲儿。为掩饰自己的不知如何是好，她喊了声小顺儿："快来，太爷爷给你们买兔儿爷来啦！"

小顺儿与妞子像两个箭头似的跑来。小顺儿劈手拿过一个泥兔儿去，小妞子把一个食指放在嘴唇上，看着兔儿爷直吸气，兴奋得脸上通通的红了。

"还不进去给老太爷道谢哪？"他们的妈高声的说。

妞子也把兔儿爷接过来，双手捧着，同哥哥走进老人的屋内。

"太爷爷！"小顺儿笑得连眉毛都挪了地方。"你给买来的？"

"太爷爷!"妞子也要表示感谢,而找不到话说。

"玩去吧!"老人半闭着眼说,"今年玩了,明年可……"他把后半句话咽回去了。

"明年怎样?明年买更大,更大,更大的吧?"小顺儿问。

"大,大,大的吧?"妞子跟着哥哥说。

老人把眼闭严,没回出话来。

十四

瑞丰夫妇到冠家去。

冠先生与冠太太对客人的欢迎是极度热烈的。晓荷拉住瑞丰的手，有三分多钟，还不肯放开。他的呼吸气儿里都含着亲热与温暖。大赤包，摇动着新烫的魔鬼式的头发，把瑞丰太太搂在怀中。祁氏夫妇来的时机最好。自从钱默吟先生被捕，全胡同的人都用白眼珠瞟冠家的人。虽然在口中，大赤包一劲儿的说"不在乎"，可是心中究竟不大够味儿。大家的批评并不能左右她的行动，也不至于阻碍她的事情，因为他们都是些没有势力的人。不过，像小崔，孙七，刘棚匠，李四爷，那些"下等人"也敢用白眼瞟她，她的确有些吃不消。今天，看瑞丰夫妇来到，她觉得胡同中的"舆论"一定是改变了，因为祁家是这里的最老的住户，也就是"言论界"的代表人。瑞丰拿来的一点礼物很轻微，可是大赤包极郑重的把它接过去——它是一点象征，象征着全胡同还是要敬重她，像敬重西太后一样。

瑞丰夫妇在冠家觉得特别舒服，像久旱中的花木忽然得到好雨。他们听的，看的，和感觉到的，都恰好是他们所愿意听的，看的，与感觉到的。大赤包亲手给他们煮了来自英国府的咖啡，切开由东城一家大饭店新发明的月饼。吸着咖啡，瑞丰慢慢的有了些醉意：冠先生的最无聊的话，也不知怎么正好碰到他的心眼上，像小儿的胖手指碰到痒痒肉上那么又痒痒又好受。冠先生的姿态与气度，使他钦佩羡慕，而愿意多来几次，以便多多的学习。他的小干脸上红起来，眼睛在不偷着瞟尤桐芳与招弟姑娘的时候，便那么闭一闭，像一股热酒走到腹部时候那样的微晕。

瑞丰太太的一向懒洋洋的胖身子与胖脸，居然挺脱起来。她忽然有了脖子，身量高出来一寸。说着笑着，她连乳名——毛桃儿——也告诉了大赤包。

"打几圈儿吧?"大赤包提议。

瑞丰没带着多少钱，但是绝对不能推辞。第一，他以为今天是中秋节，理应打牌。第二，在冠家而拒绝打牌，等于有意破坏秩序。第三，自己的腰包虽然不很充实，可是他相信自己的技巧不坏，不至于垮台。瑞丰太太马上答应了："我们俩一家吧！我先打！"说着，她摸了摸手指上的金戒指，暗示给丈夫："有金戒指呢！宁输掉了它，不能丢人！"瑞丰暗中佩服太太的见识与果敢，可是教她先打未免有点不痛快。他晓得她的技巧不怎样高明，而脾气又怕——越输越不肯下来。假若他立在她后边，给她指点指点呢，她今一定把输钱的罪过都归到他身上，不但劳而无功，而且非在小敕。他的小干脸上有点发僵。

这时候，大赤包问晓荷："你打呀?"

"让客人!"晓荷庄重而又和悦的说，"瑞丰你也下场好了!"

"不！我和她一家儿！"瑞丰自以为精明老练，不肯因技痒而失去控制力。

"那么，太太，桐芳或高第招弟，你们四位太太小姐们玩会儿好啦！我们男的伺候看茶水!"晓荷对妇女的尊重，几乎像个英国绅士似的。

瑞丰不能不钦佩冠先生了，于是爽性决定不立在太太背后看歪脖子胡。

大赤包一声令下，男女仆人飞快的跑进来，一眨眼把牌桌摆好，颇像机械化部队的动作那么迅速准确。

桐芳把权利让给了招弟，表示谦退，事实上她是怕和大赤包因一张牌也许又吵闹起来。

妇人们入了座。晓荷陪着瑞丰闲谈，对牌桌连睬也不睬。

"打牌，吃酒，"他告诉客人，"都不便相强。强迫谁打牌，正和揪着人家耳朵灌酒一样的不合理。我永远不抢酒喝，不争着打牌；也不勉强别人陪我。在交际场中，我觉得我这个态度最妥当！"

瑞丰连连的点头。他自己就最爱犯争着打牌和闹酒的毛病。他觉得冠先生应当作他的老师！同时，他偷眼看大赤包。她活像一只雌狮。她的右眼照管着自己的牌，左眼扫射着牌手们的神气与打出的牌张；然后，她的两眼一齐看一看桌面，很快的又一齐看到远处坐着的客人，而递过去一点微笑。她的微笑里含着威严与狡猾，像雌狮对一只小兔那么威而不厉的逗弄着玩。她的抓牌与打牌几乎不是胳臂与手指的运动，而像牌由她的手中蹦出或被她的有磁性的肉吸了来似的。她的肘，腕，甚至于乳房，好像都会抓牌与出张。出张的时节，她的牌撂得很响，给别人的神经上一点威胁，可是，那张牌到哪里去了？没人能知道，又给大家一点惶惑。假若有人不知进退的问一声："打的什么？"她的回答又是那么一点含着威严，与狡猾的微笑，使发问的人没法不红了脸。她自己胡了牌，随着牌张的倒下，她报出胡数来，紧跟着就洗牌；没人敢质问她，或怀疑她，她的全身像都发着电波，给大家的神经都通了电，她说什么就必定是什么。可是，别人胡了牌而少算了翻数，她也必定据实的指出错误："跟我打牌，吃不了亏！输赢有什么关系，牌品要紧！"这，又使大家没法不承认即使把钱输给她，也输得痛快。

瑞丰再看他的太太，她已经变成在狮子旁边的一只肥美而可怜的羊羔。她的眼忙着看手中的牌，又忙着追寻大赤包打出就不见了的张子，还要抽出空儿看看冠家的人们是否在暗笑她。她的左手在桌上，紧紧的按着两张牌，像唯恐他们会偷偷的跑出去；右手，忙着抓牌，又忙着调整牌，以致往往不到时候就伸出手去，碰到别人的手；急往回缩，袖子又撩倒了自己的那堵小竹墙。她的脸上的肌肉缩紧，上门牙咬着下嘴唇，为是使精力集中，免生错误，可是那三家的牌打得太熟太快，不知怎的她就落了空。"哟！"她不晓得什么时候，谁打出的二索；她恰好胡二索调单——缺一门，二将，孤幺，三翻！她只"哟"了一声，不便再说什么，多说更泄自己的气。三家的二索马上都封锁住了，她只好换了张儿。她打出了二索，大赤包胡坎二索！大赤包什么也没说，而心中发出的电码告诉明白了瑞丰太太："我早就

99

等着你的二索呢!"

瑞丰还勉强着和晓荷乱扯,可是心中极不放心太太手上的金戒指。

牌打到西风圈,大赤包连坐三把庄。忽然,西院的两位妇人哭嚎起来。哭声像小钢针似的刺入她的耳中。她想若无其事的继续赌博,但是那些小钢针好像是穿甲弹,一直钻到她的脑中,而后爆炸开。她努力控制自己的肌肉与神经,不许它们泄露她的内心怎样遭受着轰炸。可是,她控制不住她的汗。她的胳肢窝忽然的湿了一点,而最讨厌的是脑门与鼻尖上全都潮润起来。啼声由嚎啕改为似断似续的悲啼,牌的响声也一齐由清脆的拍拍改为在桌布上的轻滑。牌的出入迟缓了好多,高第和招弟的手都开始微颤。大赤包打错了一张牌,竟被瑞丰太太胡了把满贯。

晓荷的脸由微笑而扩展到满脸都是僵化了的笑纹,见瑞丰太太胡了满贯,他想拍手喝彩,可是,手还没拍到一处,他发现了手心上出满了凉汗。手没有拍成,他把手心上的汗偷偷的抹在裤子上。

"爸爸!"高第叫了一声。

"啊?"晓荷轻妙的问了声。他觉得高第这一声呼叫极有价值,否则他又非僵在那儿不可。

"替我打两把呀?"

"好的!好的!"他刚坐下,西院的哭声,像歇息了一会儿的大雨似的,比以前更加猛烈了。

大赤包把一张幺饼猛的拍在桌上,眼看着西边,带着怒气说:"太不像话了,这两个臭娘们!大节下的嚎什么丧呢!"

"没关系!"晓荷用两个手指夹着一张牌,眼瞟着太太,说,"她们哭她们的,我们玩我们的!"

"还差多少呀?"瑞丰搭讪着走过来。"先歇一会儿怎样?"

他太太的眼射出两道"死光"来:"我的牌刚刚转好一点!你要回家,走好了,没人拦着你!"

"当然打下去!起码十六圈,这是规矩!"冠先生点上枝香烟,很俏式的由鼻中冒出两条小龙来。

100

瑞丰赶紧走回原位，觉的太太有点不懂事，可是不便再说什么；他晓得夫妻间的和睦是仗着丈夫能含着笑承认太太的不懂事而维持着的。

　　"我要是有势力的话，碰！"大赤包碰了一对九万，接着说，"我就把这样的娘们一个个都宰了才解气！跟她们作邻居真算倒了霉，连几圈小麻将她们都不许你消消停停的玩！"

　　屋门开着呢，大赤包的一对么饼型的眼睛看见桐芳和高第往外走。"嗨！你们俩上哪儿？"她问。

　　桐芳的脚步表示出快快溜出去的意思，可是高第并不怕她的妈妈，而想故意的挑战："我们到西院看看去！"

　　"胡说！"大赤包半立起来，命令晓荷，"快拦住她们！"

　　晓荷顾不得向瑞丰太太道歉，手里握着一张红中就跑了出去。到院中，他一把没有抓住桐芳，（因为红中在手里，他使不上力）她们俩跑了出去。

　　大赤包的怒气拐了弯，找到了晓荷："你就那么饭桶，连她们俩都拦不住？这算怎回事呢？她们俩上西院干什么去？你也去看看哪！普天下，找不到另一个像你这样松头日脑的人！你娶小老婆，你生女儿，可是你管不住她们！这像什么话呢？"

　　晓荷手中掂着那张红中，微笑着说："小老婆是我娶的，不错！女儿可是咱们俩养的，我不能负全责。"

　　"别跟我胡扯！你不敢去呀，我去！我去把她们俩扯回来！"大赤包没有交代一声牌是暂停，还是散局，立起来就往院中走。

　　瑞丰太太的胖脸由红而紫，像个熟过了劲儿的大海茄。这把牌，她又起得不错，可是大赤包离开牌桌，而且并没交代一声。她感到冤屈与耻辱。西院的哭声，她好像完全没有听到。她是"一个心眼"的人。

　　瑞丰忙过去安慰她："钱家大概死了人！不是老头子教日本人给枪毙了，就是大少爷病重。咱们家去吧！在咱们院子里不至于听得这么清楚！走哇？"

　　瑞丰太太一把拾起自己的小皮包，一把将那手很不错的牌推倒，怒冲冲的往外走。

"别走哇!"晓荷闪开了路,而口中挽留她。

她一声没出。瑞丰搭讪着也往外走,口中啊啊着些个没有任何意思的字。

"再来玩!"晓荷不知送他们出去好,还是只送到院中好。他有点怕出大门。

大赤包要往西院去的勇气,到院中便消去了一大半。看瑞丰夫妇由屋里出来,她想一手拉住一个,都把他们拉回屋中。可是,她又没作到。她只能说出:"不要走!这太对不起了!改天来玩呀!"她自己也觉出她的声音里并没带着一点水分,而像枯朽了的树枝被风刮动的不得已而发出些干涩的响声来。

瑞丰又啊啊了几声,像个惊惶失措的小宠儿似的,蹦跶蹦跶的,紧紧的跟随定夫人的后面。

祁家夫妇刚走出去,大赤包对准了晓荷放去一个鱼雷。"你怎么了?怎么连客也不知道送送呢?你怕出大门,是不是?西院的娘们是母老虎,能一口吞了你?"

晓荷决定不反攻,他低声的对自己说:"这也许就是个小报应呢!"

"什么?"大赤包听见了,马上把双手叉在腰间,像一座"怒"的刻像似的。"放你娘的驴屁!"

"什么屁不好放,单放驴屁?"晓荷觉得质问的非常的得体,心中轻松了些。

孙七,李四妈,瑞宣,李四爷,前后脚的来到钱家。事情很简单!钱孟石病故,他的母亲与太太在哭。

孙七,泪在眼圈里,跺开了脚!"这是什么世界!抓去老的,逼死小的!我……"他想破口大骂,而没敢骂出来。

瑞宣,在李四爷身后,决定要和四爷学,把一就看成一,二看成二;哀痛,愤怒,发急,都办不了事。尽管钱老人是他的朋友,孟石是他的老同学,他决定不撒开他的感情去恸哭,而要极冷静的替钱太

102

太办点事。

孟石，还穿着平时的一身旧夹裤褂，老老实实的躺在床上，和睡熟了的样子没有多大区别。他的脸瘦得剩了一条。在这瘦脸上，没有苦痛，没有表情，甚至没有了病容，就那么不言不语的，闭着眼安睡。瑞宣要过去拉起他的瘦，长，苍白的手，喊叫着问他："你就这么一声不响的走了吗？你不晓得仲石的壮烈吗？为什么脸上不挂起笑纹？你不知道父亲在狱中吗？为什么不怒目？"可是，他并没有走过去拉死鬼的手。他知道在死前不抵抗的，只能老老实实的闭上眼，而北平人倒有百分之九十九是不抵抗的，他自己也是其中的一个，他自己也会有那么一天就这样闭上了眼，连脸上也不带出一点怒气。他哭出了声。多日来的羞愧，忧郁，顾虑，因循，不得已，一股脑儿都哭了出来。他不是专为哭一位亡友，而是多一半哭北平的灭亡与耻辱！

四大妈拉住两个妇人的手，陪着她们哭。钱太太与媳妇已经都哭傻了，张着嘴，合着眼，泪与鼻涕流湿了胸前，她们的哭声里并没有一个字，只是由心里往外倾倒眼泪，由喉中激出悲声。哭一会儿，她们噎住，要闭过气去。四大妈急忙给她们捶背，泪和言语一齐放出来："不能都急死哟！钱太太！钱少奶奶！别哭喽！"她们缓过气来，哼唧着，抽搭着，生命好像只剩了一根线那么细，而这一根线还要涌出无穷的泪来。气顺开，她们重新大哭起来。冤屈，愤恨，与自己的无能，使她们愿意马上哭死。

李四爷含着泪在一旁等着。他的年纪与领杠埋人的经验，教他能忍心的等待。等到她们死去活来的有好几次了，他抹了一把鼻涕，高声的说："死人是哭不活的哟！都住声！我们得办事！不能教死人臭在家里！"

孙七不忍再看，躲到院中去。院中的红黄鸡冠花开得正旺，他恨不能过去拔起两棵，好解解心中的憋闷："人都死啦，你们还开得这么有来有去的！他妈的！"

瑞宣把泪收住，低声的叫："钱伯母！钱伯母！"他想说两句有止恸收泪的作用的话，可是说不出来；一个亡了国的人去安慰另一个亡了国的人，等于屠场中的两头牛相对哀鸣。

103

钱太太哭得已经没有了声音，没有了泪，也差不多没有了气。她直着眼，愣起来。她的手和脚已然冰冷，失去了知觉。她已经忘了为什么哭，和哭谁，除了心中还跳，她的全身都已不会活动。

钱少奶奶还连连的抽搭。四大妈拉着她的手，挤咕着两只哭红了的眼，劝说："好孩子！好孩子！要想开点呀！你要哭坏了，谁还管你的婆婆呢？"

少奶奶横着心，忍住了悲恸。愣了一会儿，她忽然的跪下了，给大家磕了报丧的头。大家都愣住了；想了一下，才明白过来。四大妈的泪又重新落下来："起来吧！苦命的孩子！"可是，少奶奶起不来了。这点控制最大的悲哀的努力，使她筋疲力尽。手脚激颤着，她瘫在了地上。

这时候，钱太太吐出一口白沫子来，哼哼了两声。

"想开一点吧，钱太太！"李四爷劝慰："有我们这群人呢，什么事都好办！"

"钱伯母！我也在这儿呢！"瑞宣对她低声的说。

孙七轻轻的进来："钱太太！咱们的胡同里有害人的，也有帮助人的，我姓孙的是来帮忙的，有什么事！请你说就是了！"

钱太太如梦方醒的看了大家一眼，点了点头。

桐芳和高第已在门洞里立了好半天。听院内的哭声止住了，她们才试着步往院里走。

孙七看见了她们，赶紧迎上来，要细看看她们是谁。及至看清楚了，他头上与脖子上的青筋立刻凸起来。他久想发作一番，现在他找到了合适的对象："小姐太太们，这儿没唱戏，也不耍猴子，没有什么好看的！请出！"

桐芳把外场劲儿拿出来："七爷，你也在这儿帮忙哪？有什么我可以作的事没有？"

孙七听小崔说过，桐芳的为人不错。他是错怪了人，于是弄得很僵。

桐芳和高第搭讪着往屋里走，把李四爷叫到院中来。

"四爷！"桐芳低声而亲热的叫。"我知道咱们的胡同里都怎么恨我们一家子人！可是我和高第并没过错。我们俩没出过坏主意，陷害别人！我和高第想把这点意思告诉给钱老太太，可是看她哭得死去活来的，实在没法子张嘴。得啦，我求求你吧，你老人家得便替我们说一声吧！"

四爷不敢相信她的话，也不敢不信。最初，他以为她俩是冠家派来的"侦探"。听桐芳说得那么恳切，他又觉得不应当过度的怀疑她们。他不好说什么，只不着边际的点了点头。

"四爷！"高第的短鼻子上纵起许多带着感情的碎纹。"钱太太是不是很穷呢？"

李四爷对高第比对桐芳更轻视一些，因为高第是大赤包的女儿。他又倔又硬的回答出一句："穷算什么呢？钱家这一下子断了根，绝了后！"

"仲石是真死啦？钱老先生也……"高第说不下去了。

李四爷有点不耐烦，很不客气的说："你们二位要是没别的事，就请便吧！我还得——"

桐芳把话抢过来："四爷，我和高第有一点小意思！"她把手中握了半天的一个小纸包——纸已被手心上的汗沤得皱起了纹——递过来："你不必告诉钱家的婆媳，也不必告诉别人，你爱怎么用就怎么用，给死鬼买点纸烧也好，给……也好，都随你的便！"

李四爷的心中暖和了一点，把小纸包接了过来。他晓得钱家过的是苦日子，而丧事有它的必须花钱的地方。当着她俩，他把小包儿打开，以便心明眼亮；里面是桐芳的一个小金戒指，和高第的二十五块钞票。

"我先替你们收着吧！"老人说。"用不着，我原物交还；用得着，我有笔清账！我不告诉她们，好在她们一家子都不懂得算账！"

桐芳和高第的脸上都光润了一点，觉得她们是作了一件最有意义的事。

她们走后，李老人把瑞宣叫到院中商议："事情应该快办哪，钱少爷的身上还没换一换衣服呢！要老这么耽搁着，什么时候能抬出去呢？入土为安；又赶上这年月，更得快快的办啦！"

瑞宣连连点头。"四爷，要依着我，连寿衣都不必去买，有什么穿什么；这年月不能再讲体面。棺材呢，买口结实点的，弄十六个人赶快抬出去，你老人家看是不是？"

李老人抓了抓脖子上的大肉包。"我也这么想。恐怕还得请几位——至少是五众儿——和尚，超度超度吧？别的都可以省，这两钱儿非花不可！"

"四爷爷！"瑞宣亲热的叫着："现在我们去和钱太太商议，管保是毫无结果，她已经哭昏了。"

李老人猜到瑞宣的心意："咱们可作不了主，祁大爷！事情我都能办，棺材铺，杠房，我都熟，都能替钱太太省钱。可是，没有她的话，我可不敢去办。"

"对！"瑞宣没说别的，赶快跑回屋中，把四大妈叫出来："老人人，你先去问她们有什么要求，请来，好商议商议怎办事呀！"

"可怜的少奶奶！一朵花儿似的就守了寡！"四大妈的双手又拍起大腿来。

没人注意她的话。瑞宣接着说："我家去把小顺儿的妈找来，叫她一边劝一边问钱太太。等问明白了，我通知你们两位，好不好？"找到了韵梅，他把刚才吵嘴的事已经忘净，很简单而扼要的把事情告诉明白了她。她还没忘了心中的委屈，可是一听到钱家的事，她马上挺了挺腰，忙而不慌的擦了把手，奔了钱家去。

祁老人把瑞宣叫了去。瑞宣明知道说及死亡必定招老人心中不快，可是他没法作善意的欺哄，因为钱家的哭声是随时可以送到老人的耳中的。

听到孙子的报告，老人好大半天没说上话来。患难打不倒他的乐观，死亡可使他不能再固执己见。说真的，城池的失守并没使他怎样过度的惶惑不安；他有他自己的老主意；主意拿定，他觉得就是老天爷也没法难倒他。及至"小三儿"不辞而别，钱默吟被捕，生日没有过成，坟墓有被发掘的危险，最后，钱少爷在中秋节日死去，一件一件像毒箭似的射到他心中，他只好闭口无言了！他已不大相信自己的智慧与经验！

106

瑞丰在窗外偷偷的听话儿呢。他要偷听瑞宣对老祖父说些什么，以便报告给冠家。他须得到晓荷与大赤包的欢心，他的前途才能有希望。退一步讲，冠家即使不能给他实利，那么常能弄到一杯咖啡，两块洋点心，和白瞧瞧桐芳与招弟，也不算冤枉！

瑞宣走出来，弟兄两个打了个照面。瑞丰见大哥的眼圈红着，猜到他必是极同情钱太太。他把大哥叫到枣树下面。枣树本来就不甚体面，偏又爱早早的落叶，像个没有模样而头发又稀少的人似的那么难看。幸而枝子的最高处还挂着几个未被小顺儿的砖头照顾到的红透了的枣子，算是稍微遮了一点丑。瑞丰和小顺儿一样，看到枣子总想马上放到口中。现在，他可是没顾得去打那几个红枣，因为有心腹话要对哥哥说。

"大哥！"他的声音很低，神气恳切而诡秘："钱家的孟石也死啦！""也"字说得特别的用力，倒好像孟石的死是为凑热闹似的。

"啊！"瑞宣的声音也很低，可是不十分好听。"他也是你的同学！"他的"也"字几乎与二弟的那个同样的有力。

瑞丰仰脸看了看树上的红枣，然后很勉强的笑了笑。"尽管是同学！我对大哥你不说泛泛的话，因为你闯出祸来，也跑不了我！我看哪，咱们都少到钱家去！钱老人的生死不明，你怎知道没有日本侦探在暗中监视着钱家的人呢？再说，冠家的人都怪好的，咱们似乎也不必因为帮忙一家邻居，而得罪另一家邻居，是不是？"

瑞宣舔了舔嘴唇，没说什么。

"钱家，"瑞丰决定要把大哥说服，"现在是家破人亡，我们无论怎样帮忙，也不会得到丝毫的报酬。冠家呢——"说到这里，他忽然改了话："大哥，你没看报吗？"

瑞宣摇了摇头。真的，自从敌人进了北平，报纸都被奸污了以后，他就停止了看报。在平日，看报纸是他的消遣之一。报纸不但告诉他许多事，而且还可以掩护他，教他把脸遮盖起来，在他心中不很高兴的时候。停止看报，对于他，是个相当大的折磨，几乎等于戒烟或戒酒那么难过。可是，他决定不破戒。他不愿教那些带着血的谎话欺哄他，不教那些为自己开脱罪名的汉奸理论染脏了他的眼睛。

"我天天看一眼报纸上的大字标题!"瑞丰说。"尽管日本人说话不尽可靠,可是我们的仗打得不好是真的!山西,山东,河北,都打得不好,南京还保得住吗?所以,我就想:人家冠先生的办法并不算错!本来嘛,比如说南京真要也丢了,全国还不都得属东洋管;就是说南京守得住,也不老容易的打回来呀!咱们北平还不是得教日本人管着?胳臂拧不过大腿去,咱们一家子还能造反,打败日本人吗?大哥,你想开着点,少帮钱家的忙,多跟冠家递个和气,不必紧自往死牛犄角里钻!"

"你说完了?"瑞宣很冷静的问。

老二点了点头,小干脸僵巴起来。"大哥!我很愿意把话说明白了,你知道,她——"他向自己的屋中很恭敬的指了指,倒像屋中坐着的是位女神。"她常劝我分家,我总念手足的情义,不忍说出口来!你要是不顾一切的乱来,把老三放走,又帮钱家的忙,我可是真不甘心受连累!"他的语声提高了许多。

"啊?"瑞宣眨巴了几下眼,忽然的发了气。他的脸突然的红了,紧跟着又白起来。"你到底要干吗?"他忘了祖父与母亲的病,忘了一切,声音很低,可是很宽,像憋着大雨的沉雷。"分家吗?你马上滚!"

瑞丰太太肉滚子似的扭了出来。"丰!你进来!有人叫咱们滚,咱们还不忙着收拾收拾就走吗?等着叫人家踢出去,不是白饶一面儿吗?"

瑞丰放弃了妈妈,小箭头似的奔了太太去。

"瑞宣——"祁老人在屋里扯着长声儿叫:"瑞宣——"并没等瑞宣答应,他发开了纯为舒散肝气的议论:"不能这样子呀!小三儿还没有消息,怎能再把二的赶出去呢!今天是八月节,家家讲究团圆,怎么单单咱们说分家呢?要分,等我死了再说;我还能活几天?你们就等不得呀!"

瑞宣没答理祖父,也没安慰妈妈,低着头往院外走。在大门外,他碰上了韵梅。她红着眼圈报告:

"快去吧!钱太太不哭啦!孙七爷已经去给她和少奶奶的娘家送

信，你赶紧约上李四爷，去商议怎么办事吧！"

　　瑞宣的怒气还没消，可是决定尽全力去帮钱家的忙。他觉得只有尽力帮助别人，或者可以减轻他的忧虑，与不能像老三那样去赴国难的罪过。

　　他在钱家守了一整夜的死人。

十五

除了娘家人来到，钱家婆媳又狠狠的哭了一场之外，她们没有再哭出声来。钱太太的太阳穴与腮全陷进去多么深，以致鼻子和颧骨都显着特别的坚硬，有棱有角。二者必居其一：不是她已经把泪都倾尽，就是她下了决心不再哭。恐怕是后者，因为在她的陷进很深的眼眶里，有那么一点光。这点光像最温柔的母猫怕淘气的小孩动她的未睁开眼的小猫那么厉害，像带着鸡雏的母鸡感觉到天上来了老鹰那么勇敢，像一个被捉住的麻雀要用它的小嘴咬断了笼子棍儿那么坚决。她不再哭，也不多说话，而只把眼中这点光一会儿放射出来，一会儿又收起去；存储了一会儿再放射出来。

大家很不放心这点光。

李四爷开始喜欢钱太太，因为她是那么简单痛快，只要他一出主意，她马上点头，不给他半点麻烦和淤磨。从一方面看，她对于一切东西的价钱和到什么地方去买，似乎全不知道，所以他一张口建议，她就点头。从另一方面看，她的心中又像颇有些打算，并不胡里胡涂的就点头。比如说：四爷说，棺材只求结实，不管式样好看不好看；她点点头。四爷说，灵柩在家里只停五天，出殡只要十六个杠儿和一班儿清音吹鼓手；她又点点头。可是，当他提到请和尚放焰口的时候，她摇了头，因为钱先生和少爷们都不信佛，家里从来没给任何神佛烧过香。这，教李四爷觉得很奇怪。他很想问明白，钱家是不是"二毛子"，信洋教。可是他没敢问，因为他想不起钱家的人在什么时候上过教堂，而且这一家子无论在什么地方都丝毫不带洋气儿。李四爷不能明白她，而且心中有点不舒服——在他想，无论怎样不信佛

110

的人，死后念念经总是有益无损的事。钱太太可是很坚决，她连着摇了两次头。

为慎重起见，李四爷避着钱太太，去探听少奶奶的口气。她没有任何意见，婆婆说怎办，就怎办。四爷又特别提出请和尚念经的事，她说："公公和孟石都爱作诗，什么神佛也不信。"四爷不知道诗是什么，更想不透为什么作诗就不信佛爷。他只好放弃了自己的主张，虽然在心中已经算计好，他会给他们请来五位顶规矩而又便宜的和尚。他问到钱太太到底有多少钱，少奶奶毫不迟疑的回答："一个钱没有！"

李四爷抓了头。不错，他自己准备好完全尽义务，把杠领出城去。但是，杠钱，棺材钱，和其他的开销，尽管他可以设法节省，可也要马上就筹出款子来呀！他把瑞宣拉到一边，咬了咬耳朵。

瑞宣按着四爷的计划，先糙糙的在心中造了个预算表，然后才说："我晓得咱们胡同里的人多数的都肯帮忙。但是钱太太绝不喜欢咱们出去替她化缘募捐。咱们自己呢，至多也不过能掏出十块八块的，那和总数还差得多呢！咱们是不是应当去问问她们的娘家人呢？"

"应当问问！"老人点了头。"这年月，买什么都要付现钱！要不是闹日本鬼子，我准担保能赊出一口棺材来；现在，连一斤米全赊不出来，更休提寿材了！"

钱太太的弟弟，和少奶奶的父亲，都在这里。钱太太的弟弟陈野求，是个相当有学问，而心地极好的中年瘦子。脸上瘦，所以就显得眼睛特别的大。当他的眼珠定住的时候，他好像是很深沉，个性很强似的。可是他不常定住眼珠；反之，他的眼珠总爱"多此一举"的乱转，倒好像他是很浮躁，很好事。有这么一对眼，再加上两片薄得像刀刃似的，极好开合（找不到说话的对象，他自己会叨唠得很热闹）的嘴唇，他就老那么飘轻飘轻的，好像一片飞在空中的鸡毛那样被人视为无足重轻。事实上，他既不深沉，也不浮躁。他的好转眼珠只是一种习惯，他的好说话是为特意讨别人的好。他是个好人。假若不是因为他有一位躺在坟地的，和一位躺在床上的，太太，这两位太太给

111

他生的八个孩子，他必定不会老被人看成空中飞动的一片鸡毛。只要他用一点力，他就能成为一位学者。可是，八张像蝗虫的小嘴，和十六对像铁犁的脚，就把他的学者资格永远褫夺了。无论他怎样卖力气，八个孩子的鞋袜永远教他爱莫能助！

他和钱默吟是至近的亲戚，也是最好的朋友。姐丈与舅爷所学的不同，但是谈到学问，彼此都有互相尊敬的必要。至于谈到人生的享受，野求就非常的羡慕默吟了；默吟有诗有画有花木与茵陈酒，而野求只有吵起来像一群饥狼似的孩子。他非常的喜欢来看姐姐与姐丈，因为即使正赶上姐丈也断了粮，到底他们还可以上下古今的闲扯——他管这个闲扯叫作"磨一磨心上的锈"。可是，他不能常来，八个孩子与一位常常生病的太太，把他拴在了柴米油盐上。

就是他，陪着瑞宣熬了第一夜。瑞宣相当的喜欢这个人，最足以使他俩的心碰到一处的是他们对国事的忧虑，尽管忧虑，可是没法子去为国尽忠。他告诉瑞宣："从历史的久远上看，作一个中国人并没什么可耻的地方。但是，从只顾私而不顾公，只讲斗心路而不敢真刀真枪的去干这一点看，我实在不佩服中国人。北平亡了这么多日子了，我就没看见一个敢和敌人拼一拼的！中国的人惜命忍辱实在值得诅咒！话虽这样说，可是你我……"他很快的停住，矫正自己："不，我不该这么说！"

"没关系！"瑞宣惨笑了一下："你我大概差不多！"

"真的？我还是只说我自己吧！八个孩子，一个老闹病的老婆！我就像被粘在苍蝇纸上的一个苍蝇，想飞，可是身子不能动！"唯恐瑞宣张嘴，他抢着往下说："是的，我知道连小燕还不忍放弃了一窝黄嘴的小雏儿，而自己到南海上去飞翔。可是，从另一方面看，岳武穆，文天祥，也都有家庭！咱们，呕，请原谅！我，不是咱们！我简直是个妇人，不是男子汉！再抬眼看看北平的文化，我可以说，我们的文化或者只能产生我这样因循苟且的家伙，而不能产生壮怀激烈的好汉！我自己惭愧，同时我也为我们的文化担忧！"

瑞宣长叹了一声："我也是个妇人！"

连最爱说话的陈野求也半天无话可说了。

现在，瑞宣和李四爷来向野求要主意。野求的眼珠定住了。他的轻易不见一点血色的瘦脸上慢慢的发暗——他的脸红不起来，因为贫血。张了几次嘴，他才说出话来："我没钱！我的姐姐大概和我一样！"

怕野求难堪，瑞宣嘟囔着："咱们都穷到一块儿啦！"

他们去找少奶奶的父亲——金三爷。他是个大块头。虽然没有李四爷那么高，可是比李四爷宽的多。宽肩膀，粗脖子，他的头几乎是四方的。头上脸上全是红光儿，脸上没有胡须，头上只剩了几十根灰白的头发。最红的地方是他的宽鼻头，放开量，他能一顿喝斤半高粱酒。在少年，他踢过梅花桩，摔过私跤，扔过石锁，练过形意拳，而没读过一本书。经过五十八个春秋，他的功夫虽然已经撂下了，可是身体还像一头黄牛那么结实。

金三爷的办公处是在小茶馆里。泡上一壶自己带来的香片，吸两袋关东叶子烟，他的眼睛看着出来进去的人，耳中听着四下里的话语，心中盘算着自己的钱。看到一个合适的人，或听到一句有灵感的话，他便一个木楔子似的挤到生意中去。他说媒，拉纤，放账！他的脑子里没有一个方块字，而有排列得非常整齐的一片数目字。他非常的爱钱，钱就是他的"四书"或"四叔"——他分不清"书"与"叔"有多少不同之处。可是，他也能很大方。在应当买脸面的时候，他会狠心的拿出钱来，好不致于教他的红鼻子减少了光彩。假若有人给他一瓶好酒，他的鼻子就更红起来，也就更想多发点光。

他和默吟先生作过同院的街坊。默吟先生没有借过他的钱，而时常送给他点茵陈酒，因此，两个人成了好朋友。默吟先生一肚子诗词，三爷一肚子账目，可是在不提诗词与账目，而都把脸喝红了的时候，二人发现了他们都是"人"。

因为友好，他们一来二去的成了儿女亲家。在女儿出阁以后，金三爷确是有点后悔，因为钱家的人永远不会算账，而且也无账可算。但是，细看一看呢，第一，女儿不受公婆的气；第二，小公母俩也还和睦；第三，钱家虽穷，而穷的硬气，不但没向他开口借过钱，而且仿佛根本不晓得钱是什么东西；第四，亲家公的茵陈酒还是那么香洌，而且可以白喝。于是，他把后悔收起来，而时时暗地里递给女儿几个钱，本利一概牺牲。

这次来到钱家，他准知道买棺材什么的将是他的责任。可是，他不便自告奋勇。他须把钱花到亮飕的地方。他没问亲家母的经济情形如何，她也没露一点求助的口气。他忍心的等着；他的钱像舞台上的名角似的，非敲敲锣鼓是不会出来的。

李四爷和瑞宣来敲锣鼓，他大仁大义的答应下："二百块以内，我兜着！二百出了头，我不管那个零儿！这年月，谁手里也不方便！"说完，他和李四爷又讨论了几句；对四爷的办法，他都点了头；他从几句话中看出来四爷是内行，绝对不会把他的"献金"随便被别人赚了去。对瑞宣，他没大招呼，他觉得瑞宣太文雅，不会是能办事的人。

李四爷去舞弄。瑞宣，因为丧事的"基金"已有了着落，便陪着野求先生谈天。好像是有一种暗中的谅解似的，他们都不敢提默吟先生。在他们的心里，都知道这是件最值得谈的事，因为孟石仲石都已死去，而钱老先生是生死不明；他们希望老人还活着，还能恢复自由，好使这一家人有个办法。但是，他们都张不开口来谈，因为他们对营救钱先生丝毫不能尽力，空谈一谈有什么用呢？因此，他们口中虽然没有闲着，可是心中非常的难过，他们的眼神互相的告诉："咱们俩是最没有用的蠢材！"

谈来谈去，谈到钱家婆媳的生活问题。瑞宣忽然灵机一动："你知道不知道，他们收藏着什么有价值的东西呢？字画，或是善本的书？假若有这一类的东西，我们负责给卖一卖，不是就能进一笔钱吗？"

"我不知道！"野求的眼珠转得特别的快，好像愿意马上能发现一两件宝物，足以使姐姐免受饥寒似的。"就是有，现在谁肯出钱买字画书籍呢？咱们的想法都只适用于太平年日，而今天……"他的薄嘴唇紧紧的闭上，贫血的脑中空了一块，像个搁久了的鸡蛋似的。

"问问钱太太怎样？"瑞宣是急于想给她弄一点钱。

"那，"野求又转了几下眼珠。"你不晓得我姐姐的脾气！她崇拜

114

我的姐丈!"很小心的,他避免叫出姐丈的名字来。"我晓得姐丈是个连一个苍蝇也不肯得罪的人,他一定没强迫过姐姐服从他。可是他一句话,一点小小的癖好,都被姐姐看成神圣不可侵犯的,绝对不能更改的事。她宁可挨一天的饿,也不肯缺了他的酒;他要买书,她马上会摘下头上的银钗。你看,假若他真收藏着几件好东西,她一定不敢去动一动,更不用说拿去卖钱了!"

"那么,出了殡以后怎么办呢?"

野求好大半天没回答上来,尽管他是那么喜欢说话的人。愣够了,他才迟迟顿顿的说:"为她们有个照应,我可以搬来住。她们需要亲人的照应,你看出来没有我姐姐的眼神?"

瑞宣点了点头。

"她眼中的那点光儿不对!谁知道她要干什么呢?丈夫被捕,两个儿子一齐死了,恐怕她已打定了什么主意。她是最老实的人,但是被捆好的一只鸡也要挣扎挣扎吧?我很不放心!我应当来照应着她!话可是又说回来,我自顾还不暇,怎能再多养两口人呢?光是来照应着她们,而看着她们挨饿,那算什么办法呢?假若这是在战前,我无论怎样,可以找一点兼差,供给她们点粗茶淡饭。现在,教我上哪儿找兼差去呢?亡了国,也就亡了亲戚朋友之间的善意善心!征服者是狼,被征服的是一群各自逃命的羊!再说,她们清静惯了,我要带来八个孩子,一天就把这满院的花草踏平,半天就把她们的耳朵震聋,大概她们也受不了!简单的说吧,我没办法!我的心快碎了,可是想不出办法!"

棺材到了,一口极笨重结实,而极不好看的棺材!没上过漆,木材的一切缺陷全显露在外面,显出凶恶狠毒的样子。

孟石只穿了一身旧衣服,被大家装进那个没有一点感情的大白匣子去。

金三爷用大拳头捶了棺材两下子,满脸的红光忽然全晦暗起来,高声的叫着:"孟石!孟石!你就这么忍心的走啦?"

钱太太还是没有哭。在棺材要盖上的时候,她颤抖着从怀中掏出一小卷,没有裱过,颜色已灰黄了的纸来,放在儿子的手旁。

瑞宣向野求递了个眼神。他们俩都猜出来那必是一两张字画。可是他们都不敢去问一声，那个蠢笨的大白匣子使他们的喉中发涩，说不出话来。他们都看见过棺材，可是这一口似乎与众不同，它使他们意味到全个北平就也是一口棺材！

少奶奶大哭起来。金三爷的泪是轻易不落下来的，可是女儿的哭声使他的眼失去了控制泪珠的能力。这，招起他的暴躁；他过去拉着女儿的手，厉声的喝喊："不哭！不哭！"女儿继续的悲号，他停止了呼喝，泪也落了下来。

出殡的那天是全胡同最悲惨的一天。十六个没有穿裉衣的穷汉，在李四爷的响尺的指挥下，极慢极小心的将那口白辣辣的棺材在大槐树下上了杠。没有丧种，少奶奶披散着头发，穿着件极长的粗布孝袍在棺材前面领魂。她像一个女鬼。金三爷悲痛的，暴躁的，无可如何的，伴着她；扫量十卜拌着一申眼泪。在起杠的时节，他跺了跺两只大脚。一班儿清音，开始奏起简单的音乐。李四爷清脆的嗓子喊起"例行公事"的"加钱"，只喊出半句来。他的响尺不能击错一点，因为它是杠夫的耳目，可是敲得不响亮；他绝对不应当动心，但是动了心。一辆极破的轿车，套着一匹连在棺材后面都显出缓慢的瘦骡子，拉着钱太太。她的眼，干的，放着一点奇异的光，紧钉住棺材的后面；车动，她的头也微动一下。

祁老人，还病病歪歪的，扶着小顺儿，在门内往外看。他不敢出来。小妞子也要出来看，被她的妈扯了回去。瑞宣太太的心眼最软。把小妞子扯到院中，她听见婆婆在南屋里问她："钱家今天出殡啊？"她只答应了一声"是！"然后极快的走到厨房，一边切着菜，一边落泪。

瑞宣，小崔，孙七，都去送殡。除了冠家，所有的邻居都立在门外含泪看着。看到钱少奶奶，马老寡妇几乎哭出声来，被长顺搀了回去："外婆！别哭啊！"劝着外婆，他的鼻子也酸起来。小文太太扒着街门，只看了一眼，便转身进去了。四大妈的责任是给钱家看家。她一直追着棺材，哭到胡同口，才被四大爷叱喝回来。

钱家的坟地是在东直门外。杠到了鼓楼，金三爷替钱太太打了主

116

意，请朋友们不必再远送。瑞宣知道自己不惯于走远路，不过也还想送到城门。可是野求先生很愿接受这善意的劝阻，他的贫血的瘦脸上已经有点发青，假若一直送下去，他知道他会要闹点毛病的。他至少须拉个伴儿，因为按照北平人的规矩，丧家的至亲必须送到坟地的；他不好意思独自"向后转"。他和瑞宣咬了个耳朵。看了看野求的脸色，瑞宣决定陪着他"留步"。

小崔和孙七决定送出城去。

野求怪难堪的，到破轿车的旁边，向姐姐告辞。钱太太两眼钉住棺材的后面，好像听明白了，又像没大听明白他的话，只那么偶然似的点了一下头。他跟着车走了几步。"姐姐！别太伤心啦！明天不来，我后天必来看你！姐姐！"他似乎还有许多话要说，可是腿一软，车走过去，他呆呆的立在马路边上。

瑞宣也想向钱太太打个招呼，但是看她那个神气，他没有说出话来。两个人呆立在马路边上，看着棺材向前移动。天很晴，马路很长，他们一眼看过去，就能看到那像微微有些尘雾的东直门。秋晴并没有教他们两个觉到爽朗。反之，他们觉得天很低，把他们俩压在那里不能动。他们所看到的阳光，只有在那口白而丑恶的，很痛苦的一步一步往前移动的，棺材上的那一点。那几乎不是阳光，而是一点无情的，恶作剧的，像什么苍蝇一类的东西，在死亡上面颤动。慢慢的，那口棺材离他们越来越远了。马路两边的电杆渐渐的往一处收拢，像要钳住它，而最远处的城门楼，静静的，冷酷的，又在往前吸引它，要把它吸到那个穿出去就永远不回来的城门洞里去。

愣了好久，两个人才不约而同的往归路走，谁也没说什么。走到了鼓楼西，瑞宣抬头向左右看了看。极小的一点笑意显现在他的嘴唇上："哟！我走到哪儿来啦？"

"我也不应该往这边走！我应当进后门！"野求的眼垂视着地上，像有点怪不好意思似的。

瑞宣心里想：这个人的客气未免有点过火！他打了个转身。陈先生还跟着。眼看已到斜街的西口，瑞宣实在忍不住了。"陈先生！别陪我啦吧？你不是应该进后门？"

野求先生的头低得不能再低，用袖子擦了擦嘴。愣了半天。他的最灵巧的薄嘴唇开始颤动。最后，他的汗和话一齐出来："祁先生！"他还低着头，眼珠刚往上一翻便赶紧落下去。"祁先生！唉——"他长叹了一口气。"你，你，有一块钱没有？我得带回五斤杂合面去！八个孩子！唉——"

瑞宣很快的摸出五块一张的票子来，塞在野求的手里。

极快的，他从地上拔起腿来，沿着"海"岸疾走。

十六

　　瑞宣和四大妈都感到极度的不安：天已快黑了，送殡的人们还没有回来！四大妈早已把屋中收拾好，只等他们回来，她好家去休息。他们既还没有回来，她是闲不住的人，只好拿着把破扫帚，东扫一下子，西扫一下子的消磨时光。瑞宣已把"歇会儿吧，四奶奶！"说了不知多少次，她可是照旧的走出来走进去，口中不住的抱怨那个老东西，倒好像一切错误都是四大爷的。

　　天上有一块桃花色的明霞，把墙根上的几朵红鸡冠照得像发光的血块。一会儿，霞上渐渐有了灰暗的地方；鸡冠花的红色变成深紫的。又隔了一会儿，霞散开，一块红的，一块灰的，散成许多小块，给天上摆起几穗葡萄和一些苹果。葡萄忽然明起来，变成非蓝非灰，极薄极明，那么一种妖艳使人感到一点恐怖的颜色；红的苹果变成略带紫色的小火团。紧跟着，像花忽然谢了似的，霞光变成一片灰黑的浓雾；天忽然的暗起来，像掉下好几丈来似的。瑞宣看看天，看看鸡冠花；天忽然一黑，他觉得好像有块铅铁落在他的心上。他完全失去他的自在与沉稳。他开始对自己嘟囔："莫非城门又关了？还是……"天上已有了星，很小很远，在那还未尽失去蓝色的天上极轻微的眨着眼。"四奶奶！"他轻轻的叫。"回去休息休息吧！累了一天！该歇着啦！"

　　"那个老东西！埋完了，还不说早早的回来！坟地上难道还有什么好玩的？老不要脸！"她不肯走。虽然住在对门，她满可以听到她们归来的声音而赶快再跑过来，可是她不肯那么办。她必须等着钱太太回来，交代清楚了，才能离开。万一日后钱太太说短少了一件东西，她可吃不消！

忽然，四大妈的声音吓了瑞宣一跳："大爷，听！他们回来啦！"说完，她瞎摸合眼的就往外跑，几乎被门坎绊了一跤。

"慢着！四奶奶！"瑞宣奔过她去。

"没事！摔不死！哼，死了倒也干脆！"她一边唠叨，一边往外走。

破轿车的声音停在了门口。金三爷带着怒喊叫："院里还有活人没有？拿个亮儿来！"

瑞宣已走到院中，又跑回屋中去端灯。

灯光一晃，瑞宣看见一群黄土人在闪动，还有一辆黄土盖严了的不动的车，与一匹连尾巴都不摇一摇的，黄色的又像驴又像骡子的牲口。

金三爷还在喊，"死鬼们！往下抬她！"

四大爷，孙七，小崔，脸上头发上全是黄土，只有眼睛是一对黑洞儿，像泥鬼似的，全没出声，可全都过来抬人。

瑞宣把灯往前伸了伸，看清抬下来的是钱少奶奶。他欠着脚，从车窗往里看，车里是空的，并没有钱太太。

四大妈揉了揉近视眼，依然看不清楚："怎么啦？怎么啦？"她的手已颤起来。

金三爷又发了命令："闪开路！"

四大妈赶紧躲开，几乎碰在小崔的身上。

"拿灯来领路！别在那儿愣着！"金三爷对灯光儿喊。

瑞宣急忙转身，一手掩护着灯罩，慢慢的往门里走。

到了屋中，金三爷一屁股坐在了地上；虽然身体那么硬棒，他可已然筋疲力尽。

李四爷的腰已弯得不能再弯，两只大脚似乎已经找不着了地，可是他还是照常的镇静，婆婆妈妈的处理事："你赶紧去泡白糖姜水！这里没有火，家里弄去！快！"他告诉四大妈。

四大妈连声答应："这里有火，我知道你们回来要喝水！到底怎回事呀？"

"快去作事！没工夫说闲话！"四大爷转向孙七与小崔："你们俩回家去洗脸，待一会儿到我家里去吃东西，车把式呢？"

车夫已跟了进来，在屋门外立着呢。

四大爷掏出钱来："得啦，把式，今天多受屈啦！改天我请喝酒！"他并没在原价外多给一个钱。

车夫，一个驴脸的中年人，连钱看也没有看就塞在身里。"四大爷，咱们爷儿们过的多！那么，我走啦？"

"咱们明天见啦！把式！"四大爷没往外送他，赶紧招呼金三爷："三爷，谁去给陈家送信呢？"

"我管不着！"三爷还在地上坐着，红鼻子被黄土盖着，像一截刚挖出来的胡萝卜。"姓陈的那小子简直不是玩艺儿！这样的至亲，他会偷油儿不送到地土上，我反正不能找他去，我的脚掌儿都磨破了！"

"怎么啦，四爷爷？"瑞宣问。

李四爷的嗓子里堵了一下。"钱太太碰死在棺材上了！"

"什"，瑞宣把"什"下面的"么"咽了回去。他非常的后悔，没能送殡送到地土；多一个人，说不定也许能手疾眼快的救了钱太太。况且，他与野求是注意到她的眼中那点"光"的。

这时候，四大妈已把白糖水给少奶奶灌下去，少奶奶哼哼出来。

听见女儿出声，金三爷不再顾脚疼，立了起来。"苦命的丫头！这才要咱们的好看呢！"一边说着，他一边走进里间，去看女儿。看见女儿，他的暴躁减少了许多，马上打了主意："姑娘，用不着伤心，都有爸爸呢！爸爸缺不了你的吃穿！愿意跟我走，咱们马上回家，好不好？"

瑞宣知道不能放了金三爷，低声的问李四爷："尸首呢？"

"要不是我，简直没办法！庙里能停灵，可不收没有棺材的死尸！我先到东直门关乡赊了个火匣子，然后到莲花庵连说带央告，差不多都给人家磕头了，人家才答应下暂停两天！换棺材不换，和怎样抬埋，马上都得打主意！嘿！我一辈子净帮人家的忙，就没遇见过这么撬头的事！"一向沉稳老练的李四爷现在显出不安与急躁。"四妈！

你倒是先给我弄碗水喝呀！我的嗓子眼里都冒了火！"

"我去！我去！"四大妈听丈夫的语声语气都不对，不敢再骂"老东西"。

"咱们可不能放走金三爷！"瑞宣说。

金三爷正从里间往外走。"干吗不放我走？我该谁欠谁的是怎着？我已经发送了一个姑爷，还得再给亲家母打幡儿吗？你们找陈什么球那小子去呀！死的是他的亲姐姐！"

瑞宣纳住了气，惨笑着说："金三伯伯，陈先生刚刚借了我五块钱去，你想想，他能发送得起一个人吗？"

"我要有五块钱，就不借给那小子！"金三爷坐在一条凳子上，一手揉脚，一手擦脸上的黄土。

"嗯——"瑞宣的态度还是很诚恳，好教三爷不再暴躁。"他倒是真着了难呀，日本人占着咱们的城，作事的人都拿不到薪水，他又有八个孩子，有什么办法呢？得啦，伯伯你作善作到底！干脆的说，没有你就没有办法！"

四大妈提来一大壶开水，给他们一人倒了一碗。四大爷蹲在地上，金三爷坐在板凳上，一齐吸那滚热的水。水的热气好像化开了三爷心里的冰。把水碗放在凳子上，他低下头去落了泪。一会儿，他开始抽搭，老泪把脸上的黄土冲了两道沟儿。然后，用力的捏了捏红鼻子，又唾了一大口白沫子，他抬起头来。"真没想到啊！真没想到！就凭咱们九城八条大街，东单西四鼓楼前，有这么多人，就会干不过小日本，就会教他们治得这么苦！好好的一家人，就这么接二连三的会死光！好啦，祁大爷，你找姓陈的去！钱，我拿；可是得教他知道！明人不能把钱花在暗地里！"

瑞宣，虽然也相当的疲乏，决定去到后门里，找陈先生。四大爷主张教小崔去，瑞宣不肯，一来因为小崔已奔跑了一整天，二来他愿自己先见到陈先生，好教给一套话应付金三爷。

月亮还没上来，门洞里很黑。约摸着是在离门坎不远的地方，瑞宣踩到一条圆的像木棍而不那么硬的东西上。他本能的收住了脚，以为那是一条大蛇。还没等到他反想出北方没有像手臂粗的蛇来，地上已出了声音："打吧！没的说！我没的说！"

　　瑞宣认出来语声："钱伯伯！钱伯伯！"

　　地上又不出声了。他弯下腰去，眼睛极用力往地上找，才看清：钱默吟是脸朝下，身在门内，脚在门坎上趴伏着呢。他摸到一条臂，还软和，可是湿碌碌的很凉。他头向里喊："金伯伯！李爷爷！快来！"他的声音的难听，马上惊动了屋里的两位老人。他们很快的跑出来。金三爷嘟囔着："又怎么啦？又怎么啦？狼嚎鬼叫的？"

　　"快来！抬人！钱伯伯！"瑞宣发急的说。

　　"谁？亲家？"金三爷撞到瑞宣的身上。"亲家？你回来的好！是时候！"虽然这么叨唠，他可是很快的辨清方位，两手抄起钱先生的腿来。

　　"四妈！"李四爷摸着黑抄起钱先生的脖子。"快，拿灯！"

　　四大妈的手又哆嗦起来，很忙而实际很慢的把灯拿出来，放在了窗台上。"谁？怎么啦？简直是闹鬼哟！"

　　到屋里，他们把他放在了地上。瑞宣转身把灯由窗台上拿进来，放在桌上。地上躺着的确是钱先生，可已经不是他们心中所记得的那位诗人了。

　　钱先生的胖脸上已没有了肉，而只剩了一些松的，无倚无靠的黑皮。长的头发，都粘合到一块儿，像用胶贴在头上的，上面带着泥块与草棍儿。在太阳穴一带，皮已被烫焦，斑斑块块的，像拔过些"火罐子"似的。他闭着眼，而张着口，口中已没有了牙。身上还是那一身单裤褂，已经因颜色太多而辨不清颜色，有的地方撕破，有的地方牢牢的粘在身上，有的地方很硬，像血或什么粘东西凝结在上面似的。赤着脚，满脚是污泥，肿得像两只刚出泥塘的小猪。

　　他们呆呆的看着他。惊异，怜悯，与愤怒拧绞着他们的心，他们甚至于忘了他是躺在冰凉的地上。李四妈，因为还没大看清楚，倒有了动作；她又泡来一杯白糖水。

　　看见她手中的杯子，瑞宣也开始动作。他十分小心，恭敬的，把老人的脖子抄起来，教四大妈来灌糖水。四大妈离近了钱先生，看清了他的脸，"啊"了一声，杯子出了手！李四爷想斥责她，但是没敢

123

出声。金三爷凑近了一点，低声而温和的叫："亲家！亲家！默吟！醒醒！"这温柔恳切的声音，出自他这个野调无腔的人的口中，有一种分外的悲惨，使瑞宣的眼中不由的湿了。

钱先生的嘴动了动，哼出两声来。李四爷忽然的想起动作，他把里间屋里一把破藤子躺椅拉了出来。瑞宣慢慢的往起搬钱先生的身子，金三爷也帮了把手，想把钱先生搀到躺椅上去。钱先生由仰卧改成坐的姿势。他刚一坐起来，金三爷"啊"了一声，其中所含的惊异与恐惧不减于刚才李四妈的那个。钱先生背上的那一部分小褂只剩了两个肩，肩下面只剩了几条，都牢固的镶嵌在血的条痕里。那些血道子，有的是定好了黑的或黄的细长疤痕；有的还鲜红的张着，流着一股黄水；有的并没有破裂，而只是蓝青的肿浮的条子；有的是在黑疤下面扯着一条白的脓。一道布条，一道黑，一道红，一道青，一道白，他的背上一直条日琴放问血网！

"亲家！亲家！"金三爷真的动了心。说真的，孟石的死并没使他动心到现在这样的程度，因为他把女儿给了孟石，实在是因为他喜爱默吟。"亲家！这是怎回事哟！日本鬼子把你打成这样？我日他们十八辈儿的祖宗！"

"先别吵！"瑞宣还扶着钱诗人。"四大爷，快去请大夫！"

"我有白药！"四大爷转身就要走，到家中去取药。

"白药不行！去请西医，外科西医！"瑞宣说得非常的坚决。

李四爷，虽然极信服白药，可是没敢再辩驳。扯着两条已经连立都快立不稳的腿，走出去。

钱先生睁了睁眼，哼了一声，就又闭上了。

李四妈为赎自己摔了杯子的罪过，又沏来一杯糖水。这回，她没敢亲自去灌，而交给了金三爷。

糖水灌下去，钱先生的腹内响了一阵。没有睁眼，他的没了牙的嘴轻轻的动。瑞宣辨出几个字，而不能把它们联成一气，找出意思来。又待了一会儿，钱先生正式的说出话来："好吧！再打吧！我没的说！没的说！"说着，他的手——与他的脚一样的污黑——紧紧抓在地上，把手指甲抠在方砖的缝子里，像是为增强抵抗苦痛的力量。

124

他的语声还和平日一样的低碎，可是比平日多着一点把生死置之度外的劲儿。忽然的，他睁开了眼——一对像庙中佛像的眼，很大很亮，而没看见什么。

"亲家！我，金三！"金三爷蹲在了地上，脸对着亲家公。

"钱伯伯！我，瑞宣！"

钱先生把眼闭了一闭，也许是被灯光晃的，也许是出于平日的习惯。把眼再睁开，还是向前看着，好像是在想一件不易想起的事。

里屋里，李四妈一半劝告，一半责斥的，对钱少奶奶说："不要起来！好孩子，多躺一会儿！不听话，我可就不管你啦！"

钱先生似乎忘了想事，而把眼闭成一道缝，头偏起一点，像偷听话儿似的。听到里间屋的声音，他的脸上有一点点怒意。"啊！"他巴唧了两下唇："又该三号受刑了！挺着点，别嚷！咬上你的唇，咬烂了！"

钱少奶奶到底走了出来，叫了声："爸爸！"

瑞宣以为她的语声与孝衣一定会引起钱先生的注意。可是，钱先生依然没有理会什么。

扶着那把破藤椅，少奶奶有泪无声的哭起来。

钱先生的两手开始用力往地上挂，像要往起立的样子。瑞宣想就劲儿把他挽到椅子上去。可是，钱先生的力气，像狂人似的，忽然大起来。一使劲，他已经蹲起来。他的眼很深很亮，转了几下："想起来了！他姓冠！哈哈！我去教他看看，我还没死！"他再一使力，立了起来。身子摇了两下，他立稳。他看到了瑞宣，但是不认识。他的凹进去的腮动了动，身子向后躲闪："谁？又拉我去上电刑吗？"他的双手很快的捂在太阳穴上。

"钱伯伯！是我！祁瑞宣！这是你家里！"

钱先生的眼像困在笼中的饥虎似的，无可如何的看着瑞宣，依然辨不清他是谁。

金三爷忽然心生一计："亲家！孟石和亲家母都死啦！"他以为钱先生是血迷了心，也许因为听见最悲惨的事大哭一场，就会清醒过来的。

125

钱先生没有听懂金三爷的话。右手的手指轻按着脑门，他仿佛又在思索。想了半天，他开始往前迈步——他肿得很厚的脚已不能抬得很高；及至抬起来，他不知道往哪里放它好。这样的走了两步，他仿佛高兴了一点。"忘不了！是呀，怎能忘了呢！我找姓冠的去！"他一边说，一边吃力的往前走，像带着脚镣似的那么缓慢。

因为想不起更好的主意，瑞宣只好相信金三爷的办法。他想，假若钱先生真是血迷了心，而心中只记着到冠家去这一件事，那就不便拦阻。他知道，钱先生若和冠晓荷见了面，一定不能不起些冲突；说不定钱先生也许一头碰过去，与冠晓荷同归于尽！他既不便阻拦，又怕出了凶事；所以很快的他决定了，跟着钱先生去。主意拿定，他过去搀住钱诗人。

"躲开！"钱先生不许搀扶。"躲开！拉我干什么？我自己会走到行刑场也是一样的走！"

瑞宣只好跟在后面。金三爷看了女儿一眼，迟疑了一下，也跟上来。李四大妈把少奶奶搀了回去。

不知要倒下多少次，钱先生才来到三号的门外。金三爷与瑞宣紧紧的跟着，唯恐他倒下来。

三号的门开着呢。院中的电灯虽不很亮，可是把走道照得相当的清楚。钱先生努力试了几次，还是上不了台阶；他的脚腕已肿得不灵活。瑞宣本想搀他回家去，但是又一想，他觉得钱先生应当进去，给晓荷一点惩戒。金三爷大概也这么想，所以他扶住了亲家，一直扶进大门。

冠氏夫妇正陪着两位客人玩扑克牌。客人是一男一女；看起来很像夫妇，而事实上并非夫妇。男的是个大个子，看样子很像个在军阀时代作过师长或旅长的军人。女的有三十来岁，看样子像个从良的妓女。他们俩的样子正好说明了他们的履历——男的是个小军阀，女的是暂时与他同居的妓女，他一向住在天津，新近才来到北平，据说颇有所活动，说不定也许能作警察局的特高科科长呢。因此，冠氏夫妇请他来吃饭，而且诚恳的请求他带来他的女朋友。饭后，他们玩起牌来。他的牌品极坏。遇到"爱司"，"王"，"后"，他便用他的并不很

灵巧的大手，给作上记号。发牌的时候，他随便的翻看别家的牌，而且扯着脸说："喝，你有一对红桃儿爱司！"把牌发好，他还要翻开余牌的第一张看个清楚。他的心和手都很笨，并不会暗中闹鬼儿耍手彩；他的不守牌规只是一种变相的敲钱。等到赢了几把以后，他会腆着脸说："这些办法都是跟张宗昌督办学来的！"冠氏夫妇是一对老牌油子，当然不肯吃这个亏。可是，今天他们俩决定认命输钱，因为对于一个明天也许就走马上任的特务主任是理当纳贡称臣的。晓荷的确有涵养，越输，他的态度越自然，谈笑越活泼。还不时的向那位女"朋友"飞个媚眼。大赤包的气派虽大，可是到底还有时候沉不住气，而把一脸的雀斑都气得一明一暗的。晓荷不时的用脚尖偷偷碰她的腿，使她注意不要得罪了客人。

晓荷的脸正对着屋门。他是第一个看见钱先生的。看见了，他的脸登时没有了血色。把牌放下，他要往起立。

"怎么啦？"大赤包问。没等他回答，她也看见了进来的人。"干什么？"她像叱喝一个叫化子似的问钱先生。她确是以为进来的是个要饭的。及至看清那是钱先生，她也把牌放在了桌上。

"出牌呀！该你啦，老冠！"军人的眼角撩到了进来的人，可是心思还完全注意在赌牌上。

钱先生看着冠晓荷，嘴唇开始轻轻的动，好像是小学生在到老师跟前背书以前先自己暗背一过儿那样。

金三爷紧跟着亲家，立在他的身旁。

瑞宣本想不进屋中去，可是愣了一会儿之后，觉得自己太缺乏勇气。笑了一下，他也轻轻的走进去。

晓荷看见瑞宣，想把手拱起来，搭讪着说句话。但是他的手抬不起来。肯向敌人屈膝的，磕膝盖必定没有什么骨头，他僵在那里。

"这是他妈的怎回事呢？"军人见大家愣起来，发了脾气。

瑞宣极想镇定，而心中还有点着急。他盼着钱先生快快的把心中绕住了的主意拿出来，快快的结束了这一场难堪。

钱先生往前凑了一步。自从来到家中，谁也没认清，他现在可认清了冠晓荷。认清了，他的话像背得烂熟的一首诗似的，由心中涌了出来。

"冠晓荷!"他的声音几乎恢复了平日的低柔,他的神气也颇似往常的诚恳温厚。"你不用害怕,我是诗人,不会动武!我来,是为看看你,也叫你看看我!我还没死!日本人很会打人,但是他们打破了我的身体,打断了我的骨头,可打不改我的心!我的心永远是中国人的心!你呢,我请问你,你的心是哪一国的呢?请你回答我!"说到这里,他似乎已经筋疲力尽,身子晃了两晃。

瑞宣赶紧过去,扶住了老人。

晓荷没有任何动作,只不住的舐嘴唇。钱先生的样子与言语丝毫没能打动他的心,他只是怕钱先生扑过来抓住他。

军人说了话:"冠太太,这是怎回事?"

大赤包听明白钱先生并不是要动武,而且身边又有刚献过她的钱的候补特务处处长助威,她决定拿出点厉害来。"这是成心捣蛋,你们全滚出去!"

金三爷的方头红鼻子一齐发了光,一步,他迈到牌桌前。"谁滚出去?"

晓荷想跑开。金三爷隔着桌子,一探身,老鹰掐膝的揪住他的脖领,手往前一带,又往后一放,连晓荷带椅子一齐翻倒。

"打人吗?"大赤包立起来,眼睛向军人求救。

军人——一个只会为虎作伥的军人——急忙立起来,躲在了一边。妓女像个老鼠似的,藏在他的身后。

"好男不跟女斗!"金三爷要过去抓那个像翻了身的乌龟似的冠晓荷。可是,大赤包以气派的关系,躲晚了一点,金三爷不耐烦,把手一撩,正撩在她的脸上。以他的扔过石锁的手,只这么一撩,已撩活动了她的两个牙,血马上从口中流出来。她抱着腮喊起来:"救命啊!救命!"

"出声,我捶死你!"

她捂着脸,不敢再出声,躲在一旁。她很想跑出去,喊巡警。可是,她知道现在的巡警并不认真的管事。这时节,连她都仿佛感觉到亡了国也有别扭的地方!

军人和女友想跑出去。金三爷怕他们出去调兵，喝了声："别动!"军人很知道服从命令，以立正的姿态站在了屋角。

瑞宣虽不想去劝架，可是怕钱先生再昏过去，所以两手紧握着老人的胳臂，而对金三爷说："算了吧! 走吧!"

金三爷很利落，又很安稳的，绕过桌子去："我得管教管教他! 放心，我会打人! 教他疼，可不会伤了筋骨!"

晓荷这时候手脚乱动的算是把自己由椅子上翻转过来。看逃无可逃，他只好往桌子下面钻。金三爷一把握住他的左脚腕，像拉死狗似的把他拉出来。

晓荷知道北平的武士道的规矩，他"叫"了："爸爸! 别打!"

金三爷没了办法。"叫"了，就不能再打。捏了捏红鼻子头，他无可如何的说："便宜你小子这次! 哼!"说完，他挺了挺腰板，蹲下去，把钱先生背了起来；向瑞宣一点头："走!"走出屋门，他立住了，向屋中说："我叫金三，住在蒋养房，什么时候找我来，清茶恭候!"

十七

钱先生慢慢的好起来。日夜里虽然还是睡的时间比醒的时间多，可是他已经能知道饥渴，而且吃的相当的多了。瑞宣偷偷的把皮袍子送到典当铺去，给病人买了几只母鸡，专为熬汤喝。他不晓得到冬天能否把皮袍赎出来，但是为了钱先生的恢复康健，就是冬天没有皮袍穿，他也甘心乐意。

钱少奶奶，脸上虽还是青白的，可是坚决的拒绝了李四大妈的照应，而挣扎着起来服侍公公。

金三爷，反正天天要出来坐茶馆，所以一早一晚的必来看看女儿与亲家。钱先生虽然会吃会喝了，可是还不大认识人。所以，金三爷每次来到，不管亲家是睡着还是醒着，总先到病榻前点一点他的四方脑袋，而并不希望和亲家谈谈心，说几句话儿。点完头，他拧上一袋叶子烟，巴唧几口，好像是表示："得啦，亲家，你的事，我都给办了！只要你活着，我的心就算没有白费！"然后，他的红脸上会发出一点快活的光儿来，觉得自己一辈子有了件值得在心中存记着的事——发送了女婿，亲家母，还救活了亲家！

对女儿，他也没有多少话可讲。他以为守寡就是守寡，正像卖房的就是卖房一样的实际，用不着格外的痛心与啼哭。约摸着她手中没了钱，他才把两三块钱放在亲家的床上，高声的仿佛对全世界广播似的告诉姑娘："钱放在床上啦！"

当他进来或出去的时候，他必在大门外稍立一会儿，表示他不怕遇见冠家的人。假若遇不见他们，他也要高声的咳嗽一两声，示一示威。不久，全胡同里的小儿都学会了他的假嗽，而常常的在冠先生的身后演习。

冠先生并不因此而不敢出门。他自有打算，沉得住气。"小兔崽子们！"他暗中咒骂："等着你们冠爷爷的，我一旦得了手，要不像抹臭虫似的把你们都抹死才怪！"他的奔走，在这些日子，比以前更加活跃了许多。最近，因为勤于奔走的缘故，他已摸清了一点政局的来龙去脉。由一位比他高明着许多倍的小政客口中，他听到："要谋大官，你非直接向日本军官手里去找不可。维持会不会有很长的寿命。到市政府找事呢，你须走天津帮的路线。新民会较比容易进去，因为它是天字第一号的顺民，不和日本军人要什么——除了一碗饭与几个钱——而紧跟着日本兵的枪口去招抚更多的顺民，所以日本军人愿意多收容些这样的人。只要你有一技之长，会办报，会演戏，会唱歌，会画图，或者甚至于会说相声，都可以作为进身的资格。此外，还有个万不可忽视的力量——请注意地方上的'老头子'！老头子们是由社会秩序的不良与法律保障的不足中造成他们的势力。他们不懂政治，而只求实际的为自己与党徒们谋安全。他们也许知道仇视敌人，但是敌人若能给他们一点面子，他们就会因自己的安全而和敌人不即不离的合作。他们未必出来作官，可是愿意作敌人用人选士的顾问。这是个最稳固最长久的力量！"

这一点分析与报告，使冠晓荷闻所未闻。虽然在官场与社会中混了二三十年，他可是始终没留过心去观察和分析他的环境。他是个很体面的苍蝇，哪里有粪，他便与其他的蝇子挤在一处去凑热闹；在找不到粪的时候，他会用腿儿玩弄自己的翅膀，或用头轻轻的撞窗户纸玩，好像表示自己是普天下第一号的苍蝇。他永远不用他的心，而只凭喝酒打牌等等的技巧去凑热闹。从凑热闹中，他以为他就会把油水捞到自己的碗中来。

听到人家这一片话，他闭上了眼，觉得他自己很有思想，很深刻，倒好像那都是他自己思索出来的。过了一会儿，他把这一套话到处说给别人听，而且声明马上要到天津去，去看看老朋友们。把这一套说完，他又谦虚的承认自己以前的浮浅："以前，我说过：艺术是没有国界的，和……那些不着边际的话。那太浮浅了！人是活到老，学到老的！现在，我总算抓到了问题的根儿，总算有了进步！有了进步！"

他并不敢到天津去。不错，他曾经在各处做过事；可是，在他的心的深处却藏着点北平人普遍的毛病——怕动，懒得动。他觉得到天津去——虽然仅坐三小时的火车——就是"出外"，而出外是既冒险而又不舒服的事。再说，在天津，他并没有真正的朋友。那么，白花一些钱，而要是还找不到差事，岂不很不上算？

对日本的重要军人，他一个也不认识。他很费力的记住了十来个什么香月，大角，板垣，与这个郎，那个田，而且把报纸上记载的他们的行动随时在他的口中"再版"，可是他自己晓得他们与他和老虎与他距离得一样的远。

至于"老头子"们，他更无法接近，也不大高兴挨近。他的不动产品不多，银行的存款也并没有超过一万去，可是他总以为自己是个绅士。他怕共产党，也怕老头子们。他觉得老头子就是窦尔墩，而窦尔墩的劫富安贫是不利于他的。

他想应当往新民会走。他并没细打听新民会到底都作些什么，而只觉得自己有作头等顺民的资格与把握。至不济，他还会唱几句二簧，一两折奉天大鼓（和桐芳学的），和几句相声！况且，他还作过县长与局长呢！他开始向这条路子进行。奔走了几天，毫无眉目，可是他不单不灰心，反倒以为"心到神知"，必能有成功的那一天。无事乱飞是苍蝇的工作，而乱飞是早晚会碰到一只死老鼠或一堆牛粪的。冠先生是个很体面的苍蝇。

不知别人怎样，瑞丰反正是被他给"唬"住了。那一套分析，当冠先生从容不迫的说给瑞丰听的时候，使瑞丰的小干脸上灰暗起来。他——瑞丰——没想到冠先生能这么有眼光，有思想！他深怕自己的才力太小，不够巴结冠先生的了！

冠先生可是没对瑞丰提起新民会来，因为他自己既正在奔走中，不便教瑞丰知道了也去进行，和他竞争；什么地方该放胆宣传，什么地方该保守秘密，冠先生的心中是大有分寸的。

这时候，西长安街新民报社楼上升起使全城的人都能一抬头便看见的大白气球，球下面扯着大旗，旗上的大字是"庆祝保定陷落"！

新民会抓到表功的机会。即使日本人要冷静，新民会的头等顺民也不肯不去铺张。在他们的心里，他们不晓得哪是中国，哪是日本。只要有人给饭吃，他们可以作任何人的奴才。他们像苍蝇与臭虫那样没有国籍。

他们决定为自庆亡国举行大游行。什么团体都不易推动与召集，他们看准了学生——决定利用全城的中学生和小学生来使游行成功。

瑞丰喜欢热闹。在平日，亲友家的喜事，他自然非去凑热闹不可了；就是丧事，他也还是"争先恐后"的去吃，去看，去消遣。他不便设身处地的去想丧主的悲苦；那么一来，他就会"自讨无趣"。他是去看穿着白孝，哭红了眼圈儿的妇女们；他觉得她们这样更好看。他注意到酒饭的好坏，和僧人们的嗓子是否清脆，念经比唱小曲更好听；以便回到家中批评给大家听。丧事是人家的，享受是他自己的，他把二者极客观的从当中画上一条清楚的界线。对于庆祝亡国，真的，连他也感到点不大好意思。可是及至他看到街上铺户的五色旗，电车上的松枝与彩绸，和人力车上的小纸旗，他的心被那些五光十色给吸住，而觉得国家的丧事也不过是家庭丧事的扩大，只要客观一点，也还是可以悦心与热闹耳目的。他很兴奋。无论如何，他须看看这个热闹。

同时，在他的同事中有位姓蓝名旭字紫阳的，赏给了他一个笑脸和两句好话——"老祁，大游行你可得多帮忙啊！"他就更非特别卖点力气不可了。他佩服蓝紫阳的程度是不减于他佩服冠晓荷的。

紫阳先生是教务主任兼国文教员，在学校中的势力几乎比校长的还大。但是，他并不以此为荣。他的最大的荣耀是他会写杂文和新诗。他喜欢被称为文艺家。他的杂文和新诗都和他的身量与模样具有同一的风格：他的身量很矮，脸很瘦，鼻子向左歪着，而右眼向右上方吊着；这样的左右开弓，他好像老要把自己的脸扯碎了似的；他的诗文也永远写得很短，像他的身量；在短短的几行中，他善用好几个"然而"与"但是"，扯乱了他的思想而使别人莫测高深，像他的眉眼。他的诗文，在寄出去以后，总是不久或好久而被人家退还，他只好降

133

格相从的在学校的壁报上发表。在壁报上发表了以后，他恳切的嘱咐学生们，要拿它们当作模范文读。

他已经三十二岁，还没有结婚。对于女人，他只能想到性欲。他的脸与诗文一样的不招女人喜爱，所以他因为接近不了女人而也恨女人。看见别人和女性一块走，他马上想起一些最脏最丑的情景，去写几句他自己以为最毒辣而其实是不通的诗或文，发泄他心中的怨气。他的诗文似乎是专为骂人的，而自以为他最富正义感。

他的口很臭，因为身子虚，肝火旺，而又不大喜欢刷牙。他的话更臭，无论在他所谓的文章里还是在嘴中，永远不惜血口喷人。因此，学校里的同事们都不愿招惹他，而他就变本加厉的猖狂，渐渐的成了学校中的一霸。假若有人肯一个嘴巴把他打出校门，他一定连行李也不敢回去收拾，便另找吃饭的地方去。可是，北平人与吸惯了北平的空气的人——他的同事们——是对任何人任何事都不敢伸出手去的。他们敷衍他，他就成了英雄。

日本人进了城，蓝先生把"紫阳"改为"东阳"，开始向敌人或汉奸办的报纸投稿。这些报纸正缺乏稿子，而蓝先生的诗文，虽然不通，又恰好都是攻击那些逃出北平，到前线或后方找工作的作家们，所以"东阳"这个笔名几乎天天像两颗小黑痣似的在报屁股上发现。他恨那些作家，现在他可以肆意的诟骂他们了，因为他们已经都离开了北平。他是专会打死老虎的。看见自己的稿子被登出，他都细心的剪裁下来，用学校的信签裱起，一张张的挂在墙上。他轻易不发笑，可是在看着这些裱好了的小纸块的时候，他笑得出了声。他感激日本人给了他"成名"的机会，而最使他动心的是接到了八角钱的稿费。看着那八角钱，他想象到八元，八十元，八百元！他不想再扯碎自己的脸，而用右手压着向上吊着的眼，左手搬着鼻子，往一块儿拢合，同时低呼着自己的新笔名："东阳！东阳！以前你老受着压迫，现在你可以自己创天下了！你也可以结合一群人，领导一群人，把最高的稿费拿到自己手中了！鼻子不要再歪呀！你，鼻子，要不偏不倚的指向光明的前途哟！"

他入了新民会。

这两天，他正忙着筹备庆祝大会，并赶制宣传的文字。在他的文字里，他并不提中日的战争与国家大事，而只三言五语的讽刺他所嫉恨的作家们："作家们，保定陷落了，你们在哪里呢？你们又在上海滩上去喝咖啡与跳舞吧？"这样的短文不十分难写，忙了一个早半天，他就能写成四五十段；冠以总题："匕首文"。对庆祝大会的筹备，可并不这么容易。他只能把希望放在他的同事与学生们身上。他通知了全体教职员与全体学生，并且说了许多恫吓的话，可是还不十分放心。照常例，学生结队离校总是由体育教师领队。他不敢紧紧的逼迫体育教员，因为他怕把他逼急而抡起拳头来。别位教师，虽然拳头没有那么厉害，可是言语都说的不十分肯定。于是，他抓到了瑞丰。

"老祁！"他费了许多力气才把眉眼调动得有点笑意。"他们要都不去的话，咱们俩去！我作正领队——不，总司令，你作副司令！"

瑞丰的小干脸上发了光。他既爱看热闹，又喜欢这个副司令的头衔。"我一定帮忙！不过，学生们要是不听话呢？"

"那简单的很！"东阳的鼻眼又向相反的方向扯开。"谁不去，开除谁！简单的很！"

十八

在冠家的历史中，曾经有过一个时期，大赤包与尤桐芳联合起来反抗冠晓荷。六号住的文若霞，小文的太太，是促成冠家两位太太合作的"祸首"。

小文是中华民国元年元月元日降生在一座有花园亭榭的大宅子中的。在幼年时期，他的每一秒钟都是用许多金子换来的。在他的无数的玩具中，一两一个的小金锭与整块翡翠琢成的小壶都并不算怎样的稀奇。假若他早生三二十年，他一定会承袭上一等侯爵，而坐着八人大轿去见皇帝的。他有多少对美丽的家鸽，每天按着固定的时间，像一片流动的霞似的在青天上飞舞。他有多少对能用自己的长尾包到自己的头的金鱼，在年深苔厚的缸中舞动。他有多少罐儿入谱的蟋蟀，每逢竞斗一次，就须过手多少块白花花的洋钱。他有在冬天还会振翅鸣叫的，和翡翠一般绿的蝈蝈，用雕刻得极玲珑细致的小葫芦装着，揣在他的怀里；葫芦的盖子上镶着宝石……他吃，喝，玩，笑，像一位太子那么舒适，而无须乎受太子所必须受的拘束。在吃，喝，玩，笑之外，他也常常生病；在金子里生活着有时候是不大健康的。不过，一生病，他便可以得到更多的怜爱，糟塌更多的钱，而把病痛变成一种也颇有意思的消遣；贵人的卧病往往是比穷人的健壮更可羡慕的。他极聪明，除了因与书籍不十分接近而识字不多外，对什么游戏玩耍他都一看就成了专家。在八岁的时候，他已会唱好几出整本的老生戏，而且腔调韵味极像谭叫天的。在十岁上，他已经会弹琵琶，拉胡琴——胡琴拉得特别的好。

文侯爷的亭台阁榭与金鱼白鸽，在他十三四岁的时候，也随着那

136

些王公的府邸变成了换米面的东西。他并没感到怎样的难过，而只觉得生活上有些不方便。那些值钱的东西本来不是他自己买来的，所以他并不恋恋不舍的，含着泪的，把它们卖出去。他不知道那些物件该值多少钱，也不晓得米面卖多少钱一斤；他只感到那些东西能换来米面便很好玩。经过多少次好玩，他发现了自己身边只剩下了一把胡琴。

他的太太，文若霞，是家中早就给他定下的。她的家庭没有他的那么大，也没有那么阔绰，可是也忽然的衰落，和他落在同一的情形上。他与她什么也没有了，可是在十八岁上他们俩有了个须由他们自己从一棵葱买到一张桌子的小家庭。他们为什么生在那用金子堆起来的家庭，是个谜；他们为什么忽然变成连一块瓦都没有了的人，是个梦；他们只知道他们小两口都像花一样的美，只要有个屋顶替他们遮住雨露，他们便会像一对春天的小鸟那么快活。在他们心中，他们都不晓得什么叫国事，与世界上一共有几大洲。他们没有留恋过去的伤感，也没有顾虑明天的忧惧，他们今天有了饭便把握住了今天的生活；吃完饭，他们会低声的歌唱。他们的歌唱慢慢的也能供给他们一些米面，于是他们就无忧无虑的，天造地设的，用歌唱去维持生活。他们经历了历史的极大的变动，而像婴儿那么无知无识的活着；他们的天真给他们带来最大的幸福。

小文——现在，连他自己似乎也忘了他应当被称为侯爷——在结婚之后，身体反倒好了一点，虽然还很瘦，可是并不再三天两头儿的闹病了。矮个子，小四方脸，两道很长很细的眉，一对很知道好歹的眼睛，他有个令人喜爱的清秀模样与神气。在他到票房和走堂会去的时候，他总穿起相当漂亮的衣裳，可是一点也不显着匪气。平时，他的衣服很不讲究，不但使人看不出他是侯爷，而且也看不出他是票友。无论他是打扮着，还是随便的穿着旧衣裳，他的风度是一致的：他没有骄气，也不自卑，而老是那么从容不迫的，自自然然的，眼睛平视，走着他的不紧不慢的步子。对任何人，他都很客气；同时，他可是决不轻于去巴结人。在街坊四邻遇到困难，而求他帮忙的时候，他决不摇头，而是手底下有什么便拿出什么来。因此，邻居们即使看不起他的职业，可还都相当的尊敬他的为人。

在样子上，文若霞比她的丈夫更瘦弱一点。可是，在精力上，她实在比他强着好多。她是本胡同中的林黛玉。长脸蛋，长脖儿，身量不高，而且微有一点水蛇腰，看起来，她的确有些像林黛玉。她的皮肤很细很白，眉眼也很清秀。她走道儿很慢，而且老低着头，像怕踩死一个虫儿似的。当她这么羞怯怯的低头缓步的时候，没人能相信她能登台唱戏。可是，在她登台的时候，她的眉画得很长很黑，她的眼底下染下蓝晕，在台口一扬脸便博个满堂好儿；她的眉眼本来清秀，到了台上便又添上英飒。她的长脸蛋揉上胭脂，淡淡的，极匀润的，从腮上直到眼角，像两片有光的浅粉的桃瓣。她"有"脖子。她的水蛇腰恰好能使她能伸能缩，能软能硬。她走得极稳，用轻移缓进控制着锣鼓。在必要时，她也会疾走；不是走，而是在台上飞。她能唱青衣，但是拿手的是花旦；她的嗓不很大，可是甜蜜，带着腥音儿。

论唱，论做，论扮相，她都有下海的资格。可是，她宁愿意作拿黑杆的票友，而不敢去搭班儿。

她唱，小文给她拉琴。他的胡琴没有一个花招儿，而托腔托得极严。假若内行们对若霞的唱作还有所指摘，他们可是一致的佩服他的胡琴。有他，她的不很大的嗓子就可以毫不费力的得到预期的彩声。在维持生活上，小文的收入比她的多，因为他既无须乎像她那么置备行头和头面，而且经常的有人来找他给托戏。

在他们小夫妇初迁来的时候，胡同里的青年们的头上都多加了些生发油——买不起油的也多抿上一点水。他们有事无事的都多在胡同里走两趟，希望看到"她"。她并不常出来。就是出来，她也老那么低着头，使他们无法接近。住过几个月，他们大家开始明白这小夫妇的为人，也就停止了给头发上加油。大家还感到她的秀美，可是不再怀着什么恶意了。

为她而出来次数最多的是冠晓荷。他不只在胡同里遇见过她，而且看过她的戏。假若她是住在别处，倒也罢了；既是近邻，他觉得要对她冷淡，便差不多是疏忽了自己该尽的义务。再说，论年纪，模样，技艺，她又远胜尤桐芳；他要是漠不关心她，岂不是有眼而不识

138

货么。他知道附近的年轻人都在头发上加了油，可是他也知道只要他一往前迈步，他们就没有丝毫的希望；他的服装，气度，身分，和对妇女的经验，都应当作他们的老师。从另一方面看呢，小文夫妇虽然没有挨饿的危险，可是说不上富裕来；那么，他要是常能送过去一两双丝袜子什么的，他想他必能讨过一些便宜来的；有这么"经济"的事儿，他要是不向前进攻，也有些不大对得住自己。他决定往前伸腿。

在胡同中与大街上，他遇上若霞几次。他靠近她走，他娇声的咳嗽，他飞过去几个媚眼，都没有效果。他改了主意。拿着点简单的礼物，他直接的去拜访新街坊了。

小文夫妇住的是两间东房，外间是客厅，内间是卧室；卧室的门卜挂着张很干净的白布帘子。客厅里除了一张茶几，两三个小凳之外，差不多没有什么东西。墙上的银花纸已有好几张脱落卜来的。墙角上放着两三根藤子棍。这末一项东西说明了屋中为什么这样简单——便于练武把子。

小文陪着冠先生在客厅内闲扯。冠先生懂得"一点"二簧戏，将将够在交际场中用的那么一点。他决定和小文谈戏。敢在专家面前拿出自己的一知半解的人不是皇帝，便是比皇帝也许更胡涂的傻蛋。冠先生不傻。他是没皮没脸。

"你看，是高庆奎好，还是马连良好呢?"冠先生问。

小文极自然的反问："你看呢?"

小文的态度是那么自然，使冠晓荷绝不会怀疑他是有意的不回答问题，或是故意的要考验考验客人的知识。不，没人会怀疑他。他是那么自然，天真。他是贵族。在幼年时，他有意无意的学会这种既不忙着发表意见，而还能以极天真自然的态度使人不至于因他的滑头而起反感。

冠晓荷不知道怎样回答好了。对那两位名伶，他并不知道长在哪里，短在何处。"嗯——"他微一皱眉，"恐怕还是高庆奎好一点!"唯恐说错，赶紧又补上："一点——点!"

小文没有摇头，也没有点头。他干脆的把这一页揭过去，而另提

139

出问题。假若他摇头，也许使冠先生心中不悦；假若点头，自己又不大甘心。所以，他硬把问题摆在当地，而去另谈别的。幼年时，他的侯府便是一个小的社会；在那里，他见过那每一条皱纹都是用博得"天颜有喜"的狡猾与聪明铸成的大人物——男的和女的。见识多了，他自然的学会几招。脸上一点没露出来，他的心中可实在没看起冠先生。

又谈了一会儿，小文见客人的眼不住的看那个白布门帘，他叫了声："若霞！冠先生来啦!"倒好像冠先生是多年的老友似的。

冠先生的眼盯在了布帘上，心中不由的突突乱跳。

很慢很慢的，若霞把帘子掀起，而后像在戏台上似的，一闪身出了场。她穿着件蓝布半大的褂子，一双白缎子鞋；脸上只淡淡的拍了一点粉。从帘内一闪出来，她的脸就正对着客人，她的眼极大方的天真的看着他。她的随便的装束教她好像比在舞台上矮小了好多，她的脸上不似在舞台上那么艳丽，可是肉皮的细润与眉眼的自然教她更年轻一些，更可爱一些。可是，她的声音好像是为她示威。一种很结实，很清楚，教无论什么人都能听明白这是一个大方的，见过世面的，好听而不好招惹的声音。这个声音给她的小长脸上忽然的增加了十岁。

"冠先生，请坐!"

冠先生还没有站好，便又坐下了。他的心里很乱。她真好看，可是他不敢多看。她的语音儿好听，可是他不愿多听——那语声不但不像在舞台上那么迷人，反而带着点令人清醒的冷气儿。

他扯什么，他们夫妇俩就随着扯什么。但是，无论扯什么，他们俩的言语与神气都老有个一定的限度。他们自己不越这个限度，也不容冠晓荷越过去。他最长于装疯卖傻的"急进"。想当初，他第一次约尤桐芳吃饭的时候，便假装疯魔的吻了她的嘴。今天，他施展不开这套本事。

来看小文夫妇的人相当的多。有的是来约帮忙，有的是来给若霞说戏，或来跟她学戏，有的是来和小文学琴，有的……这些人中有男有女，有老有少，他们都像是毫无用处的人，可是社会要打算成个社

140

会，又非有他们不可。他们有一种没有用处的用处。他们似乎都晓得这一点，所以他们只在进来的时候微向冠先生一点头，表示出他们自己的尊傲。到临走的时候，他们都会说一声"再见"或"您坐着"，而并没有更亲密的表示。冠先生一直坐了四个钟头。他们说戏，练武把，或是学琴，绝对不因他在那里而感到不方便。他们既像极坦然，又像没把冠先生放在眼里。他们说唱便唱，说比画刀枪架儿便抄起墙角立着的藤子棍儿。他们在学本事或吊嗓子之外，也有说有笑。他们所说的事情与人物，十之八九是冠先生不知道的。他们另有个社会。他们口中也带着脏字，可是这些字用得都恰当，因恰当而健康。他们的行动并没有像冠先生所想象的那么卑贱，随便，与乱七八糟！

他觉得人家对他太冷淡。他几次想告辞而又不忍得走。又坐了会儿，他想明白：大家并没冷淡他，而是他自视太高，以为大家应当分外的向他献殷勤；那么，大家一不"分外"的表示亲热，自然就显着冷淡了。他看明白这一点，也就决定不仅呆呆的坐在那里，而要参加他们的活动。在一个适当的机会，他向小文说，他也会哼哼两句二簧。他的意思是教小文给他拉琴。小文又没点头，也没摇头，而把冠先生的请求撂在了一旁。冠先生虽然没皮没脸，也不能不觉得发僵。他又想告辞。

正在这时候，因为屋里人太多了，小文把白布帘折卷起来。冠晓荷的眼花了一下。

里间的顶棚与墙壁是新糊的四白落地，像洞房似的那么干净温暖。床是钢丝的。不多的几件木器都是红木的。墙上挂着四五个名伶监制的泥花脸，一张谭叫天的戏装照片，和一张相当值钱的山水画。在小文夫妇到须睡木板与草垫子的时候，他们并不因没有钢丝床而啼哭。可是，一旦手中有了钱，他们认识什么是舒服的，文雅的；他们自幼就认识钢丝床，红木桌椅，与名贵的字画。

冠晓荷看愣了。这间卧室比他自己的既更阔气，又文雅。最初，他立在屋门口往里看。过了一会儿，假装为细看那张山水画，而在屋中巡阅了一遭。巡阅完，他坐在了床沿上，细看枕头上的绣花。他又坐了一个钟头。在这最后的六十分钟里，他有了新的发现。他以为文若霞必定兼营副业，否则怎能置备得起这样的桌椅摆设呢？他决定要在这张床上躺那么几次！

第二天，他很早的就来报到。小文夫妇没有热烈的欢迎他，也没有故意的冷淡他，还是那么不即不离的，和昨天差不多。到快吃饭的时候，他约他们去吃个小馆，他们恰巧因有堂会不能相陪。

第三天，冠先生来的更早。小文夫妇还是那样不卑不亢的对待他。他不能不认事情并没什么发展，可是正因为如此，他才更不能放松一步。在这里，即使大家都没话可说，相对着发愣，他也感到舒服。

在这三五天之内，大赤包已经与尤桐芳联了盟。大赤包的娘家很有钱。在当初，假若不是她家中的银钱时常在冠晓荷的心中一闪一闪的发光，他绝不会跟她结婚；在结婚之前，她的脸上就有那么多的雀斑。结婚之后，人亦也很爱冠晓荷——他的确是个可爱的风流少年。同时，她也很害怕，她感觉到他并没把风流不折不扣的都拿了出来给她——假若他是给另一个妇人保存着可怎么好呢！因此，她的耳目给冠晓荷撒下了天罗地网。在他老老实实的随在她身后的时候，她知道怎样怜爱他，打扮他，服侍他，好像一个老姐姐心疼小弟弟那样。赶到她看出来，或是猜想到，他有冲出天罗地网的企图，她会毫不留情的管教他，像继母打儿子那么下狠手。

可惜，她始终没给冠家生个男娃娃。无论她怎样厉害，她没法子很响亮的告诉世界上：没有儿子是应当的呀！所有的妇科医院，她都去访问过；所有的司管生娃娃的神仙，她都去烧过香；可是她拦不住冠晓荷要娶小——他的宗旨非常的光明正大，为生儿子接续香烟！她翻滚的闹，整桶的流泪，一会儿声言自杀，一会儿又过来哀求……把方法用尽，她并没能拦住他娶了尤桐芳。

在作这件事上，冠晓荷表现了相当的胆气与聪明。三天的工夫，他把一切都办好；给朋友们摆上了酒席，他告诉他们他是为要儿子而娶姨太太。他在南城租了一间小北屋，作为第二洞房。

大赤包在洞房中人还未睡熟，便带领着人马来偷营劫寨。洞房里没多少东西，但所有的那一点，都被打得粉碎。她给尤桐芳个下马威。然后，她雇了辆汽车，把桐芳与晓荷押解回家。她没法否认桐芳的存在，但是她须教桐芳在她的眼皮底下作小老婆。假若可能，她会把小老婆折磨死！

幸而桐芳建稳了阵地，对大赤包的每一进攻都予以有力的还击。这样，大赤包与尤桐芳虽然有机会就吵，可是暗中彼此伸了大指，而桐芳的生命与生活都相当的有了保障。

冠晓荷天天往文家跑，使大赤包与尤桐芳两位仇敌变成了盟友。大赤包决定不容丈夫再弄一个野娘们来。桐芳呢，既没能给晓荷生儿子，而年岁又一天比一天大起来；假若晓荷真的再来一份儿外家，她的前途便十分暗淡了。她们俩联了盟。桐芳决定不出一声，而请大赤包作全权代表。

大赤包一张口就说到了家：

"晓荷！请你不要再到六号去！你要非去不可呢，我和桐芳已商量好，会打折你的腿。把你打残废了，我们俩情愿养活着你，伺候着你！"

晓荷想辩驳几句，说他到文家去不过是为学几句戏，并无他意。

大赤包不准他开口。

"现在，你的腿还好好的，愿意去，只管去！不过，去过以后，你的腿……我说到哪里，作到哪里！"她的语声相当的低细，可是脸煞白煞白的，十足的表明出可以马上去杀人的决心与胆气。

晓荷本想斗一斗她，可是几次要抬腿出去，都想到太太的满脸煞气，而把腿收回来。

桐芳拜访了若霞一次。她想：她自己的，与文若霞的，身分，可以说是不分上下。那么，她就可以利用这个职业相同的关系——一个唱鼓书的与一个女票友——说几句坦白而发生作用的话。

桐芳相当痛苦的把话都说了。若霞没有什么表示，而只淡淡的说了句："他来，我没法撵出他去；他不来，我永远不会下帖请他去。"说完，她很可爱的笑了一小声。

桐芳不甚满意若霞的回答。她原想，若霞会痛痛快快的一口答应下不准冠晓荷再进来的。若霞既没这样的坚决的表示，桐芳反倒以为若霞真和晓荷有点感情了。她没敢登时对若霞发作，可是回到家中，她决定与大赤包轮流在大门洞内站岗，监视晓荷的出入。

晓荷没法逃出监视哨的眼睛。他只好留神打听若霞在何时何地清唱或彩唱，好去捧场，并且希望能到后台去看她，约她吃回饭什么的。他看到了她的戏，可是她并没从戏台上向他递个眼神。他到后台约她，也不知道怎么一转动，她已不见了！

不久，这点只为"心到神知"的秘密工作，又被大赤包们看破。于是，冠先生刚刚的在戏院中坐下，两位太太也紧跟着坐下；冠先生刚刚拼着命喊了一声好，欢迎若霞出场，不知道他的两只耳朵怎么就一齐被揪住，也说不清是谁把他脚不擦地的拖出戏院外。胡里胡涂的走了好几十步，他才看清，他是作了两位太太的俘虏。

从这以后，晓荷虽然还不死心，可是表面上服从了太太的话，连向六号看一看都不敢了。

在日本兵入了城以后，他很"关切"小文夫妇。不错，小文夫妇屋中摆着的是红木桌椅，可是戏园与清唱的地方都关起门来，而又绝对不会有堂会，他们大概就得马上挨饿！他很想给他们送过一点米或几块钱去。可是，偷偷的去吧，必惹起口舌；向太太说明吧，她一定不会相信他还能有什么"好"意。他越关切文家，就越可怜自己在家庭中竟自这样失去信用与尊严！

现在，他注意到了新民会，也打听明白庆祝保定陷落的大游行是由新民会主持，和新民会已去发动各行各会参加游行。所谓各会者，就是民众团体的，到金顶妙峰山或南顶娘娘庙等香火大会去朝香献技的开路，狮子，五虎棍，耍花坛，杠箱官儿，秧歌等等单位。近些年来，因民生的凋敝，迷信的破除，与娱乐习尚的改变，这些"会"好像已要在北京城内绝迹了。在抗战前的四五年中，这些几乎被忘掉的民间技艺才又被军队发现而重新习练起来——它们表演的地方可不必再是香火大会，表演的目的也往往由敬神而改为竞技。许多老人们看见这些档子玩艺儿，就想起太平年月的光景而不住的感叹。许多浮浅的青年以为这又是一个复古的现象，开始诅咒它们。

新民会想起它们来，一来因为这种会都是各行业组织起来的；那么，有了它们就差不多是有了民意；二来因为这不是田径赛或搏击那些西洋玩艺，而是地道的中国东西，必能取悦于想以中国办法灭亡中国的日本人。

冠晓荷这次的到六号去是取得了太太的同意的。他是去找棚匠刘师傅。耍太狮少狮是棚匠们的业余的技艺。当几档子"会"在一路走的时候，遇见桥梁，太狮少狮便须表演"吸水"等极危险，最见功夫的玩艺。只有登梯爬高惯了的棚匠，才能练狮子。刘师傅是耍狮子的名手。

冠晓荷不是替别人来约刘师傅去献技，而是打算由他自己"送给"新民会一两档儿玩艺。不管新民会发动得怎样，只要他能送上一两组人去，就必能引起会中对他的注意。他已和一位新闻记者接洽好，替他作点宣传。

刚到六号的门外，他的心已有点发跳。进到院中，他愿像一枝火箭似的射入东屋去。可是，他用力刹住心里的闸，而把脚走向北小屋去。

"刘师傅在家?"他轻轻的问了声。

刘师傅的身量并不高，可是因为浑身到处都有力气，所以显着个子很大似的。他已快四十岁，脸上可还没有什么皱纹。脸色相当的黑，所以白眼珠与一口很整齐的牙就显着特别的白。有一口白而发光的牙的人，像刘师傅，最容易显出精神，健壮来。圆脸，没有什么肉，处处都有棱有角的发着光。

听见屋外有人叫，他像一条豹子那么矫健轻快的迎出来。他已预备好了一点笑容，脸上的棱角和光亮都因此而软化了一些。及至看清楚，门外站着的是冠晓荷，他的那点笑容突然收回去，脸上立刻显着很黑很硬了。

"呕，冠先生!"他在阶下挡住客人，表示出有话当面讲来，不必到屋中去。他的屋子确是很窄别，不好招待贵客，但是假若客人不是冠晓荷，他也决不会逃避让座献茶的义务的。

冠先生没有接受刘师傅的暗示，大模大样的想往屋里走。对比他地位高的人，他把人家的屁也看成暗示；对比他低下的人，暗示便等

145

于屁。

"有事吗？冠先生！"刘师傅还用身子挡着客人。"要是——我们茶馆坐坐去好不好？屋里太不像样儿！"他觉得冠先生不会还听不出他的意思来，而闪开了一点身子——老挡着客人像什么话呢。

冠先生似乎根本没听见刘师傅的话。"无聊"，假若详细一点来解释，便是既不怕白费了自己的精神，又不怕讨别人的厌。冠先生一生的特长便是无聊。见刘师傅闪开了点，他伸手去拉门。刘师傅的脸沉下来了。"我说，冠先生，屋里不大方便，有什么话咱们在这里说！"

见刘师傅的神气不对了，冠先生才想起来：他今天是来约请人家帮忙的，似乎不该太不客气了。他笑了一下，表示并不恼刘师傅的没有礼貌。然后，很甜蜜的叫了声"刘师傅"，音调颇像戏台上小旦的。"我求你帮点忙！"

"说吧，冠先生！"

"不！"晓荷作了个媚眼。"不！你得先答应我！"

"你不告诉我明白了，我不能点头！"刘师傅说得很坚决。

"不过，一说起来，话就很长，咱们又没个地方——"晓荷看了四围一眼，觉得此地实在不是讲话的所在。

"没关系！我们粗卤人办事，三言两语，脆快了当，并不挑地方！"刘师傅的白牙一闪一闪的说，脸上很难看。

"刘师傅，你知道，"冠先生又向四外看了一眼，把声音放得很低，"保定……不是要大游行吗？"

"呕！"刘师傅忽然笑了，笑得很不好看。"你是来约我耍狮子去？"

"小点声！"冠先生开始有点急切。"你怎么猜着的？"

"他们已经来约过我啦！"

"谁？"

"什么民会呀！"

"呕！"

"我告诉了他们，我不能给日本人耍！我的老家在保定，祖坟在

146

保定！我不能庆祝保定陷落！"

冠晓荷愣了一小会儿，忽然的一媚笑："刘师傅，你不帮忙他们，可否给我个脸呢？咱们是老朋友了！"说罢，他皱上点眉看着刘师傅，以便增补上一些感动力。

"就是我爸爸来叫我，我也不能去给日本人耍狮子！"说完，刘师傅拉开屋门，很高傲，威严的走进去。

十九

今天，北平可是——也许是第一次吧——看见了严肃的，悲哀的，含泪的，大游行。

新民会的势力还小，办事的人也还不多，他们没能发动北平的各界都来参加。参加游行的几乎都是学生。

学生，不管他们学了什么，不管他们怎样的服从，不管他们怎么幼稚，年轻，他们知道个前人所不知道的"国家"。低着头，含着泪，把小的纸旗倒提着，他们排着队，像送父母的丧似的，由各处向天安门进行。假若日本人也有点幽默感，他们必会咂摸出一点讽刺的味道，而申斥新民会——为什么单教学生们来作无声的庆祝呢？

瑞宣接到学校的通知，细细的看过，细细的撕碎，他准备辞职。

瑞丰没等大哥起来，便已梳洗完毕，走出家门。一方面，他愿早早的到学校里，好多帮蓝东阳的忙；另一方面，他似乎也有点故意躲避着大哥的意思。

他极大胆的穿上了一套中山装！自从日本人一进城，中山装便与三民主义被大家藏起来，正像革命军在武汉胜利的时候，北平人——包括一些旗人在内——便迎时当令的把发辫卷藏在帽子里那样。瑞丰是最识时务的人。他不但把他的那套藏青哔叽的中山装脱下来，而且藏在箱子的最深处。可是，今天他须领队。他怎想怎不合适，假若穿着大衫去的话。他冒着汗从箱子底上把那套中山装找出来，大胆的穿上。他想：领队的必须穿短装，恐怕连日本人也能看清他之穿中山装是只为了"装"，而绝对与革命无关。假若日本人能这样原谅了中山装，他便是中山装的功臣，而又有一片牛好向朋友们吹了。

穿着中山装，他走到了葫芦肚的那片空地。他开始喊嗓子：立——正，齐步——走……他不知道今天是否由他喊口令，可是有备无患，他须喊一喊试试。他的嗓音很尖很干，连他自己都觉得不甚好听。可是他并不灰心，还用力的喊叫；只要努力，没有不成的事，他对自己说。

到了学校，东阳先生还没起来。

学生也还没有一个。

瑞丰，在这所几乎是空的学校里，感到有点不大得劲儿。他爱热闹，可是这里极安静；他要表演表演他的口令，露一露中山装，可是等了半天，还不见一个人。他开始怀疑自己的举动——答应领队，和穿中山装——是否聪明？直到此刻，他才想到，这是为日本人办事，而日本人，据说，是不大好伺候的。哼，带着学生去见日本人！学生若是一群小猴，日本人至少也是老虎呀！这样一想，他开始害了怕；他打算乘蓝东阳还没有起来，就赶紧回家，脱了中山装，还藏在箱子底儿上。不知怎的，他今天忽然这样怕起日本人来；好像是直觉的，他感到日本人是最可怕的，最不讲情理的，又像人，又像走兽的东西。他永远不和现实为敌。亡国就是亡国，他须在亡了国的时候设法去吃，喝，玩，与看热闹。自从日本人一进城，他便承认了日本是征服者。他觉得只要一这样的承认，他便可以和日本人和和气气的住在一处——凭他的聪明，他或者还能占日本人一点小便宜呢！奇怪，今天他忽然怕起日本人来。假若不幸，（他闭上眼乱想），在学生都到了天安门的时候，而日本人开了机关枪呢？像一滴冰水落在脊背上那样，他颤抖了一下。他，为了吃喝玩乐，真愿投降给日本人；可是，连他也忽然的怕起来。

学生，慢慢的，三三两两的来到。瑞丰开始放弃了胡思乱想；只要有人在他眼前转动，他便能因不寂寞而感到安全。

他找蓝先生去了。蓝先生刚醒，而还没有起床的决心；闭着眼，享受着第一支香烟。看到了烟，瑞丰才敢问："醒啦？蓝先生！"

蓝先生最讨厌人家扰他的早睡和早上吸第一支烟时的小晌儿。他没出声，虽然听清楚了瑞丰的话。

瑞丰又试着说了声："学生们都到得差不多了。"

蓝东阳发了怒："到齐了就走吧，紧着吵我干吗呢？"

"校长没来，先生只来了一位，怎能走呢？"

"不走就不走！"蓝先生狠命的吸了一口烟，把烟头摔在地上，把脑袋又钻到被子里面去。

瑞丰愣在了那里。

正在瑞丰这么迟疑不决的当儿，蓝先生的头又从那张永远没有拆洗过的被子里钻了出来。为赶走困倦，他那一向会扯动的鼻眼像都长了腿儿似的，在满脸上乱跑，看着很可笑，又很可怕。鼻眼扯动了一大阵，他忽然的下了床。他用不着穿袜子什么的，因为都穿着呢；他的睡衣也就是"醒衣"。他的服装，白天与夜间的不同只在大衫与被子上：白天不盖被，夜间不穿大衫，其余的都昼夜不分。

下了床，他披上了长袍，又点上一支烟。香烟点灯，他感觉得生活恰好与昨晚就寝时联接到一块——吸着烟就寝，吸着烟起床，中间并无空隙，所以用不着刷牙漱口洗脸等等麻烦。

没有和瑞丰作任何的商议，蓝先生发了话："集合！"

"这么早就出发吗？"瑞丰问。

"早一点晚一点有什么关系呢！有诗感的那一秒钟便是永生，没有诗的世纪等于零！"东阳得意的背诵着由杂志上拾来的话。

"点名不点？"

"当然点名！我好惩办那偷懒不来的！"

"要打校旗？"

"当然！"

"谁喊口令？"

"当然是你了！你想起什么，作就是了！不必一一的问！"东阳的脾气，在吃早点以前，是特别坏的。

"不等一等校长？"

"等他干吗？"东阳右眼的黑眼珠猛的向上一吊，吓了瑞丰一跳。"他来，这件事也得由我主持！我，在，新，民，会，里！"这末几个字是一个一个由他口中像小豆子似的蹦出来的，每蹦出一个字，他的

150

右手大指便在自己的胸上戳一下。他时常作出这个样子，而且喜欢这个样子，他管这叫作"斗争的姿态"。

在打了集合的铃以后，蓝先生拿着点名册，瑞丰拿着校旗，又找上已经来到的那一位先生，一同到操场去。两位工友抱着各色的小纸旗，跟在后面。

瑞丰的中山装好像有好几十斤重似的，他觉得非常的压得慌。一进操场，他预料学生们必定哈哈的笑他；即使不笑出声来，他们也必会偷偷的唧唧咕咕。

出他意料之外，学生三三两两的在操场的各处立着，几乎都低着头，没有任何的声响。他们好像都害着什么病。瑞丰找不出别的原因，只好抬头看了看天；阴天会使人没有精神。可是，天上的蓝色像宝石似的发着光，连一缕白云都看不到。他更慌了，不晓得学生们憋着什么坏�，他赶快把校旗——还卷着呢——斜倚在墙根上。

见瑞丰们进来，学生开始往一处集拢，排成了两行。大家还都低着头，一声不出。

蓝先生，本来嘴唇有点发颤，见学生这样老实，马上放宽了点心，也就马上想拿出点威风来。这位诗人的眼是一向只看表面，而根本连想也没想到过人的躯壳里还有一颗心的。今天，看到学生都一声不出，他以为是大家全怕他呢。腋下夹着那几本点名册子，向左歪着脸，好教向上吊着的那只眼能对准了大家，他发着威说："用不着点名，谁没来我都知道！一定开除！日本友军在城里，你们要是不和友军合作，就是自讨无趣！友军能够对你们很客气，也能够十分的严厉！你们要看清楚！为不参加游行而被开除的，我必报告给日本方面，日本方面就必再通知北平所有的学校，永远不收容他。这还不算，日本方面还要把他看成乱党，不一定什么时候就抓到监牢里去！听明白没有？"蓝先生的眼角糊着一滩黄的膏子，所以不住的眨眼；此刻，他一面等着学生回答，一面把黄糊子用手指挖下来，抹在袍襟上。

学生还没出声。沉默有时候就是抵抗。

蓝先生一点没感到难堪，回头嘱咐两位工友把各色的小旗分给每个学生一面。无语的，不得已的，大家把小旗接过去。旗子散完，蓝先生告诉瑞丰："出发！"

瑞丰跑了两步，把校旗拿过来，打开。那是一面长方的，比天上的蓝色稍深一点的蓝绸旗。没有镶边，没有缀穗，这是面素净而大方的旗子；正当中有一行用白缎子剪刻的字。

校旗展开，学生都自动的立正，把头抬起来。大家好像是表示：教我们去就够了，似乎不必再教代表着全校的旗帜去受污辱吧！这点没有明说出来的意思马上表面化了——瑞丰把旗子交给排头，排头没有摇头，也没有出声，而只坚决的不肯接受。这是个十五岁而发育得很高很大的，重眉毛胖脸的，诚实得有点傻气的，学生。他的眼角窝着一颗很大的泪，腮上涨得通红，很困难的呼吸着，双手用力的往下垂。他的全身都表示出：假若有人强迫他拿那杆蓝旗，他会拼命！

瑞丰看出来胖学生的不好惹，赶紧把旗十回胖十肖后的人诉，也同样的遇到拒绝。瑞丰僵在了那里，心中有点气而不敢发作。好像有一股电流似的一直通到排尾，极快的大家都知道了两个排头的举动。照旧的不出声，大家一致的把脸板起来，表示谁也不肯接受校旗。瑞丰的小眼珠由排头溜到排尾，看出来在那些死板板的脸孔下都藏着一股怒气；假若有人不识时务的去戳弄，那股怒气会像炸弹似的炸开，把他与蓝东阳都炸得粉碎。他木在那里。那面校旗像有毒似的他不愿意拿着，而别人也不愿意接过去。

蓝先生偏着点脸，也看清自己在此刻万不可以发威。他告诉一位工友："你去打旗！两块钱的酒钱！"

这是个已快五十岁的工友，叹了口气，他过去把旗子接到手中，低着头立在队伍的前面。

现在该瑞丰喊口令了。他向后退着跑了几步，自己觉得这几步跑得很有个样子。跑到适当的距离，他立住，双脚并齐，从丹田上使力，喊出个很尖很刺耳的"立"字来。他的头扬起来，脖筋都涨起多高，支持着"立"字的拉长；而后，脚踵离开了地，眼睛很快的闭上，想喊出个很脆很有力的"正"字来。力量确是用了，可是不知怎的"正"字竟会像哑叭爆竹，没有响。他的小干脸和脖子都红起来。他

152

知道学生们一定会笑出声儿来。他等着他们发笑，没有旁的办法。奇怪，他们不但没有笑声，连笑意也没有。

老姚对立正，齐步走，这一套是颇熟习的。看见瑞丰张嘴，他就向右转，打起旗来，慢慢的走。

学生们跟着老姚慢慢的走，走出操场，走出校门，走出巷口。他们的头越来越低，手中的小纸旗紧紧的贴着裤子。他们不敢出一声，也不敢正眼的看街上的人。他们今天是正式的去在日本人面前承认自己是亡国奴！

北平特有的秋晴里走着一队队的男女学生——以他们的小小的，天真的心，去收容历史上未曾有过的耻辱！他们没法子抵抗。他们在不久之前都听过敌人的炮声与炸弹声，都看见过敌人的坦克车队在大街上示威，他们知道他们的父兄师长都不打算抵抗。他们只能低着头为敌人去游行。他们的手中的小旗上写着"大日本万岁！"

这最大的耻辱使甚至于还不过十岁的小孩也晓得了沉默，他们的口都被耻辱给封严。汽车上，电车上，人力车上，人家与铺户的门前，都悬着旗，结着彩，可是北平像死了似的那么静寂。

瑞丰本是为凑热闹来的，他万没想到街上会这么寂寞。才走了一里多路，他就感觉到了疲乏；这不是游行，而是送殡呢！不，比送殡还更无聊，难堪！他很后悔参加这次的游行。他偷眼向前后找蓝东阳，已然不见了。他的心中有点发慌。虽然阳光是那么晴美，街上到处都悬旗结彩，可是他忽然觉得怪可怕！他不知道天安门安排着什么险恶的埋伏，他只觉得北平的天，北平的地，与北平的人，今天都有点可怕。他没有多少国家观念，可是，现在他似乎感到了一点不合适——亡了国的不合适！

瑞丰和他的队伍差不多是最早来到天安门的。他预料着，会场四围必定像开庙会一样的热闹，一群群卖糖食和水果的小贩，一群群的红男绿女，必定沿着四面的红墙，里三层外三层的呼喊，拥挤，来回的乱动；在稍远的地方甚至有照西湖景和变戏法的，敲打着简单而有吸引力的锣鼓。

可是，眼前的实在景物与他所期望看到的简直完全不同。天安门的，太庙的，与社稷坛的红墙，红墙前的玉石栏杆，红墙后的黑绿的老松，都是那么雄美庄严，仿佛来到此处的晴美的阳光都没法不收敛起一些光芒，好使整个的画面显出肃静。这里不允许吵闹与轻佻。高大的天安门面对着高大的正阳门，两个城楼离得那么近，同时又像离得极远。在两门之间的行人只能觉得自己像个蚂蚁那么小。可怜的瑞丰和他的队伍，立在两门之间的石路上，好像什么也不是了似的。瑞丰看不到热闹，而只感到由城楼，红墙，和玉石出来一股子什么沉重的空气，压在他的小细脖颈；他只好低下头去。为开会，在玉石的桥前已搭好一座简单的讲台。席棚木板的讲台，虽然插满了大小的旗子，可是显着非常的寒碜；假若那城楼，石桥，是不朽的东西，这席棚好像马上就可以被一阵风刮得无影无踪！台上还没有人。瑞丰看看空台，看看城楼，越想越低下头去。他觉得可怕。在秋日的晴光中，城楼上的一个个的黑的眼睛好像极慢极慢的眨动呢！谁敢保，那些黑眼睛里没有机关枪呢！他极盼多来些人，好撑满了广场，给他仗一些胆气！慢慢的，从东，西，南，三面都来了些学生。没有军鼓军号，没有任何声响，一队队的就那么默默的，无可如何的，走来，立住。

学生越来越多了。人虽多，可是仍旧填不满天安门前的广场。人越多，那深红的墙与高大的城楼仿佛也越红越高，镇压下去人的声势。人，旗帜，仿佛不过是一些毫无分量的毛羽。而天安门是一座庄严美丽的山。巡警，宪兵，也增多起来；他们今天没有一点威风。他们，在往日，保护过学生，也殴打过学生，今天，他们却不知如何是好——天安门，学生，日本人，亡国，警察，宪兵，这些连不到一气的，像梦似的联到了一气！懒懒的，羞愧的，他们站在学生一旁，大家都不敢出声。天安门的庄严尊傲使他们沉默，羞愧——多么体面的城，多么可耻的人啊！

蓝东阳把干事的绸条还在衣袋里藏着，不敢挂出来。他立在离学生差不多有半里远的地方，不敢挤在人群里。常常欠起一点脚来，他向台上望，切盼他的上司与日本人来到，好挂出绸条，抖一抖威风。台上还没有人。吊起他的眼珠，他向四外寻，希望看见个熟人；找不到，天安门前是多么大呀，找人和找针一样的难。像刚停落下来的鸟

154

儿似的，他东张张西望望，心里极不安。天安门的肃静和学生的沉默教他害了怕。他那比鸡脑子大不了多少的诗心，只会用三五句似通不通的话去幸灾乐祸的讥诮某人得了盲肠炎，或嫉妒的攻击某人得到一百元的稿费。他不能欣赏天安门的庄严，也不能了解学生们的愤愧与沉默。他只觉得这么多人而没有声音，没有动作，一定埋藏着什么祸患，使他心中发颤。

学生们差不多已都把脚站木了，台上还没有动静。他们饥渴，疲倦，可是都不肯出声，就是那不到十岁的小儿女们也懂得不应当出声，因为他们知道这是日本人叫他们来开会。他们没法不来，他们可是恨日本鬼子。一对对的小眼睛眨巴眨巴的看着天安门，那门洞与门楼是多么高大呀，高大得使他们有点害怕！一对对的小眼睛眨巴眨巴的看着席棚，席棚上挂着日本旗，还有一面大的，他们不认识的五色旗。他们莫名其妙，这五道儿的旗子是丁什么的，莫非这就是亡国旗么？谁知道！他们不敢问老师们，因为老师们今天都低着头，眼中像含着泪似的。他们也只好低下头去，用小手轻轻的撕那写着中日亲善等等字样的纸旗。

开会是带有戏剧性的：台上的播音机忽然的响了，奏着悲哀阴郁的日本歌曲。四围，忽然来了许多持枪的敌兵，远远的把会场包围住。台上，忽然上来一排人，有穿长袍的中国人，也有武装的日本人。忽然，带着绸条的人们——蓝东阳在内——像由地里刚钻出来的，跳跳钻钻的在四处跑。

不知是谁设的计，要把大会开得这么有戏剧性。可是，在天安门前，那伟大庄严的天安门前，这点戏剧性没有得到任何效果。一个小儿向大海狂喊一声是不会有效果的。那广播的音乐没有使天安门前充满了声音，而只像远远的有人在念经或悲啼——一种好自杀的民族的悲啼。远远的那些兵，在天安门与正阳门的下面，是那么矮小，好像是一些小的黑黑的宽宽的木棒子；在天安门前任何丑恶的东西都失掉了威风。台上，那穿长袍的与武装的，都像些小傀儡，在一些红红绿绿的小旗子下，坐着或立着；他们都觉得自己很重要，可是他们除了像傀儡而外，什么也不像。

155

一个穿长袍的立起来了，对着扩声机发言。由机器放大了的声音，碰到那坚厚的红墙，碰到那高大的城楼，而后散在那像没有边际似的广场上，只像一些带着痰的咳嗽。学生们都低着头，听不到什么，也根本不想听见什么；他们管那穿长袍而伺候日本人的叫作汉奸。

穿长袍的坐下，立起个武装的日本人。蓝东阳与他的"同志"们，这时候已分头在各冲要的地方站好，以便"领导"学生。他们拼命的鼓掌，可是在天安门前，他们的掌声直好像大沙漠上一只小麻雀在拍动翅膀。他们也示意教学生们鼓掌，学生们都低着头，没有任何动作，台上又发出了那种像小猫打胡噜的声音，那个日本武官是用中国话说明日本兵的英勇无敌，可是他完全白费了力，台下的人听不见，也不想听。

一个接着一个，台上的东洋小木人们都向天安门发出嘶嘶的蚊鸣，都感到不如一阵机关枪把台下的人扫射干净倒还痛快。他们也都感到仿佛受了谁的愚弄。那些学生的一声不出，天安门的庄严肃静，好像都强迫着他们承认自己是几个猴子，耍着猴子戏。他们在城楼上，玉石桥下面，都埋伏了兵与机关枪，防备意外的袭击。在台上，他们还能远远的望到会场外围给他们放哨的兵——看着也像小傀儡。可是，天安门和学生们好像不懂得炸弹与手枪有什么用处，沉默与淡漠仿佛也是一种武器，一种不武而也可怕的武器。

台上和台下的干事们喊了几句口号。他们的口都张得很大，手举得很高，可是声音很小，很不清楚。学生们一声不出。庆祝保定的胜利？谁不知道保定是用炸弹与毒气攻下来的呢！

台上的傀儡们下了台，不见了。带绸条的干事们拿着整篮子的昭和糖来分发，每个学生一块。多么高大的天安门啊，每人分得那么小的一块糖！中日亲善啊，每人分得一块糖，在保定被毒气与炸弹毁灭之后！昭和糖与小旗子都被扔弃在地上。

二十

　　以冠晓荷的浮浅无聊，会居然把蓝东阳"唬"得一愣一愣的。凡是晓荷所提到的烟，酒，饭，茶的作法，吃法，他几乎都不知道。及至冠家的酒饭摆上来，他就更佩服了冠先生——冠先生并不瞎吹，而是真会享受。在他初到北平的时期，他以为到东安市场吃天津包子或褡裢火烧，喝小米粥，便是享受。住过几年之后，他才知道西车站的西餐与东兴楼的中菜才是说得出口的吃食。今天，他才又知道铺子中所卖的菜饭，无论怎么精细，也说不上是生活的艺术；冠先生这里是在每一碟咸菜里都下着一番心，在一杯茶和一盅酒的色，香，味，与杯盏上都有很大的考究；这是吃喝，也是历史与艺术。是的，冠先生并没有七盘八碗的预备整桌的酒席；可是他自己家里作的几样菜是北平所有的饭馆里都吃不到的。除了对日本人，蓝东阳是向来不轻于佩服人的。现在，他佩服了冠先生。

　　在酒饭之外，他还觉出有一股和暖的风，从冠先生的眼睛，鼻子，嘴，眉，和喉中刮出来。这是那种在桃花开了的时候的风，拂面不寒，并且使人心中感到一点桃色的什么而发痒，痒得怪舒服。冠先生的亲热周到使东阳不由的要落泪。他一向以为自己是受压迫的，因为他的文稿时常因文字不通而被退回来；今天，冠先生从他一进门便呼他为诗人，而且在吃过两杯酒以后，要求他朗读一两首他自己的诗。他的诗都很短，朗诵起来并不费工夫。他读完，冠先生张着嘴鼓掌。掌拍完，他的嘴还没并上；好容易并上了，他极严肃的说："好哇！好哇！的确的好哇！"蓝诗人笑得把一向往上吊着的那个眼珠完全吊到太阳穴里去了，半天也没落下来。

捧人是需要相当的勇气的。冠先生有十足的勇气——他会完全不要脸。

"高第!"冠先生亲热的叫大女儿。"你不是喜欢新文艺吗?跟东阳学学吧!"紧跟着对东阳说:"东阳,你收个女弟子吧!"

东阳没答出话来。他昼夜的想女人,见了女人他可是不大说得出正经话来。

高第低下头去,她不喜欢这个又瘦又脏又难看的诗人。

冠先生本盼望女儿对客人献点殷勤,及至看高第不哼一声,他赶紧提起小瓷酒壶来,让客:"东阳,咱们就是这一斤酒,你要多喝也没有!先干了杯!呕!呕!对!好,干脆,这一壶归你,你自己斟!咱们喝良心酒!我和瑞丰另烫一壶!"

瑞丰和胖太太虽然感到一点威胁——东阳本是他们的,现在颇有已被冠先生夺了去的样子——可是还很高兴。一来是大赤包看丈夫用全力对付东阳,她便设法不教瑞丰夫妇感到冷淡;二来是他们夫妇都喜欢热闹,只要有好酒好饭的闹哄着,他们俩就决定不想任何足以破坏眼前快乐的事情。以瑞丰说,只要教他吃顿好的,好像即使吃完就杀头也没什么不可以的。胖太太还另有一件不好意思而高兴的事:东阳不住的看她。她以为这是她战败了冠家的两位姑娘,而值得骄傲。事实上呢,东阳是每看到女人便想到实际的问题;论起实际,他当然看胖乎乎的太太比小姐们更可爱。

招弟专会戏弄"癞虾蟆"。顶俏美的笑了一下,她问东阳:"你告诉告诉我,怎样作个文学家,好不好?"并没等他回答,她便提出自己的意见:"是不是刷牙不洗脸,就可以作出好文章呢?"

东阳的脸红了。

高第和尤桐芳都咯咯的笑起来。

冠先生很自然的,拿起酒杯,向东阳一点头:"来,罚招弟一杯,咱们也陪一杯,谁教她是个女孩子呢!"

吃过饭,大家都要求桐芳唱一只曲子。桐芳最讨厌有新朋友在座的时候"显露原形"。她说这两天有点伤风,嗓子不方便。瑞丰——久已对她暗里倾心——帮她说了几句话,解了围。桐芳,为赎这点罪

158

过，提议打牌。瑞丰领教过了冠家牌法的厉害，不敢应声。胖太太比丈夫的胆气大一点，可是也没表示出怎么热烈来。蓝东阳本是个"钱狼子"，可是现在有了八成儿醉意，又看这里有那么多位女性，他竟自大胆的说："我来！说好，十六圈！不多不少，十扭圈！"他的舌头已有点不大利落了。

大赤包，桐芳，招弟，东阳，四位下了场。招弟为怕瑞丰夫妇太僵得慌，要求胖太太先替她一圈或两圈。

冠先生稍有点酒意，拿了两个细皮带金星的鸭儿梨，向瑞丰点了点头。瑞丰接过一个梨，随主人来到院中。

"你批评批评！"冠先生口中谦虚，而心中骄傲的说："你给我批评一下，不准客气！你看我招待朋友还有什么不周到的地方？"

瑞丰是容易受感动的，一见冠先生这样的"不耻下问"，不由的心中颤动了好几下。赶快把一些梨渣滓呸出去，他说："我决不说假话！你的——无懈可击！"

冠先生笑了一下，可是紧跟着又叹了口气。酒意使他有点感伤，心里说："有这样本事，竟自怀才不遇！"

瑞丰听见了这声叹气，而不便说什么。他不喜欢忧郁和感伤！快活，哪怕是最无聊无耻的快活，对于他都胜于最崇高的哀怨。他急忙往屋里走。晓荷，还拿着半个梨独自站在院里。

文章不通的人，据说，多数会打牌。东阳的牌打得不错。一上手，他连胡了两把。这两把都是瑞丰太太放的冲。第二圈，东阳听了两次和，可都没和出来，因为他看时机还早而改了叫儿，以便多和一番。他太贪。这两把都没和，他失去了自信，而越打越慌，越背。他是打赢不打输的人，他没有牌品。当牌气不大顺的时候。他摔牌，他骂骰子，他怨别人打的慢，他嫌灯光不对，他挑剔茶凉。他自己毫无错处，他不和牌完全因为别人的瞎打乱闹。

瑞丰看事不祥，轻轻的拉了胖太太一把，二人没敢告辞，以免扰动牌局，偷偷的走出去。冠先生轻快的赶上来，把他们送到街门口。

第二天，瑞丰想一到学校便半开玩笑的向东阳提起高第姑娘来。假若东阳真有意呢，他就不妨真的作一次媒，而一箭双雕的把蓝与冠都捉到手里。

见到东阳，瑞丰不那么乐观了。东阳的脸色灰绿，一扯一扯的像要裂开。他先说了话："昨天冠家的那点酒，菜，茶，饭，一共用多少钱？"

瑞丰知道这一问或者没怀着好意，但是他仍然把他当作好话似的回答："呕，总得花二十多块钱吧，尽管家中作的比外叫的菜便宜；那点酒不会很贱了，起码也得四五毛一斤！"

"他们赢了我八十！够吃那么四回的！"东阳的怒气像夏天的云似的涌上来，"他们分给你多少？"

"分给我？"瑞丰的小眼睛睁得圆圆的。

"当然喽！要不然，我跟他们丝毫的关系都没有，你干吗给两下里介绍呢？"

瑞丰，尽管是浅薄无聊的瑞丰，也受不了这样的无情的，脏污的，攻击。他的小干脑袋上的青筋全跳了起来。他明知道东阳不是好惹的，不该得罪的，可是他不能太软了，为了脸面，他不能太软了！他拿出北平人的先礼后拳的办法来：

"你这是开玩笑呢，还是——"

"我不会开玩笑！我输了钱！"

"打牌还能没有输赢？怕输就别上牌桌呀！"

"你听着！"东阳把臭黄牙露出来好几个，像狗打架时那样。"我现在是教务主任，不久就是校长，你的地位是在我手心里攥着的！我一撒手，你就掉在地上！我告诉你，除非你赔偿上八十块钱，我一定免你的职！"

瑞丰笑了。他虽浮浅无聊，但究竟是北平人，懂得什么是"里儿"，哪叫"面儿"。北平的娘儿们，也不会像东阳这么一面理。"蓝先生，你快活了手指头，红中白板的摸了大半夜，可是教我拿钱；哈，天下哪有这么便宜的事？要是有的话，我早去了，还轮不到尊家你呢！"

无论他怎样能说会道，东阳是不会怕他的。东阳居然说出："你不赔偿的话，可留神我会揍你！"

他没有钱。三个月没有发薪了。他也知道东阳是爱钱如命的，这么一想，他又笑了一下，说："好吧，我的错儿，不该带你到冠家去！我可是一番好意，想给你介绍那位高第小姐；谁想你会输那么多的钱呢！"

"不用费话！给我钱！"东阳的散文比他的诗通顺而简明的多了。

瑞丰想起来关于东阳的笑话。据说：东阳给女朋友买过的小梳子小手帕之类的礼物，在和她闹翻了的时候，就详细的开一张单子向她索要！瑞丰开始相信这笑话的真实，同时也就很为了难——他赔还不起那么多钱，也没有赔还的责任，可是蓝东阳又是那么蛮不讲理！

"告诉你！"东阳满脸的肌肉就像服了毒的壁虎似乎全部抽动着。"告诉你！不给钱，我会报告上去，你的弟弟逃出北平——这是你亲口告诉我的——加入了游击队！你和他通气！"

瑞丰的脸白了。他后悔，悔不该那么无聊，把家事都说与东阳听，为是表示亲密！不过，后悔是没用的，他须想应付困难的办法。

他万也没想到东阳会硬说老三参加了游击队！他没法辩驳，他觉得忽然的和日本宪兵，与宪兵的电椅皮鞭碰了面！

他哄的一下出了汗。

"怎样？给钱，还是等我去给你报告？"

一个人慌了的时候，最容易只沿着一条路儿去思索。瑞丰慌了。他不想别的，而只往坏处与可怕的地方想。听到东阳最后的恐吓，他又想出来：即使真赔了八十元钱，事情也不会完结；东阳哪时一高兴，仍旧可以给他报告呀！

"怎样！"东阳又催了一板，而且往前凑，逼近了瑞丰。

瑞丰像一条癞狗被堵在死角落里，没法子不露出抵抗的牙与爪来了。他一拳打出去，倒仿佛那个拳已不属他管束了似的。他不晓得这一拳应当打在哪里，和果然打在哪里，他只知道打着了一些什么；紧跟着，东阳便倒在了地上。他没料到东阳会这么不禁碰。他急忙往地上看，东阳已闭上了眼，不动。轻易不打架的人总以为一打就会出人命的；瑞丰浑身上下都忽然冷了一下，口中不由的说出来："糟啦！打死人了！"说完，不敢再看，也不顾得去试试东阳还有呼吸气儿与

161

否，他拿起腿便往外跑，像七八岁的小儿惹了祸，急急逃开那样。

他生平没有走过这么快。像有一群恶鬼赶着，而又不愿教行人晓得他身后有鬼，他贼眉鼠眼的疾走。他往家中走。越是怕给家中惹祸的，当惹了祸的时候越会往家中跑。

到了家门口，他已喘不过气来。扶住门墩子，他低头闭上了眼，大汗珠拍哒拍哒的往地上落。这么忍了极小的一会儿，他用袖子抹了抹脸上的汗，开始往院里走。他一直奔了大哥屋中去。

瑞宣正在床上躺着。瑞丰在最近五年中没有这么亲热的叫过大哥："大哥！"他的泪随着声音一齐跑出来。

这一声"大哥"，打动了瑞宣的心灵。他急忙坐起来问："怎么啦？老二！"

老二从牙缝里挤出来："我打死了人！"

瑞宣立起来，心里发慌。但是，他的修养与上来帮他的忙，教他稳定下来。他低声的，关心而不慌张的问："怎么回事呢？坐下说！"说罢，他给老二倒了杯不很热的开水。

老二把水一口喝下去。老大的不慌不忙，与水的甜润，使他的神经安贴了点。他坐下，极快，极简单的，把与东阳争吵的经过说了一遍。他没说东阳的为人是好或不好，也没敢给自己的举动加上夸大的形容；他真的害了怕，忘记了无聊与瞎扯。说完，他的手颤动着掏山香烟来，点上一支。

瑞宣声音低而恳切的问："他也许是昏过去了吧？一个活人能那么容易死掉？"

老二深深的吸了口烟。"我不敢说！"

"这容易，打电话问一声就行了！"

"怎么？"老二现在仿佛把思索的责任完全交给了大哥，自己不再用一点心思。

"打电话找他，"瑞宣和善的说明："他要是真死了或是没死，接电话的人必定能告诉你。"

"他要是没死呢？我还得跟他说话？"

"他若没死，接电话的人必说：请等一等。你就把电话挂上

162

好啦。"

"对!"老二居然笑了一下，好像只要听从哥哥的话，天大的祸事都可以化为无有了似的。

"我去，还是你去?"老大问。

"一道去好不好?"老二这会儿不愿离开哥哥。在许多原因之中，有一个是他暂时还不愿教太太知道这回事。他现在才看清楚：对哥哥是可以无话不说的，对太太就不能不有时候闭上嘴。

电话叫通，蓝先生刚刚的出去。

"不过，事情不会就这么完了吧?"老二对大哥说。

"慢慢的看吧!"瑞宣不很带劲儿的回答。

"那不行吧? 我看无论怎着，我得赶紧另找事，不能再到学校去; 蓝小子看不见我，也许就忘了这件事!"

"也许!"瑞宣看明白老二是胆小，不敢再到学校去，可是不好意思明说出来。

弟兄俩走到七号门口，不约而同的停了一步。老二的脸上没了血色。

有三四个人正由三号门外向五号走，其中有两个是穿制服的!

瑞丰想回头就跑，被老大拦住："两个穿制服的是巡警。那不是白巡长? 多一半是调查户口。"

老二慌得很："我得躲躲! 穿便衣的也许是特务!"没等瑞宣再说话，他急忙转身顺着西边的墙角疾走。

瑞宣独自向家中走。到了门口，巡警正在拍门。他笑着问："干什么? 白巡长!"

"调查户口，没别的事。"白巡长把话说得特别的温柔，为是免得使住户受惊。

瑞宣看了看那两位穿便衣的，样子确乎有点像侦探。他想，他们俩即使不为老三的事而来，至少也是被派来监视白巡长的。瑞宣对这种人有极大的反感。他们永远作别人的爪牙，而且永远威风凛凛的表示作爪牙的得意; 他们宁可失掉自己的国籍，也不肯失掉威风。

白巡长向"便衣"们说明："这是住在这里最久的一家!"说着，他

163

打开了簿子，问瑞宣："除了老三病故，人口没有变动吧?"

瑞宣十分感激白巡长，而不敢露出感激的样子来，低声的回答了一声："没有变动。"

"没有亲戚朋友住在这里?"白巡长打着官腔问。

"也没有!"瑞宣回答。

"怎么?"白巡长问便衣，"还进去吗?"

这时候，祁老人出来了，向白巡长打招呼。

瑞宣很怕祖父把老三的事说漏了兜。幸而，两个便衣看见老人的白须白发，仿佛放了点心。他们俩没说什么，而只那么进退两可的一犹豫。白巡长就利用这个节骨眼儿，笑着往六号领他们。

瑞宣同祖父刚要转身回去，两个便衣之中的一个又转回来，很傲慢的说："听着，以后就照这本簿子发良民证! 我们说不定什么时候，也许是在夜里十二点，来抽查; 人口不符，可得受罚，受顶人的罚! 记住!"

瑞宣把一团火压在心里，没出一声。

老人一辈子最重要的格言是"和气生财"。他极和蔼的领受"便衣"的训示，满脸堆笑的说："是! 是! 你哥儿们多辛苦啦! 不进来喝口茶吗?"

便衣没再说什么，昂然的走开。老人望着他的后影，还微笑着，好像便衣的余威未尽，而老人的谦卑是无限的。瑞宣没法子责备祖父。祖父的过度的谦卑是从生活经验中得来，而不是自己创制的。从同一的观点去看，连老二也不该受责备。从祖父的谦卑里是可以预料到老二的无聊的。苹果是香美的果子，可是烂了的时候还不如一条鲜王瓜那么硬气有用。中国确是有深远的文化，可惜它已有点发霉发烂了; 当文化霉烂的时候，一位绝对良善的七十多岁的老翁是会向"便衣"大量的发笑，鞠躬的。

祁老人把门关好，还插上了小横闩，才同长孙往院里走; 插上了闩，他就感到了安全，不管北平城是被谁占据着。

"白巡长说什么来着?"老人低声的问，仿佛很怕被便衣听了去。"他不是问小三儿来着?"

"老三就算是死啦!"瑞宣也低声的说。

164

二十一

天越来越冷了。在往年，祁家总是在阴历五六月里叫来一辆大车煤末子，再卸辆小车子黄土，而后从街上喊两位"煤黑子"来摇煤球，摇够了一冬天用的。今年，从七七起，城门就时开时闭，没法子雇车去拉煤末子。而且，在日本人的横行霸道之下，大家好像已不顾得注意这件事，虽然由北平的冬寒来说这确是件很重要的事。连小顺儿的妈和天佑太太都忘记了这件事。只有祁老人在天未明就已不能再睡的时候，还盘算到这个问题，可是当长孙媳妇告诉他种种的困难以后，他也只好抱怨大家都不关心家事，没能在七七以前就把煤拉到，而想不出高明的办法来。

煤一天天的涨价。北风紧吹，煤紧加价。唐山的煤大部分已被日本人截了去，不再往北平来，而西山的煤矿已因日本人与我们的游击队的混战而停了工。北平的煤断了来源！

祁家只有祁老人和天佑的屋里还保留着炕，其余的各屋里都早已随着"改良"与"进步"而拆去，换上了木床或铁床。祁老人喜欢炕，正如同他喜欢狗皮袜头，一方面可以表示出一点自己不喜新厌故的人格，另一方面也是因为老东西确实有它们的好处，不应当一笔抹杀。在北平的三九天，尽管祁老人住的是向阳的北房，而且墙很厚，窗子糊得很严，到了后半夜，老人还是感到一根针一根针似的小细寒风，向脑门子，向肩头，继续不断的刺来。尽管老人把身子蜷成一团，像只大猫，并且盖上厚被与皮袍，他还是觉不到温暖。只有炕洞里升起一小炉火，他才能舒舒服服的躺一夜。

天佑太太并不喜欢睡热炕，她之所以保留着它是她准知道孙子们

165

一到三四岁就必被派到祖母屋里来睡，而有一铺炕是非常方便的。炕的面积大，孩子们不容易滚了下去；半夜里也容易照管，不至于受了热或着了凉。可是，她的南屋是全院中最潮湿的，最冷的；到三九天，夜里能把有水的瓶子冻炸。因此，她虽不喜欢热炕，可也得偶尔的烧它一回，赶赶湿寒。

瑞宣不敢正眼看这件事。假若他有钱，他可以马上出高价，乘着城里存煤未卖净的时候，囤起一冬或一年的煤球与煤块。但是，他与老二都几个月没拿薪水了，而父亲的收入是很有限的。

小顺儿的妈以家主妇的资格已向丈夫提起好几次："冬天要是没有火，怎么活着呢？那，北平的人得冻死一半！"

瑞宣几次都没正式的答复她，有时候他惨笑一下，有时候假装耳聋。有一次，小顺儿代替爸爸发了言："妈，没煤，顺儿去拣煤核儿！"又待了一会儿，他不知怎么想起来："妈！也会没米，没白面吧？"

"别胡说啦！"小顺儿的妈半恼的说："你愿意饿死！混小子！"

瑞宣的眼忽然看出老远老远去。今天缺煤，怎见得明天就不缺粮呢？以前，他以为亡城之苦是干脆的受一刀或一枪；今天，他才悟过来，那可能的不是脆快的一刀，而是慢慢的，不见血的，冻死与饿死！想到此处，他否认了自己不逃走的一切理由。

掏出老三的那封信，他读了再读的读了不知多少遍。他渴望能和老三谈一谈。只有老三能明白他，能替他决定个主意。

他真的憋闷极了，晚间竟自和韵梅谈起这回事。

韵梅不肯把她的水灵的眼睛看到山后边去，也不愿丈夫那么办。"孩子的话，干吗记在心上呢？我看，慢慢的就会有了煤！反正着急也没用！挨饿？我不信一个活人就那么容易饿死！你也走？老二反正不肯养活这一家人！我倒肯，可又没挣钱的本事！算了吧，别胡思乱想啦，过一天是一天，何必绕着弯去发愁呢！"

她的话没有任何理想与想象，可是每一句都那么有分量，使瑞宣无从反驳。是的，他无论怎样，也不能把全家都带出北平去。那么，一家老幼在北平，他自己就也必定不能走。这和二加二是四一样的

166

明显。

他只能盼望国军胜利，快快打回北平！

太原失陷！广播电台上又升起大气球，"庆祝太原陷落！"

学生们又须大游行。

他已经从老二不敢再到学校里去的以后就照常去上课。他不肯教老人们看着他们哥儿俩都在家中闲着。

这几天，老二的眉毛要拧下水珠来。胖太太已经有三四天没跟他说话。他不去办公的头两天，她还相信他的乱吹，以为他已另有高就。及至他们俩从冠宅回来，她就不再开口说话，而把怒目与撇嘴当作见面礼。他俩到冠宅去的目的是为把蓝东阳的不近人情报告明白，而求冠先生与冠太太想主意，给瑞丰找事。找到了事，他们旧事重提的说："我们就搬过来住，省得被老三连累上！"瑞丰以为冠氏夫妇必肯帮他的忙，因为他与东阳的吵架根本是因为冠家赢了钱。

冠先生相当的客气，可是没确定的说什么。他把这一幕戏让给了大赤包。

大赤包今天穿了一件紫色绸棉袍，唇上抹着有四两血似的口红，头发是刚刚烫的，很像一条绵羊的尾巴。她的气派之大差不多是空前的，脸上的每一个雀斑似乎都表现着傲慢与得意。

那次，金三爷在冠家发威的那次，不是有一位带着个妓女的退职军官在座吗？他已运动成功，不久就可以发表——警察局特高科的科长。他叫李空山。他有过许多太太，多半是妓女出身。现在，既然又有了官职，他决定把她们都遣散了，而正经娶个好人家的小姐，而且是读过书的小姐。他看中了招弟。可是大赤包不肯把那么美的招弟贱卖了。她愿放手高第。李空山点了点头。虽然高第不很美，可的确是位小姐，作过女学生的小姐。再说，遇必要时，他还可以再弄两个妓女来，而以高第为正宫娘娘，她们作妃子，大概也不至于有多少问题。大赤包的女儿不能白给了人。李空山答应给大赤包运动妓女检查所的所长。这是从国都南迁以后，北平的妓馆日见冷落，而成为似有若无的一个小机关。现在，为慰劳日本军队，同时还得防范花柳病的传播，这个小机关又要复兴起来。李空山看大赤包有作所长的本领。

同时，这个机关必定增加经费，而且一加紧检查就又必能来不少的"外钱"。别人还不大知道，李空山已确实的打听明白，这将成为一个小肥缺。假若他能把这小肥缺弄到将来的丈母娘手里，他将来便可以随时给高第一点气受，而把丈母娘的钱挤了过来——大赤包一给他钱，他便对高第和气两天。他把这些都盘算好以后，才认真的给大赤包去运动。据最近的消息：他很有把握把事情弄成功。

起床，睡倒，走路，上茅房，大赤包的嘴里都轻轻的叫自己："所长！所长！"这两个字像块糖似的贴在了她的舌头上，每一咂就满口是水儿！她高兴，骄傲，恨不能一个箭步跳上房顶去，高声喊出："我是所长！"她对丈夫只哼儿哈儿的带理不理，对大女儿反倒拿出好脸，以便诱她答应婚事，别犯牛脾气。对桐芳，她也居然停止挑战，她的理由是："大人不和小人争！"她是所长，也就是大人！

她也想到她将来的实权，而自己叨唠："动不动我就检查！动不动我就检查！怕疼，怕麻烦，给老太太拿钱来！拿钱来！拿钱来！"她一边说，一边点头，把头上的发夹子都震落下两三个来。她毫不客气的告诉了瑞丰：

"我们快有喜事了，那间小屋得留着自己用！谁教你早不搬来呢？至于蓝东阳呀，我看他还不错嘛！怎么？你是为了我们才和他闹翻了的？真对不起！可是，我们也没有赔偿你的损失的责任！我们有吗？"她老气横秋的问冠晓荷。

晓荷眯了眯眼，轻轻一点头，又一摇头；没说什么。

瑞丰和胖太太急忙立起来，像两条挨了打的狗似的跑回家去。

更使他们夫妇难过的是蓝东阳还到冠家来，并且照旧受欢迎，因为他到底是作着新民会的干事，冠家不便得罪他。大赤包至心灵的退还了东阳四十元钱："我们玩牌向来是打对折给钱的；那天一忙，就实价实收了你的；真对不起！"东阳也大方一下，给高第姐妹买了半斤花生米。大赤包对这点礼物也发了一套议论：

"东阳！你作的对！这个年月，一个年轻的小伙子得知道钱是好的，应当节省，好积攒下结婚费！礼轻人物重，不怕你给她们半个花生米，总是你的人心！你要是花一大堆钱，给她们买好些又贵又没用

168

的东西，我倒未必看得起你啦！"

东阳听完这一套，笑得把黄牙板全露出来，几乎岔了气。他自居为高第姐妹俩的爱人，因为她们俩都吃了他的几粒花生米。

这些，是桐芳在门外遇见胖太太，喊喊喳喳的报告出来的。胖太太气得发昏，浑身的肥肉都打战！

老二的耳朵，这几天了，老抿着。对谁，他都非常的客气。这一程子的饭食本来很苦，有时候因城门关闭，连大白菜都吃不到，而只用香油炒一点麻豆腐；老二这两天再也不怨大嫂不会过日子。饭食太苦，而端起碗来，不管有菜没有，便扒搂干净，嘴中嚼得很响，像鸭子吃东西那样。他不但不怨饭食太苦，而且反倒夸奖大嫂在这么困难的时候儿还能教大家吃上饭，好不容易！这么一来，瑞宣和韵梅就更为了难，因老二的客气原是为向兄嫂要点零钱，好买烟卷儿什么的。老大只好因此而多跑一两趟当铺！

胖太太一声没出，偷偷的提了个小包就回娘家了。

二十二

庆祝太原陷落的游行与大会使他非常的满意，因为参加的人数既比上次保定陷落的庆祝会多了许多，而且节目也比上次热闹。但是，美中不足，日本人不很满意那天在中山公园表演的旧剧。戏目没有排得好。当他和他的朋友们商议戏目的时候，没有一个人的戏剧知识够分得清《连环计》与《连环套》是不是一出戏的。他们这一群都是在北平住过几年，知道京戏好而不会听，知道北平有酸豆汁与烤羊肉而不敢去吃喝的，而自居为"北平通"的人。他们用压力把名角名票都传了来，而不晓得"点"什么戏。最使他们失败的是点少了"粉戏"。日本上司希望看淫荡的东西，而他们没能照样的供给。好多的粉戏已经禁演了二三十年，他们连戏名都说不上来，也不晓得哪个角色会演。

蓝东阳想，假若他们之中有一个冠晓荷，他们必不至于这样受窘。他们晓得怎么去迎合，而不晓得用什么去迎合；晓荷知道。

他又去看冠先生。他没有意思把冠先生拉进新民会去，他怕冠先生会把他压下去。他只想多和冠先生谈谈，从谈话中不知不觉的他可以增加知识。

冠家门口围着一圈儿小孩子，两个老花子正往门垛上贴大红的喜报，一边儿贴一边儿高声的喊："贵府老爷高升喽！报喜来喽！"

大赤包的所长发表了。为讨太太的喜欢，冠晓荷偷偷的写了两张喜报，教李四爷给找来两名花子，到门前来报喜。当他在高等小学毕业的时候，还有人来在门前贴喜报，唱喜歌。入了民国，这规矩渐渐的在北平死去。冠晓荷今天决定使它复活！叫花子讨了三次赏，冠晓荷赏了三次，每次都赏的很少，以便使叫花子再讨，而多在门前吵嚷一会儿。当蓝东阳来到的时候，叫花子已讨到第四次赏，而冠先生手中虽已攥好了二毛钱，可是还不肯出来，为是教他们再多喊两声。他希望全胡同的人都来围在他的门外。可是，他看明白，门外只有一群小孩子，最大的不过是程长顺。

他的报子写得好。大赤包被委为妓女检查所的所长，冠先生不愿把妓女的字样贴在大门外。可是，他不晓得转文说，妓女应该是什么。琢磨了半天，他看清楚"妓"字的半边是"支"字，由"支"他想到了"织"；于是，他含着笑开始写："贵府冠夫人荣升织女检查所所长……"

东阳歪着脸看了半天，想不出织女是干什么的。他毫不客气的问程长顺："织女是干什么的？"

长顺儿是由外婆养大的，所以向来很老实。可是，看这个眉眼乱扯的人说话这样不客气，他想自己也不该老实的过火了。嚷着鼻子，他回答："牛郎的老婆！"

东阳恍然大悟："呕！管女戏子的！牛郎织女天河配，不是一出戏吗？"这样猜悟出来，他就更后悔不早来请教关于唱戏的事；同时，他打定了主意：假若冠先生肯入新民会的话，他应当代为活动。冠宅门外刚贴好的红报子使他这样改变以前的主张。刚才，他还想只从冠先生的谈话中得到一些知识，而不把他拉进"会"里去；现在，他看明白，他应当诚意的和冠家合作，因为冠家并不只是有两个钱而毫无势力的——看那张红报子，连太太都作所长！他警告自己这回不要再太嫉妒了，没看见官与官永远应当拜盟兄弟与联姻吗？

冠先生两臂像赶鸡似的抡动着，口中叱呼着："走！走！把我的耳朵都吵聋了！"而后，把已握热的二毛钱扔在地上："绝不再添！听见了吧？"说完，把眼睛看到别处去，教花子们晓得这是最后的一次添钱。

花子们拾起二毛钱，嘟嘟囔囔的走开。

冠晓荷一眼看到了蓝东阳，马上将手拱起来。

二人刚走到院里，就听见使东阳和窗纸一齐颤动的一声响。晓荷忙说："太太咳嗽呢！太太作了所长，咳嗽自然得猛一些！"

大赤包坐在堂屋的正当中，声震屋瓦的咳嗽，谈笑，连呼吸的声音也好像经由扩音机出来的。见东阳进来，她并没有起立，而只极吝啬的点了一下头，而后把擦着有半斤白粉的手向椅子那边一摆，请客人坐下。她的气派之大已使女儿不敢叫妈，丈夫不敢叫太太，而都须叫所长。见东阳坐下，她把嗓子不知怎么调动的，像有点懒得出声，又像非常有权威，似乎有点瘀，而声音又那么沉重有劲的叫："来呀！倒茶！"

东阳，可怜的，只会作几句似通不通的文句的蓝东阳，向来没见过有这样气派的妇人，几乎不知如何是好了！她已不止是前两天的她，而是她与所长之"和"了！

晓荷又救了东阳。他向大赤包说：

"报告太太！"

大赤包似怒非怒的，似笑非笑的撇嘴：

"所长太太！不！干脆就是所长！"

晓荷笑着，身子一扭咕，甜蜜的叫："报告所长！东阳来给你道喜！"

东阳扯动着脸，立起来，依然没找到话，而只向她咧了咧嘴，露出来两三个大的黄牙。

"不敢当哟！"大赤包依然不往起立，像西太后坐在宝座上接受朝贺似的那么毫不客气。

正在这个时候，院中出了声，一个尖锐而无聊的声："道喜来喽！道喜来喽！"

"瑞丰！"晓荷稍有点惊异的，低声的说。

"也请！"大赤包虽然看不起瑞丰，可是不能拒绝他的贺喜；拒绝贺喜是不吉利的。

晓荷迎到屋门："劳动！劳动！不敢当！"

瑞丰穿着最好的袍子与马褂，很像来吃喜酒的样子。快到堂屋的台阶，他收住了脚步，让太太先进去——这是他由电影上学来的洋规矩。胖太太也穿着她的最好的衣服，满脸的傲气教胖脸显得更胖。她高扬着脸，扭着胖屁股，一步一喘气的慢慢的上台阶。她手中提着个

172

由稻香村买来的，好看而不一定好吃的，礼物篮子。

大赤包本还是不想立起来，及至看见那个花红柳绿的礼物篮子，她不好意思不站起一下了。

在礼节上，瑞丰是比东阳胜强十倍的。他最喜欢给人家行礼，因为他是北平人。他亲热的致贺，深深的鞠躬，而后由胖太太手里取过礼物篮子，放在桌子上。那篮子是又便宜，又俗气，可是摆在桌子上多少给屋中添了一些喜气。道完了喜，他亲热的招呼东阳：

"东阳兄，你也在这儿？这几天我忙得很，所以没到学校去！你怎样？还好吧？"

东阳不会这一套外场劲儿，只扯动着脸，把眼球吊上去，又放下来，没说什么。他心里说："早晚我把你小子圈在牢里去，你不用跟我逗嘴逗牙的！"

这时候，胖太太已经坐在大赤包的身旁，而且已经告诉了大赤包：瑞丰得了教育局的庶务科科长。她实在不为来道喜，而是为来雪耻——她的丈夫作了科长！

"什么？"冠家夫妇不约而同的一齐喊。大赤包有点不高兴丈夫的声音与她自己的没分个先后，她说："你让我先说好不好？"

晓荷急忙往后退了两小步，笑着回答："当然！所长！对不起得很！"

"什么？"大赤包立起来，把戴着两个金箍子的大手伸出去："你倒来给我道喜？祁科长！真有你的！你一声不出，真沉得住气！"说着，她用力和瑞丰握手，把他的手指握得生疼。"张顺！"她放开手，喊男仆："拿英国府来的白兰地！"然后对大家说："我们喝一杯酒，给祁科长，和科长太太，道喜！"

"不！"瑞丰在这种无聊的场合中，往往能露出点天才来："不！我们先给所长，和所长老爷，道喜！"

"大家同喜！"晓荷很柔媚的说。

东阳立在那里，脸慢慢的变绿，他妒，他恨！他后悔没早几天下手，把瑞丰送到监牢里去！现在，他只好和瑞丰言归于好，瑞丰已是科长！他恨瑞丰，而不便惹恼科长！

酒拿到，大家碰了杯。

瑞丰噙不住粪，开始说他得到科长职位的经过："我必得盛谢我的太太！她的二舅是刚刚发表了的教育局局长的盟兄。局长没有她的二舅简直不敢就职，因为二舅既作过教育局局长，又是东洋留学生——说东洋话和日本人完全一个味儿！可是，二舅不愿再作事，他老人家既有点积蓄，身体又不大好，不犯上再出来操心受累。局长苦苦的哀求，都快哭了，二舅才说：好吧，我给你找个帮手吧。二舅一想就想到了我！凑巧，我的太太正在娘家住着，就对二舅说：二舅，瑞丰大概不会接受比副局长小的地位！二舅直央告她：先屈尊屈尊外甥女婿吧！副局长已有了人，而且是日本人指派的，怎好马上就改动呢？她一看二舅病病歪歪的，才不好意思再说别的，而给我答应下来科长——可必得是庶务科科长！"

"副局长不久还会落到你的手中的！预祝高升！"晓荷又举起酒杯来。

东阳要告辞。屋中的空气已使他坐不住了。大赤包可是不许他走。"走？你太难了！今天难道还不热闹热闹吗？怎么，一定要走？好，我不死留你。你可得等我把话说完了！"她立起来，一只手扶在心口上，一只手扶着桌角，颇像演戏似的说："东阳，你在新民会；瑞丰，你入了教育局；我呢，得了小小的一个所长；晓荷，不久也会得到个地位，比咱们的都要高的地位；在这个改朝换代的时代，我们这一下手就算不错！我们得团结，互相帮忙，互相照应，好顺顺当当的打开我们的天下，教咱们的家中的每一个人都有事作，有权柄，有钱财！日本人当然拿第一份儿，我们，连我们的姑姑老姨，都须拿到第二份儿！我们要齐心努力的造成一个势力，教一切的人，甚至于连日本人，都得听我们的话，把最好的东西献给我们！"

瑞丰歪着脑袋，像细听一点什么声响的鸡似的，用心的听着。当大赤包说到得意之处，他的嘴唇也跟着动。

晓荷规规矩矩的立着，听一句点一下头，眼睛里不知怎么弄的，湿漉漉的仿佛有点泪。东阳的眼珠屡屡的吊上去，又落下来。他心中暗自盘算：我要利用你们，而不被你们利用；你不用花言巧语的引诱我，我不再上当！

胖太太撇着嘴微笑，心里说：我虽没当上科长，可是我丈夫的科长是我给弄到手的；我跟你一样有本领，从此我一点也不再怕你！

大赤包的底气本来很足，可是或者因为兴奋过度的关系，说完这些话时，微微有点发喘。她用按在心口上的那只手揉了揉胸。

她说完，晓荷领头儿鼓掌。而后，他极柔媚甜蜜的请祁太太说话。

胖太太的胖脸红了些，双手抓着椅子，不肯立起来。她心中很得意，可是说不出话来。

晓荷的双手极快极轻的拍着："请！科长太太！请啊！"

胖太太立了起来。晓荷的掌拍得更响了。她，可是，并没准备说话。笑了一下，她对瑞丰说："咱们家去吧！不是还有许多事哪吗?"

大赤包马上声明："对！咱们改天好好的开个庆祝会，今天大家都忙！"

祁科长夫妇往外走，冠所长夫妇往外送；快到了大门口，大赤包想起来："我说，祁科长！你们要是愿意搬过来住，我们全家欢迎噢！"

胖太太找到了话说："我们哪，马上就搬到二舅那里去。那里离教育局近，房子又款式，还有……"她本想说："还有这里的祖父与父母都怯头怯脑的，不够作科长的长辈的资格。"可是看了瑞丰一眼，她没好意思说出来；丈夫既然已作了科长，她不能不给他留点面子。

刚一听到这个消息，瑞宣没顾了想别的，而只感到松了一口气——管老二干什么去呢，只要他能自食其力的活着，能不再常常来讨厌，老大便谢天谢地！

待了一会儿，他可是赶快的变了卦。不，他不能就这么不言不语的教老二夫妇搬出去。他是哥哥，理应教训弟弟。还有，他与老二都是祁家的人，也都是中国的国民，祁瑞宣不能有个给日本人作事的弟弟！瑞丰不止是找个地位，苟安一时，而是去作小官儿，去作汉奸！瑞宣的身上忽然一热，有点发痒；祁家出了汉奸！老三逃出北平，去

175

为国效忠，老二可在家里作日本人的官，这笔账怎么算呢？

他在院中等着老二。石榴树与夹竹桃什么的都已收到东屋去，院中显着空旷了一些。南墙根的玉簪，秋海棠，都已枯萎；一些黄的大叶子，都残破无力的垂挂着，随时有被风刮走的可能。在往年，祁老人必定早已用炉灰和煤渣儿把它们盖好，上面还要扣上空花盆子。今年，老人虽然还常常安慰大家，说"事情不久就会过去"，可是他自己并不十分相信这个话，他已不大关心他的玉簪花便是很好的证明。两株枣树上连一个叶子也没有了，枝头上蹲着一对缩着脖子的麻雀。天上没有云，可是太阳因为不暖而显着惨淡。屋脊上有两三棵干了的草在微风里摆动。瑞宣无聊的，悲伤的，在院中走溜儿。

一看见瑞丰夫妇由外面进来，他便把瑞丰叫到自己的屋中去。他对人最喜欢用暗示，个天他可决不用它，他晓得老二是不大听得懂暗示的人，而事情的严重似乎也不允许他多绕弯子。他开门见山的问："老二，你决定就职？"

老二拉了拉马褂的领子，沉住了气，回答："当然！科长不是随便在街上就可以拣来的！"

"你晓得不晓得，这是作汉奸呢？"瑞宣的眼盯住了老二的。

"汉——"老二的确没想过这个问题，他张着嘴，有半分多钟没说出话来。慢慢的，他并上了口；很快的，他去搜索脑中，看有没有足以驳倒老大的话。一想，他便想到："科长——汉奸！两个绝对联不到一处的名词！"想到，他便说出来了。

"那是在太平年月！"瑞宣给弟弟指出来。"现在，无论作什么，我们都得想一想，因为北平此刻是教日本人占据着！"

老二要说："无论怎样，科长是不能随便放手的！"可是没敢说出来，他先反攻一下："要那么说呀，大哥，父亲开铺子卖日本货，你去教书，不也是汉奸吗？"

瑞宣很愿意不再说什么，而教老二干老二的去。可是，他觉得不应当负气。笑了笑，他说："那大概不一样吧？据我看，因家庭之累或别的原因，逃不出北平，可是也不蓄意给日本人作事的，不能算作汉奸。像北平这么多的人口，是没法子一下儿都逃空的。逃不了，便

176

须挣钱吃饭，这是没法子的事。不过，为挣钱吃饭而有计划的，甘心的，给日本人磕头，蓝东阳和冠晓荷，和你，便不大容易说自己不是汉奸了。你本来可以逃出去，也应当逃出去。可是你不肯。不肯逃，而仍旧老老实实作你的事，你即只有当走不走的罪过，而不能算是汉奸。现在，你很高兴能在日本人派来的局长手下作事，作行政上的事，你就已经是投降给日本人；今天你甘心作科长，明日也大概不会拒绝作局长；你的心决定了你的忠奸，倒不一定在乎官职的大小。老二！听我的话，带着弟妹逃走，作一个清清白白的人！我没办法，我不忍把祖父，父母都干撂在这里不管，而自己远走高飞；可是我也决不从日本人手里讨饭吃。可以教书，我便继续教书；书不可以教了，我设法去找别的事；实在没办法，教我去卖落花生，我也甘心；我可就是不能给日本人作事！我觉得，今天日本人要是派我作个校长，我都应当管自己叫作汉奸，更不用说我自己去运动那个地位了！"

说完这一段话，瑞宣像吐出插在喉中的一根鱼刺那么痛快。他不但劝告了老二，也为自己找到了无可如何的，似妥协非妥协的，地步。这段话相当的难说，因为他所要分划开的是那么微妙不易捉摸。可是他竟自把它说出来；他觉得高兴——不是高兴他的言语的技巧，而是满意他的话必是发自内心的真诚；他真不肯投降给敌人，而又真不易逃走，这两重"真"给了他两道光，照明白了他的心路，使他的话不致于混含或模糊。

瑞丰立起来，正了正马褂，像要笑，又像要说话，而既没笑，也没说话的搭讪着，可又不是不骄傲的，走了出去。既不十分明白哥哥的话，又找不到什么足以减少哥哥的妒意的办法，他只好走出去，就手儿也表示出哥哥有哥哥的心思，弟弟有弟弟的办法，谁也别干涉谁！

二十三

孙七正在一家小杂货铺里给店伙剃头。门外有卖"号外"的。按照过去的两三个月的经验说,"号外"就是"讣文"!报童喊号外,一向是用不愉快的低声;他们不高兴给敌人喊胜利。一个鼻子冻红了的小儿向铺内探探头,纯粹为作生意,而不为给敌人作宣传,轻轻的问:"看号外?掌柜的!"

"什么事?"孙七问,剃刀不动地方的刮着。

报童揉了揉鼻子:"上海——"

"上海怎样?"

"——撤退!"

孙七的剃刀撒了手。刀子从店伙的肩头滚到腿上,才落了地。幸亏店伙穿着棉袄棉裤,没有受伤。

"这是闹着玩的吗?七爷!"店伙责备孙七。

"上海完了!"孙七慢慢的将刀子拾起,愣着出神。

"噢!"店伙不再生气,他晓得"上海完了"是什么意思。

报童也愣住了。

孙七递过去一个铜板。报童叹了口气,留下一张小小的号外,走开。

剃头的和被剃头的争着看:"上海皇军总胜利!"店伙把纸抢过去,团成一团,扔在地上,用脚去搓。孙七继续刮脸,近视眼挤咕挤咕的更不得力了!

小崔红着倭瓜脸,程长顺嚷着鼻子,二人辩论得很激烈。长顺说："尽管我们在上海打败，南京可必能守住！只要南京能守半年，敌兵来一阵败一阵，日本就算败了！想想看，日本是那么小的国，有多少人好来送死呢！"

小崔十分满意南京能守住，但是上海的败退给他的打击太大，他已不敢再乐观了。他是整天际在街面上的人，他晓得打架和打仗都必有胜有败，"只要敢打，就是输了也不算丢人。"根据这点道理，他怀疑南京是否还继续作战。他顶盼望继续作战，而且能在败中取胜；可是，盼望是盼望，事实是事实。一二八那次，不是上海一败就讲和了吗？他对长顺说出他的疑虑。

长顺把小学教科书找出来，指给小崔看："看看这张南京图吧！你看看！这是雨花台，这是大江！哼，我们要是守好了，连个鸟儿也飞不进去！"

"南口，娘子关，倒都是险要呢，怎么……"

长顺不等小崔说完，抢过来："南京是南京！娘子关是娘子关！"他的脸红起来，急得眼中含着点泪。他本来是低着声，怕教外婆听见，可是越说声音越大。他轻易不和人家争吵，所以一争吵便非常的认真；一认真，他就忘记了外婆。

"长顺！"外婆的声音。

他晓得外婆的下一句是什么，所以没等她说出来便回到屋中去，等有机会再和小崔争辩。

六号的刘师傅差点儿和丁约翰打起来。在平日，他们俩只点点头，不大过话；丁约翰以为自己是属于英国府与耶稣的，所以看不起老刘；刘师傅晓得丁约翰是属于英国府与耶稣的，所以更看不起他。今天，丁约翰刚由英国府回来，带回一点黄油，打算给冠家送了去——他已看见冠家门外的红报子。在院中，他遇到刘师傅。虽然已有五六天没见面，他可是没准备和老刘过话。他只冷淡的——也必定是傲慢的——点了一下头。

刘师傅决定不理会假洋人的傲慢，而想打听打听消息；他以为英国府的消息必然很多而可靠。他递了个和气，笑脸相迎的问：

"刚回来？怎么样啊？"

"什么怎样？"丁约翰的脸刮得很光，背挺得很直，颇像个机械化的人似的。

"上海！"刘师傅挪动了一下，挡住了丁约翰的去路；他的确为上海的事着急。

"噢，上海呀！"约翰偷偷的一笑。"完啦！"说罢他似乎觉得已尽到责任，而想走开。

老刘可是又发了问："南京怎样呢？"

丁约翰皱了皱眉，不高兴起来。"南京？我管南京的事干吗？"他说的确是实话，他是属于英国府的，管南京干吗。

老刘发了火。冲口而出的，他问："难道南京不是咱们的国都？难道你不是中国人？"

丁约翰的脸沉了下来。他知道老刘的质问是等于叫他洋奴。他不怕被呼为洋奴，刘师傅———一个臭棚匠——可是没有叫他的资格！"噢！我不是中国人，你是，又怎么样？我并没有看见尊家打倒一个日本人呀！"

老刘的脸马上红过了耳朵。丁约翰戳住了他的伤口。他有点武艺，有许多的爱国心与傲气，可是并没有去打日本人！他还不出话来了！

丁约翰急忙走开。他知道在言语上占了上风，而又躲开老刘的拳脚，才是完全胜利。

刘师傅气得什么似的，可是没追上前去：丁约翰既不敢打架，何必紧紧的逼迫呢。

小文揣着手，一动也不动的立在屋檐下。他嘴中叼着根香烟；烟灰结成个长穗，一点点的往胸前落。他正给太太计划一个新腔。他没注意丁刘二人为什么吵嘴，正如同他没注意上海战事的谁胜谁败。他专心一志的要给若霞创造个新腔儿。这新腔将使北平的戏园茶社与票房都起一些波动，给若霞招致更多的荣誉，也给他自己的脸上添增几次微笑。他的心中没有中国，也没有日本。他只知道宇宙中须有美妙

180

的琴音与婉转的歌调。

若霞有点伤风，没敢起床。

小文，在丁刘二人都走开之后，忽然灵机一动，他急忙走进屋去，拿起胡琴来。

若霞虽然不大舒服，可是还极关心那个新腔。"怎样？有了吗？"她问。

"先别打岔！快成了！"

丁约翰拿着黄油，到冠宅去道喜。

大赤包计算了一番，自己已是"所长"，是不是和一个摆台的平起平坐呢？及至看到黄油，她毫不迟疑的和约翰握了手。她崇拜黄油。她不会外国语，不大知道外国事，可是她常用黄油作形容词——"那个姑娘的脸像黄油那么润！"这样的形容使她觉得自己颇知道外国事，而且仿佛是说着外国话！

约翰，在英国府住惯了，晓得怎样称呼人。他一口一个"所长"，把大赤包叫得心中直发痒。

晓荷见太太照旧喜欢约翰，便也拿出接待外宾的客气与礼貌，倒好像约翰是国际联盟派来的。见过礼以后，他开始以探听的口气问：

"英国府那方面对上海战事怎样看呢？"

"中国是不会胜的！"约翰极沉稳的，客观的，像英国的贵族那么冷静高傲的回答。

"噢，不会胜？"晓荷眯着眼问，为是把心中的快乐掩藏起一些去。

丁约翰点了点头。

晓荷送给太太一个媚眼，表示："咱们放胆干吧，日本人不会一时半会儿离开北平！"

"哼！他买了我，可卖了女儿！什么玩艺儿！"桐芳低声而激烈的说。

"我不能嫁那个人！不能！"高第哭丧着脸说。那个人就是李空山。大赤包的所长拿到手，李空山索要高第。

"可是，光发愁没用呀！得想主意！"桐芳自己也并没想起主意，而只因为这样一说才觉到"想"是比"说"重要着许多的。

"我没主意！"高第坦白的说。"前些天，我以为上海一打胜，像李空山那样的玩艺儿就都得滚回天津去，所以我不慌不忙。现在，听说上海丢了，南京也守不住……"她用不着费力气往下说了，桐芳会猜得出下面的话。

桐芳是冠家里最正面的注意国事的人。她注意国事，因为她自居为东北人。虽然她不知道家乡到底是东北的哪里，可是她总想回到说她的言语的人们里去。她还清楚的记得沈阳的"小河沿"，至少她希望能再看看"小河沿"的光景。因此，她注意国事；她知道，只有中国强胜了，才能收复东北，而她自己也才能回到老家去。

可是，当她知道……时还没有回老家的可能，而感到绝望的时候，她反倒有时候无可如何的笑自己："一国的大事难道就是为你这个小娘们预备着的吗？"

现在，听到高第的话，她惊异的悟出来："原来每个人的私事都和国家有关！是的，高第的婚事就和国家有关！"悟出这点道理来，她害了怕。假若南京不能取胜，而北平长久的被日本人占着，高第就非被那个拿妇女当玩艺儿的李空山抓去不可！高第是她的好朋友。假若她自己已是家庭里的一个只管陪男人睡觉的玩具，社会中的一个会吃会喝的废物，她不愿意任何别的女人和她一样，更不用说她的好朋友了。

"高第！你得走！"桐芳放开胆子说。

"走？"高第愣住了。平日，和妈妈或妹妹吵嘴的时节，她总觉得自己十分勇敢。现在，她觉得自己连一点儿胆子也没有。

"我可以跟你走！"桐芳看出来，高第没有独自逃走的胆量。

"你，你为什么要走呢？"

"我为什么一定要在这里呢？"桐芳笑了笑。她本想告诉高第：光是你妈妈，我已经受不了，况且你妈妈又作了所长呢！可是，话都到嘴边上了，她把它截住。她的人情世故使她留了点心——大赤包无论怎么不好，恐怕高第也不高兴听别人攻击自己的妈妈吧。

二十四

天很冷。一些灰白的云遮住了阳光。水倾倒在地上，马上便冻成了冰。麻雀藏在房檐下。

广播电台上的大气球又骄傲的升起来，使全北平的人不敢仰视。"庆祝南京陷落！"北平人已失去他们自己的城，现在又失去了他们的国都！

瑞丰同胖太太到冠宅去。冠先生与大赤包热烈的欢迎他们。

大赤包已就了职，这几天正计划着：第一，怎样联络地痞流氓们，因为妓女们是和他们有最密切关系的。

第二，怎么笼络住李空山和蓝东阳。东阳近来几乎有工夫就来，虽然没有公然求婚，可是每次都带来半斤花生米或两个冻柿子什么的给小姐；大赤包看得出这是蓝诗人的"爱的投资"。她让他们都看明白招弟是动不得的——她心里说：招弟起码得嫁个日本司令官！可是，她又知道高第不很听话，不肯随着母亲的心意去一箭双雕的笼络住两个人。论理，高第是李空山的。可是，她愿教空山在做驸马以前多给她效点劳；一旦作了驸马爷，老丈母娘就会失去不少的权威的。同时，在教空山等候之际，她也愿高第多少的对东阳表示点亲热，好教他给晓荷在新民会中找个地位。高第可是对这两个男人都很冷淡。

第三，她须展开两项重要的工作：一个是认真检查，一个是认真爱护。前者是加紧的，狠毒的，检查妓女；谁吃不消可以设法通融免检——只要肯花钱。后者是使妓女们来认大赤包作干娘；彼此有了母女关系，感情上自然会格外亲密；只要她们肯出一笔"认亲费"，并且三节都来送礼。

第四，是怎样对付暗娼。战争与灾难都产生暗娼。大赤包晓得这个事实。她想作一大笔生意——表面上严禁暗娼，事实上是教暗门子来"递包袱"。暗娼们为了生活，为了保留最后的一点廉耻，为了不吃官司，是没法不出钱的；只凭这一笔收入，大赤包就可以发相当大的财。

为实现这些工作计划，大赤包累得常常用拳头轻轻的捶胸口几下。她的装三磅水的大暖水瓶老装着鸡汤，随时的呷两口，免得因勤劳公事而身体受了伤。她拼命的工作，心中唯恐怕战争忽然停止，而中央的官吏再回到北平；她能搂一个是一个，只要有了钱，就是北平恢复了旧观也没大关系了。

南京陷落！大赤包不必再拼命，再揪着心了。她从此可以从从容容的，稳稳当当的，作她的所长了。她将以"所长"为梯子，一步一步的走到最高处去。她将成为北平的第一个女人——有自己的汽车，出入在东交民巷与北京饭店之间，戴着镶有最大的钻石的戒指，穿着足以改变全东亚妇女服装式样的衣帽裙鞋！

她热烈的欢迎瑞丰夫妇。她的欢迎词是：

"咱们这可就一块石头落了地，可以放心的作事啦！南京不是一年半载可以得回来的，咱们痛痛快快的在北平多快活两天儿吧！告诉你们年轻的人们吧，人生一世，就是吃喝玩乐；别等到老掉了牙再想吃，老猫了腰再想穿；那就太晚喽！"然后，她对胖太太："祁二太太，你我得打成一气，我要是北平妇女界中的第一号，你就必得是第二号。比如说：我今天烫猫头鹰头，你马上也就照样的去烫，有咱们两个人在北海或中山公园溜一个小圈儿，明天全北平的女人就都得争着改烫猫头鹰头！赶到她们刚烫好不是，哼，咱们俩又改了样！咱们俩教她们紧着学都跟不上，教她们手忙脚乱，教她们没法子不来磕头认老师！"她说到这里，瑞丰打了岔：

"冠所长！原谅我插嘴！我这两天正给她琢磨个好名字，好去印名片。你看，我是科长，她自然少不了交际，有印名片的必要！请给想一想，是祁美艳好，还是祁菊子好？"

大赤包没加思索，马上决定了："菊子好！像日本名字！凡是带日本味儿的都要时兴起来!"

在南京陷落的消息来到的那一天,钱先生正决定下床试着走几步。身上的伤已差不多都平复了,他的脸上也长了一点肉,虽然嘴还瘪瘪着,腮上的坑儿可是小得多了。多日未刮脸,长起一部柔软而黑润的胡须,使他更像了诗人。他很不放心他的腿。两腿腕时常肿起来,酸痛。这一天,他觉得精神特别的好,腿腕也没发肿,所以决定下床试一试。他很怕两腿是受了内伤,永远不能行走!他没告诉儿媳妇,怕她拦阻。轻轻的坐起来,他把腿放下去;一低头,他才发现地上没有鞋。是不是应当喊少奶奶来给找鞋呢?正在犹豫不定之间,他听到四大妈的大棉鞋塌拉塌拉的响。

"来啦?四大妈?"他极和气的问。

"来喽!"四大妈在院中答应。"甭提啦,又跟那个老东西闹了一肚子气!"

"都七十多了,还闹什么气哟!"钱先生精神特别的好,故意找话说。

"你看哪,"她还在窗外,不肯进来,大概为是教少奶奶也听得见:"他刚由外边回来,就噘着大嘴,说什么南京丢了,气横横的不张罗吃,也不张罗喝!我又不是看守南京的,跟我发什么脾气呀,那个老不死的东西!"

钱先生只听到"南京丢了",就没再往下听。光着袜底,他的脚碰着了地。他急于要立起来,好像听到南京陷落,他必须立起来似的。他的脚刚有一部分碰着地,他的脚腕就像一根折了的秫秸棍似的那么一软,他整个的摔倒在地上。这一下几乎把他摔昏了过去。在冰凉的地上趴伏了好大半天,他才缓过气来。他的腿腕由没有感觉而发麻,而发酸,而钻心的疼。他咬上了嘴唇,不哼哼出来。疼得他头上出了黄豆大的汗珠,他还是咬住了残余的几个牙,不肯叫出来。他挣扎着坐起来,抱住他的脚。他疼,可是他更注意他的脚是日久没用而发了麻,还是被日本人打伤不会再走路。他急于要知道这点区别,因为他必须有两条会活动的腿,才能去和日本人拼命。扶着床沿,一狠

185

心，他又立起来了，像有百万个细针一齐刺着他的腿腕。他的汗出得更多了。可是他立住了。他挣扎着，想多立一会儿，眼前一黑，他趴在了床上。这样卧了许久许久，他才慢慢爬上床去，躺好。他的脚还疼，可是他相信只要慢慢的活动，他一定还能走路，因为他刚才已能站立了那么一会儿。他闭上了眼。来往于他的心中的事只有两件，南京陷落与他的脚疼。

慢慢的，他的脚似乎又失去知觉，不疼也不麻了。他觉得好像没有了脚。他赶紧蜷起腿来，用手去摸；他的确还有脚，一双完整的脚。他自己笑了一下。只要有脚能走路，他便还可以作许多的事。那与南京陷落，与孟石仲石和他的老伴儿的死亡都有关系的事。

他开始从头儿想。他应当快快的决定明天的计划，但是好像成了习惯似的，他必须把过去的那件事再想一遍，心里才能觉得痛快，才能有条有理的去思想明天的事。

他记得被捕的那天的光景。一闭眼，白巡长，冠晓荷，宪兵，太太，孟石，就都能照那天的地位站在他的眼前。他连墙根的那一朵大秋葵也还记得。跟着宪兵，他走到西单商场附近的一条胡同里。他应当晓得那是什么胡同，可是直到现在也没想起来。在胡同里的一条小死巷里，有个小门。他被带进去。一个不小的院子，一排北房有十多间，像兵营，一排南房有七八间，像是马棚改造的。院中是三合土砸的地，很平，像小操场。刚一进门，他就听到有人在南屋里惨叫。他本走得满头大汗，一听见那惨叫，马上全身都觉得一凉。他本能的立住了，像快走近屠场的牛羊似的那样本能的感到危险。宪兵推了他一把，他再往前走。他横了心，抬起头来。"至多不过是一死！"他口中念道着。

到尽东头的一间北屋里，有个日本宪兵搜检他的身上。他只穿着那么一身裤褂，一件大衫，和一只鞋，没有别的东西。检查完，他又被带到由东数第二间北屋去。在这里，一个会说中国话的日本人问他的姓名籍贯年岁职业等等，登记在卡片上。当他回答没有职业的时候，那个人把笔咬在口中，细细的端详了他一会儿。这是个，瘦硬的脸色青白的人。他觉得这个瘦人也许不会很凶，所以大大方方的教他

186

端详。那个人把笔从口中拿下来，眼还紧盯着他，又问："犯什么罪？"

他的确不知道自己犯了什么罪。像平日对好友发笑似的，他很天真的笑了一下，而后摇了摇头。他的头还没有停住，那个瘦子就好像一条饥狼似的极快的立起来，极快的给了他一个嘴巴。他啐出一个牙来。瘦子，还立着，青白的脸上起了一层霜似的，又问一声："犯什么罪？"

他的怒气撑住了疼痛，很安详的，傲慢的，他一个字一个字的说："我不知道！"

又是一个嘴巴，打得他一歪身。他想高声的叱责那个人，他想质问他有没有打人的权，和凭什么打人。可是他想起来，面前的是日本人。日本人要是有理性就不会来打中国。因此，他什么也不愿说；对一个禽兽，何必多费话呢。他至少应当说："你们捕了我来，我还不晓得为了什么。我应当问你们，我犯了什么罪！"可是，连这个他也懒得说了。看了看襟上的血，他闭了闭眼，心里说："打吧！你打得碎我的脸，而打不碎我的心！"

瘦硬的日本人咽了一口气，改了口："你犯罪不犯？"随着这句话，他的手又调动好了距离；假若他得到的是一声"不"，或是一摇头，他会再打出个最有力的嘴巴。

他看明白了对方的恶意，可是他反倒横了心。咽了一口带血的唾沫，他把脚分开一些，好站得更稳。他决定不再开口，而准备挨打。他看清：对方的本事只是打人，而自己自幼儿便以打人为不合理的事，那么，他除了准备挨打之外，还有什么更好的方法呢？再说，他一辈子作梦也没梦到，自己会因为国事军事而受刑；今天，受到这样的对待，他感到极大的痛苦，可是在痛苦之中也感到忽然来到的光荣。他咬上了牙，准备忍受更多的痛苦，为是多得到一些光荣！

手掌又打到他的脸上，而且是一连串十几掌。他一声不响，只想用身体的稳定不动作精神的抵抗。打人的微微的笑着，似乎是笑他的愚蠢。慢慢的，他的脖子没有力气；慢慢的，他的腿软起来；他动了。左右开弓的嘴巴使他像一个不倒翁似的向两边摆动。打人的笑出了声——打人不是他的职务，而是一种宗教的与教育的表现；他欣赏自己的能打，会打，肯打，与胜利。

在灯光之中，他记得，他被塞进一辆大汽车里去。因为脸肿得很高，他已不易睁开眼。同时，他也顾不得睁眼看什么。汽车动了，他的身子随着动，心中一阵清醒，一阵昏迷，可是总知道自己是在什么东西中动摇——他觉得那不是车，而是一条在风浪中的船。慢慢的，凉风把他完全吹醒。从眼皮的隙缝中，他看到车外的灯光，一串串的往后跑。他感到眩晕，闭上了眼。

车停住了。他不知道那是什么地方，也不屑于细看。殉国是用不着选择地点的。他只记得那是一座大楼，仿佛像学校的样子。他走得很慢，因为脚腕上镥着镣。他不晓得为什么敌人是那么不放心他，一定给他戴镣，除非是故意的给他多增加点痛苦。是呀，敌人是敌人，假若敌人能稍微有点人心人性，他们怎会制作战争呢？他走得慢，就又挨了打。糊里糊涂的，辨不清是镣子磕的痛，还是身上被打的痛，他被扔进一间没有灯亮的屋子去。他倒了下去，正砸在一个人的身上。底下的人骂了一声。他挣扎着，下面的人推搡着，不久，他的身子着地。那个人没再骂，他也一声不出；地上是光光的，连一根草也没有，他就那么昏昏的睡去。

第二天一整天没事，除了屋里又添加了两个人。他顾不得看同屋里的人都是谁，也不顾得看屋子是什么样。他的脸肿得发涨，牙没有刷，面没有洗，浑身上下没有地方不难过。约摸在上午十点钟的时候，有人送来一个饭团，一碗开水。他把水喝下去，没有动那团饭。他闭着眼，两腿伸直，背倚着墙，等死。他只求快快的死，没心去看屋子的同伴。

第三天还没事。他生了气。他开始明白：一个亡了国的人连求死都不可得。敌人愿费一个枪弹，才费一个枪弹；否则他们会教你活活的腐烂在那里。他睁开了眼。屋子很小，什么也没有，只在一面墙上有个小窗，透进一点很亮的光。窗栏是几根铁条。屋子当中躺着一个四十多岁的人，大概就是他曾摔在他身上的那个人。这个人的脸上满是凝定了的血条，像一道道的爆了皮的油漆；他蜷着腿，而伸着两

188

臂，脸朝天仰卧，闭着眼。在他的对面，坐着一对青年男女，紧紧的挤在一块儿；男的不很俊秀，女的可是长得很好看；男的扬着头看顶棚，好久也不动一动；女的一手抓着男的臂，一手按着自己的膝盖，眼睛——很美的一对眼睛——劲儿眨巴，像受了最大的惊恐似的。看见他们，他忘了自己求死的决心。他张开口，想和他们说话。可是，口张开而忘了话，他感到一阵迷乱。他的脑后抽着疼。他闭上眼定了定神。再睁开眼，他的唇会动了。低声而真挚的，他问那两个青年：

"你们是为了什么呢？"

男青年吓了一跳似的，把眼从顶棚上收回。女的开始用她的秀美的眼向四面找，倒好像找什么可怕的东西似的。

"我们——"男的拍了女的一下。女的把身子更靠紧他一些。

"你们找打！别说话！"躺着的人说。说了这句话，他似乎忘了他的手；手动了动，他疼得把眼鼻都拧在一处，头向左右乱摆："哎哟！哎哟！"他从牙缝里放出点再也拦不住的哀叫。"哎哟！他们吊了我三个钟头，腕子断了！断了！"

女的把脸全部的藏在男子的怀里。男青年咽下一大口唾沫去。

屋外似乎有走动，很重的皮鞋声在走廊中响。中年人忽然的坐起来，眼中发出怒的光，"我……"他想高声的喊。

他的手极快的捂住中年人的嘴。中年人的嘴还在动，热气喷着他的手心。"我喊，把走兽们喊来！"中年人挣扎着说。

他把中年人按倒。屋中没了声音，走廊中皮鞋还在响。

用最低的声音，他问明白：那个中年人不晓得自己犯了什么罪，只是因为他的相貌长得很像另一个人。日本人没有捉住那另一个人，而捉住了他，教他替另一个人承当罪名；他不肯，日本人吊了他三点钟，把手腕吊断。

那对青年也不晓得犯了什么罪，而被日本人从电车上把他们捉下来。他们是同学，也是爱人。他们还没受过审，所以更害怕；他们知道受审必定受刑。

当天晚上，门开了，进来一个敌兵，拿着手电筒。用电筒一扫，

189

他把那位姑娘一把拉起来。她尖叫了一声。男学生猛的立起来，被敌兵一拳打歪，窝在墙角上。敌兵往外扯她。她挣扎。又进来一个敌兵。将她抱了走。

青年往外追，门关在他的脸上。倚着门，他呆呆的立着。

远远的，女人锐尖的啼叫，像针尖似的刺进来，好似带着一点亮光。

女人不叫了。青年低声的哭起来。

他想立起来，握住青年的手。可是他的脚腕已经麻木，立不起来。他想安慰青年几句，他的舌头好像也麻木了。他瞪着黑暗。他忽然的想到："不能死！不能死！我须活着，离开这里，他们怎样杀我们，我要怎样杀他们！我要为仇杀而活着！"

快到天亮，铁栏上像蛛网颤动似的有了些光儿。看着小窗，他心中发噤，晓风很凉。忽然，门开了，像扔进一条死狗似的，那个姑娘被扔了进来。

小窗上一阵发红，光颤抖着透进来。

女的光着下身，上身只穿着一件贴身的小白坎肩。她已不会动。血道子已干在她的大腿上。

男青年脱下自己的褂子，给她盖上了腿，而后，低声的叫："翠英！翠英！"她不动，不出声。他拉起她的一只手——已经冰凉！他把嘴堵在她的耳朵上叫："翠英！翠英！"她不动。

男青年不再叫，也不再动她。把手插在裤袋里，他向小窗呆立着。太阳已经上来，小窗上的铁栏都发着光——新近才安上的。男青年一动不动的站着，仰着点头，看那三四根发亮的铁条。他足足的这么立了半个多钟头。忽然的他往起一蹿，手扒住窗沿，头要往铁条上撞。他的头没能够到铁条。他极失望的跳下来。

他——钱先生——呆呆的看着，猜不透青年是要逃跑，还是想自杀。

青年转过身来，看着姑娘的身体。看着看着，热泪一串串的落下来。一边流泪，他一边往后退；退到了相当的距离，他又要往前蹿，大概是要把头碰在墙上。

"干什么?"他——钱老人——喝了一句。

青年愣住了。

"她死,你也死吗? 谁报仇? 年轻的人,长点骨头! 报仇! 报仇!"

青年又把手插到裤袋中去愣着。愣了半天,他向死尸点了点头。而后,他轻轻的,温柔的,把她抱起来,对着她的耳朵低声的说了几句话。把她放在墙角,他向钱先生又点了点头,仿佛是接受了老人的劝告。

这时候,门开开,一个敌兵同着一个大概是医生的走进来。医生看了看死尸,掏出张印有表格的纸单来,教青年签字。"传染病!"医生用中国话说:"你签字!"他递给青年一支头号的派克笔。青年咬上了嘴唇,不肯接那支笔。钱先生噭了一声,送过一个眼神。青年签了字。

医生把纸单很小心的放在袋中,又去看那个一夜也没出一声的中年人。中年人的喉中响了两声,并没有睁一睁眼;他是个老实人,仿佛在最后的呼吸中还不肯多哼哼两声,在没了知觉的时候还吞咽着冤屈痛苦,不肯发泄出来;他是世界上最讲和平的一个中国人。医生好像很得意的眨巴了两下眼睛,而后很客气的对敌兵说:"消毒!"敌兵把还没有死的中年人拖了出去。

屋中剩下医生和两个活人,医生仿佛不知怎么办好了;搓着手,他吸了两口气;然后深深的一鞠躬,走出去,把门倒锁好。

青年全身都颤起来,腿一软,他蹲在了地上。

"这是传染病!"老人低声的说。"日本人就是病菌! 你要不受传染,设法出去;最没出息的才想自杀!"

门又开了,一个日本兵拿来姑娘的衣服,扔给青年。"你,她,走!"

青年把衣服扔在地上,像条饥狼扑食似的立起来。钱先生又咳嗽了一声,说了声"走!"

青年无可如何的把衣服给死尸穿上,抱起她来。

敌兵说了话:"外边有车! 对别人说,杀头的! 杀头的!"

191

青年抱着死尸，立在钱先生旁边，仿佛要说点什么。

老人把头低了下去。

青年慢慢的走出去。

二十五

　　剩下他一个人，他忽然觉得屋子非常的大了，空洞得甚至于有点可怕。屋中原来就什么也没有，现在显着特别的空虚，仿佛丢失了些什么东西。他闭上了眼。他舒服了一些。在他的心中，地上还是躺着那个中年人，墙角还坐着那一对青年男女。有了他们，他觉得有了些依靠。他细细的想他们的声音，相貌，与遭遇。由这个，他想到那个男青年的将来——他将干什么去呢？是不是要去从军？还是……

　　不管那个青年是干什么去，反正他已给了他最好的劝告。假若他的劝告被接受，那个青年就必定会像仲石那样去对付敌人。是的，敌人是传染病，仲石和一切的青年们都应当变成消毒剂！想到这里，他睁开了眼。屋子不那么空虚了，它还是那么小，那么牢固；它已不是一间小小的囚房，而是抵抗敌人，消灭敌人的发源地。

　　他的心平了下去。他不再为敌人的残暴而动怒。这不是讲理的时候，而是看谁杀得过谁的时候了。他忘记了他的诗，画，酒，花草，和他的身体，而只觉得他是那一口气。他甚至于觉得那间小屋很美丽。它是他自己的，也是许多人的，监牢，而也是个人的命运与国运的联系点。看着脚上的镣，摸着脸上的伤，他笑了。他决定吞食给他送来的饭团，好用它所给的一点养分去抵抗无情的鞭打。

　　有五六天，他都没有受到审判。最初，他很着急；慢慢的，他看明白：审问与否，权在敌人，自己着急有什么用呢？他压下去他的怒气。从门缝送进一束稻草来，他把它垫在地上，没事儿就抽出一两根来，缠弄着玩。在草心里，他发现了一条小虫，他小心把虫放在地上，好像得到一个新朋友。虫老老实实的卧在那里，只把身儿蜷起一点。他看着它，想不出任何足以使虫更活泼，高兴，一点的办法。像道歉似的，他向虫低语："你以为稻草里很安全，可是落在了我的手里！我从前也觉得很安全，可是我的一切不过是根稻草！别生气吧，你的生命和我的生命都一边儿大；不过，咱们若能保护自己，咱们的生命才更大一些！对不起，我惊动了你！可是，谁叫你信任稻草呢？"

就是在捉住那个小虫的当天晚上，他被传去受审。审问的地方是在楼上。很大的一间屋子，像是课堂。屋里的灯光原来很暗，可是他刚刚进了屋门，极强的灯光忽然由对面射来，使他瞎了一会儿。他被拉到审判官的公案前，才又睁开眼；一眼就看见三个发着光的绿脸——它们都是化装过的。三个绿脸都不动，六只眼一齐凝视着他，像三只猫一齐看着个老鼠那样，忽然的，三个头一齐向前探，齐露出白牙来。

他看着他们，没动一动。他是中国的诗人，向来不信"怪力乱神"，更看不起玩小把戏。他觉得日本人的郑重其事玩把戏，是非常的可笑。他可是没有笑出来，因为他也佩服日本人的能和魔鬼一样真诚！

把戏都表演过，中间坐的那个绿小鬼向左右微一点头，大概是暗示："这是个厉害家伙！"他开始问，用生硬的中国语问：

"你的是什么？"

他脱口而出的要说："我是个中国人！"可是，他控制住自己。他要爱护自己的身体，不便因快意一时而招致皮骨的损伤。同时，他可也想不起别的，合适的答话。

"你的是什么？"小鬼又问了一次。紧跟着，他说明了自己的意思："你，共产党？"

他摇了摇头。他很想俏皮的反问："抗战的南京政府并不是共产党的！"可是，他又控制住了自己。

左边的绿脸出了声："八月一号，你的在哪里？"

"在家里！"

"在家作什么？"

想了想："不记得了！"

左边的绿脸向右边的两张绿脸递过眼神："这家伙厉害！"

右边的绿脸把脖子伸出去，像一条蛇似的口里嘶嘶的响："你！你要大大的打！"紧跟着，他收回脖子来，把右手一扬。

他——钱老人——身后来了一阵风，皮鞭像烧红的铁条似的打在背上，他往前一栽，把头碰在桌子上。他不能再控制自己，他像怒了的虎似的大吼了一声。他的手按在桌子上："打！打！我没的说！"

三张绿脸都咬着牙微笑。他们享受那嗖嗖的鞭声与老人的怒吼。皮鞭像由机器管束着似的，均匀的，不间断的，老那么准确有力的抽打。慢慢的，老人只能哼了，像一匹折了腿的马那样往外吐气，眼珠子努出多高。又挨了几鞭，他一阵恶心，昏了过去。

醒过来，他仍旧是在那间小屋里。他口渴，可是没有水喝。他的背上的血已全定住，可是每一动弹，就好像有人撕扯那一条条的伤痕似的。他忍着渴，忍着痛，双肩靠在墙角上，好使他的背不至于紧靠住墙。他一阵阵的发昏。每一发昏，他就觉得他的生命像一些蒸气似的往外发散。生命的荡漾减少了他身上的苦痛；在半死的时候，他得到安静与解脱。可是，他不肯就这样释放了自己。他宁愿忍受苦痛，而紧紧的抓住生命。他须活下去，活下去！

日本人的折磨人成了一种艺术。他们第二次传讯他的时候，是在一个晴美的下午。审官只有一个，穿着便衣。他坐在一间极小的屋子里，墙是淡绿色的；窗子都开着，阳光射进来，射在窗台上的一盆丹红的四季绣球上。他坐在一个小桌旁边，桌上铺着深绿色的绒毯，放着一个很古雅的小瓶，瓶中插着一枝秋花。瓶旁边，有两个小酒杯，与一瓶淡黄的酒。他手里拿着一卷中国古诗。

当钱先生走进来的时候，他还看着那卷诗，仿佛他的心已随着诗飞到很远的地方，而忘了眼前的一切。及至老人已走近，他才一惊似的放下书，赶紧立起来。他连连的道歉，请"客人"坐下。他的中国话说得非常的流利，而且时时的转文。

老人坐下。那个人口中连连的吸气，往杯中倒酒，倒好了，他先举起杯："请！"老人一扬脖，把酒喝下去。那个人也饮干，又吸着气倒酒。干了第二杯，他笑着说：

"都是一点误会，误会！请你不必介意！"

"什么误会？"老人在两杯酒入肚之后，满身都发了热。他本想一言不发，可是酒力催着他开开口。

日本人没正式的答复他，而只狡猾的一笑；又斟上酒。看老人把酒又喝下去，他才说话：

"你会作诗？"

老人微一闭眼，作为回答。

"新诗？还是旧诗？"

"新诗还没学会！"

"好的很！我们日本人都喜欢旧诗！"

老人想了想，才说："中国人教会了你们作旧诗，新诗你们还没学了去！"

日本人笑了，笑出了声。他举起杯来："我们干一杯，表示日本与中国的同文化，共荣辱！四海之内皆兄弟也，而我们差不多是同胞弟兄！"

老人没有举杯。"弟兄？假若你们来杀戮我们，你我便是仇敌！兄弟？笑话！"

"误会！误会！"那个人还笑着，笑得不甚自然。"他们乱来，连我都不尽满意他们！"

"他们是谁？"

"他们——"日本人转了转眼珠。"我是你的朋友！我愿意和你作最好的朋友，只要你肯接受我的善意的劝告！你看，你是老一辈的中国人，喝喝酒，吟吟诗。我最喜欢你这样的人！他们虽然是不免乱来，可是他们也并不完全闭着眼瞎撞，他们不喜欢你们的青年人，那会作新诗和爱读新诗的青年人；这些人简直不很像中国人，他们受了英美人的欺骗，而反对日本。这极不聪明！日本的武力是天下无敌的，你们敢碰碰它，便是自取灭亡。因此，我虽拦不住他们动武，也劝不住你们的青年人反抗，可是我还立志多交中国朋友，像你这样的朋友。只要你我能推诚相见，我们便能慢慢的展开我们的势力与影响，把日华的关系弄好，成为真正相谅相助，共存共亡的益友！你愿意作什么？你说一声，没有办不到的！我有力量释放了你，叫你达到学优而仕的愿望！"

多大半天，老人没有出声。

"怎样？"日本人催问。"呕，我不应当催促你！真正的中国人是要慢条斯理的！你慢慢去想一想吧？"

"我不用想！愿意释放我，请快一点！"

"放了你之后呢？"

"我不答应任何条件！饿死事小，失节事大！"

"你就不为我想一想？我平白无故的放了你，怎么交代呢？"

"那随你！我很爱我的命，可是更爱我的气节！"

"什么气节？我们并不想灭了中国！"

"那么，打仗为了什么呢？"

"那是误会！"

"误会？就误会到底吧！除非历史都是说谎，有那么一天，咱们会晓得什么是误会！"

"好吧！"日本人用手慢慢的摸了摸脸。他的右眼合成了一道细缝，而左眼睁着。"饿死事小，你说的，好，我饿一饿你再看吧！三天内，你将得不到任何吃食！"

老人立了起来，头有点眩晕；扶住桌子，他定了神。

日本人伸出手来，"我们握握手不好吗？"

老人没任何表示，慢慢的往外走。已经走出屋门，他又被叫住："你什么时候想明白了，什么时候通知我，我愿意作你的朋友！"

回到小屋中，他不愿再多想什么，只坚决的等着饥饿。是的，日本人的确会折磨人，打伤外面，还要惩罚内里。他反倒笑了。

当晚，小屋里又来了三个犯人，全是三四十岁的男人。由他们的惊恐的神色，他晓得他们也都没有罪过；真正作了错事的人会很沉静的等待判决。他不愿问他们什么，而只低声的嘱咐他们："你们要挺刑！你们认罪也死，不认罪也死，何苦多饶一面呢？用不着害怕，国亡了，你们应当受罪！挺着点，万一能挺过去，你们好知道报仇！"

三天，没有他的东西吃。三天，那三个新来的人轮流着受刑，好像是打给他看。饥饿，疼痛，与眼前的血肉横飞，使他闭上眼，不出一声。他不愿死，但是死亡既来到，他也不便躲开。他始终不晓得到底犯了什么罪，也不知道日本人为什么偏偏劝他投降，他气闷。可是，饿了三天之后，他的脑子更清楚了；他看清：不管日本人要干什么，反正他自己应当坚定；日本人说他有罪，他便是有罪，他须破着血肉去接取毒刑，日本人教他投降，他便是无罪，他破出生命保全自己的气节。把这个看清，他觉得事情非常的简单了，根本用不着气闷。他给自己设了个比喻：假若你遇见一只虎，你用不着和它讲情理，而须决定你自己敢和它去争斗不敢！不用思索虎为什么咬你，或不咬你，你应当设法还手打它！

这样想清楚，虽然满身都是伤痕和饥饿，他却觉得浑体透明，像一块大的水晶。

日本人可是并不因为他是块水晶而停止施刑；即使他是金刚钻，他们也要设法把他磨碎。

他挺着，挺着，不哼一声。到忍受不了的时候，他喊："打！打！我没的说！"他咬着牙，可是牙被敲掉。他晕死过去，他们用凉水喷他，使他再活过来。他们灌他凉水，整桶的灌，而后再教他吐出来。他们用杠子轧他的腿，用火绒炙他的头。他忍着挺受。他的日子过得很慢，当他清醒的时候；他的日子过得很快，当他昏迷过去的工夫。他决定不屈服，他把生命像一口唾液似的，在要啐出去的时节，又吞咽下去。

审问他的人几乎每次一换。不同的人用不同的刑，问不同的话。他已不再操心去猜测到底他犯了什么罪。他看出来：假若他肯招认，他便是犯过一切的罪，随便承认一件，都可以教他身首分离。反之他若是决心挺下去，他便没犯任何罪，只是因不肯诬赖自己而受刑罢了。他也看明白：日本人也不一定准知道他犯了什么罪，可是既然把他捉来，就不便再随便放出去；随便打着他玩也是好的。猫不只捕鼠，有时候捉到一只美丽无辜的小鸟，也要玩弄好大半天！

他的同屋的人，随来随走，他不记得一共有过多少人。他们走，是被释放了，还是被杀害了，他也无从知道。有时候，他昏迷过去好大半天；再睁眼，屋中已经又换了人。看着他的血肉模糊的样子，他们好像都不敢和他交谈。他可是只要还有一点力气，便鼓舞他们，教他记住仇恨和准备报仇。这，好似成了他还须生活下去的唯一的目的与使命。他已完全忘了自己，而只知道他是一个声音；只要有一口气，他就放出那个声音——不是哀号与求怜，而是教大家都挺起脊骨，竖起眉毛来的信号。

到最后，他的力气已不能再支持他。他没有了苦痛，也没有了记忆；有好几天，他死去活来的昏迷不醒。

在一天太阳已平西的时候，他苏醒过来。睁开眼，他看见一个很体面的人，站在屋中定睛看着他。他又闭上了眼。恍恍惚惚的，那个人似乎问了他一些什么，他怎么答对的，已经想不起来了。他可是记得那个人极温和亲热的拉了拉他的手，他忽然清醒过来；那只手的热气好像走到了他的心中。他听见那个人说："他们错拿了我，一会儿我就会出去。我能救你。我在帮，我就说你也在帮，好不好？"以后的事，他又记不清了，恍惚中他好像在一本册子上按了斗箕，答应永远不向别人讲他所受过的一切折磨与苦刑。在灯光中，他被推在一座大门外。他似醒似睡的躺在墙根。

秋风儿很凉，时时吹醒了他。他的附近很黑，没有什么行人，远处有些灯光与犬吠。他忘了以前的一切，也不晓得他以后要干什么。他的残余的一点力气，只够使他往前爬几步的。他拼命往前爬，不知道往哪里去，也不管往哪里去。手一软，他又伏在地上。他还没有死，只是手足都没有力气再动一动。像将要入睡似的，他恍惚的看见一个人——冠晓荷。

像将溺死的人，能在顷刻中看见一生的事，他极快的想起来一切。冠晓荷是这一切的头儿。一股不知道哪里得的力气，使他又扬起头来。他看清：他的身后，也就是他住过那么多日子的地方，是北京大学。他决定往西爬，冠晓荷在西边。他没想起家，而只想起在西边他能找到冠晓荷！冠晓荷把他送到狱中，冠晓荷也会领他回去。他须第一个先教冠晓荷看看他，他还没死！

他爬，他滚，他身上流着血汗，汗把伤痕腌得极痛，可是他不停止前进；他的眼前老有个冠晓荷。冠晓荷笑着往前引领他。

他回到小羊圈，已经剩了最后的一口气。他爬进自己的街门。他不晓得怎样进了自己的屋子，也不认识自己的屋子。醒过来，他马上又想起冠晓荷。伤害一个好人的，会得到永生的罪恶。他须马上去宣布冠晓荷的罪恶……

慢慢的，他认识了人，能想起一点过去的事。对瑞宣，金三爷，和四大妈的照应与服侍，他很感激。可是，他的思想却没以感激他们为出发点，而想怎样酬答他们。只有一桩事，盘旋在他的脑海中——他要想全了自从被捕以至由狱中爬出来的整部经过。他天天想一遍。病越好一些，他就越多想起一点。不错，其中有许多许多小块的空白，可是，渐渐的他已把事情的经过想出个大致。渐渐的，他已能够一想起其中的任何一事件，就马上左右逢源的找到与它有关的情节来，好像幼时背诵大学中庸那样，不论先生抽提哪一句，他都能立刻接答下去。这个背熟了的故事，使他不因为身体的渐次痊好，和亲友们的善意深情，而忘了他所永不应忘了的事——报仇。

瑞宣屡屡的问他，他总不肯说出来，不是为他对敌人起过誓，而是为把它存在自己的心中，像保存一件奇珍似的，不愿教第二个人看见。把它严严的存在自己心中，他才能严密的去执行自己的复仇的计划；书生都喜欢纸上谈兵，只说而不去实行；他是书生，他知道怎样去矫正自己。

在他入狱的经过中，他引为憾事的只有他不记得救了他的人是谁。他略略的记得一点那个人的模样；姓名，职业，哪里的人，他已都不记得；也许他根本就没有询问过。他并不想报恩；报仇比报恩更重要。虽然如此，他还是愿意知道那是谁；至少他觉得应当多交一个朋友，说不定那个人还会帮助他去报仇的。

对他的妻与儿，他也常常的想起，可是并不单独的想念他们。他把他们和他入狱的经过放在一处去想，好增加心中的仇恨。他不该入狱，他们不该死。可是，他入了狱，他们死掉。这都不是偶然的，而是因为日本人要捉他，要杀他们。他是读书明理的人，他应当辨明恩怨。假若他只把毒刑与杀害看成"命该如此"，他就没法再像个人似的活着，和像个人似的去死！

想罢了人狱后的一切，他开始想将来。

对于将来，他几乎没有什么可顾虑的，除了安置儿媳妇的问题。她，其实，也好安置。不过，她已有了孕；他可以忘了一切，而不轻易的忘了自己的还未出世的孙子或孙女。他可以牺牲了自己，而不能不管他的后代。他必须去报仇，可是也必须爱护他孙子。仇的另一端是爱，它们的两端是可以折回来碰到一处，成为一个圈圈的。

"少奶奶！"他轻轻的叫。

她走进来。他看见了她半天才说："你能走路不能啊？我要教你请你的父亲去。"

她马上答应了。她的健康已完全恢复，脸上已有了点红色。她心中的伤痕并没有平复，可是为了腹中的小儿，和四大妈的诚恳的劝慰，她已决定不再随便的啼哭或暗自发愁，免得伤了胎气。

她走后，他坐起来，闭目等候着金三爷。他切盼金三爷快快的来到，可是又后悔没有嘱咐儿媳不要走得太慌，而自己嘟囔着："她会晓得留心的！她会！可怜的孩子！"嘟囔了几次，他又想笑自己：这么婆婆妈妈的怎像个要去杀敌报仇的人呢！

少奶奶去了差不多一个钟头才回来。金三爷的发光的红脑门上冒着汗，不是走出来的，而是因为随着女儿一步一步的蹭，急出来的。到了屋中，他叹了口气："要随着她走一天的道儿，我得急死！"

少奶奶向来不大爱说话，可是在父亲跟前，就不免撒点娇："我还直快走呢！"

"好！好！你去歇会儿吧！"钱老人的眼中发出点和善的光来。在平日，他说不上来是喜爱她，还是不喜爱她。他仿佛只有个儿媳，而公公与儿媳之间似乎老隔着一层帐幕。现在，他觉得她是个最可怜最可敬的人。一切将都要灭亡，只有她必须活着，好再增多一条生命，一条使死者得以不死的生命。

"三爷！劳你驾，把桌子底下的酒瓶拿过来！"他微笑着说。

"刚刚好一点，又想喝酒！"金三爷对他的至亲好友是不闹客气

201

的。可是，他把酒瓶找到，并且找来两个茶杯。倒了半杯酒，他看了亲家一眼，"够了吧?"

钱先生颇有点着急的样子："给我! 我来倒!"

金三爷吸了口气，把酒倒满了杯，递给亲家。

"你呢?"钱老人拿着酒杯问。

"我也得喝?"

钱老人点了点头："也得是一杯!"

金三爷只好也给自己倒了一杯。

"喝!"钱先生把杯举起来。

"慢点哟!"金三爷不放心的说。

"没关系!"钱先生分两气把酒喝干。

亮了亮杯底，他等候着亲家喝。一见亲家也喝完，他叫了声，"三爷!"而后把杯子用力的摔在墙上，摔得粉碎。

"怎么回事?"金三爷莫名其妙的问。

"从此不再饮酒!"钱先生闭了闭眼。

"那好哇!"金三爷眨巴着眼，拉了张小凳，坐在床前。

钱先生看亲家坐好，他猛的由床沿上出溜下来，跪在了地上; 还没等亲家想出主意，他已磕了一个头。

金三爷忙把亲家拉了起来。"这是怎回事? 这是怎回事?"一面说，他一面把亲家扶到床沿上坐好。

"三爷，你坐下!"看金三爷坐好，钱先生继续着说："三爷，我求你点事! 虽然我给你磕了头，你可是能管再管，不要勉强!"

"说吧，亲家，你的事就是我的事!"金三爷掏出烟袋来，慢慢的拧烟。

"这点事可不算小!"

"先别吓唬我!"金三爷笑了一下。

"少奶奶已有了孕。我，一个作公公的，没法照应她。我打算——"

"教她回娘家，是不是? 你说一声就是了，这点事也值得磕头? 她是我的女儿呀!"金三爷觉得自己既聪明又慷慨。

202

"不，还有更麻烦的地方！她无论生儿生女，你得替钱家养活着！我把儿媳和后代全交给了你！儿媳还年轻，她若不愿守节，任凭她改嫁，不必跟我商议。她若是改了嫁，小孩可得留给你，你要像教养亲孙子似的教他。别的我不管，我只求你必得常常告诉他，他的祖母，父亲，叔父，都是怎样死的！三爷，这个麻烦可不小，你想一想再回答我！你答应，我们钱家历代祖宗有灵，都要感激你；你不答应，我决不恼你！你想想看！"

金三爷有点摸不清头脑了，吧唧着烟袋，他愣起来。他会算计，而不会思想。女儿回家，外孙归他养活，都作得到；家中多添两口人还不至于教他吃累。不过，亲家这是什么意思呢？他想不出！为不愿多发愣，他反问了句："你自己怎么办呢？"

酒劲上来了，钱先生的脸上发了点红。他有点急躁。"不用管我，我有我的办法！你若肯把女儿带走，我把这些破桌子烂板凳，托李四爷给卖一卖。然后，我也许离开北平，也许租一间小屋，自己瞎混。反正我有我的办法！我有我的办法！"

"那，我不放心！"金三爷脸上的红光渐渐的消失，他的确不放心亲家。"那不行！连你，带我的女儿，都归了我去！我养活得起你们！你五十多了，我快奔六十！让咱们天天一块儿喝两杯吧！"

"三爷！"钱先生只这么叫了一声，没有说出别的来。他不能把自己的计划说出来，又觉得这是违反了"事无不可对人言"的道理。他也知道金三爷的话出于一片至诚，自己不该狠心的不说出实话来。沉默了好久，他才又开了口："三爷，年月不对了，我们应当各奔前程！干脆一点，你答应我的话不答应？"

"我答应！你也得答应我，搬到我那里去！"

很难过的，钱先生扯谎："这么办，你先让我试一试，看我能独自混下去不能！不行，我一定找你去！"

金三爷愣了许久才勉强的点了头。

"三爷，事情越快办越好！少奶奶愿意带什么东西走，随她挑选！你告诉她去，我没脸对她讲！三爷，你帮了我的大忙！我，只要不死，永远，永远忘不了你的恩！"

金三爷要落泪，所以急忙立起来，把烟袋锅用力磕了两下子。而后，长叹了一口气，到女儿屋中去。

钱先生还坐在床沿上，心中说不出是应当高兴，还是应当难过。妻，孟石，仲石，都已永不能再见；现在，他又诀别了老友与儿媳——还有那个未生下来的孙子！他至少应当等着看一看孙子的小脸；他相信那个小脸必定很像孟石。同时，他又觉得只有这么狠心才对，假若他看见了孙子，也许就只顾作祖父而忘了别的一切。"还是这样好！我的命是白拣来的，不能只消磨在抱孙子上！我应当庆祝自己有这样的狠心——敌人比我更狠得多呀！"看了看酒瓶，他想再喝一杯。可是，他没有去动它。

正这样呆坐，野求轻手蹑脚的走进来。老人笑了。按着他的决心说，多看见一个亲戚或朋友与否，已经都没有任何关系。可是，他到底愿意多看见一个人；对求米的止是时候。

"怎么？都能坐起来了？"野求心中也很高兴。

钱先生笑着点了点头。"不久我就可以走路了！"

"太好了！太好了！"野求揉着手说。

野求的脸上比往常好看多了，虽然还没有多少肉，可是颜色不发绿了。他穿着件新青布棉袍，脚上的棉鞋也是新的。一边和姐丈闲谈，他一边掏胸前尽里边的口袋。掏了好大半天，他掏出来十五张一块钱的钞票来。笑着，他轻轻的把钱票放在床上。

"干吗？"钱先生问。

野求笑了好几气，才说出来："你自己买点什么吃！"说完，他的小薄嘴唇闭得紧紧的，好像很怕姐丈不肯接受。

"你哪儿有富余钱给我呢？"

"我，我，找到个相当好的事！"

"在哪儿？"

野求的眼珠停止了转动，愣了一会儿。"新政府不是成立了吗？"

"哪个新政府？"

野求叹了口气。"姐丈！你知道我，我不是没有骨头的人！可是，八个孩子，一个病包儿似的老婆，教我怎办呢？难道我真该瞪着

204

眼看他们饿死吗?"

"所以你在日本人组织的政府里找了差事!"钱先生不错眼珠的看着野求的脸。

野求的脸直抽动。"我没去找任何人!我晓得廉耻!他们来找我,请我去帮忙。我的良心能够原谅我!"

钱先生慢慢的把十五张票子拿起来,而极快的一把扔在野求的脸上:"你出去!永远永远不要再来,我没有你这么个亲戚!走!"他的手颤抖着指着屋门。

野求含着泪,慢慢的立起来。"默吟那咱们就……"羞愧与难过截回去了他的话。他低着头,开始往外走。

"等等!"钱先生叫住了他。

他像个受了气的小媳妇似的赶紧立住,仍旧低着头。

"去,开开那只箱子!那里有两张小画,一张石谿的,一张石谷的,那是我的镇宅的宝物。我买得很便宜,才一共花了三百多块钱。光是石谿的那张,卖好了就可以卖四五百。你拿去,卖几个钱,去作个小买卖也好;哪怕是去卖花生瓜子呢,也比投降强!"把这些话说完,钱先生的怒气已去了一大半。他爱野求的学识,也知道他的困苦,他要成全他,成全一个好友是比责骂更有意义的。"去吧!"他的声音像平日那么柔和了。"你拿去,那只是我的一点小玩艺儿,我没心程再玩了!"

野求顾不得去想应当去拿画与否,就急忙去开箱子。找了好久,他看不到所要找的东西。

"没有吗?"钱先生问。

"找不到!"

"把那些破东西都拿出来,放在这里,"他拍了拍床。"我找!"

野求轻轻的,像挪动一些珍宝似的,一件件的往床上放那些破书。钱先生一本本的翻弄。他们找不到那两张画。

"少奶奶!"钱先生高声的喊,"你过来!"

他喊的声音是那么大,连金三爷也随着少奶奶跑了过来。

看到野求的不安的神气,亲家的急躁,与床上的破纸烂书,金三

205

爷说了声："这又是哪一出？"

少奶奶想招呼野求，可是公公先说了话：

"那两张画儿呢？"

"哪两张？"

"在箱子里的那两张，值钱的画！"

"我不知道！"少奶奶莫名其妙的回答。

"你想想看，有谁开过那个箱子没有！"

少奶奶想起来了。

金三爷也想起来了。

少奶奶也想起丈夫与婆婆来，心中一阵发酸，可是没敢哭出来。

"是不是一个纸卷呦？"金三爷说。

"是！是！没有裱过的画！"

"放在孟石的棺材里了！"

"谁？"

"亲家母！"

钱先生愣了好半天，叹了口气。

206

第二部　偷生

一

　　春天好似不管人间有什么悲痛，又带着它的温暖与香色来到北平。地上与河里的冰很快的都化开，从河边与墙根都露出细的绿苗来。柳条上缀起鹅黄的碎点，大雁在空中排开队伍，长声的呼应着。一切都有了生意，只有北平的人还冻结在冰里。

　　苦了小顺儿和妞子。这本是可以买几个模子，磕泥饽饽的好时候。用黄土泥磕好了泥人儿，泥饼儿，都放在小凳上，而后再从墙根采来叶儿还卷着的香草，摆在泥人儿的前面，就可以唱了呀："泥泥饽饽，泥泥人儿耶，老头儿喝酒，不让人儿耶！"这该是多么得意的事呀！可是，妈妈不给钱买模子，而当挖到了香草以后，唱着"香香蒿子，辣辣罐儿耶"的时候，父亲也总是不高兴的说："别嚷！别嚷！"

　　他们不晓得妈妈近来为什么那样吝啬，连磕泥饽饽的模子也不给买。爸爸就更奇怪，老那么横虎子似的，说话就瞪眼。太爷爷本是他们的"救主"，可是近来他老人家也仿佛变了样子。在以前，每逢柳树发了绿的时候，他必定带着他们到护国寺去买赤包儿秧子，葫芦秧子，和什么小盆的"开不够"与各种花仔儿。今年，他连萝卜头，白菜脑袋，都没有种，更不用说是买花秧去了。

　　爷爷不常回来，而且每次回来，都忘记给他们带点吃食。这时候不是正卖豌豆黄，爱窝窝，玫瑰枣儿，柿饼子，和天津萝卜么？怎么爷爷总说街上什么零吃也没有卖的呢？小顺儿告诉妹妹："爷爷准是爱说瞎话！"

　　祖母还是待他们很好，不过，她老是闹病，哼哼唧唧的不高兴。

209

她常常念叨三叔，盼望他早早回来，可是当小顺儿自告奋勇，要去找三叔的时候，她又不准。小顺儿以为只要祖母准他去，他必定能把三叔找回来。他有把握！妞子也很想念三叔，也愿意陪着哥哥去找他。因为这个，他们小兄妹俩还常拌嘴。小顺儿说："妞妞，你不能去！你不认识路！"妞子否认她不识路："我连四牌楼，都认识！"

一家子里，只有二叔满面红光的怪精神。可是，他也不是怎么老不回来。他只在新年的时候来过一次，大模大样的给太爷爷和祖母磕了头就走了，连一斤杂拌儿也没给他们俩买来。所以他们俩拒绝了给他磕头拜年；臭二叔！胖二婶根本没有来过，大概是，他们猜想，肉太多了，走不动的缘故。

最让他们羡慕的是冠家。看人家多么会过年！当妈妈不留神的时候，他们俩便偷偷的溜出去，在门口看热闹。哎呀，冠家来了多少漂亮的姑娘呀！每一个都打扮得那么花哨好看，小妞子都看呆了，嘴张着，半天也闭不上！她们不但穿得花哨，头和脸都打扮得漂亮，她们也都非常的活泼，大声的说着笑着，一点也不像妈妈那么愁眉苦眼的。她们到冠家来，手中都必拿着点礼物。小顺儿把食指含在口中，连连的吸气。小妞子"一、二、三"的数着；她心中最大的数字是"十二"，一会儿她就数到了"十二个瓶子！十二包点心！十二个盒子！"她不由的发表了意见："他们过年，有多少好吃的呀！"

他们还看见一次，他们的胖婶子也拿着礼物到冠家去。他们最初以为她是给他们买来的好吃食，而跑过去叫她，她可是一声也没出便走进冠家去。因此，他们既羡慕冠家，也恨冠家——冠家夺去他们的好吃食。他们回家报告给妈妈：敢情胖婶子并不是胖得走不动，而是故意的不来看他们。妈妈低声的嘱咐他们，千万别对祖母和太爷爷说。他们不晓得这是为了什么，而只觉得妈妈太奇怪；难道胖二婶不是他们家的人么？难道她已经算是冠家的人了么？但是，妈妈的话是不好违抗的，他们只好把这件气人的事存在心里。小顺儿告诉妹妹："咱们得听妈妈的话哟！"说完他像小大人似的点了点头，仿佛增长了学问似的。

是的，小顺儿确是长了学问。你看，家中的大人们虽然不乐意听冠家的事，可是他们老嘀嘀咕咕的讲论钱家。钱家，他由大人的口中听到，已然只剩了一所空房子，钱少奶奶回了娘家，那位好养花的老头儿忽然不见了。他上哪儿去了呢？没有人知道。太爷爷没事儿就和爸爸嘀咕这回事。有一回，太爷爷居然为这个事而落了眼泪。小顺儿忙着躲开，大人们的泪是不喜欢教小孩子看见的。妈妈的泪不是每每落在厨房的炉子上么？

更教小顺儿心里跳动而不敢说什么的事，是，听说钱家的空房子已被冠先生租了去，预备再租给日本人。日本人还没有搬了来，房屋可是正在修理——把窗子改矮，地上换木板好摆日本的"榻榻密"。小顺儿很想到一号去看看，又怕碰上日本人。他只好和了些黄土泥，教妹妹当泥瓦匠，建造小房子。他自己作监工的。无论妹妹把窗子盖得多么矮，他总要挑剔："还太高！还太高！"他捏了个很小的泥人，也就有半寸高吧。"你看看，妹，日本人是矮子，只有这么高呀！"

这个游戏又被妈妈禁止了。妈妈仿佛以为日本人不但不是那么矮，而且似乎还很可怕；她为将要和日本人作邻居，愁得什么似的。小顺儿看妈妈的神气不对，不便多问；他只命令妹妹把小泥屋子毁掉，他也把那个不到半寸高的泥人揉成了个小球，扔在门外。

杏花开了。台儿庄大捷。

程长顺的生意完全没了希望。日本人把全城所有的广播收音机都没收了去，而后勒令每一个院子要买一架日本造的，四个灯的，只能收本市与冀东的收音机。冠家首先遵命，昼夜的开着机器，冀东的播音节目比北平的迟一个多钟头，所以一直到夜里十二点，冠家还锣鼓喧天的响着。六号院里，小文安了一架，专为听广播京戏。这两架机器的响声，前后夹攻着祁家，吵得瑞宣时常的咒骂。瑞宣决定不买，幸而白巡长好说话，没有强迫他。

"祁先生你这么办，"白巡长献计："等着，等到我交不上差的时候，你再买。买来呢，你怕吵得慌，就老不开开好了！这是日本人作一笔大生意，要讲听消息，谁信……"

四号里，孙七和小崔当然没钱买，也不高兴买。"累了一天，晚上得睡觉，谁有工夫听那个！"小崔这么说。孙七完全同意小崔的话，

211

可是为显出自己比小崔更有见识，就提出另一理由来："还不光为了睡觉！谁广播？日本人！这就甭说别的了，我反正不花钱听小鬼子造谣言！"

他们俩不肯负责，马寡妇可就慌了。明明的白巡长来通知，每家院子都得安一架，怎好硬不听从呢？万一日本人查下来，那还了得！同时她又不肯痛痛快快的独自出钱。她出得起这点钱，但是最怕人家知道她手里有积蓄。她决定先和小崔太太谈一谈。就是小崔太太和小崔一样的不肯出钱，她也得教她知道知道她自己手中并不宽绰。

"我说崔少奶奶，"老太太的眼睛眨巴眨巴的，好像心中有许多妙计似的。"别院里都有了响动，咱们也不能老耗着呀！我想，咱们好歹的也得弄一架那会响的东西，别教日本人挑出咱们的错儿来呀！"

小崔太太没从正面回答，而扯了扯到处露着棉花的破袄，低着头说："天快热起来，棉衣可是脱不下来，真恶死人！"

是的，夹衣比收音机重要多了。马老太太再多说岂不就有点不知趣了么？她叹了口气，回到屋中和长顺商议。

长顺呜囔着鼻子，没有好气。"这一下把我的买卖搠到了底！家家有收音机，有钱的没钱的一样可以听大戏，谁还听我的话匣子？谁？咱们的买卖吹啦，还得自己买一架收音机？真！日本人来调查，我跟他们讲讲理！"

"他们也得讲理呀！他们讲理不就都好办了吗？长顺，我养你这么大，不容易，你可别给我招灾惹祸呀！"

长顺很坚决，一定不去买。为应付外婆，他时常开开他的留声机。"日本人真要是来查的话，咱们这儿也有响动就完了！"

长顺不能一天到晚老听留声机。他开始去串门子。他知道不应当到冠家去。外婆所给他的一点教育，使他根本看不起冠家的人。他很想到文家去，学几句二簧，可是他知道外婆是不希望他成为"戏子"，而且也必定反对他和小文夫妇常常来往的。外婆不反对他和李四爷去谈天，但是他自己又不大高兴去，因为李四爷尽管是年高有德的人，可是不大有学问。他自己虽然也不过只能连嚼带糊的念戏本儿，可是觉得有成为学者的根底——能念唱本儿，慢慢的不就能念大书了么？

一来二去，他去看丁约翰，当约翰休假的时候，他想讨换几个英国字，好能读留声机片上的洋字。他以为一切洋字都是英文，而丁约翰是必定精通英文的。可是，使他失望的是约翰并不认识那些字！不过，丁约翰有一套理论："英文也和中文一样，有白话，有文言，写的和说的大不相同，大不相同！我在英国府作事，有一口儿英国话就够了；念英国字，那得有幼工，我小时候可惜没下过工夫！英国话，我差不多！你就说黄油吧，叫八特儿；茶，叫踢；水，是窝特儿！我全能听能说！"

丁约翰既没能满足他，又不常回来，所以程长顺找到了瑞宣。对瑞宣，他早就想亲近。可是，看瑞宣的文文雅雅的样子，他有点自惭形秽，不敢往前巴结。有一天，看瑞宣拉着妞子在门口看大槐树上的两只喜鹊，他搭讪着走过来打招呼。不错，瑞宣的确有点使人敬而远之的神气，可是也并不傲气凌人。因此，他搭讪着跟了进去。在瑞宣的屋中，他请教了留声机片上的那几个英国字。瑞宣都晓得，并且详细的给他解释了一番。他更佩服了瑞宣，心中说：人家是下过幼工的！

瑞宣愿意有个人时常来谈一谈。年前，在南京陷落的时节，他的心中变成一片黑暗。那时候，他至多也不过能说：反正中日的事情永远完不了；败了，再打就是了！及至他听到政府继续抗战的宣言，他不再悲观了。他常常跟自己说："只要打，就有出路！"一冬，他没有穿上皮袍，因为皮袍为钱先生的病送到当铺里去，而没能赎出来。他并没感觉到怎样不舒服。每逢太太催他去设法赎皮袍的时候，他就笑一笑："心里热，身上就不冷！"赶到过年的时候，家中什么也没有，他也不着急，仿佛已经忘了过年这回事。韵梅问他："怎么过年呀？"他建议去把她那件出门才穿的灰鼠袍子送到当铺中去。韵梅生了气："你怎么学得专会跑当铺呢？过日子讲究添置东西，咱们怎么专把东西往外送呢？"

瑞宣没有因为这不客气的质问而发脾气。他已决定不为这样的小事动他的感情。结果，韵梅的皮袍入了当铺。

转过年开学，校中有五位同事不见了。他们都逃出北平去。瑞宣

213

不能不惭愧自己的无法逃走。

由瑞丰口中，他听到各学校将要有日本人来作秘书，监视全校的一切活动。假若可能，他将在暗中给学生一些鼓励，一些安慰，教他们不忘了中国。这个作不到，他再辞职，去找别的事作。

钱先生忽然不见了，瑞宣很不放心。可是，他很容易的就想到，钱先生一定不会隐藏起来，而是要去作些不愿意告诉别人的事。他想象不出来，钱诗人将要去作些什么，和怎么去作，他可是绝对相信老人会不再爱惜生命，不再吟诗作画。钱老人的一切似乎都和抗战紧紧的联系在一处。他喝了一盅酒，预祝老诗人的成功。他心里说："战争会创造人！坏的也许更坏，而好的也会更好！"

同事们与别人的逃走，钱老人的失踪，假若使他兴奋，禁止使用法币可使他揪心。他自己没有银行存款，用不着到银行去调换伪币，可是他觉得好像有一条绳子紧紧的勒在他与一切人的脖子上。日本人收法币去套换外汇，同时只用些纸来欺骗大家。华北将只要弄一些纸片，而没有一点真的"财"。华北的血脉被敌人吸干！

和银行差不多，是那些卖新书的书店。它们存着的新书已被日本人拿去烧掉，它们现在印刷的已都不是"新"书。瑞宣以为它们也应当关门，可是它们还照常的开着。瑞宣喜欢逛书铺和书摊。看到新书，他不一定买，可是翻一翻它们，他就觉得舒服。新书仿佛是知识的花朵。出版的越多，才越显出文化的荣茂。现在，他看见的只是《孝经》，《四书》，与《西厢记》等等的重印，而看不到真的新书。日本人已经不许中国人发表思想。

是的，北平已没了钱财，没了教育，没了思想！但是，瑞宣的心中反倒比前几个月痛快的多了。他并不是因看惯了日本人和他们的横行霸道而变成麻木不仁，而是看到了光明的那一面。只要我们继续抵抗，他以为，日本人的一切如意算盘总是白费心机。

日本人最厉害的一招是堵闭了北平人的耳朵，不许听到中央的广播，而用评戏，相声与像哭号似的日本人歌曲，麻醉北平人的听觉。可是，瑞宣还设法去听中央的广播，或看广播的纪录。他有一两位英国朋友，他们家里的收音机还没被日本人拿了去。听到或看到中央的消息，他觉得自己还是个中国人，时时刻刻的分享着在战争中一切中国人的喜怒哀乐。

台儿庄的胜利使他的坚定变成为一种信仰。西长安街的大气球又升起来，北平的广播电台与报纸一齐宣传日本的胜利。日本的军事专家还写了许多论文，把这一战役比作但能堡的歼灭战。瑞宣却独自相信国军的胜利。他无法去高声的呼喊，告诉人们不要相信敌人的假消息。他无法来放起一个大气球，扯开我们胜利的旗帜。他只能自己心中高兴，给由冠家传来的广播声音一个轻蔑的微笑。

他心中觉得憋闷。他极想和谁谈一谈。长顺儿来得正好。长顺年轻，虽然自幼儿就受外婆的严格管教，可是年轻人到底有一股不能被外婆消灭净尽的热气。他喜欢听瑞宣的谈话。

长顺听了瑞宣的话，也想对别人说：知识和感情都是要往外发泄的东西。他当然不敢和外婆说。外婆已经问过他，干吗常到祁家去。他偷偷的转了转眼珠，扯了个谎："祁大爷教给我念洋文呢！"

可是，不久他就露了破绽。他对孙七与小崔显露了他的知识。论知识的水准，他们三个原本都差不多。但是，年岁永远是不平等的。在平日，孙七与小崔每逢说不过长顺的时候，便搬出他两的年岁来压倒长顺。长顺心中虽然不平，可是没有反抗的好办法。外婆不是常常说，不准和年岁大的人拌嘴吗？现在，他可是说得头头是道，叫孙七与小崔的岁数一点用处也没有了。况且，小崔不过比他大着几岁，长顺简直觉得他几乎应当管小崔叫老弟了。

不错，马老太太近来已经有些同情孙七与小崔的反日的言论；可是，听到自己的外孙滔滔不绝的发表意见，她马上害怕起来。她看出来：长顺是在祁家学"坏"了！

她想应当快快的给长顺找个营生，老这么教他到处去摇晃着，一定没有好处。有了正当的营生，她该给外孙娶一房媳妇，拢住他的心。她自己只有这么个外孙，而程家又只有这么一条根，她绝对不能大撒手儿任着长顺的意儿爱干什么就干什么。这是她最大的责任，无可脱卸！日本人尽管会横行霸道，可是不能拦住外孙子结婚，和生儿养女。假如她自己这辈子须受日本人的气，长顺的儿女也许就能享福

215

过太平日子了。

老太太把事情都这么想清楚，心中非常的高兴。她觉得自己的手已抓住了一点什么最可靠的东西，不管年月如何难过，不管日本人怎样厉害，都不能胜过她。她能克服一切困难。她手里仿佛拿到了万年不易的一点什么，从汉朝——她的最远的朝代是汉朝——到如今，再到永远，都不会改变——她的眼睛亮起来，颧骨上居然红润了一小块。

在瑞宣这方面，他并没料到长顺会把他的话吸收得那么快，而且使长顺的内心里发生了变动。有一天，长顺扭捏了半天，而后说出一句话来：

"祁先生！我从军去好不好？"

瑞宣半天没能回出话来。他没料到自己的闲话会在这个青年的心中发生了这么大的效果。他忽然发现了一个事头：知识不多的人反倒容易有深厚的情感，而这情感的泉源是我们的古远的文化。一个人可以很容易获得一些知识，而性情的深厚却不是一会儿工夫培养得出的。上海与台儿庄的那些无名英雄，他想起来，岂不多数是没有受过什么教育的乡下人么？他们也许写不上来"国家"两个字，可是他们都视死如归的为国家牺牲了性命！同时，他也想到，有知识的人，像他自己，反倒前怕狼后怕虎的不敢勇往直前；知识好像是情感的障碍。他正这样的思索，长顺又说了话：

"我想明白了：就是日本人不勒令家家安收音机，我还可以天天有生意作，那又算得了什么呢？国要是亡了，几张留声机片还能救了我的命吗？我很舍不得外婆，可是事情摆在这儿，我能老为外婆活着吗？人家那些打仗的，谁又没有家，没有老人呢？人家要肯为国家卖命，我就也应当去打仗！是不是？祁先生！"

瑞宣还是回不出话来。在他的理智上，他知道每一个中国人都该为保存自己的祖坟与文化而去战斗。可是，在感情上，因为他是中国人，所以他老先去想每个人的困难。他想：长顺若是抛下他的老外婆，而去从军，外婆将怎么办呢？同时，他又不能拦阻长顺，正如同他不能拦阻老三逃出北平那样。

"祁先生，你看我去当步兵好，还是炮兵好？"长顺呜呜囔囔的又发了问。"我愿意作炮兵！你看，对准了敌人的大队，忽隆一炮，一死一大片，有多么好呢！"他说得是那么天真，那么热诚，连他的呜囔的声音似乎都很悦耳。

瑞宣不能再愣着。笑了一笑，他说："再等一等，等咱们都详细的想过了再谈吧！"他的话是那么没有力量，没有决断，没有意义，他的口中好像有许多锯末子似的。

长顺走了以后，瑞宣开始低声的责备自己："你呀，瑞宣，永远成不了事！你的心不狠，永远不肯教别人受委屈吃亏，可是你今天眼前的敌人却比毒蛇猛兽还狠毒着多少倍！为一个老太婆的可怜，你就不肯教一个有志的青年去从军！"

二

　　大赤包变成全城的妓女的总干娘。高亦陀是她的最得力的"太监"。高先生原是卖草药出身，也不知怎的到过日本一趟，由东洋回来，他便挂牌行医了。他很谨慎的保守他的出身的秘密，可是一遇到病儿，他还没忘了卖草药时候的胡吹乱嗙；他的话比他的医道高明着许多。

　　大赤包约他帮忙，他不能不感激知遇之恩。假若他的术贯中西的医道使他感到抓住了时代的需要，去作妓女检查所的秘书就更是天造地设的机遇。他会说几句眼前的日本语，他知道如何去逢迎日本人，他的服装打扮足以"唬"得住妓女，他有一张善于词令的嘴。从各方面看，他都觉得胜任愉快，而可以大展经纶。他本来有一口儿大烟瘾，可是因为收入不怎么丰，所以不便天天有规律的吸食。

　　对大赤包，在表面上，他无微不至的去逢迎。他几乎"长"在了冠家。大家打牌，他非到手儿不够的时候，决不参加。他的牌打得很好，可是他知道"喝酒喝厚了，赌钱赌薄了"的格言，不便于天天下场。不下场的时候，他总是立在大赤包身后，偶尔的出个主意，备她参考。他给她倒茶，点烟，拿点心，并且有时候还轻轻的把松散了的头发替她整理一下。他的相貌，风度，姿态，动作，都像陪阔少爷冶游，帮吃帮喝的"篾片儿"。大赤包完全信任他，因为他把她伺候得极舒服。每当大赤包上车或下车，他总过去搀扶。每当她要"创造"一种头式，或衣样，他总从旁供献一点意见。她的丈夫从来对她没有这样殷勤过。他是西太后的李莲英。

　　可是，在他的心里，他另有打算。他须稳住了大赤包，得到她的

218

完全的信任，以便先弄几个钱。等到手里充实了以后，他应当去直接的运动日本人，把大赤包顶下去，或者更好一点把卫生局拿到手里。他若真的作了卫生局局长，哼，大赤包便须立在他的身后，伺候着他打牌了。

对冠晓荷，他只看成为所长的丈夫，没放在眼里。他非常的实际，冠晓荷既还赋闲，他就不必分外的客气。对常到冠家来的人，像李空山，蓝东阳，瑞丰夫妇，他都尽量的巴结，把主任，科长叫得山响，而且愿意教大家知道他是有意的巴结他们。他以为只有被大家看出他可怜，大家才肯提拔他；到他和他们的地位或金钱可以肩膀齐为兄弟的时候，他再拿出他的气派与高傲来。他的气派与高傲都在心中储存着呢！把主任与科长响亮的叫过之后，他会冰凉的叫一声冠"先生"，叫晓荷脸上起一层小白疙疸。

冠晓荷和东阳、瑞丰拜了盟兄弟。虽然他少报了五岁，依然是"大哥"。他羡慕东阳与瑞丰的官运，同时也羡慕他们的年轻有为。当初一结拜的时候，他颇高兴能作他们的老大哥。及至转过年来，他依然得不到一官半职，他开始感觉到一点威胁。虽然他的白发还是有一根便拔一根，可是他感到自己或者真是老得不中用了；要不然，凭他的本事，经验，风度，怎么会干不过了那个又臭又丑的蓝东阳，和傻蛋祁瑞丰呢？他心中暗暗的着急。高亦陀给他的刺激更大，那声冰凉的"先生"简直是无情的匕首，刺着他的心！他想回敬出来一两句俏皮的，教高亦陀也颤抖一下的话，可是又不便因快意一时而把太太也得罪了；高亦陀是太太的红人啊。他只好忍着，心中虽然像开水一样翻滚，脸上可不露一点痕迹。他要证明自己是有涵养的人。他须对太太特别的亲热，好在她高兴的时候，给高亦陀说几句坏话，使太太疏远他。反正她是他的太太，尽管高亦陀一天到晚长在这里，也无碍于他和太太在枕畔说话儿呀。为了这个，他已经不大到桐芳屋里去睡。

大赤包不但看出高亦陀的办事的本领，也感到他的殷勤。她从许多年前，就知道丈夫并不真心爱她。现在呢，她又常和妓女们来往，她满意自己的权威，可是也羡慕她们的放浪不拘。她并没看得起高亦

219

陀，可是高亦陀的殷勤到底是殷勤。想想看，这二三十年来，谁给过她一点殷勤呢？她没有过青春。她知道客人们的眼睛不是看高第与招弟，便是看桐芳，谁也不看她。他们若是看她，她就得给他们预备茶水或饭食，在他们眼中，她只是主妇，而且是个不大像女人的主妇！

大赤包不常到办公处去，因为有一次她刚到妓女检查所的门口，就有两三个十五六岁的男孩子大声的叫她老鸨子。有什么公文，都由高亦陀拿到家来请她过目；至于经常的事务，她可以放心的由职员们代办，因为职员们都清一色的换上了她的娘家的人；他们既是她的亲戚，向来知道她的厉害，现在又作了她的属员，就更不敢不好好的效力。

决定了在家里办公，她命令桐芳搬到瑞丰曾经要住的小屋里去，而把桐芳的屋子改为第二号客厅。北屋的客厅是第一号，高第的卧室是第二号。凡是贵客，与头等妓女，都在第一号客厅由她自己接见。这么一来，冠家便每天都贵客盈门，因为贵客们顺便的就打了茶围。第二号客厅是给中等的亲友，与二等妓女预备着的，由高第代为招待。穷的亲友与三等妓女都到第三号客厅去，桐芳代为张罗茶水什么的。

一号和二号客厅里，永远摆着牌桌。麻雀，扑克，押宝，牌九，都随客人的便；玩的时间与赌的大小，也全无限制。无论玩什么，一律抽头儿。头儿抽得很大，因为高贵的香烟一开就是十来筒，在屋中的每一角落，客人都可以伸手就拿到香烟；开水是昼夜不断，高等的香片与龙井随客人招呼，马上就沏好。"便饭"每天要开四五桌，客人虽多，可是酒饭依然保持着冠家的水准。热毛巾每隔三五分钟由漂亮的小老妈递送一次；毛巾都消过毒——这是高亦陀的建议。

只有特号的客人才能到大赤包的卧室里去。这里有由英国府来的红茶，白兰地酒，和大炮台烟。这里还有一份儿很精美的鸦片烟烟具。

大赤包近来更发了福，连脸上的雀斑都一个个发亮，好像抹上了英国府来的黄油似的。她手指上的戒指都被肉包起来，因而手指好像刚灌好的腊肠。随着肌肉的发福，她的气派也更扩大。每天她必细细

220

的搽粉抹口红，而后穿上她心爱的红色马甲或长袍，坐在堂屋里办公和见客。她的眼和耳控制着全个院子，她的咳嗽与哈欠都是一种信号——二号与三号客厅的客人们若吵闹得太凶了，她便像放炮似的咳嗽一两声，教他们肃静下来；她若感到疲倦便放一声像空袭警报器似的哈欠，教客人们鞠躬告退。

在堂屋坐腻了，她才到各屋里像战舰的舰长似的检阅一番，而二三等的客人才得到机会向她报告他们的来意。她点头，就是"行"；她皱眉，便是"也许行"；她没任何的表示，便是"不行"。假若有不知趣的客人，死气白赖的请求什么，她便责骂尤桐芳。

午饭后，她要睡一会儿午觉。只要她的卧室的帘子一放下来，全院的人都立刻闭上了气，用脚尖儿走路。假若有特号的客人，她可以牺牲了午睡，而精神也不见得疲倦。她是天生的政客。

遇到好的大气，她不是带着招弟，便是瑞丰太太，偶尔的也带一两个她最宠爱的"姑娘"，到中山公园或北海去散散步，顺便展览她的头式和衣裳的新样子——有许多"新贵"的家眷都特意的等候着她，好模仿她的头发与衣服的式样。

每逢公园里有画展，她必定进去看一眼。她不喜欢山水花卉与翎毛，而专看古装的美人。遇到她喜爱的美人，她必定购一张。她愿意教"冠所长"三个字长期的显现在大家眼前，所以定画的时节，她必嘱咐把这三个字写在特别长的红纸条上，而且字也要特别的大。画儿定好，等到"取件"的时节，她不和画家商议，而自己给打个八折。她觉得若不这样办，就显不出所长的威风，好像妓女检查所所长也是画家们的上司似的。画儿取到家中之后，她到夜静没人的时候，才命令晓荷给她展开，她详细的观赏。古装美人衣服上的边缘如何配色，头发怎样梳，额上或眉间怎样点"花子"，和拿着什么样的扇子，她都要细心的观摩。看过两三次，她发明了宽袖宽边的衣服，或像唐代的长髻垂发，或眉间也点起"花子"，或拿一把绢制的团扇。她的每一件发明，都马上成为风气。

赶到她宴请日本人的时候，她也无所不尽其极的把好的东西拿出来，使日本人不住的吸气。她要用北平文化中的精华，教日本人承认她的伟大。她不是汉奸，不是亡国奴，而是日本人在吃喝穿戴等等上的导师。日本人，正如同那些妓女，都是她的宝贝儿，她须给他们好的吃喝，好的娱乐。她是北平的皇后，而他们不过是些乡下孩子。

假如大赤包像吃了顺气丸似的那么痛快，冠晓荷的胸中可时时觉得憋闷。他以为日本人进了北平，他必定要走一步好运。可是，他什么也没得到。他奔走得比谁都卖力气，而成绩比谁都坏。他急躁，他不平。

他可是仍然不灰心。他还见机会就往前钻；时运可以对不起他，他可不能对不起自己。在钻营而外，他对于一些小的事情也都留着心，表现出自己的才智。租下钱家的房子是他的主意。这主意深得太太的嘉奖。把房子租下来，转租给日本人，的确是个妙计。自从他出卖了钱先生，他知道，全胡同的人都对他有些不敬，他不愿意承认作错了事，而以为大家对他的不敬纯粹出于他的势力不足以威镇一切的。当大赤包得了所长的时候，他以为大家一定要巴结他了。可是他们依旧很冷淡，连个来道喜的也没有。现在，他将要作二房东，日本人，连日本人，都要由他手里租房住！二房东虽然不是什么官衔，可是房客是日本人，这个威风可就不小。

一个怀才不遇的人特别爱表现他的才。晓荷，为表现自己的才气，给大赤包造了一本名册。名册的“甲”部都是日本人，“乙”部是伪组织的高官，“丙”部是没有什么实权而声望很高，被日本人聘作咨议之类的“元老”，“丁”部是地方上有头脸的人。他管这个名册叫做四部全书，仿佛堪作四库全书的姐妹著作似的。每一个名下，他详细的注好：年龄，住址，生日，与嗜好。只要登在名册上，他便认为那是他的友人，设法去送礼。送礼，在他看，是征服一切人之特效法宝。

因为研究送礼，晓荷又发现了日本人很迷信。他不单看见了日本军人的身上带着神符与佛像，他还听说：日本人不仅迷信神佛，而且也迷信世界上所有的忌讳。日本人也忌讳西洋人的礼拜五，十三，和一枝火柴点三枝香烟。他们好战，所以要多方面的去求保佑。他们甚至于讨厌一切对他们的预言。英国的威尔斯预言过中日的战争，并且说日本人到了湖沼地带便因瘟疫而全军覆没。日本人的"三月亡华论"已经由南京陷落而不投降，和台儿庄的大捷而成了梦想。他们想起来威尔斯的预言，而深怕被传染病把他们拖进坟墓里去。因此，他们不惜屠了全村，假若那里发现了霍乱或猩红热。他们的武士道精神使他们不怕死，可是知道了自己准死无疑，他们又没法不怕死。他们怕预言，甚至也怕说"死"。根据着这个道理，晓荷送给日本人的礼物总是三样。他避免"四"，因为"四"和死的声音相近。这点发现使他名闻九城，各报纸不单有了记载，而且都有短评称赞他的才智。

三

一晃儿已是五月节。小顺儿的妈得设法给大家筹备过节的东西。在往年，到了五月初一和初五，从天亮，门外就有喊："黑白桑葚来大樱桃"的，一个接着一个，一直到快吃午饭的时候，喊声还不断。喊的声音似乎不专是为作生意，而有一种淘气与凑热闹的意味，因为卖樱桃桑葚的不都是职业的果贩，而是有许多十几岁的儿童。他们在平日，也许是拉洋车的，也许是卖开水的，到了节，他们临时改了行——家家必须用粽子，桑葚，樱桃，供佛，他们就有一笔生意好做。

今年，小顺儿的妈没有听到那种提醒大家过节的呼声。北城的果市是在德胜门里，买卖都在天亮的时候作。隔着一道城墙，城外是买卖旧货的小市，赶市的时候也在出太阳以前。因为德胜门外的监狱曾经被劫，日本人怕游击队乘着赶市的时候再来突击，所以禁止了城里和城外的早市，而且封锁了德胜门。至于樱桃和桑葚，本都是由北山与城外来的，可是从西山到北山还都有没一定阵地的战事，没人敢运果子进城。"唉！"小顺儿的妈对灶王爷叹了口气："今年委屈你喽！没有卖樱桃的呀！"这样向灶王爷道了歉，她并不就不努力去想补救的办法；"供几个粽子也可以遮遮羞啊！"可是，粽子也买不到。

为补救吃不上粽子什么的，她想买两束蒲子，艾子，插在门前，并且要买几张神符贴在门楣上，好表示出一点"到底"有点像过节的样子。可是，她也没买到。不错，她看见了一两份儿卖神符的，可是价钱极贵，因为日本人不许乱用纸张，而颜料也天天的涨价。她舍不得多花钱。至于卖蒲子艾子的，因为城门出入的不便，也没有卖的。

小顺儿的小嘴给妈妈不少的难堪："妈，过节穿新衣服吧？吃粽子吧？吃好东西吧？脑门上抹王字不抹呀？妈，你该上街买肉去啦！人家冠家买了多少多少肉，还有鱼呢！妈，冠家门口都贴上判儿啦，不信，你去看哪！"他的质问，句句像是对妈妈的谴责！

妈妈不能对孩子发气，孩子是过年过节的中心人物，他们应当享受，快活。但是，她又真找不来东西使他们高声的笑。她只好惭愧的说："初五才用雄黄抹王字呢！别忙，我一定给你抹！"

"还得戴葫芦呢？"葫芦是用各色的绒线缠成的樱桃，小老虎，桑葚，小葫芦……联系成一串儿，供女孩子们佩戴的。

"你臭小子，戴什么葫芦？"妈妈半笑半恼的说。

"给小妹戴呀！"小顺儿的理由老是多而充实的。

妞子也不肯落后，"妈！妞妞戴！"

妈妈没办法，只好抽出点工夫，给妞子作一串儿"葫芦"。只缠得了一个小黄老虎，她就把线笸箩推开了。没有旁的过节的东西，只挂一串儿"葫芦"有什么意思呢？假若孩子们肚子里没有一点好东西，而只在头上或身上戴一串儿五彩的小玩艺，那简直是欺骗孩子们！她在暗地里落了泪。

天佑在初五一清早，拿回来一斤猪肉和两束蒜薹。小顺儿虽不懂得分两，也看出那一块肉是多么不体面。"爷爷！就买来这么一小块块肉哇？"他笑着问。

爷爷没回答出什么来，在祁老人和自己的屋里打了个转儿，就搭讪着回了铺子。他非常的悲观，但是不愿对家里的人说出来。他的生意没有法子往下作，可是又关不了门。日本人不准任何商店报歇业，不管有没有生意。天佑知道，自从大小汉奸们都得了势以后，绸缎的生意稍微有了点转机。但是，他的铺子是以布匹为主，绸缎只是搭头儿；真正讲究穿的人并不来照顾他。专靠卖布匹吧，一般的人民与四郊的老百姓都因为物价的高涨，只顾了吃而顾不了穿，当然也不能来照顾他。再说，各地的战争使货物断绝了来源；他既没法添货，又不像那些大商号有存货可以居奇。他简直没有生意。他愿意歇业，而官厅根本不许呈报。他须开着铺子，似乎专为上税与定阅官办的报

225

纸——他必须看两份他所不愿意看的报纸。他和股东们商议,他们不给他一点好主意,而仿佛都愿意立在一旁看他的笑话。他只好裁人。这又给他极大的痛苦。他的铺伙既没有犯任何的规矩,又赶上这兵荒马乱理应共患难的时候,他凭什么无缘无故的辞退人家呢?五月节,他又裁去两个人。两个都是他亲手教出来的徒弟。他们了解他的困难,并没说一句不好听的话。他们愿意回家,他们家里有地,够他们吃两顿棒子面的。可是,他们越是这样好离好散的,他心中才越难过。他觉得他已是个毫无本领,和作事不公平的人。他们越原谅他,他心中便越难受。

瑞宣想起学校中的教官——山木——来。那是个五十多岁的矮子,长方脸,花白头发,戴着度数很深的近视镜。山木教官是个动物学家,他的著作——华北的禽鸟——是相当有名的。他不像瑞丰所说的那种教官那样,除了教日语,他老在屋里读书或制标本,几乎不过问校务。他的中国话说得很好,可是学生骂他,他只装作没有听见。学生有时候把黑板擦子放在门上,他一拉门便打在头上,他也不给学生们报告。这,引起瑞宣对他的注意,因为瑞宣听说别的学校里也有过同样的事情,而教官报告上去以后,宪兵便马上来捕捉学生,下在监牢里。瑞宣以为山木教官一定是个反对侵略,反对战争的学者。

可是,一件事便改变了瑞宣的看法。有一天,教员们都在休息室里,山木轻轻的走进来。向大家极客气的鞠了躬,他向教务主任说,他要对学生们训话,请诸位先生也去听一听。他的客气,使大家不好意思不去。学生全到了礼堂,他极严肃的上了讲台。他的眼很明,声音低而极有劲,身子一动也不动的,用中国话说:

"报告给你们的一件事,一件大事。我的儿子山木少尉在河南阵亡的了!这是我最大的,最大的,光荣!中国,日本,是兄弟之邦;日本在中国作战不是要灭中国,而是要救中国。中国人不明白,日本人有见识,有勇气,敢为救中国而牺牲性命。我的儿子,唯一的儿子,死在中国,是最光荣的!我告诉你们,为是教你们知道,我的儿子是为你们死了的!我很爱我的儿子,可是我不敢落泪,一个日本人是不应当为英雄的殉职落泪的!"他的声音始终是那么低而有力,每个字都是控制住了的疯狂。他的眼始终是干的,没有一点泪意。他的唇是干的,缩紧的,像两片能开能闭的刀片儿。他的话,除了几个不大妥当的"的"字,差不多是极完美简劲的中国话——他的感情好像被一种什么最大的压力压紧,所以能把疯狂变为理智,而有系统的,有力量的,能用别国的言语说出来。说完,他定目看着下面,好像是极轻视那些人,极厌恶那些人。可是,他又向他们极深,极规矩的,鞠了躬。而后慢慢的走下台来。仰起脸,笑了笑,又看了看大家,他轻轻的,相当快的,走出去。

瑞宣很想独自去找山木,跟他谈一谈。他要告诉山木:"你的儿子根本不是为救中国而牺牲了的,你的儿子和几十万军队是来灭中国的!"他也想对山木说明白:"我没想到你,一个学者,也和别的日本人一样的糊涂!你们的糊涂使你们疯狂,你们只知道你们是最优秀的,理当作主人的民族,而不晓得没有任何一个民族甘心作你们的奴隶。中国的抗战就是要打明白了你们,教你们明白你们并不是主人的民族,而世界的和平是必定仗着民族的平等与自由的!"他还要告诉山木:"你以为你们已经征服了我们,其实,战争还没有结束,你们还不能证明是否战胜!你们的三月亡华论已经落了空,现在,你们想用汉奸帮助你们慢慢的灭亡中国;你们的方法变动了一点,而始终没有觉悟你们的愚蠢与错误。汉奸是没有多大用处的,他们会害了我们,也会害了你们!日本人亡不了中国,汉奸也亡不了中国,因为中国绝对不向你们屈膝,而中国人也绝不相信汉奸!你们须及早的觉悟,把疯狂就叫作疯狂,把错误就叫作错误,不要再把疯狂与错误叫作真理!"

可是,他在操场转了好几个圈子,把想好了的话都又咽回去。他觉得假若一个学者还疯狂到那个程度,别的没有什么知识的日本人就更可想而知了。即使他说服了一个山木,又有什么用处呢?况且,还不见得就能说服了他呢。

想到这里,他慢慢的走出校门。一路上,他还没停止住思索。他又想起,暑假后要裁减英文钟点。假若他的钟点真的被减去一半或多

227

一半，他怎么活着呢？他立起来。他觉得应当马上出去走一走，不能再老这么因循着。他须另找事作。

他现在须托人找事情做，这使他很难过。他是个没有什么野心的人，向来不肯托人情，拉关系。朋友们求他作事，他永远尽力而为；他可是绝不拿帮助友人作本钱，而想从中生点利。作了几年的事，他觉得这种助人而不求人的作风使他永远有朋友，永远受友人的尊敬。今天，他可是被迫的无可奈何，必须去向友人说好话了。这教他非常的难过。侵略者的罪恶，他觉得，不仅是烧杀淫掠，而且也把一切人的脸皮都揭了走！

他要去见的，是他最愿意看到的，也是他最怕看到的人。那是曾经在大学里教过他英文的一位英国人，富善先生。富善先生是个典型的英国人，对什么事，他总有他自己的意见，除非极人驳得体无完肤，他决不轻易的放弃自己的主张与看法。即使他的意见已经被人驳倒，他还要卷土重来找出稀奇古怪的话再辩论几回。他似乎拿辩论当作一种享受。他的话永远极锋利，极不客气，把人噎得出不来气。可是，人家若噎得他也出不来气，他也不发急。到他被人家堵在死角落的时候，他会把脖子憋得紫里葛青的，连连的摇头。而后，他请那征服了他的人吃酒。他还是不服气，但是对打胜了的敌人表示出敬重。

他极自傲，因为他是英国人。不过，有人要先说英国怎样怎样的好，他便开始严厉的批评英国，仿佛英国自有史以来就没作过一件好事。及至对方也随着他批评英国了，他便改过来，替英国辩护，而英国自有史以来又似乎没有作错过任何一件事。不论他批评英国也罢，替英国辩护也罢，他的行为，气度，以至于一举一动，没有一点不是英国人的。

他已经在北平住过三十年。他爱北平，他的爱北平几乎等于他的爱英国。北平的一切，连北平的风沙与挑大粪的，在他看，也都是好的。他自然不便说北平比英国更好，但是当他有点酒意的时候，他会说出真话来："我的骨头应当埋在西山静宜园外面！"

对北平的风俗掌故，他比一般的北平人知道的还要多一些。北平人，住惯了北平，有时候就以为一切都平平无奇。他是外国人，他的眼睛不肯忽略任何东西。凡事他都细细的看，而后加以判断，慢慢的他变成了北平通。他自居为北平的主人，因为他知道一切。他最讨厌那些到北平旅行来的外国人："一星期的工夫，想看懂了北平？别白花了钱而且污辱了北平吧！"他带着点怒气说。

他的生平的大志是写一本《北平》。他天天整理稿子，而始终是"还差一点点！"他是英国人，所以在没作成一件事的时候，绝对不肯开口宣传出去。他不肯告诉人他要写出一本《北平》来，可是在遗嘱上，他已写好——杰作《北平》的著者。

英国人的好处与坏处都与他们的守旧有很大的关系。富善先生，既是英国人，当然守旧。他不单替英国守旧，也愿意为北平保守一切旧的东西。当他在城根或郊外散步的时候，若遇上一位提着鸟笼或手里揉着核桃的"遗民"，他就能和他一谈谈几个钟头。他，在这种时候，忘记了英国，忘记了莎士比亚，而只注意那个遗民，与遗民的鸟与核桃。从一个英国人的眼睛看，他似乎应当反对把鸟关在笼子里。但是，现在他忘了英国。他的眼睛变成了中国人的，而且是一个遗民的。他觉得中国有一整部特异的，独立的，文化，而养鸟是其中的一部分。他忘了鸟的苦痛，而只看见了北平人的文化。

因此，他最讨厌新的中国人。新的中国人要革命，要改革，要脱去大衫而穿上短衣，要使女子不再缠足，要放出关在笼子中的画眉与八哥。他以为这都是消灭与破坏那整套的文化，都该马上禁止。凭良心说，他没有意思教中国人停在一汪儿死水里。可是，他怕中国人因改革而丢失了已被他写下来的那个北平。他会拿出他收藏着的三十年前的木版年画，质问北平人："你看看，是三十年前的东西好，还是现在的石印的好？看看颜色，看看眉眼，看看线条，看看纸张，你们哪样比得上三十年前的出品！你们已忘了什么叫美，什么叫文化！你们要改动，想要由老虎变成猫！"

同年画儿一样，他存着许多三十年前的东西，包括着鸦片烟具，小脚鞋，花翎，朝珠。"是的，吸鸦片是不对的，可是你看看，细看看，这烟枪作的有多么美，多么精致！"他得意的这样说。

当他初一来到北平，他便在使馆——就是丁约翰口中的英国

229

府——作事。因为他喜爱北平，所以他想娶一个北平姑娘作太太。那时候，他知道的北平事情还不多，所以急于知道一切，而想假若和中国人联了姻，他就能一下子明白多少多少事情。可是，他的上司警告了他："你是外交官，你得留点神！"他不肯接受那个警告，而真的找到了一位他所喜爱的北平小姐。他知道，假若他真娶了她，他必须辞职——把官职辞掉，等于毁坏了自己的前途。可是，他不管明天，而决定去完成他的"东方的好梦"。不幸，那位小姐得了个暴病儿，死去。他非常的伤心。虽然这可以保留住他的职位，可是他到底辞了职。他以为只有这样才能对得住死者——虽然没结婚，我可是还辞了职。在他心情不好的时候，他常常的嘟囔着："东方是东方，西方是西方，"而加上："我想作东方人都不成功！"辞职以后，他便在中国学校里教教书，或在外国商店里临时帮帮忙。他有本事，而且生活又非常的简单，所以收入虽不多，而很够他自己花的。他租下来东南城角一个老宅院的一所小花园和三间房。他把三间房里的墙壁挂满了中国画，中国字，和五光十色的中国的小玩艺，还求一位中国学者给他写了一块匾——"小琉璃厂"。院里，他养着几盆金鱼，几笼小鸟，和不少花草。一进门，他盖了一间门房，找来一个曾经伺候过光绪皇帝的太监给他看门。每逢过节过年的时候，他必教太监戴上红缨帽，给他作饺子吃。他过圣诞节，复活节，也过五月节和中秋节。"人人都像我这样，一年岂不多几次享受么？"他笑着对太监说。

他没有再恋爱，也不想结婚，朋友们每逢对他提起婚姻的事，他总是摇摇头，说："老和尚看嫁妆，下辈子见了！"他学会许多北平的俏皮话与歇后语，而时常的用得很恰当。

当英国大使馆迁往南京的时候，他又回了使馆作事。他要求大使把他留在北平。这时候，他已是六十开外的人了。

他教过，而且喜欢，瑞宣，原因是瑞宣的安详文雅，据他看，是有点像三十年前的中国人。瑞宣曾帮助他搜集那或者永远不能完成的杰作的材料，也帮助他翻译些他所要引用的中国诗歌与文章。瑞宣的英文好，中文也不错。和瑞宣在一块儿工作，他感到愉快。虽然二人也时常的因意见不同而激烈的彼此驳辩，可是他既来自国会之母的英国，而瑞宣又轻易不红脸，所以他们的感情并不因此而受到损伤。在北平陷落的时候，富善先生便派人给瑞宣送来信。信中，他把日本人的侵略比之于欧洲黑暗时代北方野蛮人的侵袭罗马；他说他已有两三天没正经吃饭。信的末了，他告诉瑞宣："有什么困难，都请找我来，我一定尽我力之所能及的帮助你。我在中国住了三十年，我学会了一点东方人怎样交友与相助！"

瑞宣回答了一封极客气的信，可是没有找富善先生去。他怕富善老人责难中国人。他想象得到老人会一方面诅咒日本人的侵略，而一方面也会责备中国人的不能保卫北平。

今天，他可是非去不可了。他准知道老人会帮他的忙，可也知道老人必定会痛痛快快的发一顿牢骚，使他难堪。他只好硬着头皮去碰一碰。无论怎么说，吃老人的闲话是比伸手接日本人的钱要好受的多的。

果然不出他所料，富善先生劈头就责备了中国人一刻钟。不错，他没有骂瑞宣个人，可是瑞宣不能因为自己没挨骂而不给中国人辩护。同时，他是来求老人帮忙，可也不能因此而不反驳老人。

辩论了有半个多钟头，老人才想起来："糟糕！只顾了说话儿，忘了中国规矩！"他赶紧按铃叫人拿茶来。

送茶来的是丁约翰。看瑞宣平起平坐和富善先生谈话，约翰的惊异是难以形容的。

喝了一口茶，老人自动的停了战。他没法儿驳倒瑞宣，也不能随便的放弃了自己的意见，只好等有机会另开一次舌战。他知道瑞宣必定有别的事来找他，他不应当专说闲话。他笑了笑，用他的稍微有点结巴，而不算不顺利的中国话说："怎样？找我有事吧？先说正经事吧！"

瑞宣说明了来意。

老人伸了好几下脖子，告诉瑞宣："你上这里来吧，我找不到个好助手；你来，我们在一块儿工作，一定彼此都能满意！你看，那些老派的中国人，英文不行啊，可是中文总靠得住。现在的中国大学毕业生，英文不行，中文也不行——你老为新中国人辩护，我说的这一

231

点，连你也没法反对吧?"

"当一个国家由旧变新的时候，自然不能一步就迈到天堂去!"瑞宣笑着说。

"哦?"老人急忙吞了一口茶。"你又来了! 北平可已经丢了，你们还变? 变什么?"

"丢了再夺回来!"

"算了! 算了! 我完全不相信你的话，可是我佩服你的信念坚定! 好啦，今天不再谈，以后咱们有的是机会开辩论会。下星期一，你来办公，把你的履历给我写下来，中文的和英文的。"

瑞宣写完，老人收在衣袋里。"好不好喝一杯去? 今天是五月节呀!"

老太太在枣树下面，看树上刚刚结成的像嫩豌豆的小绿枣儿呢。瑞宣由门外回来，看到母亲在树下，他觉得很新奇。枣树的叶子放着浅绿的光，老太太的脸上非常的黄，非常的静，他好像是看见了一幅什么静美而又动心的画图，他想起往日的母亲。拿他十几岁时或二十岁时的母亲和现在的母亲一比，他好像不认识她了。他愣住，呆呆的看着她。她慢慢的从小绿枣子上收回眼光，看了看他。她的眼深深的陷在眶儿里，眼珠有点瘟而痴呆，可是依然露出仁慈与温柔——她的眼睛改了样儿，而神韵还没有变，她还是母亲。瑞宣忽然感到心中有点发热，他恨不能过去拉住她的手，叫一声妈，把她的仁慈与温柔都叫出来，也把她的十年前或二十年前的眼睛与一切都叫回来。假若那么叫出一声妈来，他想自己必定会像小顺儿与妞子那样天真，把心中的委屈全一股脑儿倾泻出来，使心中痛快一回! 可是，他没有叫出来，他的三十多岁的嘴已经不会天真的叫妈了。

"瑞宣!"妈妈轻轻的叫，"你来，我跟你说几句话儿!"她的声音是那么温柔，好像有一点央求他的意思。

他极亲热的答应了一声。他不能拒绝妈妈的央求。他知道老二老三都不在家，妈妈一定觉得十分寂寞。他很惭愧自己为什么早没想到这一点，而多给母亲一点温暖与安慰。他随着妈妈进了南屋。

232

"老大!"妈妈坐在炕沿上,带着点不十分自然的笑容说:"你找到了事,可是我看你并不怎么高兴,是不是?"

"嗯——"老大为了难,不知怎样回答好。

"说实话,跟我还不说实话吗?"

"对啦,妈!我是不很高兴!"

"为什么?"老太太又笑了笑,仿佛是表示,无论儿子怎样回答,她是不会生气的。

老大晓得不必说假话了。"妈,我为了家就为不了国,为了国就为不了家!几个月来,我为了这个就老不高兴,现在还是不高兴,将来我想我也不会高兴。我觉得国家遇到这么大的事,而我没有去参加,真是个——是个——"他想不出恰当的字来,而半羞半无聊的笑了一下。

老太太愣了半天,而后点了点头:"我明白!我和祖父连累了你!"

"我自己还有老婆儿女!他们也得仗着我活着!"

"是不是有人常嘲笑你?说你胆小无能?"

"没有!我的良心时时刻刻的嘲笑我!"

"嗯!我,我恨我还不死,老教你吃累!"

"妈!"

"我看出来了,日本鬼子是一时半会儿不会离开北平的。有他们在这儿,你永远不会高兴!我天天扒着玻璃瞅着你,你是我的大儿子,你不高兴,我心里也不会好受!"

瑞宣半天没说出话来。在屋中走了两步,他无聊的笑了一下:"妈,你放心吧!我慢慢的就高兴了!"

"你?"妈妈也笑了一下。"我明白你!"

瑞宣的心疼了一下,什么也说不出来了。

妈妈也不再出声。

最后,瑞宣搭讪着说了声:"妈,你躺会儿吧!我去写封信!"他极困难的走了出来。

他的确想写信,给学校写信辞职。到了自己屋中,他急忙的就拿

233

起笔来，写了封极简单的信给校长。写完，封好，贴上邮票，他小跑着把它投在街上的邮筒里。他怕稍迟疑一下，便因后悔没有向学生们当面告别，而不愿发出那封信去。

第二天，瑞宣出门去，迎头碰到了刘师傅。刘师傅的脸板得很紧，眉皱着一点。"祁先生，你要出去？我有两句要紧的话跟你讲！"他的口气表示出来，不论瑞宣有什么要紧的事，也得先听他说话。

瑞宣把他让进屋里来。

刚坐下，刘师傅就开了口，他的话好像是早已挤在嘴边上的。"祁先生，我有件为难的事！昨天我不是上北海去了吗？虽然我没给他们要玩艺，我心里可是很不好过！你知道，我们外场人都最讲脸面；昨天我姓刘的可丢了人！程长顺——我知道他是小孩子，说话不懂得轻重——昨天那一问，我恨不能当时找个地缝钻了进去！昨天我连晚饭都没吃好，难过！晚饭后，我出去散散闷气，我碰见了钱先生！"

"在哪儿？"瑞宣的眼亮起来。

"就在那边的空场里！"刘师傅说得很快，仿佛很不满意瑞宣的打岔。

"在空场里？"

刘师傅没管瑞宣的发问，一直说了下去："一看见我他就问我干什么呢。没等我回答，他就说，你为什么不走呢？又没等我开口，他说：北平已经是块绝地，城里边只有鬼，出了城才有人！我不十分明白他的话，可是大概的猜出一点意思来。我告诉了他我自己的难处，我家里有个老婆。他笑了笑，教我看看他，他说：我不单有老婆，还有儿子呢！现在，老婆和儿子哪儿去了呢？怕死的必死，不怕死的也许能活，他说。末了，他告诉我，你去看看祁先生，看他能帮助你不能。说完，他就往西廊下走了去。走出两步，他回过头来说：问祁家的人好！祁先生，我溜溜的想了一夜，想起这主意：我决定走！可是家里必定得一月有六块钱！按现在的米面行市说，她有六块钱就足够给房钱和吃窝窝头的。以后东西也许都涨价钱，谁知道！祁先生，你要是能够每月接济她六块钱，我马上就走！还有，等到东西都贵了

234

的时候，你可以教她过来帮祁太太的忙，只给她两顿饭吃就行了！这可都是我想出来的，你愿意不愿意，可千万别客气！"刘师傅喘了口气。"我愿意走，在这里，我早晚得憋闷死！出城进城，我老得给日本兵鞠躬，没事儿还要找我去耍狮子，我受不了！"

瑞宣想了一会儿，笑了笑："刘师傅，我愿意那么办！我刚刚找到了个事情，一月六块钱也许还不至于太教我为难！不过，将来怎样，我可不能说准了！"

刘师傅立起来，吐了一大口气。"以后的事，以后再说吧！只要现在我准知道你肯帮忙，我走着就放心了！祁先生，我不会说什么，你是我的恩人！"他作了个扯天扯地的大揖。

四

在太平年月，北平的夏天是很可爱的。从十三陵的樱桃下市到枣子稍微挂了红色，这是一段果子的历史——看吧，青杏子连核儿还没长硬，便用拳头大的小蒲篓儿装起，和"糖稀"一同卖给小姐与儿童们。慢慢的，杏子的核儿已变硬，而皮还是绿的，小贩们又挑着走二道的喊："一大碟，好大的杏儿嘞！"这个呼声，每每教小儿女们口中馋出酸水，而老人们只好摸一摸已经活动了的牙齿，惨笑一下。不久，挂着红色的半青半红的"土"杏儿下了市。而吆喝的声音开始音乐化，好像果皮的红美给了小贩们以灵感似的。而后，各种的杏子都到市上来竞赛：有的大而深黄，有的小而红艳，有的皮儿粗而味厚，有的核子小而爽口——连核仁也是甜的。最后，那驰名的"白杏"用绵纸遮护着下了市，好像大器晚成似的结束了杏的季节。

红李，玉李，花红和虎拉车，相继而来。人们可以在一个担子上看到青的红的，带霜的发光的，好几种果品，而小贩得以充分的施展他的喉音，一口气吆喝出一大串儿来——"买李子耶，冰糖味儿的水果来耶；喝了水儿的，大蜜桃呀耶；脆又甜的大沙果子来耶……"

每一种果子到了熟透的时候，才有由山上下来的乡下人，背着长筐，把果子遮护得很严密，用拙笨的，简单的呼声，隔半天才喊一声：大苹果，或大蜜桃。他们卖的是真正的"自家园"的山货。他们人的样子与货品的地道，都使北平人想象到西边与北边的青山上的果园，而感到一点诗意。

梨，枣和葡萄都下来的较晚，可是它们的种类之多与品质之美，并不使它们因迟到而受北平人的冷淡。北平人是以他们的大白枣，小

236

白梨与牛乳葡萄傲人的。看到梨枣，人们便有"一叶知秋"之感，而开始要晒一晒夹衣与拆洗棉袍了。

在最热的时节，也是北平人口福最深的时节。果子以外还有瓜呀！西瓜有多种，香瓜也有多种。西瓜虽美，可是论香味便不能不输给香瓜一步。况且，香瓜的分类好似有意的"争取民众"——那银白的，又酥又甜的"羊角蜜"假若适于文雅的仕女吃取，那硬而厚的，绿皮金黄瓤子的"三白"与"哈蟆酥"就适于少壮的人们试一试嘴劲，而"老头儿乐"，顾名思意，是使没牙的老人们也不至向隅的。

在端阳节，有钱的人便可以尝到汤山的嫩藕了。赶到迟一点鲜藕也下市，就是不十分有钱的，也可以尝到"冰碗"了——一大碗冰，上面覆着张嫩荷叶，叶上托着鲜菱角，鲜核桃，鲜杏仁，鲜藕，与香瓜组成的香，鲜，清，冷的，酒菜儿。就是那吃不起冰碗的人们，不是还可以买些菱角与鸡头米，尝一尝"鲜"吗？

假若仙人们只吃一点鲜果，而不动火食，仙人在地上的洞府应当是北平啊！

天气是热的，可是一早一晚相当的凉爽，还可以作事。会享受的人，屋里放上冰箱，院内搭起凉棚，他就会不受到暑气的侵袭。假若不愿在家，他可以到北海的莲塘里去划船，或在太庙与中山公园的老柏树下品茗或摆棋。"通俗"一点的，什刹海畔借着柳树支起的凉棚内，也可以爽适的吃半天茶，咂几块酸梅糕，或呷一碗八宝荷叶粥。愿意洒脱一点的，可以拿上钓竿，到积水滩或高亮桥的西边，在河边的古柳下，作半日的垂钓。好热闹的，听戏是好时候，天越热，戏越好，名角儿们都唱双出。夜戏散台差不多已是深夜，凉风儿，从那槐花与荷塘吹过来的凉风儿，会使人精神振起，而感到在戏园受四五点钟的闷气并不冤枉，于是便哼着《四郎探母》什么的高高兴兴的走回家去。天气是热的，而人们可以躲开它！在家里，在公园里，在城外，都可以躲开它。假若愿远走几步，还可以到西山卧佛寺，碧云寺，与静宜园去住几天啊。就是在这小山上，人们碰运气还可以在野茶馆或小饭铺里遇上一位御厨，给作两样皇上喜欢吃的菜或点心。

就是在祁家，虽然没有天棚与冰箱，没有冰碗儿与八宝荷叶粥，大家可也能感到夏天的可爱。祁老人每天早晨一推开屋门，便可以看见他的蓝的，白的，红的，与抓破脸的牵牛花，带着露水，向上仰着有蕊的喇叭口儿，好像要唱一首荣耀创造者的歌似的。他的倭瓜花上也许落着个红的蜻蜓。他没有上公园与北海的习惯，但是睡过午觉，他可以慢慢的走到护国寺。那里的天王殿上，在没有庙会的日子，有评讲《施公案》或《三侠五义》的；老人可以泡一壶茶，听几回书。那里的殿宇很高很深，老有溜溜的小风，可以教老人避暑。等到太阳偏西了，他慢慢的走回来，给小顺儿和妞子带回一两块豌豆黄或两三个香瓜。小顺儿和妞子总是在大槐树下，一面拣槐花，一面等候太爷爷和太爷爷手里的吃食。老人进了门，西墙下已有了阴凉，便搬个小凳坐在枣树下，吸着小顺儿的妈给作好的绿豆汤。晚饭就在西墙儿的阴凉里吃，菜也许只是香椿拌豆腐，或小葱儿脆王瓜，可是老人从不小挑剔。他是苦里出身，觉得豆腐与王瓜是正合他的身分的。饭后，老人休息一会儿，就拿起瓦罐和喷壶，去浇他的花草。作完这项工作，天还没有黑，他便坐在屋檐下和小顺子们看飞得很低的蝙蝠，或讲一两个并没有什么趣味，而且是讲过不知多少遍数的故事。这样，便结束了老人的一天。

天佑太太在夏天，气喘得总好一些，能够磨磨蹭蹭的作些不大费力的事。当吃饺子的时候，她端坐在炕头上，帮着包；她包的很细致严密，饺子的边缘上必定捏上花儿。她也帮着晒菠菜，茄子皮，晒干藏起去，备作年下作饺子馅儿用。吃倭瓜与西瓜的时候，她必把瓜子儿晒在窗台上，等到雨天买不到糖儿豆儿的，好给孩子们炒一些，占住他们的嘴。这些小的操作使她暂时忘了死亡的威胁。有时候亲友来到，看到她正在作事，就必定过分的称赞她几句，而她也就懒懒的回答："唉，我又活啦！可是，谁知道冬天怎样呢！"

就是小顺儿的妈，虽然在炎热的三伏天，也还得给大家作饭，洗衣服，可也能抽出一点点工夫，享受一点只有夏天才能得到的闲情逸致。她可以在门口买两朵晚香玉，插在头上，给她自己放着香味；或找一点指甲草，用白矾捣烂，拉着妞子的小手，给她染红指甲。

瑞宣没有嗜好，不喜欢热闹，一个暑假他可充分的享受"清"福，他可以借一本书，消消停停的在北平图书馆消磨多半天，而后到北海打个穿堂，出北海后门，顺便到什刹海看一眼。他不肯坐下喝茶，而只在极渴的时候，享受一碗冰镇的酸梅汤。有时候，他高了兴，也许到西直门外的河边上，赁一领席，在柳阴下读读雪莱或莎士比亚。设若他是带着小顺子，小顺子就必捞回几条金丝荷叶与灯笼水草，回到家中好要求太爷爷给他买两条小金鱼儿。

小顺子与妞子的福气，在夏天，几乎比任何人的都大。第一，他们可以光着脚不穿袜，而身上只穿一件工人裤就够了。第二，实在没有别的好耍了，他们还有门外的两株大槐树。拣来槐花，他们可以要求祖母给编两个小花篮。把槐虫玩腻了，还可以在树根和墙角搜索槐虫变的"金刚"；金刚的头会转，一问它哪是东，或哪是西，它就不声不响的转一转头。第三，夏天的饭食也许因天热而简单一些，可是厨房里的王瓜是可以在不得已的时候偷取一根的呀。况且，瓜果梨桃是不断的有人给买来，小顺儿声明过不止一次："一天吃三百个桃子，不吃饭，我也干！"就是下了大雨，不是门外还有吆喝："牛筋来豌豆，豆儿来干又香"的吗？那是多么兴奋的事呀，小顺儿头上盖着破油布，光着脚，踩着水，到门口去买用花椒大料煮的豌豆。卖豌豆的小儿，戴着斗笠，裤角卷到腿根儿上，捧着筲箕。豌豆是用小酒盅儿量的，一个钱一小酒盅儿。买回来，坐在床上，和妞子分食；妞子的那份儿一定没有他的那么香美，因为妞子没去冒险到门外去买呀！等到雨晴了，看，成群的蜻蜓在院中飞，天上还有七色的虹啊！

可是，可是，今年这一夏天只有暑热，而没有任何其他的好处。祁老人失去他的花草，失去他的平静，失去到天王殿听书的兴致。小顺儿的妈劝他多少次喝会儿茶解解闷去，他的回答老是"这年月，还有心听闲书去？"

天佑太太虽然身体好了一点，可是无事可作。晒菠菜吗？连每天吃的菠菜还买不到呢，还买大批的晒起来？城门三天一关，两天一闭，青菜不能天天入城。赶到一防疫，在城门上，连茄子倭瓜都被洒上石灰水，一会儿就烂完。于是，关一次城，防一回疫，菜蔬涨一次价钱，弄得青菜比肉还贵！她觉得过这样的日子大可不必再往远处想

239

了，过年的时候要吃干菜馅的饺子？到过年的时候再说吧！谁知道到了新年物价涨到哪里去，世界变成什么样子呢！她懒得起床了。

小顺儿连门外也不敢独自去耍了。那里还有那两株老槐，"金刚"也还在墙角等着他，可是他不敢再出去。一号搬来了两家日本人，一共有两个男人，两个青年妇人，一个老太婆，和两个八九岁的男孩子。自从他们一搬来，首先感到压迫的是白巡长。冠晓荷俨然自居为太上巡长，他命令白巡长打扫胡同，通知邻居们不要教小孩子们在槐树下拉屎撒尿，告诉他槐树上须安一盏路灯，嘱咐他转告倒水的"三哥"，无论天怎么旱，井里怎么没水，也得供给够了一号用的——"告诉你，巡长，日本人是要天天洗澡的，用的水多！别家的水可以不倒，可不能缺了一号的！"

胡同中别的人，虽然没有受这样多的直接压迫，可是精神上也都感到很大的威胁。北平人，因为北平作过几百年的国都，是不会排外的。小羊圈的人决不会歧视一家英国人或土耳其人。可是，对这两家日本人，他们感到心中不安；他们知道这两家人是先灭了北平而后搬来的。他们必须承认他们的邻居也就是他们的征服者！他们多少听说过日本人怎样灭了朝鲜，怎样夺去台湾，和怎样虐待奴使高丽与台湾人。现在，那虐待奴使高丽与台湾的人到了他们的面前！况且，小羊圈是个很不起眼的小胡同；这里都来了日本人，北平大概的确是要全属于日本人的了！他们直觉的感到，这两家子不仅是邻居，而也必是侦探！看一眼一号，他们仿佛是看见了一颗大的延时性的爆炸弹！

一号的两个男人都是三十多岁的小商人。他们每天一清早必定带着两个孩子——都只穿着一件极小的裤衩儿——在槐树下练早操。早操的号令是广播出来的，大概全城的日本人都要在这时候操练身体。

七点钟左右，那两个孩子，背着书包，像箭头似的往街上跑去，由人们的腿中拼命往电车上挤。他们不像是上车，而像两个木橛硬往车里钉。无论车上与车下有多少人，他们必须挤上去。他俩下学以后，便占据住了小羊圈的"葫芦胸"：他们赛跑，他们爬树，他们在地上滚，他们相打——打得有时候头破血出。他们想怎么玩耍便怎么玩耍，好像他们生下来就是这一块槐荫的主人。他们愿意爬哪一家的墙，或是用小刀宰哪一家的狗，他们便马上去作，一点也不迟疑。他们家中的妇人永远向他们微笑，仿佛他们两个是一对小的上帝。就是在他们俩打得头破血出的时候，她们也只极客气的出来给他们抚摸伤痛，而不敢斥责他们。他们俩是日本的男孩子，而日本的男孩子必是将来的杀人不眨眼的"英雄"。

那两个男人每天都在早晨八点钟左右出去，下午五点多钟回来。他们老是一同出入，一边走一边低声的说话。哪怕是遇见一条狗，他们也必定马上停止说话，而用眼角撩那么一下。他们都想挺着胸，目空一切的，走着德国式的齐整而响亮的步子；可是一遇到人，他们便本能的低下头去，有点自惭形秽似的。他们不招呼邻居，邻居也不招呼他们，他们仿佛感到孤寂，又仿佛享受着一种什么他们特有的乐趣。全胡同中，只有冠晓荷和他们来往。晓荷三天两头的要拿着几个香瓜，或一束鲜花，或二斤黄花鱼，去到一号"拜访"。他们可是没有给他送过礼。晓荷唯一的报酬是当由他们的门中出来的时候，他们必全家都送出他来，给他鞠极深的躬。他的躬鞠得比他们的更深。他的鞠躬差不多是一种享受。鞠躬已毕，他要极慢的往家中走，为是教邻居们看看他是刚由一号出来的，尽管是由一号出来，他还能沉得住气！即使不到一号去送礼，他也要约摸着在他们快要回来的时候，在槐树下徘徊，好等着给他们鞠躬。假若在槐树下遇上那两个没人喜爱的孩子，他也必定向他们表示敬意，和他们玩耍。两个孩子不客气的，有时候由老远跑来，用足了力量，向他的腹部撞去，撞得他不住的咧嘴；有时候他们故意用很脏的手抓弄他的雪白的衣裤，他也都不着急，而仍旧笑着拍拍他们的头。若有邻居们走过来，他必定搭讪着说："两个娃娃太有趣了！太有趣！"

邻居们完全不能同意冠先生的"太有趣"。他们讨厌那两个孩子，至少也和讨厌冠先生的程度一个样。那两个孩子不仅用头猛撞冠先生，也同样的撞别人。他们最得意的是撞四大妈，和小孩子们。他们把四大妈撞倒已不止一次，而且把胡同中所有的孩子都作过他们的头力试验器。他们把小顺儿撞倒，而后骑在他的身上，抓住他的头发当作缰绳。小顺儿，一个中国孩子，遇到危险只会喊妈！

小顺儿的妈跑了出去。她的眼，一看到小顺儿变成了马，登时冒了火。在平日，她不是护犊子的妇人；当小顺儿与别家孩子开火的时候，她多半是把顺儿扯回家来，绝不把错安在别人家孩子的头上。今天，她可不能再那样办。小顺儿是被日本孩子骑着呢。假若没有日本人的攻陷北平，她也许还不这么生气，而会大大方方的说：孩子总是孩子，日本孩子当然也会淘气的。现在，她却想到了另一条路儿上去，她以为日本人灭了北平，所以日本孩子才敢这么欺侮人。她不甘心老老实实的把小孩儿扯回来。她跑了过去，伸手把"骑士"的脖领抓住，一抡，抡出去；骑士跌在了地上。又一伸手，她把小顺儿抓起来。拉着小顺儿的手，她等着，看两个小仇敌敢再反攻不敢。两个日本孩子看了看她，一声没出的开始往家中走。她以为他们必是去告诉大人，出来讲理，她等着他们。他们并没出来。她松了点劲儿，开始骂小顺儿："你没长着手吗？不会打他们吗？你个脓包！"小顺儿又哭了，哭得很伤心。"哭！哭！你就会哭！"她气哼哼的把他扯进家来。

祁老人不甚满意韵梅这样树敌，她更挂了火。对老人们，她永远不肯顶撞；今天，她好像有一股无可控制的怒气，使她忘了平日的规矩。是的，她的声音并不高，可是谁也能听得出她的顽强与盛怒："我不管！他们要不是日本孩子，我还许笑一笑就拉倒了呢！他们既是日本孩子，我倒要斗斗他们！"

老人见孙媳妇真动了气，没敢再说什么，而把小顺儿拉到自己屋中，告诉他："在院里玩还不行吗？干吗出去惹事呢？他们厉害呀，你别吃眼前亏呀，我的乖乖！"

晚间，瑞宣刚一进门，祁老人便轻声的告诉他："小顺儿的妈惹了祸喽！"瑞宣吓了一跳。他晓得韵梅不是随便惹祸的人，而不肯惹事的人若一旦惹出事来，才不好办。"怎么啦？"他急切的问。

老人把槐树下的一场战争详细的说了一遍。

瑞宣笑了笑："放心吧，爷爷，没事，没事！教小顺儿练练打架也好！"

祁老人不大明白孙子的心意，也不十分高兴孙子这种轻描淡写的态度。在他看，他应当领着重孙子到一号去道歉。当八国联军攻入北

242

平的时候，他正是个青年人，他看惯了连王公大臣，甚至于西太后与皇帝，都是不敢招惹外国人的。现在，日本人又攻入了北平，他以为今天的情形理当和四十年前一个样！可是，他没再说什么，他不便因自己的小心而和孙子拌几句嘴。

韵梅也报告了一遍，她的话与神气都比祖父的更有声有色。她的怒气还没完全消散，她的眼很亮，颧骨上红着两小块。瑞宣听罢，也笑一笑。他不愿把这件小事放在心里。

可是，他不能不觉到一点高兴。他没想到韵梅会那么激愤，那么勇敢。他不止满意她的举动，而且觉得应当佩服她。由她这个小小的表现，他看出来：无论怎么老实的人，被逼得无可奈何的时候，也会反抗。

一个夏天，他的心老浸溃在愁苦中，大的小的事都使他难堪与不安。他几乎忘了怎样发笑。使馆中的暑假没有学校中的那么长，他失去了往年夏天到图书馆去读书的机会，虽然他也晓得，即使能有那个机会，他是否能安心的读书，还是个问题。当他早晨和下午出入家门的时候，十回倒有八回，他要碰到那两个日本男人。不错，自从南京陷落，北平就增加了许多日本人，在什么地方都可以遇见他们；可是，在自己的胡同里遇见他们，仿佛就另有一种难堪。遇上他们，他不知怎样才好。他不屑于向他们点头或鞠躬，可是也不便怒目相视。这虽是小事，可是他觉到别扭。

在星期天，他就特别难过。小顺儿和妞子一个劲儿吵嚷："爸！玩玩去！多少日子没上公园看猴子去啦！上万牲园也好哇，坐电车，出城，看大象！"他没法拒绝小儿女们的要求，可是也知道：公园，北海，天坛，万牲园，在星期日，完全是日本人的世界。日本女的，那些永远含笑的小瓷娃娃，都打扮得顶漂亮，抱着或背着小孩，提着酒瓶与食盒；日本男人，那些永远用眼角撩人的家伙，也打扮起来；或故意不打扮起来，空着手，带着他们永远作奴隶的女人，和跳跳钻钻的男孩子，成群打伙的去到各处公园，占据着风景或花木最好的地方，表现他们的侵略力量。他们都带着酒，酒使小人物觉得伟大。酒后，他们到处发疯，东倒西晃的把酒瓶掷在马路当中或花池里。

好容易熬过星期日，星期一去办公又是一个难关。他无法躲避富善先生。富善先生在暑假里也不肯离开北平。他以为北平本身就是消暑的最好的地方。青岛，莫干山，北戴河？"噗！"他先喷一口气。"那些地方根本不像中国！假若我愿意看洋房子和洋事，我不会回英国吗？"他不走。他觉得中海北海的莲花，中山公园的芍药，和他自己的小园中的丁香，石榴，夹竹桃，和杂花，就够他享受的了。"北平本身就是一朵大花，"他说："紫禁城和三海是花心，其余的地方是花瓣和花萼，北海的白塔是挺入天空的雄蕊！它本身就是一朵花，况且它到处还有树与花草呢！"

他不肯去消暑，所以即使没有公事可办，他也要到使馆来看一看。他一来，就总给瑞宣的"心病"上再戳几个小伤口儿。

"噢喉！安庆也丢了！"富善先生劈面就这么告诉瑞宣。

富善先生，真的，并没有意思教瑞宣难堪。他是真关心中国，而不由的就把当日的新闻提供出来。他绝不是幸灾乐祸，愿意听和愿意说中国失败的消息。可是，在瑞宣呢，即使他十分了解富善先生，他也觉得富善先生的话里是有个很硬的刺儿。况且，"噢喉！马当要塞也完了！""噢喉，九江巷战了！""噢喉！六安又丢了！"接二连三的，隔不了几天就有一个坏消息，真使瑞宣没法抬起头来。他得低着头，承认那是事实，不敢再大大方方的正眼看富善先生。

和平的谣言很多。北平的报纸一致的鼓吹和平，各国的外交界的人们也几乎都相信只要日本人攻到武汉，国民政府是不会再迁都的。连富善先生也以为和平就在不远。他不喜欢日本人，可是他以为他所喜爱的中国人能少流点血，也不错。他把这个意思暗示给瑞宣好几次，瑞宣都没有出声。在瑞宣看，这次若是和了，不久日本就会发动第二次的侵略；而日本的再侵略不但要杀更多的中国人，而且必定把英美人也赶出中国去。瑞宣心里说："到那时候，连富善先生也得收拾行李了！"

七七一周年，他听到国民政府告全国军民的广播，"中国将继续抵抗"。他的眼睛亮了起来。他觉得心里有点痛快，甚至可以说是骄傲。他敢抬着头，正眼儿看富善先生了。他请了半天的假，日本人也纪念七七。他不忍看中国人和中国学生到天安门前向侵略者的阵亡将士鞠躬致敬。他必须躲在家里。他恨不能把委员长的广播马上印刷出来，分散给每一个北平人。可是，他既没有印刷的方便，又不敢冒那么大的险。他叹了口气，对自己说："国是不会亡的了，可是瑞宣你自己尽了什么力气呢？"

五

程长顺还是常来看瑞宣，他还是那么热烈的求知与爱国，每次来几乎都要问瑞宣："我应当不应当走呢？"

瑞宣喜欢这样的青年。他觉得即使长顺并不真心想离开北平，就凭这样一问也够好听的了。可是，及至想到长顺的外婆，他又感到了为难，而把喜悦变成难堪。

有一天，长顺来到，他没能完全控制住自己，而告诉了长顺："是有志气的都该走！"

长顺的眼亮了起来："我该走？"

瑞宣点了头。

"好！我走！"

瑞宣没法再收回自己的话。他觉到一点痛快，也感到不少的苦痛——他是不是应当这样鼓动一个青年去冒险呢？这是不是对得起那位与长顺相依为命的老太婆呢？

连着两三天的工夫，他天天教韵梅到四号去看一眼，看长顺是否已经走了。

长顺并没有走。他心中很纳闷。三天过了，他在槐荫下遇见了长顺。长顺仿佛是怪羞愧的只向他点了点头就躲开了。他更纳闷了。第五天晚上，天有点要落雨的样子。长顺，仍然满脸羞愧的，走进来。

瑞宣有心眼，不敢开门见山的问长顺什么，怕长顺难堪。长顺可是仿佛来说心腹话，没等瑞宣发问，就"招"了出来：

"祁先生！"他的脸红起来，眼睛看着自己的鼻子，语声更呜囔得厉害了。"我走不了！"

瑞宣不敢笑,也不敢出声,而只同情的严肃的点了点头。

"外婆有一点钱,"长顺低声的,呜囔着鼻子说:"都是法币。她老人家不肯放账吃利,也不肯放在邮政局去。她自己拿着。只有钱在她自己手里,她才放心!"

"老人们都是那样。"瑞宣说。

长顺看瑞宣明白老人们的心理,话来得更顺利了一些:"我不知道她老人家有多少钱,她永远没告诉过我。"

"对!老人家们的钱,没有第二个人知道藏在哪里,和有多少。"

"这可就坏了事!"长顺用袖口抹了一下鼻子。"前几个月,日本人不是贴告示,教咱们把法币都换成新票子吗?我看见告示,就告诉了外婆。外婆好像没有听见。"

"老人们当然不信任鬼子票儿!"

"对!我也那么想,所以就没再催她换。我还想,大概外婆手里有钱也不会很多,换不换的也许没多大关系。后来,换钱的风声越来越紧了,我才又催问了一声。外婆告诉我:昨天她在门外买了一个乡下人的五斤小米,那个人低声的说,他要法币。外婆的法币就更不肯出手啦。前两天,白巡长来巡逻,站在门口,和外婆瞎扯,外婆才知道换票子的日期已经过了,再花法币就圈禁一年。外婆哭了一夜。她一共有一千元啊,都是一元的单张,新的,交通银行的!她有一千!可是她一元也没有了!丢了钱,她敢骂日本鬼子了,她口口声声要去和小鬼子拼命!外婆这么一来,我可就走不了啦。那点钱是外婆的全份儿财产,也是她的棺材本儿。丢了那点钱,我们娘儿俩的三顿饭马上成问题!你看怎么办呢?我不能再说走,我要一走,外婆非上吊不可!我得设法养活外婆,她把我拉扯这么大,这该是我报恩的时候了!祁先生?"长顺的眼角有两颗很亮的泪珠,鼻子上出着汗,搓着手等瑞宣回答。

瑞宣立了起来,在屋中慢慢的走。在长顺的一片话里,他看见了自己。家和孝道把他,和长顺,拴在了小羊圈。他长叹了一声,而后对长顺说:

"把那一千元交给熟识的山东人或山西人,他们带走,带到没有沦陷的地方，一元还是一元。当然，他们不能一元当一元的换给你，可是吃点亏，总比都白扔了好。"

"对！对！"长顺已不再低着头，而把眼盯住瑞宣的脸，好像瑞宣的每一句话都是福音似的。"我认识天福斋的杨掌柜，他是山东人！行！他一定能帮这点忙！祁先生，我去干什么好呢？"

瑞宣想不起什么是长顺的合适的营业。"想一想再说吧，长顺！"

"对！你替我想一想，我自己也想着！"长顺把鼻子上的汗都擦去，立了起来。立了一会儿，他的声音又放低："祁先生，你不耻笑我不敢走吧？"

瑞宣惨笑了一下。"咱们都是一路货！"

"什么？"长顺不明白瑞宣的意思。

"没关系！"瑞宣不愿去解释。"咱们明天见！劝外婆别着急！"

长顺的事还没能在瑞宣心里消逝，陈野求忽然的来看他。

野求的身上穿得相当的整齐，可是脸色比瑞宣所记得的更绿了。到屋里坐下，他就定上了眼珠，薄嘴唇并得紧紧的。几次他要说话，几次都把嘴唇刚张开就又闭紧。瑞宣注意到，当野求伸手拿茶碗的时候，他的手是微颤着的。

"近来还好吧？"瑞宣想慢慢的往外引野求的话。

野求的眼开始转动，微笑了一下："这年月，不死就算平安！"说完，他又不出声了。愣了半天，他好像费了很大的力量似的，把使他心中羞愧与不安的话提出来：

"瑞宣兄！你近来看见默吟没有？"按道理说，他比瑞宣长一辈，可是他向来谦逊，所以客气的叫"瑞宣兄"。

"有好几位朋友看见了他，我自己可没有遇见过；我到处去找他，找不到！"

舐了舐嘴唇，野求准备往外倾泻他的话："是的！是的！我也是那样！有两位画画儿的朋友都对我说，他们看见了他。"

"在哪儿？"

"在图画展览会。他们展览作品，默吟去参观。瑞宣兄，你晓得我的姐丈自己也会画？"

瑞宣点了点头。

"可是，他并不是去看画！他们告诉我，默吟慢条斯理的在展览室绕了一圈，而后很客气的把他们叫出来。他问他们：你们画这些翎毛，花卉，和烟云山水，为了什么呢？你们画这些，是为消遣吗？当你们的真的山水都满涂了血的时候，连你们的禽鸟和花草都被炮火打碎了的时候，你们还有心消遣？你们是为画给日本人看吗？噢！日本人打碎了你们的青山，打红了你们的河水，你们还有脸来画春花秋月，好教日本人看着舒服，教他们觉得即使把你们的城市田园都轰平，你们也还会用各种颜色粉饰太平！收起你们那些污辱艺术，轻蔑自己的东西吧！要画，你们应当画战场上的血，和反抗侵略的英雄！说完，他深深的给他们鞠了一躬，嘱咐他们想一想他的话，而后头也没回的走去。我的朋友不认识他，可是他们跟我一形容，我知道那必是默吟！"

"你的两位朋友对他有什么批评呢？陈先生！"瑞宣很郑重的问。

"他们说他是半疯子！"

"半疯子？难道他的话就没有一点道理？"

"他们！"野求赶紧笑了一下，好像代朋友们道歉似的。"他们当然没说他的话是疯话，不过，他们只会画一笔画，开个画展好卖几个钱，换点米面吃，这不能算太大的过错。同时，他们以为他要是老这么到处乱说，迟早必教日本人捉去杀了！所以，所以……"

"你想找到他，劝告他一下？"

"我劝告他？"野求的眼珠又不动了，像死鱼似的。他咬上了嘴唇，又愣起来。好大一会儿之后，他叹了口极长的气，绿脸上隐隐的有些细汗珠。"瑞宣兄！你还不知道，他和我绝了交吧？"

"绝交？"

野求慢慢的点了好几下头。"我的心就是一间行刑的密室，那里有一切的刑具，与施刑的方法。"他说出了他与默吟先生绝交的经过。"那可都是我的过错！我没脸再见他，因为我没能遵照他的话而脱去用日本钱买的衣服，不给儿女们用日本钱买米面吃。同时，我又知道给日本人作一天的事，作一件事，我的姓名就永远和汉奸们列在一处！我没脸去见他，可是又昼夜的想见他，他是我的至亲，又是良师益友！见了他，哪怕他抽我几个嘴巴呢，我也乐意接受！他的掌会打下去一点我的心病，内咎！我找不到他！我关心他的安全与健康，我愿意跪着请求他接受我的一点钱，一件衣服！可是，我也知道，他决不会接受我这两只脏手所献给的东西，任何东西！那么，见了面又怎样呢？还不是更增加我的苦痛？"他极快的喝了一口茶，紧跟着说："只有痛苦！只有痛苦！痛苦好像就是我的心！孩子们不挨饿了，也穿上了衣裳。他们跳，他们唱，他们的小脸上长了肉。但是，他们的跳与唱是毒针，刺着我的心！我怎么办？没有别的办法，除了设法使我自己麻木，麻木，不断的麻木，我才能因避免痛苦而更痛苦，等到心中全是痛苦而忘记了痛苦！"

"陈先生！你吸上了烟？"瑞宣的鼻子上也出了汗。

野求把脸用双手遮住，半天没动弹。

"野求先生！"瑞宣极诚恳的说："不能这么毁坏自己呀！"

野求慢慢的把手放下去，仍旧低着头，说："我知道！我知道！可是我管不住自己！姐丈告诉过我：去卖花生瓜子，也比给日本人作事强。可是，咱们这穿惯了大褂的人，是宁可把国耻教大褂遮住，也不肯脱了大褂作小买卖去的！因此，我须麻醉自己。吸烟得多花钱，我就去兼事；事情越多，我的精神就越不够，也就更多吸几口烟。我现在是一天忙到晚，好像专为给自己找大烟钱。只有吸完一顿烟，我才能迷迷胡胡的忘了痛苦。忘了自己，忘了国耻，忘了一切！瑞宣兄，我完了！完了！"他慢慢的立起来。"走啦！万一见到默吟，告诉他我痛苦，我吸烟，我完了！"他往外走。

瑞宣傻子似的跟着他往外走。他有许多话要说，而一句也说不出来。

二人极慢的，无语的，往外走。快走到街门，野求忽然站住了，回过头来："瑞宣兄！差点忘了，我还欠你五块钱呢！"他的右手向大褂里伸。

"野求先生！咱们还过不着那五块钱吗？"瑞宣惨笑了一下。

六

广州陷落。我军自武汉后撤。

北平的日本人又疯了。胜利！胜利！胜利以后便是和平，而和平便是中国投降，割让华北！北平的报纸上登出和平的条件：日本并不要广州与武汉，而只要华北。

汉奸们也都高了兴，华北将永远是日本人的，也就永远是他们的了！

可是，武汉的撤退，只是撤退；中国没有投降！

狂醉的日本人清醒过来以后，并没找到和平。他们都感到头疼。他们发动战争，他们也愿极快的结束战争，好及早的享受两天由胜利得来的幸福。可是，他们只发动了战争，而中国却发动了不许他们享受胜利！他们失去了主动。他们只好加紧的利用汉奸，控制华北，用华北的资源，粮草，继续作战。

冠家为庆祝武汉的撤退，夜以继日的欢呼笑闹。第一件使他们高兴的是蓝东阳又升了官。

华北，在日本人看，是一把拿定了。所以，他们应一方面加紧的肃清反动分子，一方面把新民会的组织扩大，以便安抚民众。

新民会改组。它将是宣传部，社会部，党部，与青年团合起来的一个总机关。它将设立几处，每处有一个处长。它要作宣传工作，要把工商界的各行都组织起来，要设立少年团与幼年团，要以作顺民为宗旨发动仿佛像一个政党似的工作。

在这改组的时节，原来在会的职员都被日本人传去，当面试验，以便选拔出几个处长和其他的重要职员。蓝东阳的相貌首先引起试官的注意，他长得三分像人，七分倒像鬼。日本人觉得他的相貌是一种资格与保证——这样的人，是地道的汉奸胎子，永远忠于他的主人，而且最会欺压良善。东阳的脸已足引起注意，恰好他的举止与态度又是那么卑贱得出众，他得了宣传处处长。

头一处给他预备酒席庆贺升官的当然是冠家。他接到了请帖，可是故意的迟到了一个半钟头。及来到冠家，他的架子是那么大，连晓荷的善于词令都没能使他露一露黄牙。进门来，他便半坐半卧的倒在沙发上，一语不发。他的绿脸上好像搽上了一层油，绿得发光。人家张罗他的茶水，点心，他就那么懒而骄傲的坐着，把头窝在沙发的角儿上，连理也不理。人家让他就位吃酒，他懒得往起立。让了三四次，他才不得已的，像一条毛虫似的，把自己拧咁到首座。屁股刚碰到椅了，他把双肘都放在桌子上，好像要先打个盹儿的样子。他的心里差不多完全是空的，而只有"处长，处长"随着心的跳动，轻轻的响。他不肯喝酒，不肯吃菜，表示出处长是见过世面的，不贪口腹。赶到酒菜的香味把他的馋涎招出来，他才猛孤丁的夹一大箸子菜，放在口里，旁若无人的大嚼大咽。

大赤包与冠晓荷交换了眼神，他们俩决定不住口的叫处长，像叫一个失了魂的孩子似的。他们认为作了处长，理当摆出架子；假若东阳不肯摆架子，他们还倒要失望呢。他们把处长从最低音叫到最高音，有时候二人同时叫，而一高一低，像二部合唱似的。

任凭他们夫妇怎样的叫，东阳始终不哼一声。他是处长，他必须沉得住气；大人物是不能随便乱说话的。

甜菜上来，东阳忽然的立起来，往外走，只说了声："还有事！"

他走后，晓荷赞不绝口的夸奖他的相貌："我由一认识他，就看出来蓝处长的相貌不凡。你们注意没有？他的脸虽然有点发绿，可是你们细看，就能看出下面却有一层极润的紫色儿，那叫朱砂脸，必定掌权！"

大赤包更实际一些："管他是什么脸呢，处长才是十成十的真货，我看哪，哼！"她看了高第一眼。等到只剩了她与晓荷在屋里的时候，她告诉他："我想还是把高第给东阳吧。处长总比科长大多了!"

"是的!是的!所长所见甚是!你跟高第说去!这孩子,总是别别扭扭的,不听话!"

"我有主意!你甭管!"

其实,大赤包并没有什么高明的主意。她心里也知道高第确是有点不听话。

高第的不听话已不止一天。她始终不肯听从着妈妈去"拴"住李空山。李空山每次来到,除了和大赤包算账,(大赤包由包庇暗娼来的钱,是要和李空山三七分账的,)便一直到高第屋里去,不管高第穿着长衣没穿,还是正在床上睡觉。他俨然以高第的丈夫自居。进到屋中,他便一歪身倒在床上。高兴呢,他便闲扯几句;不高兴,他便一语不发,而直着两眼盯着她。他逛惯了窑子,娶惯了妓女;他以为一切妇女都和窑姐儿差不多。

高第不能忍受这个。她向妈妈抗议。大赤包理直气壮的教训女儿:"你简直的是糊涂!你想想看,是不是由他的帮忙,我才得到了所长?自然喽,我有作所长的本事与资格;可是,咱们也不能忘恩负义,硬说不欠他一点儿情!由你自己说,你既长得并不像天仙似的,他又作着科长,我看不出这件婚事有什么不配合的地方。你要睁开眼看看事情,别闭着眼作梦!再说,他和我三七分账,我受了累,他白拿钱,我是哑巴吃黄连有苦说不出!你要是明理,就该牢笼住他;你要是嫁给他,难道他还好意思跟老丈母娘三七分账吗?你要知道,我一个人挣钱,可是给你们大家花;我的钱并没都穿在我自己的肋条骨上!"

抗议没有用,高第自然的更和桐芳亲近了。可是,这适足以引起妈妈对桐芳增多恶感,而想马上把桐芳赶到妓院里去。为帮忙桐芳,高第不敢多和桐芳在一块。她只好在李空山躺到她的床上的时候,气哼哼的拿起小伞与小皮包走出去,一走就是一天。她会到北海的山石上,或公园的古柏下,呆呆的坐着;到太寂寞了的时节,她会到晓荷常常去的通善社或崇善社和那些有钱的,有闲的,想用最小的投资而获得永生的善男善女们鬼混半天。

253

高第这样躲开，大赤包只好派招弟去敷衍李空山。她不肯轻易放手招弟，可是事实逼迫着她非这样作不可。她绝对不敢得罪李空山。惹恼了李空山，便是砸了她的饭锅。

　　招弟，自从妈妈作了所长，天天和妓女们在一块儿说说笑笑，已经失去了她的天真与少女之美。她的本质本来不坏。在从前，她的最浪漫的梦也不过和小女学生们的一样——小说与电影是她的梦的资料。她喜欢打扮，愿意有男朋友，可是这都不过是一些小小的，哀而不伤的，青春的游戏。她还没想到过男女的问题和男女间彼此的关系与需要。她只觉得按照小说与电影里的办法去调动自己颇好玩——只是好玩，没有别的。现在，她天天看见妓女。她忽然的长成了人。她从妓女们身上看到了肉体，那无须去想象，而一眼便看清楚的肉体。她不再作浪漫的梦，而要去试一试那大胆的一下子跳进泥塘的行动——像肥猪那样似的享受泥塘的污浊。

　　真的，她的服装与头发脸面的修饰都还是摩登的，没有受娼妓们的影响。可是，在面部的表情上，与言语上，她却有了很大的变动。她会老气横秋的，学着妓女们的口调，说出足以一下子就跳入泥淖的脏字，而嬉皮笑脸的满意自己的大胆，咂摸着脏字里所藏蕴着的意味。她所受的那一点学校教育不够教她分辨是非善恶的，她只有一点直觉，而不会思想。这一点少女的直觉，一般的说，是以娇羞与小心为保险箱的。及至保险箱打开了，不再锁上，她便只顾了去探索一种什么更直接的，更痛快的，更原始的，愉快，而把害羞与小心一齐扔出去，像摔出一个臭鸡蛋那么痛快。她不再运用那点直觉，而故意的睁着眼往泥里走。她的青春好像忽然被一阵狂风刮走，风过去，剩下一个可以与妓女为伍的小妇人。

　　她接受了妈妈的命令，去敷衍李空山。

　　李空山看女人是一眼便看到她们的最私秘的地方去的。在这一点上，他很像日本人。见招弟来招待他，他马上拉住她的手，紧跟着就吻了她，摸她的身上。这一套，他本来久想施之于高第的，可是高第"不听话"。现在，他对比高第更美更年轻的招弟用上了这一套，他马上兴奋起来，急忙到绸缎庄给她买了三身衣料。

大赤包看到衣料，心里颤了一下。招弟是她的宝贝，不能随便就被李空山挖了去。可是，绸缎到底是绸缎，绸缎会替李空山说好话。她不能教招弟谢绝。同时，她相信招弟是聪明绝顶的，一定不会轻易的吃了亏。所以，她不便表示什么。

招弟并不喜欢空山。她也根本没有想到什么婚姻问题。她只是要冒险，尝一尝那种最有刺激性的滋味，别人没敢，李空山敢，对她动手，那么也就无所不可。她看见不止一次，晓荷偷偷的吻那些妓女。现在，她自己大胆一点，大概也没有什么了不起的过错与恶果。

武汉陷落，日本人要加紧的肃清北平的反动分子，实行清查户口，大批的捉人。李空山忙起来。他不大有工夫再来到高第的床上躺一躺。他并不忠心于日本主子，而是为他自己弄钱。他随便的捕人，捕得极多，而后再依次的商议价钱，肯拿钱的便可以被释放，没钱的，不管有罪无罪，便丧掉生命。在杀戮无辜的人的时候，他的胆子几乎与动手摸女人是一边儿大的。

大赤包见李空山好几天没来，很不放心。是不是女儿们得罪了他呢？她派招弟去找他："告诉你，招弟，乖乖！去看看他！你就说：武汉完了事，大家都在这里吃酒；没有他，大家都怪不高兴的！请他千万抓工夫来一趟，大家热闹一天！穿上他送给你的衣裳！听见没有？"

把招弟打发走，她把高第叫过来。她皱上点眉头，像是很疲乏了的，低声的说，"高第，妈妈跟你说两句话。我看出来，你不大喜欢李空山，我也不再勉强你！"她看着女儿，看了好大一会儿，仿佛是视察女儿领会了妈妈的大仁大义没有。"现在蓝东阳作了处长，我想总该合了你的意吧？他不大好干净，可是那都因为他没有结婚，他若是有个太太招呼着他，他必定不能再那么邋遢了。说真的，他要是好好的打扮打扮，还不能不算怪漂亮的呢！况且，他又年轻，又有本事；现在已经是处长，焉知道不作到督办什么的呢！好孩子，你听妈妈的话！妈妈还能安心害了你吗？你的岁数已经不小了，别老教妈妈悬着心哪！妈妈一个人打里打外，还不够我操心的？好孩子，你跟他交交朋友！你的婚事要是成了功，不是咱们一家子都跟着受用吗？"

255

说完这一套，她轻轻的用拳头捶着胸口。

高第没有表示什么。她得先和桐芳商议商议。

乘着大赤包没在家，高第和桐芳在西直门外的河边上，一边慢慢的走，一边谈心。河仅仅离城门有一里来地，可是河岸上极清静，连个走路的人也没有。岸上的老柳树已把叶子落净。在秋阳中微摆着长长的柳枝。河南边的莲塘只剩了些干枯到能发出轻响的荷叶，塘中心静静的立着一只白鹭。鱼塘里水还不少，河身可是已经很浅，只有一股清水慢慢的在河心流动，冲动着一穗穗的长而深绿的水藻。河坡还是湿润的，这里那里偶尔有个半露在泥外的田螺，也没有小孩们来挖它们。秋给北平的城郊带来萧瑟，使它变成触目都是秋色，一点也不像一个大都市的外围了。

走了一会儿，她们俩选了一棵最大的老柳，坐在它的露在地面上的根儿上。

"我又不想走了！"桐芳皱着眉，吸着一根香烟；说完这一句，她看着慢慢消散的烟。

"你不想走啦？"高第好像松了一口气似的问。"那好极啦！你要走了，剩下我一个人，我简直一点办法也没有！"

桐芳眯着眼看由鼻孔出来的烟，脸上微微有点笑意，仿佛是享受着高第的对她的信任。

"可是，"高第的短鼻子上纵起一些小褶子，"妈妈真赶出你去呢？教你到……"

桐芳把半截烟摔在地上，用鞋跟儿碾碎，撇了撇小嘴："我等着她的！我已经想好了办法，我不怕她！你看，我早就想逃走，可是你不肯陪着我。我一想，斗大的字我才认识不到一石，我干什么去呢？不错，我会唱点玩艺儿；可是，逃出去再唱玩艺儿，我算怎么一回事呢？你要是同我一道走，那就不同了；你起码能写点算点，大小能找个事作；你作事，我愿意刷家伙洗碗的作你的老妈子；我敢保，咱们俩必定过得很不错！可是，你不肯走；我一个人出去没办法！"

"我舍不得北平，也舍不得家！"高第很老实的说了实话。

桐芳笑了笑。"北平教日本人占着，家里教你嫁给刽子手，你还

256

都舍不得！你忘了，忘了摔死一车日本兵的仲石，忘了说你是个好姑娘的钱先生！"

高第把双手搂在磕膝上，愣起来。愣了半天，她低声的说："你不是也不想走啦？"

桐芳一扬头，把一缕头发摔到后边去："不用管我，我有我的办法！"

"什么办法？"

"不能告诉你！"

"那，我也有我的办法！反正我不能嫁给李空山，也不能嫁给蓝东阳！我愿意要谁，才嫁给谁！"

"可是，你斗得过家里的人吗？你吃着家里，喝着家里，你就得听他们的话！"桐芳的声音很低，而说得很恳切。"你知道，高第，我以后帮不了你的忙了，我有我的事！我要是你，我就跺脚一走！在我们东北，多少女人都帮着男人打日本鬼子。你为什么不去那么办？你走，你才能自由！你信不信？"

"你到底要干什么呢？怎么不帮忙我了呢？"

桐芳轻轻的摇了摇头，闭紧了嘴。

待了半天，桐芳摘下一个小戒指来，递到高第的手里，而后用双手握住高第的手："高第！从今以后，在家里咱们彼此不必再说话。他们都知道咱俩是好朋友，咱们老在一块儿招他们的疑心。以后，我不再理你，他们也许因为咱俩不相好了，能多留我几天。这个戒指你留着作个纪念吧！"

高第害了怕。"你，你是不是想自杀呢？"

桐芳惨笑了一下："我才不自杀！"

"那你到底……"

"日后你就明白了，先不告诉你！"桐芳立起来，伸了伸腰；就手儿揪住一根柳条。高第也立了起来："那么，我还是没有办法呀！"

"话已经说过了，你有胆子就有出头之日；什么都舍不得，就什么也作不成！"

回到家中，太阳已经快落下去。

招弟还没有回来。

大赤包很想不动声色，可是没能成功。她本来极相信自己与招弟的聪明，总以为什么人都会吃亏，而她与她的女儿是绝对不会的。可是，天已经快黑了，而女儿还没有回来，又是个无能否认的事实。再说，她并不是不晓得李空山的厉害。她咬上了牙。这时候，她几乎真像个"母亲"了，几乎要责备自己不该把女儿送到虎口里去。可是，责备自己便是失去自信，而她向来是一步一个脚印儿的女光棍；光棍是绝对不能下"罪己诏"的！不，她自己没有过错，招弟也没有过错；只是李空山那小子可恶！她须设法惩治李空山！

她开始在院中慢慢地走溜儿，一边儿走一边儿思索对付李空山的方法。做了一辈子女光棍，现在她丢了人！她喊人给她拿一件马甲来。披上了马甲，她想马上山去找李空山，和他拚命！但是，她的脚却没往外走。她晓得李空山是不拿妇女当作妇女对待的人；她若打他，他必还手。她去"声讨"，就必丢更多的脸。

晓荷早已看出太太的不安，可是始终没敢哼一声。他知道太太是善于迁怒的人，他一开口，也许就把一堆狗屎弄到自己的头上来。他几乎没有关切女儿的现在与将来。丢失了女儿和丢失了国家，他都能冷静的去承认事实，而不便动什么感情。

晓荷知道风暴快来到，赶紧板起脸来，皱起点眉头，装出他也很关切招弟的样子。他的心里可是正在想：有朝一日，我须登台彩唱一回，比如说唱一出《九更天》或《王佐断臂》；我很会作戏！

他刚刚想好自己挂上髯口，穿上行头，应该是多么漂亮，大赤包的雷已经响了。

"我说你就会装傻充愣呀！招弟不是我由娘家带来的，她是你们冠家的姑娘，你难道就不着一点急？"

"我很着急！"晓荷哭丧着脸说。"不过，招弟不是常常独自出去，回来的很晚吗？"

"今天跟往常不一样！她是去看……"她不敢往下说了，而啐了一大口唾沫。

"我并没叫她去！"

大赤包顺手抄起一个茶杯，极快的出了手。哗啦！连杯子带窗户上的一块玻璃全碎了。她没预计到茶杯会碰到玻璃上，可是及至玻璃被击碎，她反倒有点高兴，因为玻璃的声音是那么大，颇足以助她的声势。随着这响声，她放开了嗓子："你是什么东西！我一天到晚打内打外的操心，你坐在家里横草不动，竖草不拿！你长着心肺没有？"

　　高亦陀在屋中抽了几口烟，忍了一个盹儿。玻璃的声音把他惊醒。醒了，他可是不会马上立起来。烟毒使他变成懒骨头。他懒懒的打了个哈欠，揉了揉眼睛，然后对着小瓷壶的嘴咂了两口茶，这才慢慢的坐起来。坐了一小会儿，他才轻挑软帘扭了出来。

　　三言两语，把事情听明白，他自告奋勇找招弟小姐去。

　　晓荷也愿意去，他是想去看看光景，假若招弟真的落在罗网里，他应当马上教李空山拜见老泰山，而且就手儿便提出条件，教李空山给他个拿干薪不作事的官儿作。他以为自己若能借此机会得到一官半职，招弟的荒唐便实在可以变为增光耀祖的事了。

　　可是，大赤包不准他去。她还要把他留在家里，好痛痛快快的骂他一顿。

　　高亦陀对晓荷软不唧的笑了笑，像说相声的下场时那么轻快的走出去。

　　大赤包骂了晓荷一百分钟！

　　亦陀曾经背着大赤包给李空山"约"过好几次女人，他晓得李空山会见女人的地方。

　　那是在西单牌楼附近的一家公寓里。以前，这是一家专招待学生的，非常规矩的，公寓。七七抗战以后，永远客满的这一家公寓，竟自空起来。于是李空山就在这里占了三间房。

　　高亦陀的心里没有一天忘记了怎样利用机会打倒大赤包，然后取而代之。因此，他对李空山特别的讨好。他晓得李空山好色，所以他心中把李空山与女人拴了一个结。大赤包派他去"制造"暗娼，他便一方面去工作，一方面向李空山献媚："李科长，又有个新计划，不知尊意如何？每逢有新下海的暗门子，我先把她带到这里来，由科长给施行洗礼，怎样？"

李空山不明白什么叫"洗礼"，可是高亦陀轻轻挽了挽袖口，又挤了挤眼睛，李空山便恍然大悟了，他笑得闭不上了嘴。好容易停住笑，他问："你给我尽心，拿什么报答你呢？是不是我得供给你点烟土？"

高亦陀轻快的躲开，一劲儿摆手："什么报酬不报酬呢？凭你的地位，别人巴结也巴结不上啊，我顺手儿能办的事，敢提报酬？科长你要这么客气，我可就不敢再来了！"

这一套恭维使李空山几乎忘了自己的姓氏，拍着高亦陀的肩头直喊"老弟！"于是，高亦陀开始往"别墅"运送女人。

高亦陀算计得很正确：假若招弟真的落了圈套，她必定是在公寓里。

他猜对了。在他未到公寓以前，李空山已经和招弟在那里玩耍了三个钟头。

招弟，穿着空山给她的夹袍和最高的高跟鞋，好像身量忽然的长高了许多。挺着她的小白脖子，挺着她那还没有长得十分成熟的胸口，她仿佛要把自己在几点钟里变成个熟透了的小妇人。她的黑眼珠放着些浮动的光儿，东瞭一下西瞭一下的好似要表示出自己的大胆，而又有点不安。她的唇抹得特别的红，特别的大，见棱见角的，像是要用它帮助自己的勇敢。她的头发烫成长长的卷儿，一部分垂在项上，每一摆动，那些长卷儿便微微刺弄她的小脖子，有点发痒。额上的那些发鬈梳得很高，她时时翻眼珠向上看，希望能看到它们；发高，鞋跟高，又加上挺着项与胸，她觉得自己是长成了人，应当有胆子做成人们所敢做的事。

见了李空山，李空山没等她说什么便"打道"公寓。她知道自己是往井里落呢，她的高跟鞋的后跟好像踩着一片薄冰。她有点害怕。可是，她不便示弱而逃走。她反倒把胸口挺得更高了一些。她的眼已看不清楚一切，而只那么东一转西一转的动。她的嗓子里发干，时时的轻嗽一下。嗽完了，她感到无聊，于是就不着边际的笑一笑。她的心跳动得很快，随着心的跳动，她感到自己的身体直往上升，仿佛是

要飘到空中去。她怕，可也更兴奋。她的跳动得很快的心像要裂成两半儿。

到了公寓，她清醒了一点。她想一溜烟似的跑出去。可是，她也有点疲乏，所以一步也没动。再看看李空山，她觉得他非常的粗俗讨厌。他身上的气味很难闻。两个便衣已经在院中放了哨。她假装镇定的用小镜子照一照自己的脸，顺口哼一句半句有声电影的名曲。她以为这样拿出摩登姑娘的大方自然，也许足以阻住李空山的袭击。她又极珍贵自己了。

可是，她终于得到她所要的。事后，她非常的后悔，她落了泪。李空山向来不管女人落泪不落泪。女人，落在他手里，便应当像一团棉花，他要把它揉成什么样，便揉成什么样。他没有温柔，而且很自负自己的粗暴无情，他的得意的经验之语是："对女人别留情！砸折了她的腿，她才越发爱你！"

高亦陀来到。

七

见高亦陀来到，招弟开始往脸上拍粉，重新抹口红，作出毫不在乎的样子。在家中，她看惯了父母每逢丢了脸就故意装出这种模样。这样一作戏，她心中反倒平定下来。她觉得既然已经冒了险，以后的事就随它的便吧，用不着发愁，也用不着考虑什么。她自自然然的对亦陀打了招呼，仿佛是告诉他："你知道也好，不知道也好，反正我一切都不在乎！"

高亦陀的眼睛恰好足够判断这种事情的，一眼他便看明白事情的底蕴。他开始夸赞招弟的美貌与勇敢。他一字不提事情的正面，而只诚恳的扯闲话儿，在闲话之中，他可是教招弟知道：他是她的朋友，他会尽力帮她忙，假若她需要帮忙的话。他很爱说话，但是他留着神，不让他的话说走了板眼。

听亦陀闲扯了半天，招弟更高兴起来，也开始有说有笑，仿佛她从此就永远和空山住在一处也无所不可了。真的，她还没想出来她的第二步应当往哪里走，可是表示出她的第一步并没有走错。不管李空山是什么东西，反正今天她已被他占有，那么她要是马上就想和他断绝关系，岂不反倒有点太怕事与太无情么？好吧，歹吧，她须不动声色的应付一切。假若事情真不大顺利，她也还有最后的一招，她须像她妈妈似的作个女光棍。她又用小镜子照了照自己，她的脸，眼，鼻子，嘴，是那么美好，她觉得就凭这点美丽，她是绝对不会遇到什么灾难和不幸的。

看和招弟闲谈的时间已经够了，亦陀使了个眼神，把李空山领到另一间屋里去。一进门，他便扯天扯地的作了三个大揖，给空山道喜。

空山并没觉得有什么可喜，因为女人都是女人，都差不多；他在招弟身上并没找到什么特殊的地方来。他只说了声："麻烦得很！"

"麻烦？怎么？"高亦陀很诚恳的问。

"她不是混事的，多少有点麻烦！"空山把自己扔在一个大椅子上，显着疲乏厌倦，而需要一点安慰似的。

"科长！"高亦陀的瘦脸上显出严肃的神气："你不是很想娶个摩登太太吗？那是对的！就凭科长你的地位身分，掌着生杀之权，是该有一位正式的太太的！招弟姑娘呢，又是那么漂亮年轻，多少人费了九牛二虎的力量都弄不到手，而今居然肥猪拱门落在你手里，还不该请朋友们痛痛快快的吃回喜酒？"

亦陀这一番话招出空山不少的笑容来，可是他还一劲儿的说："麻烦！麻烦！"他几乎已经不知道"麻烦"是指着什么说的，而只是说顺了嘴儿，没法改动字眼。同时，老重复这两个字也显着自己很坚决，像个军人的样子，虽然他不晓得为什么要坚决。

亦陀见科长有了笑容，赶紧凑过去，把嘴放在空山的耳朵上，问："是真正的处女吧？"

空山的大身子像巨蛇似的扭了扭，用肘打了亦陀的肋部一下："你！你！"而后，抿着嘴笑了一下，又说了声："你！"

"就凭这一招，科长，还值不得请客吗？"高亦陀又挽了挽袖口，脸上笑得直往下落烟灰。

"麻烦！"李空山的脑子里仍然没出现新的字样。

"不麻烦！"亦陀忽然郑重起来。"一点都不麻烦！你通知冠家，不论大赤包怎么霸道，她也不敢惹你！"

"当然！"空山巅不唧的，又相当得意的，点了点头。

"然后，由你们两家出帖请客，一切都交给晓荷去办，咱们坐享其成。好在晓荷专爱办这种事，也会办这种事。咱们先向冠家要陪嫁。我告诉你，科长，大赤包由你的提拔，已经赚了不少的钞票，也该教她吐出一点儿来了！把嫁妆交涉好，然后到了吉期，我去管账。结账的时候，我把什么喜联喜幛的全交给冠家，把现金全给你拿来。

263

大赤包敢说平分的话，咱们亮手枪教她看看就是了。我想，这是一笔相当可观的收入，而且科长你也应当这么作一次。请原谅我的直言无隐，要是别人当了这么多日子的科长，早就不知道打过多少次秋风啦。科长你太老实，老有点不好意思。你可就吃了亏。这回呢，你是千真万确的娶太太，难道还不给大家一个机会，教大家孝敬你老一点现款吗？"

听完这一片良言，李空山心里痒了一阵，可是依然只说出："麻烦！麻烦！"

"不麻烦！"亦陀的话越来越有力，可是声音也越低。声音低而有力，才足以表示亲密，而且有点魔力。"你把事情都交给我，先派我作大媒好了。这里只有个大赤包不好斗，不过，咱们说句闲话，她能办的，我，不才，也能办，她要是敢闹刺儿，你把她的所长丢掉就是了。咱们只是闲扯，比方说，科长你要是愿意抬举我，我一定不会跟你三七成分账，我是能孝敬你多少，就拿出多少，我决不能像大赤包那么忘恩负义！这可都是闲篇儿，科长你可别以为我要顶大赤包；她是我的上司，我对她也不能忘恩负义！话往回说，你把事情全交给我好了，我一定会办得使你满意！"

"麻烦！"李空山很喜欢亦陀的话，可是为表示自己有思想，所以不便立刻完全同意别人的策略——愚人之所以为愚人，就是因为他以为自己很有思想。

"还有什么麻烦呀？我一个人的爷爷！"高亦陀半急半笑的说。

"有了家，"李空山很严肃的提出理由来，"就不自由了！"

高亦陀低声的笑了一阵。"我的科长，家就能拴住咱们了吗？别的我不知道，我到过日本。"

空山插了话："到过日本，你？"

"去过几天！"亦陀谦恭而又自傲的说："我知道日本人的办法。日本男人把野娘们带到家来过夜，他的太太得给铺床叠被的伺候着。这个办法对！她，"亦陀的鼻子向旁边的屋子一指，"她是摩登小姐，也许爱吃醋；可是，你只须教训她两回，她就得乖乖的听话。砸她，拧她，咬她，都是好的教训。教训完了，给她买件衣料什么的，她就

264

破涕为笑了！这样，她既不妨碍你的自由，你又可以在大宴会或招待日本人的时候，有个漂亮太太一同出席，够多么好！没有麻烦！没有一点麻烦！况且，说句丑话，在真把她玩腻了的时候，你满可以把她送给日本朋友啊！告诉你，科长，有日本人占住北平，咱们实在有一切的便利！"

空山笑了。他同意亦陀的最后一项办法——把招弟送给日本人，假如她太不听话。

"就这么办啦，科长！"亦陀跳动着轻碎的小步往外走。隔着窗子，他告诉招弟："二小姐，我到府上送个话儿，就说今天你不回去了！"没等招弟开口，他已经走出去。

他雇车回到冠家。一路上，他一直是微笑着。一直到进了冠家的大门，他才停止了微笑，换上了一脸的严肃。院中很静。桐芳与高第已经都关门就寝，只有北屋还有灯光。

大赤包还在客厅中坐着呢，脸上的粉已褪落，露出黄暗的皱纹与大颗的黑雀斑，鼻子上冒出一些有光的油。晓荷在屋中来回的走，他的骂已挨够，脸上露出点风暴过去将要有晴天的微笑。他的眼时常瞭着大赤包，以便随时收起微笑，而拿出一点忧郁来。

见高亦陀进来，晓荷作出极镇定而又极恳切的样子，问了声"怎样？"

亦陀没理会晓荷，而看了看大赤包。她抬了抬眼皮。亦陀晓得女光棍是真着了急，而故意的要"拿捏"她一下；亦陀也是个软性的疯子。他故意作出疲乏的样子，有声无力的说："我得先抽一口！"他一直走进内间去。

大赤包追了进去。晓荷仍旧在客厅里慢慢的走。他不屑于紧追亦陀，他有他的身分！

等亦陀吸了一大口烟之后，大赤包才问："怎样？找到他们，啊，她，没有？"

一边慢慢的挑烟，亦陀一边轻声缓调的说："找到了。二小姐说，今天不回来了。"

大赤包觉得有多少只手在打她的嘴巴！"晓荷！"雷似的她吼了一

265

声。"叫车去！"

雷声把亦陀震了起来。"干吗？"

一手插腰，一手指着烟灯，大赤包咬着牙说："我斗一斗姓李的那小子！我找他去！"

亦陀立了起来。"所长！是二小姐倾心愿意呀！"

"你胡说！我养的孩子，我明白！"大赤包的脸上挂上了一层白霜；手还指着烟灯，直颤。"晓荷！叫车去！"

晓荷向屋门里探了探头。

大赤包把指向烟灯的手收回来，面对着晓荷，"你个松头日脑的东西！女儿，女儿，都叫人家给霸占了，你还王八大缩头呢！你是人不是？是人不是？说！"

"不用管她是什么东西吧，"晓荷很镇定的说；"咱们应当先讨论怎样解决这件事，光发脾气有什么用呢？"在他的心里，他是相当满意招弟的举动的，所以他愿意从速把事情解决了。他以为能有李空山么个女婿，他就必能以老泰山的资格得到一点事作。他和东阳，瑞丰，拜过盟兄弟，可是并没得到任何好处。盟兄弟的关系远不如岳父与女婿的那么亲密，他只须一张嘴，李空山就不能不给他尽心。至于招弟的丢人，只须把喜事办得体面一些，就能遮掩过去，正如同北平陷落而挂起五色旗那样使人并不觉得太难堪。势力与排场，是最会遮羞的。

大赤包愣了一愣。

高亦陀赶紧插嘴，唯恐教晓荷独自得到劝慰住了她的功劳。"所长！不必这么动气，自己的身体要紧，真要气出点病来，那还了得！"说着，他给所长搬过一张椅子来，扶她坐下。

大赤包哼哼了两声，觉得自己确是不应动真气；气病了自己实在是一切人的损失。

亦陀接着说："我有小小的一点意见，说出来备所长的参考。第一，这年月是讲自由的年月，招弟小姐并没有什么很大的过错。第二，凭所长你的名誉身分，即使招弟小姐有点不检点，谁也不敢信口胡说，你只管放心。第三，李空山虽然在这件事上对不起所长，可是

266

他到底是特高科的科长，掌着生杀之权。那么，这件婚事实在是门当户对，而双方的势力与地位，都足以教大家并上嘴的。第四，我大胆说句蠢话，咱们的北平已经不是往日的北平了，咱们就根本无须再顾虑往日的规矩与道理。打个比方说，北平在咱们自己手里的时候，我就不敢公开的抽两口儿烟。今天，我可就放胆的去吸，不但不怕巡警宪兵，而且还得到日本人的喜欢。以小比大，招弟小姐的这点困难，也并没有什么难解决的地方，或者反倒因为有这么一点困难，以后才更能出风头呢。所长请想我的话对不对？"

大赤包沉着脸，眼睛看着鞋上的绣花，没哼一声。她知道高亦陀的话都对，但是不能把心中的恶气全消净。她有些怕李空山，因为怕他，所以心里才难过。假若她真去找他吵架，她未必干得过他。反之，就这么把女儿给了他，焉知他日后不更嚣张，更霸道了呢。她没法办。

晓荷，在亦陀发表意见的时候，始终立在屋门口听着，现在他说了话："我看哪，所长，把招弟给他就算了！"

"你少说话！"大赤包怕李空山，对晓荷可是完全能控制得住。

"所长！"亦陀用凉茶漱了漱口，啐在痰盂里，而后这么叫，"所长，毛遂自荐，我当大媒好了！事情是越快办越好，睡长梦多！"

大赤包深深的吸了一口气，用手轻轻的揉着胸口，她的心中憋得慌。

亦陀很快的又呼噜了一口烟，向所长告辞："咱们明天再详谈！就是别生气，所长！"

第二天，大赤包起来的很迟。自从天一亮，她就醒了，思前想后的再也闭不上眼。她可是不愿意起床，一劲儿盼望招弟在她起床之前回来，她好作为不知道招弟什么时候回来的样子而减少一点难堪。可是，一直等到快晌午了，招弟还没回来。大赤包又发了怒。她可是没敢发作。昨天，她已经把晓荷骂了个狗血喷头，今天若再拿他出气，似乎就太单调了一些。今天，她理当从高第与桐芳之中选择出一个作为"骂挡子"。

起来，她没顾得梳洗，就先到桐芳的小屋里去看一眼。桐芳没在

267

屋里。

高第，脸上还没搽粉，从屋里出来，叫了一声"妈！"

大赤包看了女儿一眼，问了声："她呢？"

"谁？桐芳啊？她和爸爸一清早就出去了，也许是看招弟去了吧？我听见爸爸说：去看新亲！"

大赤包的头低下去，两手紧紧的握成拳头，半天没说出话来。

高第往前凑了两步，有点害怕，又很勇敢的说："妈！先前你教我敷衍李空山，你看他是好人吗？"

大赤包抬起头来，很冷静的问："又怎样呢？"

高第怕妈妈发怒，赶紧假笑了一下。"妈！自从日本人一进北平，我看你和爸爸的心意和办法就都不对！你看，全胡同的人有谁看得起咱们？谁不说咱们吃日本饭？据我瞧，李空山并不厉害，他是狗仗人势，借着日本人的势力才敢欺侮咱们。咱们吃了亏，也是因为咱们想从日本人手里得点好处。跟老虎讨交情的，早晚是喂了老虎！"

大赤包冷笑起来。声音并不高，而十分有劲儿的说："呕！你想教训我，是不是？你先等一等！我的心对得起老天爷！我的操心受累全是为了你们这一群没有用的吃货！教训我？真透着奇怪！没有我，你们连狗屎也吃不上！"

高第的短鼻子上出了汗，两只手交插在一块来回的绞。"妈，你看祁瑞宣，他也养活着一大家子人，可是一点也不……"她舔了舔厚嘴唇，没敢把坏字眼说出来，怕妈妈更生气。"看人家李四爷，孙七，小崔，不是都还没饿死吗？咱们何必单那么着急，非巴结……不可呢？"

大赤包又笑了一声："得啦，你别招我生气，行不行？行不行！你懂得什么？"

正在这个时节，晓荷，满脸的笑容，用小碎步儿跑进来。像蜂儿嗅准了一朵花似的，他一直奔了大赤包去。离她有两步远，他立住，先把笑意和殷勤放射到她的眼里，而后甜美的说："所长！二姑娘回来了！"

晓荷刚说完，招弟就轻巧的，脸上似乎不知怎样表情才好，而又

268

没有一点显然的惭愧或惧怕的神气，走进来。她的顶美的眼睛由高第看到妈妈，而后看了看房脊。她的眼很亮，可是并不完全镇定，浮动着一些随时可以变动的光儿。先轻快的咽了一点唾沫，她才勇敢的，微笑着，叫了一声"妈!"

大赤包没出声。

桐芳也走进来，只看了高第一眼，便到自己的小屋里去。

"姐!"招弟假装很活泼的过去拉住高第的手，而后咯咯的笑起来，连她自己也不知道笑的什么。

晓荷看看女儿，看看太太，脸上满布着慈祥与愉快，嘴中低声念道："一切不成问题! 都有办法! 都有办法!"

"那个畜生呢?"大赤包问晓荷。

"畜生?"晓荷想了一下才明白过来："一切都不成问题! 所长，先洗洗脸去吧!"

招弟放开姐姐的手，仰着脸，三步并成两步的，跑进自己屋中去。

大赤包还没走到屋门口，高亦陀就也来到。有事没事的，他总是在十二点与下午六点左右，假若不能再早一点的话，来看朋友，好吃人家的饭。赶了两步，他搀着大赤包上台阶，倒好像她是七八十岁的人似的。

269

八

　　陈野求找不到姐丈钱默吟，所以他就特别的注意钱先生的孙子——钱少奶奶真的生了个男娃娃。自从钱少奶奶将要生产，野求就给买了催生的东西，亲自送到金家去。他晓得金三爷看不起他，所以要转一转面子。在他的姐姐与外甥死去的时候，他的生活正极其困苦，拿不出一个钱来。现在，他是生活已大见改善，他决定叫金三爷看看，他并不是不通人情的人。再说，钱少奶奶住在娘家，若没有钱家这面的亲戚来看看她，她必定感到难过，所以他愿以舅公的资格给她点安慰与温暖。小孩的三天十二天与满月，他都抓着工夫跑来，带着礼物与他的热情。他永远不能忘记钱姐丈，无论姐丈怎样的骂过他，甚至和他绝交。

　　还有，自从他给伪政府作事，他已经没有了朋友。在从前，他的朋友多数是学术界的人。现在，那些人有的已经逃出北平，有的虽然仍在北平，可是隐姓埋名的闭户读书，不肯附逆。有的和他一样，为了家庭的累赘，无法不出来挣钱吃饭。对于那不肯附逆的，他没脸再去访见，就是在街上偶然的遇到，他也低下头去，不敢打招呼。对那与他一样软弱的老友，大家也断绝了往来，因为见了面彼此难堪。自然，他有了新的同事。可是同事未必能成为朋友。

　　他吃上了鸦片，用麻醉剂抵消寂寞与羞惭。

　　钱少奶奶生了娃娃，野求开始觉得心里镇定了一些。他自己已经有八个孩子，他并不怎么稀罕娃娃。但是，钱家这个娃娃仿佛与众不同——他是默吟的孙子。假若"默吟"两个字永远用红笔写在他的心上，这个娃娃也应如此。假若他丢掉了默吟，他却得到了一个小朋

270

友——默吟的孙子。假若默吟是诗人，画家，与义士，这个小娃娃便一定不凡，值得敬爱，就像人们尊敬孔圣人的后裔似的。钱少奶奶本不过是个平庸的女人，可是自从生了这个娃娃，野求每一见到她，便想起圣母像来。

附带使他高兴的，是金三爷给外孙办了三天与满月，办得很像样子。在野求看，金三爷这样肯为外孙子花钱，一定也是心中在思念钱默吟。那么，金三爷既也是默吟的崇拜者，野求就必须和他成为朋友。

金三爷是爱面子的。不错，他很喜欢这个外孙子。但是，假若这个外孙的祖父不是钱默吟，他或者不会花许多钱给外孙办三天与满月的。有这一点曲折在里面，他就渴望在办事的时候，钱亲家公能够自天而降，看看他是怎样的义气与慷慨。他可以拉住亲家公的手说："你看，你把媳妇和孙子托给了我，我可没委屈了他们！你我是真朋友，你的孙子也就是我的孙子！"可是，钱亲家公没能自天而降的忽然来到。他的话没有说出的机会。于是，求其次者，他想能有一个知道默吟所遭受的苦难的人，来看一看，也好替他证明他是怎样的没有忘记了朋友的嘱托。野求来得正好，野求知道钱家的一切。金三爷，于是，忘了野求从前的没出息，而把腹中藏着的话说给了野求。野求本来能说会道，乘机会专赞了金三爷几句，金三爷的红脸上发了光。乘着点酒意，他坦白的告诉了野求："我从前看不起你，现在我看你并不坏！"这样，他们成了朋友。

假若金三爷能这样容易的原谅了野求，那就很不难想到，他也会很容易原谅了日本人的。他的买卖越来越兴隆，钱先生又离开了他，他渐渐儿地快把日本人抛到脑后去了。

日本军队在北平四围的屠杀，教乡民们无法不放弃了家与田园，到北平城里来避难。这，可就忙了金三爷。北平的任何生意都没有起色，而只兴旺了金三爷这一行，与沿街打小鼓收买旧货的。金三爷是一个心孔的人，看到了生意，他就作生意，顾不得想别的。及至生意越来越多，他不但忘了什么国家大事，而且甚至于忘了他自己。他告诉自己："日本人总算还不错，他们给我不少的生意！日本人自己不

271

是也得租房买房么？他们也找过我呀！朋友！大家都是朋友，你占住北平，我还作生意，各不相扰，就不坏！"

拧上一锅子烟，他又细想了一遍，刚才的话一点破绽也没有。于是他想到了将来："照这么下去，我也可以买房了。已经快六十了，买下它那么两三所小房，吃房租，房租越来越高呀！那就很够咱一天吃两顿白面的了。白面有了办法，谁还干这种营生？也该拉着外孙子，溜溜街呀，坐坐茶馆吧！"

小孩儿长得很好，不十分胖而处处都结实。金三爷说小孩子的鼻眼像妈妈，而妈妈一定以为不但鼻眼，连头发与耳朵都像孟石。自从一生下来到如今，（小孩已经半岁了）这个争执还没能解决。

另一不能解决的事是小孩的名字。钱少奶奶坚决的主张，等着祖父来给起名字，而金三爷以为马上应当有个乳名，等钱先生来再起学名。乳名应当叫什么呢？父女的意见又不能一致。金三爷一高兴便叫"小狗子"或"小牛儿"，钱少奶奶不喜欢这些动物。她自己逗弄孩子的时候，一会儿叫"大胖胖"，一会儿叫"臭东西"，又遭受金三爷的反对："他并不胖，也不臭！"意见既不一致，定名就非常的困难，久而久之，金三爷就直截了当的喊"孙子"，而钱少奶奶叫"儿子"。于是，小孩子一听到"孙子"，或"儿子"，便都张着小嘴傻笑。这可就为难了别人，别人不便也喊这个小人儿孙子或儿子。

为了这点不算很大，而相当困难的问题，金家父女都切盼钱先生能够赶快回来，好给小孩一个固定不移的名字。可是，钱先生始终不来。

野求非常喜欢这个无名的孩子——既是默吟的孙子，又是他与金三爷成为朋友的媒介。只要有工夫，他总要来看一眼。他准知道娃娃还不会吃东西，拿玩具，但是他不肯空着手来。每来一次，他必须带来一些水果或花红柳绿的小车儿小鼓儿什么的。

"野求！"金三爷看不过去了："他不会吃，不会耍，干吗糟蹋钱呢？下次别这么着了！"

"小意思！小意思！"野求仿佛道歉似的说："钱家只有这么一条根！"在他心里，他是在想："我丢失了他的祖父，（我的最好的朋友!)不能再丢失了这个小朋友。小朋友长大，他会，我希望，亲热的叫舅爷爷，而不叫我别的难听的名字！"

这一天，天已经黑了好久，野求拿着一大包点心到蒋养房来。从很远，他就伸着细脖子往金家院子看，看还有灯光没有；他知道金三爷和钱少奶奶都睡得相当的早。他希望他们还没有睡，好把那包点心交出去。

再走近几步，他的心凉了，金家已没有了灯光！他立住，跟自己说："来迟了，吃鸦片的人没有时间观念，该死！"

他又往前走了两步，他不肯轻易打回头。他可又没有去敲门的决心，为看看孩子而惊动金家的人，他觉得有点不大好意思。离金家的街门只有五六步了，他看见一个人原在门垛子旁边立着，忽然的走开，向和他相反的方向走，走得很慢。

野求并没看清那是谁，但是像猫"感到"附近有老鼠似的，他浑身的感觉都帮助他，促迫他，相信那一定是钱默吟。他赶上前去。前面的黑影也走得快了，可是一拐一拐的，不能由走改为跑。野求开始跑。只跑了几步，他赶上了前面的人。他的泪与声音一齐放出来："默吟！"

钱先生低下头去，腿虽不方便，而仍用力加快的走。野求像喝醉了似的，不管别人怎样，而只顾自己要落泪，要说话，要行动。一下子，他把那包点心扔在地上，顺手就扯住了姐丈。满脸是泪的，他抽搭着叫："默吟！默吟！什么地方都找到，现在我才看见了你！"

钱先生收住脚步，慢慢的走；快走给他苦痛。他依旧低着头，一声不出。

野求又加上了一只手，扯住姐丈的胳膊。"默吟，你就这么狠心吗？我知道，我承认，我是软弱无能的混蛋！我只求你跟我说一句话，是，哪怕只是一句话呢！对！默吟，跟我说一句！不要这样低着头，你瞪我一眼也是好的呀！"

钱先生依然低着头，一语不发。

这时候，他们走近一盏街灯。野求低下身去，一面央求，一面希望看到姐丈的脸。他看见了：姐丈的脸很黑很瘦，胡子乱七八糟的遮

273

住嘴，鼻子的两旁也有两行泪道子。

"默吟！你再不说话，我可就跪在当街了！"野求苦苦的央告。

钱先生叹了一口气。

"姐丈！你是不是也来看那个娃娃的？"

默吟走得更慢了，低着头，用手背抹去脸上的泪。"嗯！"

听到姐丈这一声嗯，野求像个小儿似的，带着泪笑了。"姐丈！那是个好孩子，长得又俊又结实！"

"我还没看见过他！"默吟低声的说。"我只听到了他的声音。天天，我约摸着金三爷就寝了，才敢在门外站一会儿。听到娃娃的哭声，我就满意了。等他哭完，睡去，我抬头看看房上的星；我祷告那些星保佑着我的孙子！在危难中，人容易迷信！"

默默的，他们已快走到育养局的西口。野求还紧紧的拉着姐丈的臂。默吟忽然站住了，夺出胳臂来。两个人打了对脸。野求看见了默吟的眼，两只和秋星一样亮的眼。他颤抖了一下。在他的记忆里，姐丈的眼永远是慈祥与温暖的泉源。现在，姐丈的眼发着钢铁的光，极亮，极冷，怪可怕。默吟只看了舅爷那么一眼，然后把头转开："你该往东去吧？"

"我——"野求舐了舐嘴唇。"你住在哪儿呢？"

"有块不碍事的地我就可以睡觉！"

"咱们就这么分了手吗？"

"嗯——等国土都收复了，咱们天天可以在一块儿！"

"姐丈！你原谅了我？"

默吟微微摇了摇头："不能！你和日本人，永远得不到我的原谅！"

野求的贫血的脸忽然发了热："你诅咒我好了！只要你肯当面诅咒我，就是我的幸福！"

默吟没回答什么，而慢慢的往前迈步。

野求又扯住了姐丈。"默吟！我还有多少多少话要跟你谈呢！"

"我现在不喜欢闲谈！"

野求的眼珠定住。他的心中像煮沸的一锅水那么乱。随便的他提出个意见："为什么咱们不去看看那个娃娃呢？也好教金三爷喜欢喜欢哪！"

"他，他和你一样的使我失望！我不愿意看到他。教他干他的吧，教他给我看着那个娃娃吧！假若我有办法，我连看娃娃的责任都不托给他！我极愿意看看我的孙子，但是我应当先给孙子打扫干净了一块土地，好教他自由的活着！祖父死了，孙子或者才能活！反之，祖父与孙子都是亡国奴，那，那，"默吟先生笑了一下。他笑得很美。"家去吧，咱们有缘就再见吧！"

野求木在了那里。不错眼珠的，他看着姐丈往前走。那个一拐一拐的黑影确是他的姐丈，又不大像他的姐丈；那是一个永远不说一句粗话的诗人，又是一个自动的上十字架的战士。黑影儿出了胡同口，野求想追上去，可是他的腿酸得要命。低下头，他长叹了一声。

他开始打回头，往东走。又走到金家门口，他不期然而然的停住了脚步。小孩子哭呢。他想象着姐丈大概就是这样的立在门外，听着小孩儿啼哭。他赶紧又走开，那是多么惨哪！祖父不敢进去看自己的孙子，而只立在门外听一听哭声！他的眼中又湿了。

他决定马上去看看瑞宣。他必须把看到了默吟这个好消息告诉给瑞宣，好教瑞宣也喜欢喜欢。他的腿不酸了，他加快了脚步。

瑞宣已经躺下了，可是还没入睡。听见敲门的声音，他吓了一跳。这几天，因为武汉的陷落，日本人到处捉人。前线的胜利使住在北方的敌人想紧紧抓住华北，永远不放手。华北，虽然到处有汉奸，可是汉奸并没能替他们的主子得到民心。连北平城里还有像钱先生那样的人；城外呢，离城三四十里就还有用简单的武器，与最大的决心的，与敌人死拼的武装战士。日本人必须肃清这些不肯屈膝的人们，而美其名叫作"强化治安"。即使他们拿不到真正的"匪徒"，他们也要捉一些无辜的人，去尽受刑与被杀的义务。他们捕人的时间已改在夜里。像猫头鹰捕麻雀那样，东洋的英雄们是喜欢偷偷摸摸的干事的。瑞宣吓了一跳。他晓得自己有罪——给英国人作事便是罪过。急忙穿上衣服，他轻轻的走出来。

院里很黑。走到影壁那溜儿，他问了声："谁？"

"我！野求！"

瑞宣开开了门。三号的门灯立刻把光儿射进来。三号院里还有笑声。是的，他心里很快的想到：三号的人们的无耻大概是这时代最好的护照吧？还没等他想清楚，野求已迈进门坎来。

"哟！你已经睡了吧？真！吸烟的人没有时间观念！对不起，我惊动了你！"野求擦了擦脸上的凉汗。

"没关系！"瑞宣淡淡的一笑，随手又系上个纽扣。"进来吧！"

野求犹豫了一下。"太晚了吧？"可是，他已开始往院里走。他喜欢和朋友闲谈，一得到闲谈的机会，他便把别的都忘了。

瑞宣开开堂屋的锁。

野求开门见山的说出来："我看见了默吟！"

瑞宣的心里忽然一亮，亮光射出来，从眼睛里慢慢的分散在脸上。"看见他了？"他笑着问。

野求一气把遇到姐丈的经过说完。他只是述说，没有加上一点自己的意见。

瑞宣并没表示什么。这时候，他顾不得替野求想什么，而只一心一意的想看到钱先生。

"明天，"他马上打定了主意，"明天晚上八点半钟，咱们在金家门口见！"

"明天？"野求转了转眼珠："恐怕他未必……"

以瑞宣的聪明，当然也会想到钱先生既不喜欢见金三爷与野求，明天——或者永远——他多半不会再到那里去。可是，他是那么急切的愿意看看诗人，他似乎改了常态："不管！不管！反正我必去！"

第二天，他与野求在金家门外等了一晚上，钱先生没有来。

九

瑞宣想错了，日本人捕人并不敲门，而是在天快亮的时候，由墙外跳进来。在大处，日本人没有独创的哲学，文艺，音乐，图画，与科学，所以也就没有远见与高深的思想。在小事情上，他们却心细如发，捉老鼠也用捉大象的力量与心计。小事情与小算盘作得周到详密，使他们像猴子拿虱子似的，拿到一个便满心欢喜。因此，他们忘了大事，没有理想，而一天到晚苦心焦虑的捉虱子。在瑞宣去看而没有看到钱先生的第三天，他们来捕瑞宣。他们捕人的方法已和捕钱先生的时候大不相同了。

约摸是在早上四点钟左右吧，一辆大卡车停在了小羊圈的口外，车上有十来个人，有的穿制服，有的穿便衣。卡车后面还有一辆小汽车，里面坐着两位官长。为捕一个软弱的书生，他们须用十几个人，与许多汽油。

车停住，那两位军官先下来视察地形，而后在胡同口上放了哨。他们拿出地图，仔细的阅看。他们互相耳语，然后与卡车上轻轻跳下来的人们耳语。他们倒仿佛是要攻取一座堡垒或军火库，而不是捉拿一个不会抵抗的老实人。这样，商议了半天，嘀咕了半天，一位军官才回到小汽车上，把手交插在胸前，坐下，觉得自己非常的重要。另一位军官率领着六七个人像猫似的轻快的往胡同里走。没有一点声音，他们都穿着胶皮鞋。看到了两株大槐，军官把手一扬两个人分头爬上树去，在树叉上蹲好，把枪口对准了五号。军官再一扬手，其余的人——多数是中国人——爬墙的爬墙，上房的上房。军官自己藏在大槐树与三号的影壁之间。

277

天还没有十分亮，星星可已稀疏。全胡同里没有一点声音，人们还都睡得正香甜。一点晓风吹动着老槐的枝子。远处传来一两声鸡鸣。一个半大的猫顺着四号的墙根往二号跑，槐树上与槐树下的枪马上都转移了方向。看清楚了是个猫，东洋的武士才又聚精会神的看着五号的门，神气更加严肃。

瑞宣听到房上有响动。他直觉的想到了那该是怎回事。他根本没往闹贼上想，因为祁家在这里住过了几十年，几乎没有闹过贼。人缘好，在这条胡同里，是可以避贼的。一声没出，他穿上了衣服。而后，极快的他推醒了韵梅："房上有人！别大惊小怪！假若我教他们拿去，别着急，去找富善先生！"

韵梅似乎听明白，又似乎没有听明白，可是身上已发了颤。"拿你？剩下我一个人怎么办呢？"她的手紧紧的扯住他的裤子。

"放开！"瑞宣低声的急切的说："你有胆子！我知道你不会害怕！千万别教祖父知道了！你就说，我陪着富善先生下乡了，过几天就回来！"他一转身，极快的下了地。

"你要不回来呢？"韵梅低声的问。

"谁知道！"

屋门上轻轻的敲了两下。瑞宣假装没听见。韵梅哆嗦得牙直响。

门上又响了一声。瑞宣问："谁？"

"你是祁瑞宣？"门外轻轻的问。

"是！"瑞宣的手颤着，提上了鞋；而后，扯开屋门的闩。

几条黑影围住了他，几个枪口都贴在他身上。一个手电筒忽然照在他的脸上，使他闭了一会儿眼。枪口戳了戳他的肋骨，紧跟着一声："别出声，走！"

瑞宣横了心，一声没出，慢慢往外走。

祁老人一到天亮便已睡不着。他听见了一些响动。瑞宣刚走在老人的门外，老人先嗽了一声，而后懒懒的问："什么呀！谁呀？有人闹肚子啊？"

瑞宣的脚微微的一停，就接着往前走。他不敢出声。

天亮了一些。一出街门，瑞宣看到两株槐树上都跳下一个人来。

278

他的脸上没有了血色，可是他笑了。他很想告诉他们："捕我，还要费这么大的事呀？"他可是没有出声。往左右看了看，他觉得胡同比往日宽阔了许多。他痛快了一点。四号的门响了一声。几条枪像被电气指挥着似的，一齐口儿朝了北。什么也没有，他开始往前走。到了三号门口，影壁后钻出来那位军官。两个人回去了，走进五号，把门关好。听见关门的微响，瑞宣的心中更痛快了些——家关在后面，他可以放胆往前迎接自己的命运了！

韵梅顾不得想这是什么时间，七下子八下子的就穿上了衣服。也顾不得梳头洗脸，她便慌忙的走出来，想马上找富善先生去。她不常出门，不晓得怎样走才能找到富善先生。但是，她不因此而迟疑。

轻轻的关好了屋门，她极快的往外走。看到了街门，她也看到那一高一矮的两个人。两个都是中国人，拿着日本人给的枪。两支枪阻住她的去路："干什么？不准出去！"

韵梅的腿软了，手扶住了影壁。她的大眼睛可是冒了火："躲开！我要出去！"

"谁也不准出去！"那个身量高的人说："告诉你，去给我们烧点水，泡点茶；有吃的东西拿出点来！快回去！"

韵梅浑身都颤抖起来。她真想拼命，但是她一个人打不过两个枪手。况且，活了这么大，她永远没想到过和人打架斗殴。她没了办法。但是，她也不甘心就这么退回来。她明知无用而不能不说的问他们：

"你们凭什么抓去我的丈夫呢？他是顶老实的人！"

这回，那个矮一点的人开了口："别废话！日本人要拿他，我们不晓得为什么！快去烧开水！"

"难道你们不是中国人？"韵梅瞪着眼问。

矮一点的人发了气："告诉你，我们对你可是很客气，别不知好歹！回去！"他的枪离韵梅更近了一些。

她往后退了退。她的嘴干不过手枪。退了两步，她忽然的转过身来，小跑着奔了南屋去。她本想不惊动婆母，可是没了别的办法；她既出不去街门，就必须和婆母要个主意了。

把婆母叫醒，她马上后了悔。事情是很简单，可是她不知道怎么开口好了。婆母是个病身子，她不应当大惊小怪的吓嚇她。同时，事情是这么紧急，她又不该磨磨蹭蹭的绕弯子。进到婆母的屋中，她呆呆的愣起来。

天已经大亮了，南屋里可是还相当的黑。天佑太太看不清楚韵梅的脸，而直觉的感到事情有点不大对："怎么啦？小顺儿的妈！"

韵梅的憋了好久的眼泪流了下来。她可是还控制着自己，没哭出声来。

"怎么啦？怎么啦？"天佑太太连问了两声。

"瑞宣，"韵梅顾不得再思索了。"瑞宣教他们抓去了！"

像有几滴冰水落在天佑太太的背上，她颤了两下。可是，她控制住自己。她是婆母，不能给儿媳一个坏榜样。再说，五十年的生活都在战争与困苦中度过，她知道怎样用理智与心计控住感情。她用力扶住一张桌子，问了声："怎么抓去的？"

极快的，韵梅把事情述说了一遍。快，可是很清楚，详细。

天佑太太一眼看到生命的尽头。没了瑞宣，全家都得死！她可是把这个压在了心里，没有说出来。少说两句悲观的话，便能给儿媳一点安慰。她愣住，她须想主意。不管主意好不好，总比哭泣与说废话强。"小顺儿的妈，想法子推开一块墙，告诉六号的人，教他们给使馆送信去！"老太太这个办法不是她的创作，而是跟祁老人学来的。从前，遇到兵变与大的战事，老人便杵开一块墙，以便两个院子的人互通消息，和讨论办法。这个办法不一定能避免灾患，可是在心理上有很大的作用，它能使两个院子的人都感到人多势众，减少了恐慌。

韵梅没加思索，便跑出去。到厨房去找开墙的家伙。她没想她有杵开界墙的能力，和杵开以后有什么用处。她只觉得这是个办法，并且觉得她必定有足够的力气把墙推开；为救丈夫，她自信能开一座山。

正在这个时候，祁老人起来了，拿着扫帚去打扫街门口。这是他每天必作的运动。这点运动使他足以给自己保险——老年人多动一动，身上就不会长疙瘩与痈疽。此外，在他扫完了院子的时候，他还要拿着扫帚看一看儿孙，暗示给他们这就叫作勤俭成家！

老人一拐过影壁就看到了那两个人，马上他说了话。这是他自己的院子，他有权利干涉闯进来的人。"怎么回事？你们二位？"他的话说得相当的有力，表示出他的权威；同时，又相当的柔和，以免得罪了人——即使那两个是土匪，他也不愿得罪他们。等到他看见了他们的枪，老人决定不发慌，也不便表示强硬。七十多年的乱世经验使他稳重，像橡皮似的，软中带硬。"怎么？二位是短了钱花吗？我这儿是穷人家哟！"

"回去！告诉里边的人，谁也不准出来！"高个子说。

"怎么？"老人还不肯动气，可是眼睛眯起来。"这是我的家！"

"罗嗦！不看你上了岁数，我给你几枪把子！"那个矮子说，显然的他比高个子的脾气更坏一些。

没等老人说话，高个子插嘴："回去吧，别惹不自在！那个叫瑞宣的是你的儿子还是孙子？"

"长孙！"老人有点得意的说。

"他已经教日本人抓了走！我们俩奉命令在这儿把守，不准你们出去！听明白了没有？"

扫帚松了手。老人的血忽然被怒气与恐惧唖净，脸上灰了。"为什么拿他呢？他没有罪！"

"别废话，回去！"矮子的枪逼近了老人。

老人不想抢矮子的枪，但是往前迈了一步。他是贫苦出身，年纪大了还有把子力气；因此，他虽不想打架，可是身上的力气被怒火催动着，他向前冲着枪口迈了步。"这是我的家，我要出去就出去！你敢把我怎样呢？开枪！我决不躲一躲！拿去我的孙子，凭什么？"在老人的心里，他的确要央求那两个人，可是他的怒气已经使他的嘴不再受心的指挥。他的话随便的，语无伦次的，跑出来。话这样说了，他把老命置之度外，他喊起来："拿去我的孙子，不行！日本人拿去他，你们是干什么的？拿日本鬼子吓唬我，我见过鬼子！躲开！我找鬼子去！老命不要了！"说着，他扯开了小袄，露出他的瘦而硬的胸膛。"你枪毙了我！来！"怒气使他的手颤抖，可是把胸膛拍得很响。

"你嗻！我真开枪！"矮子咬着牙说。

"开！开！冲着这儿来！"祁老人用颤抖的手指戳着自己的胸口。他的小眼睛眯成了一道缝子，挺直了腰，腮上的白胡子一劲儿的颤动。

天佑太太首先来到。韵梅，还没能杵开一块砖，也跑了过来。两个妇人一边一个扯住老人的双臂，往院子里边扯。老人跳起脚来，高声的咒骂。他忘了礼貌，忘了和平，因为礼貌与和平并没给他平安与幸福。

两个妇人连扯带央告的把老人拉回屋中，老人闭上了口，只剩了哆嗦。

"老爷子！"天佑太太低声的叫，"先别动这么大的气！得想主意往出救瑞宣啊！"

老人咽了口气，用小眼睛看了看儿媳与孙媳，他的眼很了很亮。脸上由灰白变成了微红。看完两个妇人，他闭上了眼。是的，他已经表现了他的勇敢，现在他须想好主意。他知道她们婆媳是不会有什么高明办法的，他向来以为妇女都是没有心路的。很快的，他想出来办法："找天佑去！"

纯粹出于习惯，韵梅微笑了一下："咱们不是出不去街门吗？爷爷！"

老人的心疼了一下，低下头去。他没敢摸他的胡子。胡子已不再代表着经验与智慧，而只是老朽的标记。哼哼了一两声，他躺在了炕上。"你们去吧，我没主意！"

婆媳愣了一会儿，慢慢的走出来。

"我还挖墙去！"韵梅两只大眼离离光光的，不知道看什么好，还是不看什么好。她心里燃着一把火，可是还要把火压住，好教老人们少着一点急。

"你等等！"天佑太太心中的火并不比儿媳的那一把少着火苗。可是她也必须镇定，好教儿媳不太发慌。她已忘了她的病；长子若有个不幸，她就必得死，死比病更厉害。"我去央告央告那两个人，教我出去送个信！"

282

"不用！他们不听央告！"韵梅搓着手说。

"难道他们不是中国人？就不帮咱们一点儿忙？"

韵梅没回答什么，只摇了摇头。

太阳出来了。天上有点薄云，而遮不住太阳的光。阳光射入薄云里，东一块西一块的给天上点缀了一些锦霞。婆媳都往天上看了看。看到那片片的明霞，她们觉得似乎像是作梦。

韵梅无可如何的，又回到厨房的北边，拿起铁通条。她不敢用力，怕出了响声被那两个枪手听见。不用力，她又没法活动开一块砖。她出了汗。她一边挖墙，一边轻轻的叫："文先生！文先生！"这里离小文的屋子最近，她希望小文能听见她的低叫。没有用。她的声音太低。她不再叫，而手上加了劲。半天，她才只活动开一块砖。叹了口气，她愣起来。小妞子叫她呢。她急忙跑到屋中。她必须嘱咐小妞子不要到大门那溜儿去。

小妞子还不大懂事，可是从妈妈的脸色与神气上看出来事情有点不大对。她没敢掰开揉碎的细问，而只用小眼溜着妈妈。等妈妈给她穿好衣服，她紧跟在妈妈后边，不敢离开。她是祁家的孩子，她晓得害怕。

妈妈到厨房去生火，妞子帮着给拿火柴，找劈柴。她要表现出她很乖，不招妈妈生气。这样，她可以减少一点恐惧。

天佑太太独自在院中立着。她的眼直勾勾的对着已落了叶的几盆石榴树，可是并没有看见什么。她的心跳得很快。她极想躺一躺去，可是用力的控制住自己。不，她不能再管自己的病；她必须立刻想出搭救长子的办法来。忽然的，她的眼一亮。眼一亮，她差点要晕倒。她急忙蹲了下去。她想起来一个好主意。想主意是劳心的事，她感到眩晕。蹲了一小会儿，她的兴奋劲儿慢慢退了下去。她极留神的往起立。立起来，她开足了速度往南屋走。在她的陪嫁的箱子里，她有五六十块现洋，都是"人头"的。她轻轻的开开箱子，找到箱底上的一只旧白布袜子。她用双手提起那只旧袜子，好不至于哗啷哗啷的响。手伸到袜子里去，摸到那硬的凉的银块块子。她的心又跳快了。这是她的"私钱"。每逢病重，她就必想到这几十块现洋；它们足以使她在想到死亡的时候得到一点安慰，因为它们可以给她换来一口棺材，而少教儿子们着一点急。今天，她下决心改变了它们的用途；不管自己死去有无买棺材的现钱，她必须先去救长子瑞宣。瑞宣若是死在狱里，全家就必同归于尽，她不能太自私的还不肯动用"棺材本儿"！轻轻的，她一块一块的往外拿钱。

她只拿出二十块来。她看不起那两个狗仗人势给日本人作事的枪手。二十块，每人十块，就够收买他们的了。把其余的钱又收好，她用手帕包好这二十块，放在衣袋里。而后，她轻轻的走出了屋门。走到枣树下面，她立住了。立了许久，她打不定主意。正在这么左右为难，她听到很响的一声铃——老二瑞丰来了！瑞丰有了包车，他每次来，即使大门开着，也要响一两声车铃。铃声替他广播着身分与声势。天佑太太很快的向前走了两步。只是两步，她没再往前走。她必须教二儿子施展他的本领，而别因她的热心反倒坏了事。她是祁家的妇人，她知道妇人的规矩——男人能办的就交给男人，妇女不要不知分寸的跟着夹缠。

韵梅也听到了铃声，急忙跑过来。看见婆母，她收住了脚步。她的大眼睛亮起来，可是把声音放低，向婆母耳语："老二！"

老太太点了点头，嘴角上露出一点点笑意。

两个妇人都不敢说什么，而心中都温暖了一点。不管老二平日对待她们怎样的不合理，假若今天他能帮助营救瑞宣，她们就必会原谅他。两个妇人的眼都亮起来，她们以为老二必会没有问题的帮忙，因为瑞宣是他的亲哥哥呀。

韵梅轻轻的往前走，婆母扯住了她。她给呼气儿加上一丁点声音："我探头看看，不过去！"说完，她在影壁的边上探出头去，用一只眼往外看。

那两个人都面朝了外。矮子开开门。

瑞丰的小干脸向着阳光，额上与鼻子上都非常的亮。他的眼也很亮，两腮上摆出点笑纹，像刚吃了一顿最满意的早饭似的那么得意。帽子在右手里拿着，他穿着一身刚刚作好的藏青哔叽中山装。胸前戴着教育局的证章，刚要迈门坎，他先用左手摸了摸它。一摸证章，他

284

的胸忽然挺得更直一些。他得意，他是教育局的科长。今天他特别得意，因为他是以教育局的科长的资格，去见日本天皇派来的两位特使。

武汉陷落以后，华北的地位更重要了。日本人可以放弃武汉，甚至于放弃了南京，而决不撒手华北。可是，华北的"政府"，像我们从前说过的，并没有多少实权，而且在表面上还不如南京那么体面与重要。因此，日本天皇派来两位特使，给北平的汉奸们打打气，同时也看看华北是否像军人与政客所报告的那样太平。今天，这两位特使在怀仁堂接见各机关科长以上的官吏，向大家宣布天皇的德意。

接见的时间是在早九点。瑞丰后半夜就没能睡好，五点多钟便起了床。他加细的梳头洗脸，而后穿上修改过五次，一点缺陷也没有的新中山装。临出门的时候，他推醒了胖菊子："你再看一眼，是不是完全合适？我看袖子还是长了一点，长着一分！"菊子没有埋他，掉头又睡着了。他对自己笑了笑。

天还早，离见特使的时候还早着两个多钟头。他要到家中显露显露自己的中山装，同时也教一家老少知道他是去见特使——这就等于皇上召见啊，诸位！

临上车，他教小崔把车再从新擦抹一遍。上了车以后，他把背靠在车箱上，而挺着脖子，口中含着那只假象牙的烟嘴儿。晓风凉凉的拂着脸，刚出来的太阳照亮他的新衣与徽章。他左顾右盼的，感到得意。他几次要笑出声来，而又控制住自己，只许笑意轻轻的发散在鼻洼嘴角之间。看见一个熟人，他的脖子探出多长，去勾引人家的注意。而后，嘴撅起一点，整个的脸上都拧起笑纹，像被敲裂了的一个核桃。同时，双手抱拳，放在左脸之旁，左肩之上。车走出好远，他还那样抱拳，表示出身分高而有礼貌。手刚放下，他的脚赶快去按车铃，不管有无必要。他得意，仿佛偌大的北平都属于他似的。

家门开了，他看见了那个矮子。他愣了一愣。笑意与亮光马上由他的脸上消逝，他嗅到了危险。他的胆子很小。

"进来！"矮子命令着。

瑞丰没敢动。

285

高个子凑过来。瑞丰，因为近来交结了不少特务，认识高个子。像小儿看到个熟面孔，便把恐惧都忘掉那样，他又有了笑容："哟，老孟呀！"老孟只点了点头。

矮子一把将瑞丰扯进来。瑞丰的脸依然对着老孟："怎么回事？老孟！"

"抓人！"老孟板着脸说。

"抓谁？"瑞丰的脸白了一些。

"大概是你的哥哥吧！"

瑞丰动了心。哥哥总是哥哥。可是，再一想，哥哥到底不是自己。他往外退了一步，舐了舐嘴唇，勉强的笑着说："呕！我们哥儿俩分居另过，谁也不管谁的事！我是来看看老祖父！"

"进去！"矮子向院子里指。

瑞丰转了转眼珠。"我想，我不进去了吧！"

矮子抓住瑞丰的腕子："进来的都不准再出去，有命令！"是的，老孟与矮子的责任便是把守着大门，进来一个捉一个。

"不是这么说，不是这么说，老孟！"瑞丰故意的躲着矮子。"我是教育局的科长！"他用下颏指了指胸前的证章，因为一手拿着帽子，一手被矮子攥住，都匀不出来。

"不管是谁！我们只知道命令！"矮子的手加了劲，瑞丰的腕子有点疼。

"我是个例外！"瑞丰强硬了一些。"我去见天皇派来的特使！你要不放我，请你们去给我请假！"紧跟着，他又软了些："老孟，何苦呢，咱们都是朋友！"

老孟干嗽了两小声："祁科长，这可教我们俩为难！你有公事，我们这里也是公事！我们奉命，进来一个抓一个，现在抓人都用这个办法。我们放了你，就砸了我们的饭锅！"

瑞丰把帽子扣在头上，伸手往口袋里摸。惭愧，他只摸到两块钱。他的钱都须交给胖菊子，然后再向她索要每天的零花儿。手摸索着那两张票子，他不敢往外拿。他假笑着说："老孟！我非到怀仁堂去不可！这么办，我改天请你们二位吃酒！咱们都是一家人！"转脸

286

向矮子："这位老哥贵姓?"

"郭! 没关系!"

韵梅一劲儿的哆嗦，天佑太太早凑过来，拉住儿媳的手，她也听到了门内的那些使儿媳哆嗦的对话。忽然的，她放开儿媳的手，转过了影壁去。

"妈!"瑞丰只叫出来半声，唯恐因为证实了他与瑞宣是同胞兄弟而走不脱。

老太太看了看儿子，又看了看那两个人，而后咽了一口唾沫。慢慢的，她掏出包着二十块现洋的手帕来。轻轻的，她打开手帕，露出白花花的现洋。六只眼都像看变戏法似的瞪住了那雪白发亮的，久已没看见过的银块子。矮子老郭的下巴垂了下来；他厉害，所以见了钱也特别的贪婪。

"拿去吧，放了他!"老太太一手拿着十块钱，放在他们的脚旁。她不屑于把钱交在他们手里。

矮子放开瑞丰，极快的拾起钱来。老孟吸了口气，向老太太笑了一下，也去拣钱。矮子挑选了一块，对它吹了口气，然后放在耳边听了听。他也笑了一下："多年不见了，好东西!"

瑞丰张了张嘴，极快的跑了出去。

老太太拿着空手帕，往回走。拐过了影壁，她和儿媳打了对脸。韵梅的眼中含着泪，泪可是没能掩盖住怒火。到祁家这么多年了，她没和婆母闹过气。今天，她不能再忍。她的伶俐的嘴已不会说话，而只怒视着老太太。

老太太扶住了墙，低声的说："老二不是东西，可也是我的儿子!"

韵梅一下子坐在地上，双手捧着脸低声的哭起来。

瑞丰跑出来，想赶紧上车逃走。越想越怕，他开始哆嗦开了。小崔的车，和往日一样，还是放在西边的那棵槐树下。瑞丰走到三号门外，停住了脚。他极愿找个熟人说出他的受惊与冒险。他把大哥瑞宣完全忘掉，而只觉得自己受的惊险值得陈述，甚至于值得写一部小说! 他觉得只要进了冠家，说上三句哈哈，两句笑话的，他便必定得到安慰与镇定。

在平日，冠家的人起不了这么早。今天，大赤包也到怀仁堂去，所以大家都起了床。大赤包的心里充满高兴与得意。可是心中越喜欢，脸上就越不便表示出来。她花了一个钟头的工夫去描眉搽粉抹口红，而仍不满意；一边修饰，她一边抱怨香粉不好，口红不地道。头部的装修告一段落，选择衣服又是个恼人的问题。什么话呢，今天她是去见特使，她必须打扮得极精彩，连一个纽扣也不能稍微马虎一点。箱子全打开了，衣服堆满了床与沙发。她穿了又脱，换了又换，而始终不能满意。"要是特使下个命令，教我穿什么衣服，倒省了事！"她一边照镜子，一边这么唠叨。

"你站定，我从远处看一看！"晓荷走到屋子的尽头，左偏一偏头，右审一定眼，仔细的端详。"我看就行了！你走两步看！"

"走你妈的屁！"大赤包半恼半笑的说。

"唉！唉！出口伤人，不对！"晓荷笑着说："今天咱可不敢招惹你，好家伙，特使都召见你呀！好的很！好的很！"晓荷从心里喜欢。"说真的，这简直是空前，空前之举！要是也有我的份儿呀，哼，我早就哆嗦上了！所长你行，真沉得住气！别再换了，连我的眼都有点看花了！"

这时候，瑞丰走进来。他的脸还很白，可是一听到冠家人们的声音，他已经安静了一些。

"看新中山装哟！"晓荷一看见瑞丰，马上这么喊起来。"还是男人容易打扮！看，只是这么一套中山装，就教瑞丰年轻了十岁！"在他心里，他实在有点隐痛：太太和瑞丰都去见特使，他自己可是没有份儿。虽然如此，他对于太太的修饰打扮与瑞丰的穿新衣裳还是感到兴趣。他，和瑞丰一样，永远不看事情本身的好坏，而只看事情的热闹不热闹。只要热闹，他便高兴。

"了不得啦！"瑞丰故作惊人之笔的说，说完，他一下子坐在了沙发上。他需要安慰。因此，他忘了他的祖父，母亲，与大嫂也正需要安慰。

"怎么啦？"大赤包端详着他的中山装问。

"了不得啦！我就知道早晚必有这么一场吗！瑞宣，瑞宣。"他故意的要求效果。

"瑞宣怎样？"晓荷恳切的问。

"掉下去了！"

"什么？"

"掉——被抓去了！"

"真的？"晓荷倒吸了一口气。

"怎么抓去的？"大赤包问。

"糟透了！"瑞丰不愿正面的回答问题，而只顾表现自己："连我也差点儿教他们抓了走！好家伙，要不是我这身中山装，这块徽章，和我告诉他们我是去见特使，我准得也掉下去！真！我跟老大说过不止一次，他老不信，看，糟了没有？我告诉他，别跟日本人犯别扭，他偏耍牛脖子了，这可好，他抓去了，门口还有两个新门神爷！"瑞丰说出这些，心中痛快多了，脸上慢慢的有了血色。

"这话对，对！"晓荷点头咂嘴的说。"不用说，瑞宣必是以为仗着英国府的势力，不会出岔子。他可是不知道，北平是日本人的，老英老美都差点劲儿！"这样批评了瑞宣，他向大赤包点了点头，暗示出只有她的作法才是最聪明的。

大赤包没再说什么。她不同情瑞宣，也有点看不起瑞丰。她看瑞丰这么大惊小怪的，有点缺乏男儿气。她把这件事推在了一旁，问瑞丰："你是坐你的车走啊？那你就该活动着了！"

瑞丰立起来。"对，我先走啦。所长是雇汽车去？"

大赤包点了点头："包一上午汽车！"

瑞丰走了出去。坐上车，他觉得有点不是劲儿。大赤包刚才对他很冷淡啊。她没安慰他一句，而只催他走；冷淡！呕，对了！他刚由家中逃出来，就到三号去，大赤包一定是因为怕受连累而以为他太荒唐。对，准是这么回事！

小崔忽然说了话，吓了瑞丰一跳。小崔问："先生，刚才你怎么到了家，可不进去？"

瑞丰不想把事情告诉小崔。老孟老郭必定不愿意他走漏消息。可

289

是，他存不住话。像一般的爱说话的人一样，他先嘱咐小崔："你可别对别人再说呀！听见没有？瑞宣掉下去了！"

"什么？"小崔收住了脚步，由跑改为大步的走。

"千万别再告诉别人！瑞宣教他们抓下去了！"

"那么，咱们是上南海，还是……不是得想法赶紧救他吗？"

"救他？连我还差点吃了挂误官司！"瑞丰理直气壮的说。

小崔的脸本来就发红，变成了深紫的。又走了几步，他放下了车。极不客气的，他说："下来！"

瑞丰当然不肯下车。"怎回事？"

"下来！"小崔非常的强硬。"我不伺候你这样的人！那是你的亲哥哥，喝，好，你就大撒巴掌不管？你还是人不是？"

瑞丰也挂了火。不管他怎样懦弱，他也不能听车夫的教训。可是，他把人压下去。介无他必须坐着包车到南海去。好吗，少少多少人都有汽车，他若坐着雇来的车去，就太丢人了！他宁可吃小崔几句闲话，也不能教自己在南海外边去丢人！包车也是一种徽章！他假装笑了："算了，小崔！等我见完了特使，再给瑞宣想办法，一定！"

小崔犹豫了一会儿。他很想马上回去，给祁家跑跑腿。他佩服瑞宣，他应当去帮忙。可是，他也想到：他自己未必有多大的能力，倒不如督催着瑞丰去到处奔走。况且瑞宣到底是瑞丰的亲哥哥，难道瑞丰就真能站在一旁看热闹？再说呢，等到瑞丰真不肯管这件事的时候，他会把他拉到个僻静的地方，饱打一顿。什么科长不科长的，揍！这样想清楚，他又慢慢的抄起车把来。

快到南海了，他把心事都忘掉。看哪，军警早已在路两旁站好，里外三层。左右两行站在马路边上，枪上都上了刺刀，面朝着马路中间。两行站在人行道上，面也朝着马路。在这中间又有两行，端着枪，面朝着铺户。铺户都挂出五色旗与日本旗，而都上着板子。路中间除了赴会的汽车，马车，与包月的人力车，没有别的车，也没有行人；连电车也停了。瑞丰看看路中心，再看看左右的六行军警，心中有些发颤。同时，他又感到一点骄傲，交通已经断绝，而他居然还能在马路中间走，身分！幸而他处置的得当，没教小崔在半途中跑了；

好家伙，要是坐着破车来，军警准得挡住他的去路。他想蹬一下车铃，可是急忙收住了脚。大街是那么宽，那么静，假若忽然车铃一响，也许招出一排枪来！他的背离了车箱，直挺挺的坐着，心揪成了一小团。连小崔也有点发慌了，他跑得飞快，而时时回头看看瑞丰，瑞丰心中骂："该死！别看我！招人家疑心，不开枪才怪！"

府右街口一个顶高身量的巡警伸出一只手。小崔拐了弯。人力车都须停在南海的西墙外。这里有二三十名军警，手里提着手枪，维持秩序。

下了车，瑞丰遇见两个面熟的人，心中安静了一点。他只向熟人点了点头，凑过去和他们一块走，而不敢说话。这整个的阵式已把他的嘴封严。那两个人低声的交谈，他感到威胁，而又不便拦阻他们。及至听到一个人说："下午还有戏，全城的名角都得到！"他的话冲破了恐惧，他喜欢热闹，爱听戏。"还有戏？咱们也可以听？"

在南海的大门前，他们被军警包围着，登记，检查证章证件，并搜检身上。瑞丰并没感到侮辱，他觉得这是必须有的手续，而且只有科长以上的人才能"享受"这点"优遇"。别的都是假的，科长才是真调货！

进了大门，一拐弯，他的眼前空旷了。但是他没心思看那湖山宫宇之美，而只盼望赶快走到怀仁堂，那里也许有很好的茶点——先啃它一顿儿再说！他笑了。

一眼，他看见了大赤包，在他前面大约有三箭远。他要向前赶。两旁的军警是那么多，他不敢快走。

正在这么思索，大门门楼上的军乐响了。他的心跳起来，特使到了！军警喝住他，教他立在路旁，他极规矩的服从了命令。立了半天，军乐停了，四外一点声音也没有。他怕静寂，手心上出了汗。

忽然的，两声枪响，很近，仿佛就在大门外。跟着，又响了几枪。他慌了，不知不觉的要跑。两把刺刀夹住了他，"别动！"

外面还不住的放枪，他的心跳到嗓子里来。

他没看见怀仁堂，而被军警把他，和许多别的人，大赤包也在内，都圈在大门以内的一排南房里。大家都穿着最好的衣服，佩着徽章，可是忽然被囚在又冷又湿的屋子里，没有茶水，没有足够用的椅凳，而只有军警与枪刺。他们不晓得门外发生了什么事，而只能猜测或者有人向特使行刺。

瑞丰没替特使担忧，而只觉得扫兴；不单看不上了戏，连茶点也没了希望呀！人不为面包而生，瑞丰也不是为面包而活着的，假若面包上没有一点黄油的话。还算好，他是第一批被驱逐进来的，所以得到了一个椅子。后进来的有许多人只好站着。他稳稳的坐定，纹丝不动，生怕丢失了他的椅子。

大赤包毕竟有些气派。她硬把一个人扒拉开，占据了他的座位。坐在那里，她还是大声的谈话，甚至于质问军警们："这是什么事呢？我是来开会，不是来受罪！"

瑞丰的肚子报告着时间，一定是已经过午了，他的肚子里饿得唧哩咕噜的乱响。他害怕起来，假若军警再这么围着，不准出去吃东西，那可要命！他最怕饿！一饿，他就很容易想起"牺牲"，"就义"，与"死亡"等等字眼。

约摸着是下午两点了，才来了十几个日本宪兵。每个宪兵的脸上都像刚死了父亲那么难看。他们指挥军警细细搜检屋里的人，不论男女都须连内衣也脱下来。瑞丰对此一举有些反感，他以为闹事的既在大门外，何苦这么麻烦门内的人呢。可是，及至看到大赤包也打了赤背，露出两个黑而大的乳房，他心平气和了一些。

搜检了一个多钟头，没有任何发现，他们才看见一个宪兵官长扬了扬手。他们由军警押着向中海走。走出中海的后门，他们吸到了自由的空气。瑞丰没有招呼别人，三步并作两步的跑到西四牌楼，吃了几个烧饼，喝了一大碗馄饨。肚子撑圆，他把刚才那一幕丑剧完全忘掉，只当那是一个不甚得体的梦。走到教育局，他才听到：两位特使全死在南海大门外。城门又关上，到现在还没开。街上已不知捕去多少人。听到这点情报，他对着胸前的徽章发开了愣：险哪！幸亏他是科长，有中山装与徽章。好家伙，就是当嫌疑犯拿去也不得了呀！他想，他应当去喝两杯酒，庆祝自己的好运。科长给他的性命保了险！

下了班，他在局子门外找小崔。没找到。他发了气："他妈的！

292

天生来的不是玩艺儿，得偷懒就偷懒！"他步行回了家。一进门就问："小崔没回来呀？"没有，谁也没看到小崔。瑞丰心中打开了鼓："莫非这小子真辞活儿不干了？嘿，真他妈的邪门！我还没为瑞宣着急，你着哪门子急呢？他又不是你的哥哥！"他冒了火，准备明天早上小崔若来到，他必厉厉害害的骂小崔一顿。

第二天，小崔还是没露面。城内还到处捉人。"唉？"瑞丰对自己说："莫非这小子教人家抓去啦？也别说，那小子长得贼眉鼠眼的，看着就像奸细！"

为给特使报仇，城内已捉去两千多人，小崔也在内。各色各样的人被捕，不管有无嫌疑，不分男女老少，一概受了各色各样的毒刑。

真正的凶手可是没有拿着。

日本宪兵司令不能再等，他必须先枪毙两个，好证明自己的精明强干。好吗，捉不着行刺特使的人，不单交不了差事，对不起天皇，也被全世界的人耻笑啊！他从两千多皮开肉绽的人里选择出两个来：一个是四十多岁的姓冯的汽车夫，一个是小崔。

第三天早八点，姓冯的汽车夫与小崔，被绑出来，游街示众。他们俩都赤着背，只穿着一条裤子，头后插着大白招子。他们俩是要被砍头，而后将人头号令在前门外五牌楼上。冯汽车夫由狱里一出来，便已搭拉了脑袋，由两个巡警搀着他。他已失了魂。小崔挺着胸自己走。他的眼比脸还红。他没骂街，也不怕死，而心中非常的后悔，后悔他没听钱先生与祁瑞宣的劝告。他的年岁，身体，和心地，都够与日本兵在战场上拼个死活的，他有资格去殉国。可是，他就这么不明不白的被拉出去砍头。走几步，他仰头看看天，再低头看看地。天，多么美的北平的青天啊。地，每一寸都是他跑熟了的黑土地。他舍不得这块天地，而这块天地，就是他的坟墓。

两面铜鼓，四只军号，在前面吹打。前后多少排军警，都扛着上了刺刀的枪，中间走着冯汽车夫与小崔。最后面，两个日本军官骑着大马，得意的监视着杀戮与暴行。

瑞丰在西单商场那溜儿，听见了鼓号的声音，那死亡的音乐。他飞跑赶上去，他喜欢看热闹，军鼓军号对他有特别的吸引力。杀人也是"热闹"，他必须去看，而且要看个详细。

"哟！"他不由的出了声。他看见了小崔。他的脸马上成了一张白纸，急忙退回来。他没为小崔思想什么，而先摸了摸自己的脖子——小崔是他的车夫呀，他是不是也有点危险呢？

他极快的想到，他必须找个可靠的人商议一下，万一日本人来盘查他，他应当怎样回话呢？他小跑着往北疾走，想找瑞宣大哥去谈一谈。大哥必定有好主意。走了有十几丈远，他才想起来，瑞宣也被捕了。

十

程长顺微微有点肚子疼，想出去方便方便。刚把街门开开一道缝，他就看见了五号门前的一群黑影。他赶紧用手托着门，把它关严。然后，他扒着破门板的一个不小的洞，用一只眼往外看着。他的心似乎要跳了出来，忘了肚子疼。捕人并没费多少工夫，可是长顺等得发急。好容易，他又看见了那些黑影，其中有一个是瑞宣——看不清面貌，他可是认识瑞宣的身量与体态。他猜到了那是怎回事。他的一只眼，因为用力往外看，已有点发酸。他的手颤起来。一直等到那些黑影全走净，他还立在那里。他的呼吸很紧促，心中很乱。他只有一个念头，去救祁瑞宣。怎么去救呢？他想不出。他记得钱家的事。假若不从速搭救出瑞宣来，他以为，祁家就必定也像钱家那样的毁灭！他着急，有两颗急出来的泪在眼中盘旋。他想去告诉孙七，但是他知道孙七只会吹大话，未必有用。把手放在头上，他继续思索。把全胡同的人都想到了，他心中忽然一亮，想起李四爷来。他立刻去开门。可是急忙的收回手来。他须小心，他知道日本人的诡计多端。他转了身，进到院中。把一条破板凳放在西墙边，他上了墙头。双手一叫劲，他的身子落在二号的地上。

"四爷爷！四爷爷！"他立在窗前，声音低切的叫。口中的热气吹到窗纸上，纸微微的作响。

李四爷早已醒了，可是还闭着眼多享受一会儿被窝中的温暖。"谁呀？"老人睁开眼问。

"我！长顺！"长顺呜囔着鼻子低声的说。"快起来！祁先生教他们抓去了！"

295

"什么?"李老人极快的坐起来,用手摸衣服。掩着怀,他就走出来:"怎回事?怎回事?"

长顺搓着手心上的凉汗,越着急嘴越不灵便的,把事情说了一遍。

听完,老人的眼睛成了一道缝,看着墙外的槐树枝。他心中极难过。他看明白:在胡同中的老邻居里,钱家和祁家是最好的人,可是好人都保不住了命。他自信自己也是好人,照着好人都要受难的例子推测,他的老命恐怕也难保住。他看着那些被晓风吹动着的树枝,说不出来话。

"四爷爷!怎么办哪?"长顺扯了扯四爷的衣服。

"呕!"老人颤了一下。"有办法!有!赶紧给英国使馆去送信?"

"我愿意去!"长顺眼亮起来。

"你知道找谁吗?"老人低下头,亲热的问。

"我——"长顺想了一会儿,"我会找丁约翰!"

"对!好小子,你有出息!你去好,我脱不开身,我得偷偷的去告诉街坊们,别到祁家去!"

"怎么?"

"他们拿人,老留两个人在大门里等着,好进去一个捉一个!他们还以为咱们不知道,其实,其实,"老人轻蔑的一笑,"他们那么作过一次,咱们还能不晓得?"

"那么,我就走吧?"

"走!由墙上翻过去!还早,这么早出门,会招那两个埋伏起疑!等太阳出来再开门!你认识路?"

长顺点了点头,看了看界墙。

"来,我托你一把儿!"老人有力气。双手一托,长顺够到了墙头。

"慢着!留神扭了腿!"

长顺没出声,跳了下去。

太阳不知道为什么出来的那么慢。长顺穿好了大褂,在院中向东看着天。外婆还没有起来。他唯恐她起来盘问他。假若对她说了实话，她一定会拦阻他——"小孩子！多管什么事！"

天红起来，长顺的心跳得更快了。红光透过薄云，变成明霞，他跑到街门前。立定，用一只眼往外看。胡同里没有一点动静，只有槐树枝上添了一点亮的光儿。他的鼻子好像已不够用，他张开了嘴，紧促的，有声的，呼吸气。他不敢开门。他想象着，门一响就会招来枪弹！他须勇敢，也必须小心。他年轻，而必须老成。作一年的奴隶，会使人增长十岁。

太阳出来了！他极慢极慢的开开门，只开了够他挤出去的一个缝子。像鱼往水里钻似的，他溜出去。怕被五号的埋伏看见，他擦着墙往东走。走到"葫芦肚"里，阳光已把护国寺大殿上的残破的琉璃瓦照亮，一闪一闪的发着光，他脚上加了劲。

没有留声机在背上压着，他走得很快。他的走路的样子可不大好看，大脑袋往前探着，两只手，因失去了那个大喇叭筒与留声机片，简直不知放在什么地方好。脚步一快，他的手更乱了，有时候抡得很高，有时候忘了抡动，使他自己走着走着都莫名其妙了。

一看见东交民巷，他的脚步放慢，手也有了一定的律动。他有点害怕。他是由外婆养大的，外婆最怕外国人，也常常用躲避着洋人教训外孙。因此，假若长顺得到一支枪，他并不怕去和任何外国人交战，可是，在初一和敌人见面，他必先愣一愣，而后才敢杀上前去。外婆平日的教训使他必然的愣那么一愣。

他跺了跺脚上的土，用手擦了擦鼻子上的汗，而后慢慢的往东交民巷里边走，他下了决心，必须闯进使馆去，可是无意中的先跺了脚，擦去汗。看见了英国使馆，当然也看见了门外站得像一根棍儿那么直的卫兵。他不由的站住了。几十年来人们惧外的心理使他不敢直入公堂的走过去。

不，他不能老立在那里。在多少年的恐惧中，他到底有一颗青年的心。一颗日本人所不认识的心。他的血涌上了脸，面对着卫兵走了过去。没等卫兵开口，他用高嗓音，为是免去呜呜囔囔，说："我找丁约翰！"

卫兵没说什么，只用手往里面一指。他奔了门房去。门房里的一

297

位当差的很客气，教他等一等。他的涌到脸上的血退了下去。他没觉得自己怎么勇敢，也不再害怕，心中十分的平静。他开始看院中的花木——一个中国人仿佛心中刚一平静就能注意花木庭园之美。

丁约翰走出来。穿着浆洗得有棱有角的白衫，他低着头，鞋底不出一点声音的，快而极稳的走来，他的动作既表示出英国府的尊严，又露出他能在这里作事的骄傲。见了长顺，他的头稍微扬起些来，声音很低的说："哟，你！"

"是我！"长顺笑了一下。

"我家里出了什么事？"

"没有！祁先生教日本人抓去了！"

丁约翰愣住了。他绝对没想到日本人敢逮捕英国府的人！他皱上了眉，发了怒——不是为中国人发怒，而是替英国府抱不平。

"这不行！我告诉你，这不行！你等等，我告诉富善先生去！非教他们马上放了祁先生不可！"仿佛怕长顺跑了似的，他又补了句："你等着！"

不大一会儿，丁约翰又走回来。这回，他走得更快，可也更没有声音。他的眼中发了光，稳重而又兴奋的向长顺勾了一勾手指。

长顺傻子似的随着约翰进到一间不很大的办公室，富善先生正在屋中来回的走，见长顺进来，他立住，拱了拱手。他不大喜欢握手，而以为拱手更恭敬，也更卫生一些。

"你来送信，祁先生被捕了？"他用中国话问，他的灰蓝色的眼珠更蓝了一些，他是真心的关切瑞宣。"怎么拿去的？"

长顺结结巴巴的把事情述说了一遍。他永远没和外国人说过话，他不知道怎样说才最合适，所以说得特别的不顺利。

富善先生极注意的听着。听完，他伸了伸脖子，脸上红起好几块来。"嗯！嗯！嗯！"他连连的点头。"你是他的邻居，唉？"看长顺点了头，他又"嗯"了一声。"好！你是好孩子！我有办法！"他挺了挺胸。"赶紧回去，设法告诉祁老先生，不要着急！我有办法！我亲自去把他保出来！"沉默了一会儿，他好像是对自己说："这不是捕瑞宣，而是打老英国的嘴巴！杀鸡给猴子看，哼！"

298

长顺立在那里，要再说话，没的可说，要告辞又不好意思。他的心里可是很痛快，他今天是作了一件"非常"的事情，足以把孙七的嘴堵住不再吹牛的事情！

"约翰！"富善先生叫。"领他出去，给他点车钱！"而后对长顺："好孩子。回去吧！别对别人说咱们的事！"

丁约翰与长顺都极得意的走出来。长顺拦阻丁约翰给他车钱："给祁先生办点事，还能……"他找不着适当的言语表现他的热心，而只傻笑了一下。

丁约翰塞到长顺的衣袋里一块钱。他奉命这样作，就非作不可。

这时候，瑞宣已在狱里过了几个钟头。这里，也就是钱默吟先生来过的地方。这地方的一切设备可是已和默吟先生所知道的大不相同了。当默吟到这里的时节，它的一切还都因陋就简的，把学校变为临时的监狱。现在，它已是一座"完美的"监狱，处处看得出日本人的"苦心经营"。任何一个小地方，日本人都花了心血，改造又改造，使任何人一看都得称赞它为残暴的结晶品。在这里，日本人充分的表现了他们杀人艺术的造诣。

瑞宣的心里相当的平静。在平日，他爱思索；即使是无关宏旨的一点小事，他也要思前想后的考虑，以便得到个最妥善的办法。从七七抗战以来，他的脑子就没有闲着过。今天，他被捕了，反倒觉得事情有了个结束，不必再想什么了。脸上很白，而嘴边上挂着点微笑，他走下车来，进了北京大学——他看得非常的清楚，那是"北大"。

钱先生曾经住过的牢房，现在已完全变了样子。楼下的一列房，已把前脸儿拆去，而安上很密很粗的铁条，极像动物园的兽笼子。牢房改得很小，窄窄的分为若干间，每间里只够容纳一对野猪或狐狸的。可是，瑞宣看清，每一间里都有十个到十二个犯人。他们只能胸靠着背，嘴顶着脑勺儿立着，谁也不能动一动。屋里除了人，没有任何东西，大概犯人大小便也只能立着，就地执行。瑞宣一眼扫过去，这样的兽笼至少有十几间。他哆嗦了一下。笼外，只站着两个日兵，六只眼——兵的四只，枪的两只——可以毫不费力的控制一切。瑞宣低下头去。他不晓得自己是否也将被放进那集体的"站笼"去。假若进去，他猜测着，只须站两天他就会断了气的。

可是，他被领到最靠西的一间牢房里去，屋子也很小，可是空着的。他心里说："这也许是优待室呢！"小铁门开了锁。他大弯腰才挤了进去。三合土的地上，没有任何东西，除了一片片的，比土色深的，发着腥气的，血迹。他赶紧转过身来，面对着铁栅，他看见了阳光，也看见了一个兵。那个兵的枪刺使阳光减少了热力。抬头，他看见天花板上悬着一根铁条。铁条上缠着一团铁丝，铁丝中缠着一只手，已经腐烂了的手。他收回来眼光，无意中的看到东墙，墙上舒舒展展的钉着一张完整的人皮。他想马上走出去，可是立刻看到了铁栅。既无法出去，他爽性看个周到，他的眼不敢迟疑的转到西墙上去。墙上，正好和他的头边儿高，有一张镶好的神幅，上边贴着七个女人的阴户。每一个下面都用红笔记着号码，旁边还有一朵画得很细致的小图案花。

瑞宣不敢再看。低下头，他把嘴闭紧。待了一会儿，他的牙咬出响声来。他不顾得去想自己的危险，一股怒火燃烧着他的心。他的鼻翅撑起来，带着响的出气。

他呆呆的立在那里，不知有多久；一点斜着来的阳光碰在他的头上，他才如梦方醒的动了一动。他的腿已发僵，可是仍不肯坐下，倒仿佛立着更能多表示一点坚强的气概。有一个很小很小的便衣的日本人，像一头老鼠似的，在铁栅外看了他一眼，而后笑着走开。他的笑容留在瑞宣的心里，使瑞宣恶心了一阵。又过了一会儿，小老鼠又回来，向瑞宣恶意的鞠了一躬。小老鼠张开嘴，用相当好的中国话说："你的不肯坐下，客气，我请一位朋友来陪你！"说完，他回头一招手。两个兵抬过一个半死的人来，放在铁栅外，而后搬弄那个人，使他立起来。那个人——一个脸上全肿着，看不清有多大岁数的人——已不会立住。两个兵用一条绳把他捆在铁栅上。"好了！祁先生，这个人的不听话，我们请他老站着。"小老鼠笑着说，说完他指了指那个半死的人的脚。瑞宣这才看清，那个人的两脚十指是钉在木板上的。那个人东晃一下，西晃一下，而不能倒下去，因为有绳子拢着他

的胸。他的脚指已经发黑。过了好大半天，那个人哎哟了一声。一个兵极快的跑过来，用枪把子像舂米似的砸他的脚。已经腐烂的脚指被砸断了一个。那个人像饥狼似的长嚎了一声，垂下头去，不再出声。"你的喊！打！"那个兵眼看着瑞宣，骂那个人。然后，他珍惜的拾起那个断了的脚指，细细的玩赏。看了半天，他用臂拢着枪，从袋中掏出张纸来，把脚指包好，记上号码。而后，他向瑞宣笑了笑，回到岗位去。

过了有半个钟头吧，小老鼠又来到。看了看断指的人，看了看瑞宣。断指的人已停止了呼吸。小老鼠惋惜的说："这个人不结实的，穿木鞋不到三天就死的！中国人体育不讲究的！"一边说，他一边摇头，好像很替中国人的健康担忧似的。叹了口气，他又对瑞宣说："英国使馆，没有木鞋的？"

瑞宣没出声，而明白了他的罪状。

小老鼠板起脸来："你，看起英国的，看不起大日本的！要悔改的！"说完，他狠狠的踢了死人两脚。话从牙缝中溅出来："中国人，一样的！都不好的！"他的两只发光的鼠眼瞪着瑞宣。瑞宣没瞪眼，而只淡淡的看着小老鼠。老鼠发了怒："你的厉害，你的也会穿木鞋的！"说罢，他扯着极大的步子走开，好像一步就要跨过半个地球似的。

瑞宣呆呆的看着自己的脚。等着脚指上挨钉。他知道自己的身体并不十分强壮，也许钉了钉以后，只能活两天。那两天当然很痛苦，可是过去以后，就什么也不知道了，永远什么也不知道了——无感觉的永生！他盼望事情就会如此的简单，迅速。他承认他有罪，应当这样惨死，因为他因循，苟安，没能去参加抗战。

两个囚犯，默默的把死人抬了走。他两个眼中都含着泪，可是一声也没出。声音是"自由"的语言，没有自由的只能默默的死去。

院中忽然增多了岗位。出来进去的日本人像蚂蚁搬家那么紧张忙碌。瑞宣不晓得南海外的刺杀，而只觉得那些乱跑的矮子们非常的可笑。生为一个人，他以为，已经是很可怜；生为一个日本人，把可怜的生命全花费在乱咬乱闹上，就不但可怜，而且可笑了！

一队一队的囚犯，由外面像羊似的被赶进来，往后边走。瑞宣不晓得外边发生了什么事，而只盼望北平城里或城外发生了什么暴动。暴动，即使失败，也是光荣的。像他这样默默的等着剥皮剁指，只是日本人手中玩弄着的一条小虫，耻辱是他永远的谥号！

十一

瑞宣赶得机会好。司令部里忙着审刺客,除了小老鼠还来看他一眼,戏弄他几句,没有别人来打扰他。第一天的正午和晚上,他都得到一个比地皮还黑的馒头,与一碗白水。对着人皮,他没法往下咽东西。他只喝了一碗水。第二天,他的"饭"改了:一碗高粱米饭代替了黑馒头。看着高粱米饭,他想到了东北。关内的人并不吃高粱饭。这一定是日本人在东北给惯了囚犯这样的饭食,所以也用它来"优待"关内的犯人。

富善先生正在想一些最实际的、小小的而有实效的办法,去把瑞宣救出来。一想他便想到办公事向日本人交涉。可是,他也是东方化了的英国人,他晓得在公事递达之前,瑞宣也许已经受了毒刑,而在公事递达之后,日本人也许先结果了瑞宣的性命,再回复一件"查无此人"的,客气的公文。况且,一动公文,就是英日两国间的直接抵触,他必须请示大使。那麻烦,而且也许惹起上司的不悦。为迅速,为省事,他应用了东方的办法。

他找到了一位"大哥",给了钱(他自己的钱),托"大哥"去买出瑞宣来。"大哥"是爱面子而不关心是非的。他必须卖给英国人一个面子,而且给日本人找到一笔现款。

钱递进去,瑞宣看见了高粱米饭。

第三天,也就是小崔被砍头的那一天,约摸在晚八点左右,小老鼠把前天由瑞宣身上搜去的东西都拿回来,笑得像个开了花的馒头似的,低声的说:"日本人大大的好的!客气的!亲善的!公道的!你可以开路的!"把东西递给瑞宣,他的脸板起来,"你起誓的!这里的

303

事，一点，一点，不准说出去的！说出去，你会再拿回来的，穿木鞋的！"

瑞宣看着小老鼠出神。日本人简直是个谜。即使他是全能的上帝，也没法子判断小老鼠到底是什么玩艺儿！他起了誓。他这才明白为什么钱先生始终不肯对他说狱中的情形。

剩了一个皮夹，小老鼠不忍释手。瑞宣记得，里面有三张一元的钞票，几张名片，和两张当票。瑞宣没伸手索要，也无意赠给小老鼠。小老鼠，最后，绷不住劲儿了，笑着问："心交心交？"瑞宣点了点头。他得到小老鼠的夸赞："你的大大的好！你的请！"瑞宣慢慢的走出来。小老鼠把他领到后门。

他雇了一辆车。在狱里，虽然挨了三天的饿，他并没感到疲乏；怒气持撑着他的精神与体力。现在，出了狱门，他的怒气降落下去，腿马上软起来。坐在车上，他感到一阵眩晕，恶心。他用力的抓住车垫子，镇定自己。

车夫，一位四十多岁，腿脚已不甚轻快的人，为掩饰自己的迟慢，说了话："我说先生，你知道今儿个砍头的拉车的姓什么吗？"

瑞宣不知道。

"姓崔呀！西城的人！"

瑞宣马上想到了小崔。可是，很快的他便放弃了这个想头。他知道小崔是给瑞丰拉包车，一定不会忽然的，无缘无故的被砍头。再一想，即使真是小崔，也不足为怪；他自己不是无缘无故的被抓进去了么？"他为什么……"

"还不知道吗，先生？"车夫看着左右无人，放低了声音说："不是什么特使教咱们给杀了吗？姓崔的，还有一两千人都抓了进去；姓崔的掉了头！是他行的刺不是，谁可也说不上来。反正咱们的脑袋不值钱，随便砍吧！我日他奶奶的！"

瑞宣明白了为什么这两天，狱中赶进来那么多人，也明白了他为什么没被审讯和上刑。他赶上个好机会，白拣来一条命。

车子忽然停在家门口，他愣磕磕的睁开眼。他忘了身上没有一个钱。摸了摸衣袋，他向车夫说："等一等，给你拿钱。"

"是了，先生，不忙!"车夫很客气的说。

他拍门，很冷静的拍门。

他听到韵梅的脚步声。她立住了，低声的问"谁?"他只淡淡的答了声"我!"她跑上来，极快的开了门。夫妻打了对脸。假若她是个西欧的女人，她必会急忙上去，紧紧的抱住丈夫。她是中国人，虽然她的心要跳出来，跳到丈夫的身里去，她可是收住脚步，倒好像夫妻之间有一条什么无形的墙壁阻隔着似的。她的大眼睛亮起来，不知怎样才好的问了声："你回来啦?"

"给车钱!"瑞宣低声的说。说完，他走进院中去。他没感到夫妻相见的兴奋与欣喜，而只觉得自己的偷偷被捉走，与偷偷的回来，是一种莫大的耻辱。假若他身上受了伤，或脸上刺了字，他必会骄傲的迈进门坎，笑着接受家人的慰问与关切。可是，他还是他，除了心灵上受了损伤，身上并没一点血痕——倒好像连日本人都不屑于打他似的。当爱国的人们正用争战换取和平的时候，血痕是光荣的徽章。他没有这个徽章，他不过只挨了两三天的饿，像一条饿狗垂着尾巴跑回家来。

早晨起来，他的身上发僵，好像受了寒似的。他可是决定去办公，去看富善先生，他不肯轻易请假。

见到富善先生，他找不到适当的话表示感激。富善先生，到底是英国人，只问了一句"受委屈没有"就不再说别的了。他不愿意教瑞宣多说感激的话。英国人沉得住气。他也没说怎样把瑞宣救出来的。至于用他个人的钱去行贿，他更一字不提，而且决定永远不提。

"瑞宣!"老人伸了伸脖子，恳切的说，"你应当休息两天，气色不好!"

瑞宣不肯休息。

"随你! 下了班，我请你吃酒!"老先生笑了笑，离开瑞宣。

这点经过，使瑞宣满意。他没告诉老人什么，老人也没告诉他什么，而彼此心中都明白：人既然平安的出来，就无须再去罗嗦了。瑞宣看得出老先生是真心的欢喜，老人也看得出瑞宣是诚心的感激，再多说什么便是废话。这是英国人的办法，也是中国人的交友之道。

305

到了晌午，两个人都喝过了一杯酒之后，老人才说出心中的顾虑来：

"瑞宣！从你的这点事，我看出一点，一点——噢，也许是过虑，我也希望这是过虑！我看哪，有朝一日，日本人会袭击英国的！"

"能吗？"瑞宣不敢下断语。他现在已经知道日本人是无可捉摸的。替日本人揣测什么，等于预言老鼠在夜里将作些什么。

"能吗？怎么不能！我打听明白了，你的被捕纯粹因为你在使馆里作事！"

"可是英国有强大的海军？"

"谁知道！希望我这是过虑！"老人呆呆的看着酒杯，不再说什么。

喝完了酒，老人告诉瑞宣："你回家吧，我替你请半天假。下午四五点钟，我来看你，给老人们压惊！要是不麻烦的话，你给我预备点饺子好不好？"

瑞宣点了头。

冠晓荷特别注意祁家的事。瑞宣平日对他那样冷淡，使他没法不幸灾乐祸。同时，他以为小崔既被砍头，大概瑞宣也许会死。他知道，瑞宣若死去，祁家就非垮台不可。祁家若垮了台，便减少了他一些精神上的威胁——全胡同中，只有祁家体面，可是祁家不肯和他表示亲善。再说，祁家垮了，他就应当买过五号的房来，再租给日本人。他的左右要是都与日本人为邻，他就感到安全，倒好像是住在日本国似的了。

可是，瑞宣出来了。晓荷赶紧矫正自己。要是被日本人捉去而不敢杀，他想，瑞宣的来历一定大得很！不，他还得去巴结瑞宣。他不能因为精神上的一点压迫而得罪大有来历的人。

他时时的到门外来立着，看看祁家的动静。在五点钟左右，他看到了富善先生在五号门外叩门，他的舌头伸出来，半天收不回去。像暑天求偶的狗似的，他吐着舌头飞跑进去："所长！所长！英国人来了！"

"什么?"大赤包惊异的问。

"英国人!上五号去了!"

"真的?"大赤包一边问,一边开始想具体的办法。"我们是不是应当过去压惊呢?"

"当然去!马上就去,咱们也和那个老英国人套套交情!"晓荷急忙就要换衣服。

"请原谅我多嘴,所长!"高亦陀又来等晚饭,恭恭敬敬的对大赤包说。"那合适吗?这年月似乎应当抱住一头儿,不便脚踩两只船吧?到祁家去,倘若被暗探看见,报告上去,总……所长你说是不是?"

晓荷不加思索的点了头。"亦陀你想的对!你真有思想!"

大赤包想了想:"你的话也有理。不过,作大事的人都得八面玲珑。方面越多,关系越多,才能在任何地方,任何时候,都吃得开!我近来总算能接近些个大人物了,你看,他们说中央政府不好吗?不!他们说南京政府不好吗?不!他们说英美或德意不好吗?不!要不怎么成为大人物呢,人家对谁都留着活口儿,对谁都不即不离的。因此,无论谁上台,都有他们的饭吃,他们永远是大人物!亦陀,你还有点所见者小!"

"就是!就是!"晓荷赶快的说:"我也这么想!闹义和拳的时候,你顶好去练拳;等到有了巡警,你就该去当巡警。这就叫作义和拳当巡警,随机应变!好啦,咱们还是过去看看吧?"

大赤包点了点头。

富善先生和祁老人很谈得来。祁老人的一切,在富善先生眼中,都带着地道的中国味儿,足以和他心中的中国人严密的合到一块儿。祁老人的必定让客人坐上座,祁老人的一会儿一让茶,祁老人的谦恭与繁琐,都使富善先生满意。

天佑太太与韵梅也给了富善先生以很好的印象。她们虽没有裹小脚,可是也没烫头发与抹口红。她们对客人非常的有礼貌,而繁琐的礼貌老使富善先生心中高兴。

小顺儿与妞子看见富善先生,既觉得新奇,又有点害怕,既要上前摸摸老头儿的洋衣服，而又有点忸怩。这也使富善先生欢喜，而一定要抱一抱小妞子——"来吧，看看我的高鼻子和蓝眼睛！"

由表面上的礼貌与举止，和大家的言谈，富善先生似乎一眼看到了一部历史，一部激变中的中国近代史。祁老人是代表着清朝人的，也就是富善先生所最愿看到的中国人。天佑太太是代表着清朝与民国之间的人的，她还保留着一些老的规矩，可是也拦不住新的事情的兴起。瑞宣纯粹的是个民国的人，他与祖父在年纪上虽只差四十年，而在思想上却相隔有一两世纪。小顺儿与妞子是将来的人。将来的中国人须是什么样子呢？富善先生想不出。他极喜欢祁老人，可是他拦不住天佑太太与瑞宣的改变，更拦不住小顺子与妞子的继续改变。他愿意看见个一成不变的，特异而有趣的中国文化，可是中国像被狂风吹着的一只船似的，顺流而下。看到祁家的四辈人，他感得他们是最奇异的一家子。虽然他们还都是中国人，可是又那么复杂，那么变化多端。最奇怪的是这些各有不同的人还居然住在一个院子里，还都很和睦，倒仿佛是每个人都要变，而又有个什么大的力量使他们在变化中还不至于分裂涣散。在这奇怪的一家子里，似乎每个人都忠于他的时代，同时又不激烈的拒绝别人的时代，他们把不同的时代揉到了一块，像用许多味药揉成的一个药丸似的。他们都顺从着历史，同时又似乎抗拒着历史。

大赤包与晓荷穿着顶漂亮的衣服走进来。为是给英国人一个好印象，大赤包穿了一件薄呢子的洋衣，露着半截胖胳臂，没有领子。她的唇抹得极大极红，头发卷成大小二三十个鸡蛋卷，像个漂亮的妖精。

他们一进来，瑞宣就愣住了。可是，极快的他打定了主意。他是下过监牢，看过死亡与地狱的人了，不必再为这种妖精与人怪动气动怒。假若他并没在死亡之前给日本人屈膝，那就何必一定不招呼两个日本人的走狗呢？他决定不生气，不拒绝他们。他想，他应当不费心思的逗弄着他们玩，把他们当作小猫小狗似的随意耍弄。

富善先生吓了一跳。他正在想，中国人都在变化，可是万没想到中国人会变成妖精。他有点手足失措。

瑞宣给他们介绍："富善先生。冠先生，冠太太，日本人的至友和亲信！"

大赤包听出瑞宣的讽刺，而处之泰然。她尖声的咯咯的笑了。"哪里哟！日本人还大得过去英国人？老先生，不要听瑞宣乱说！"

晓荷根本没听出来讽刺，而只一心一意的要和富善先生握手。他以为握手是世界上最文明的，最进步的礼节，而与一位西洋人握手差不多便等于留了十秒钟或半分钟的洋。

可是，富善先生不高兴握手，而把手拱起来。晓荷赶紧也拱手："老先生，了不得的，会拱手的！"他拿出对日本人讲话的腔调来，他以为把中国话说得半通不通的就差不多是说洋话了。

他们夫妇把给祁瑞宣压惊这回事，完全忘掉，而把眼，话，注意，都放在富善先生身上。大赤包的话像暴雨似的往富善先生身上浇。富善先生每回答一句就立刻得到晓荷的称赞——"看！老先生还会说'岂敢'！""看，老先生还知道炸酱面！好的很！"

富善先生开始后悔自己的东方化。假若他还是个不折不扣的英国人，那就好办了，他会板起面孔给妖精一个冷肩膀吃。可是，他是中国化的英国人，学会了过度的客气与努力的敷衍。他不愿拒人于千里之外。这样，大赤包和冠晓荷可就得了意，像淘气无知的孩子似的，得到个好脸色便加倍的讨厌了。

最后，晓荷又拱起手来："老先生，英国府方面还用人不用！我倒愿意，是，愿意……你晓得？哈哈！拜托，拜托！"

以一个英国人说，富善先生不应当扯谎，以一个中国人说，他又不该当面使人难堪。他为了难。他决定牺牲了饺子，而赶快逃走。他立起来，结结巴巴的说："瑞宣，我刚刚想，啊，想起来，我还有点，有点事！改天，改天再来，一定，再来……"

还没等瑞宣说出话来，冠家夫妇急忙上前挡住老先生。大赤包十二分诚恳的说："老先生，我们不能放你走，不管你有什么事！我们已经预备了一点酒菜，你一定要赏我们个面子！"

"是的，老先生，你要是不赏脸，我的太太必定哭一大场！"晓荷在一旁帮腔。

309

富善先生没了办法——一个英国人没办法是"真的"没有了办法。

"冠先生,"瑞宣没着急,也没生气,很和平而坚决的说:"富善先生不会去!我们就要吃饭,也不留你们二位!"

富善先生咽了一口气。

"好啦!好啦!"大赤包感叹着说。"咱们巴结不上,就别再在这儿讨厌啦!这么办,老先生,我不勉强你上我们那儿去,我给你送过来酒和菜好啦!一面生,两面熟,以后咱们就可以成为朋友了,是不是?"

"我的事,请你老人家还多分心!"晓荷高高的拱手。

"好啦!瑞宣!再见!我喜欢你这么干脆瞭亮,西洋派儿!"大赤包说完,一转眼珠,作为向大家告辞。晓荷跟在后面,一边走一边回身拱手。

瑞宣只在屋门内向他们微微一点头。

等他们走出去,富善先生伸了好几下脖子才说出话来:"这,这也是中国人?"

十二

　　忽然的山崩地裂，把小崔太太活埋在黑暗中。小崔没给过她任何的享受，但是他使她没至于饿死，而且的确相当的爱她。不管小崔怎样好，怎样歹吧，他是她的丈夫，教她即使在挨着饿的时候也还有盼望，有依靠。可是，小崔被砍了头。即使说小崔不是有出息的人吧，他可也没犯过任何的罪，他不偷不摸，不劫不抢。只有在发酒疯的时候，他才敢骂人打老婆，而撒酒疯并没有杀头的罪过。况且，就是在喝醉胡闹的时节，他还是爱听几句好话，只要有人给他几句好听的，他便乖乖的去睡觉啊。

　　她愣着。愣了好久，她忽然的立起来，往外跑。她的时常被饥饿困迫的瘦身子忽然来了一股邪力气，几乎把李四妈撞倒。

　　"孙七，拦住她！"四大妈喊。

　　孙七和长顺费尽了力量，把她扯了回来。她的散开的头发一部分被泪粘在脸上，破鞋只剩了一只，咬着牙，哑着嗓子，她说："放开我！放开！我找日本人去，一头跟他们碰死！"

　　李四爷走进来。

　　"哎哟！"四大妈用手拍着腿，说："你个老东西哟，上哪儿去喽，不早点来！她都死过两回去喽！"

　　孙七，马老太太，和长顺，马上觉得有了主心骨——李四爷来到，什么事就都好办了。

　　小崔太太又睁开了眼。她已没有立起来的力量。坐在地上，看到李四爷，她双手捧着脸哭起来。

　　"你看着她！"李四爷命令着四大妈。"马老太太，孙七，长顺，

311

都上这儿来！"他把他们领到了马老太太的屋中。

"都坐下！"四爷看大家都坐下，自己才落坐。"大家先别乱吵吵，得想主意办事！头一件，好歹的，咱们得给她弄一件孝衣。第二件，怎么去收尸，怎么抬埋——这都得用钱！钱由哪儿来呢？"

孙七揉了揉眼。马老太太和长顺彼此对看着，不出一声。李四爷，补充上："收尸，抬埋，我一个人就能办，可是得有钱！我自己没钱，挨门挨户给她募化怎样呢？"

孙七气呼呼地说："哼！全胡同里就属冠家阔，我可是不能去手背朝下跟他们化缘，就是我的亲爹死了，没有棺材，我也不能求冠家去！什么话呢，我不能上窑子里化缘去！"

"我上冠家去！"长顺自告奋勇。

马老太太不愿教长顺到冠家去，叫长顺不便拦阻，她知道小崔的尸首不应当老扔在地上，说不定会被野狗咬烂。

"不要想有钱的人就肯出钱！"李四爷冷静的说。"这么办好不好？孙七，你到街上的铺户里伸伸手，不勉强，能得几个是几个。我和长顺在咱们的胡同里走一圈儿。然后，长顺去找一趟祁瑞丰，小崔不是给他拉包月吗？他大概不至于不肯出几个钱。我呢，去找找祁天佑，看能不能要块粗白布来，好给小崔太太做件孝袍子。马老太太，我要来布，你分心给缝一缝。"

"那好办，我的眼睛还看得见！"马老太太很愿意帮这点忙。

孙七不大高兴去化缘。他真愿帮忙，假若他自己有钱，他会毫不吝啬的都拿出来；去化缘，他有点头疼。但是，他没敢拒绝；揉着眼，他走出去。

"咱们也走吧，"李四爷向长顺说。"马老太太，帮着四妈看着她，"他向小崔屋里指了指，"别教她跑出去！"

出了门，四爷告诉长顺："你从三号起，一号用不着去。我从胡同那一头儿起，两头儿一包，快当点儿！不准动气，人家给多少是多少，不要争竞。人家不给，也别抱怨。"说完，一老一少分了手。

长顺还没叫门，高亦陀就从院里出来了。好像偶然相遇似的，亦陀说："哟！你来干什么？"

长顺装出成年人的样子，沉着气，很客气的说："小崔不是死了吗，家中很窘，我来跟老邻居们告个帮！"

高亦陀郑重其事的听着，脸上逐渐增多严肃与同情。听完，他居然用手帕擦擦眼，拭去一两点想象的泪。然后，他慢慢的从衣袋里摸出十块钱来。拿着钱，他低声的，恳切的说："冠家不喜欢小崔，你不用去碰钉子。我这儿有点特别费，你拿去好啦。这笔特别费是专为救济贫苦人用的，一次十块，可以领五六次。这，你可别对旁人说，因为款子不多，一说出去，大家都来要，我可就不好办了。我准知道小崔太太苦得很，所以愿意给她一份儿。你不用告诉她这笔钱是怎样来的，以后你就替她来领好啦；这笔款都是慈善家捐给的，人家不愿露出姓名来。你拿去吧！"他把钱票递给了长顺。

长顺的脸红起来。他兴奋。头一个他便碰到了财神爷！

"噢，还有点小手续！"亦陀仿佛忽然的想起来。"人家托我办事，我总得有个交代！"他掏出一个小本，和一支钢笔来。"你来签个字吧！一点手续，没多大关系！"

长顺看了看小本，上面只有些姓名，钱数，和签字。他看不出什么不对的地方来。为急于再到别家去，他用钢笔签上字。字写得不很端正，他想改一改。

"行啦！根本没多大关系！小手续！"亦陀微笑着把小本子与笔收回去。"好啦，替我告诉小崔太太，别太伤心！朋友们都愿帮她的忙！"说完，他向胡同外走了去。

长顺很高兴的向五号走。在门外立了会儿，他改了主意。他手中既已有了十块钱，而祁家又遭了事，他不想去跟他们要钱。他进了六号。他知道刘师傅和丁约翰都不在家，所以一直去看小文；他不愿多和太太们罗嗦。小文正在练习横笛，大概是准备给若霞托昆腔。见长顺进来，他放下笛子，把笛胆像条小蛇似的塞进去。长顺很简单的说明来意。

小文向里间问："若霞！咱们还有多少钱？"他是永远不晓得家中有多少钱和有没有钱的。

"还有三块多钱。"

"都拿来。"

若霞把三块四毛钱托在手掌上，由屋里走出来。"小崔是真……"她问长顺。

"不要问那个！"小文皱上点眉。"人都得死！谁准知道自己的脑袋什么时候掉下去呢！"他慢慢的把钱取下来，放在长顺的手中。"对不起，只有这么一点点！"

长顺受了感动。"你不是一共就有……我要是都拿走，你们……"

"那还不是常有的事！"小文笑了一下。"好在我的头还连着脖子，没钱就想法子弄去呀！小崔……"他的喉中噎了一下，不往下说了。

"小崔太太怎么办呢？"若霞很关切的问。

长顺回答不出来。把钱慢慢的收在衣袋里，他开始往外走，快走到大门，他又听到了小文的声音。那不是笛声，而是一种什么最辛酸的悲啼。他加快了脚步，那笛声要引出他的泪来。

他到了七号的门外，正遇上李四爷由里边出来。他问了声："怎么样，四爷爷？"

"牛宅给了十块，这儿——"李四爷指了指七号，而后数手中的钱，"这儿大家都怪热心的，可是手里都不富裕，一毛，四毛……统共才凑了两块一毛钱。我一共弄了十二块一，你呢？"

"比四爷爷多一点，十三块四！"

"好！把钱给我，你找祁瑞丰去吧？"

教育局的客厅里坐满了人。长顺找了个不碍事的角落坐下。看看那些出来进去的人，再看看自己鞋上的灰土，与身上的破大褂，他怪不得劲儿。他只盼瑞丰快快出来，赶快把事情办完，而瑞丰使他等了半个多钟头。

屋里的人多数走开了，瑞丰才叼着假象牙的烟嘴儿，高扬着脸走进来。他先向别人点头打招呼，而后才轻描淡写的，顺手儿的，看见了长顺。

"有事吗？"瑞丰板着面孔问。"呕，先告诉你，不要没事儿往这里跑，这是衙门！"

长顺想给瑞丰一个极有力的嘴巴。可是，他受人之托，不能因愤怒而忘了责任。他的脸红起来，低声忍气的呜嚷，"小崔不是……"

"哪个小崔？我跟小崔有什么关系？小孩子，怎么乱拉关系呢？把砍了头的死鬼，安在我身上，好看，体面？简直是胡来吗！真！快走吧！我不知道什么小崔小孙，也不管他们的事！请吧，我忙得很！"说罢，他把烟嘴儿取下来，弹了两下，扬着脸走出去。

长顺气得发抖，脸变成个紫茄子。可是，没有多大一会儿，他的心气又平静了。

回到家中，他一直奔了小崔屋中去。孙七和四大妈都在那里。小崔太太在炕上躺着呢。听长顺进来，她猛孤丁的坐起来，直着眼看他。她似乎认识他，又似乎拿他作一切人的代表似的："他死得冤！死得冤！死得冤！"四大妈像对付一个小娃娃似的，把她放倒："乖啊！先好好的睡会儿啊！乖！"她又躺下去，像死去了似的一动也不动。

长顺的鼻子又不通了，用手揉了揉。

孙七的眼还红肿着，没话找话的问："怎样？瑞丰拿了多少？"

长顺的怒火重新燃起。"那小子一个铜板没拿！甭忙。放着他的，搁着我的，多咱他走单了，我会给他个厉害！我要不用沙子迷瞎他的眼，才怪！"

"该打的不止他一个人哟！"孙七慨叹着说："我走了十几家铺子，才弄来五块钱！不信，要是日本人教他们上捐，要十个他们绝不敢拿九个半！为小崔啊，他们的钱仿佛都穿在肋条骨上了！真他妈的！"

"就别骂街了吧，你们俩！"马老太太轻轻的走进来。"人家给呢是人情，不给是本分！"

孙七和长顺都不同意马老太太的话，可是都不愿意和她辩论。

李四爷夹着块粗白布走进来。"马老太太，给缝缝吧！人家祁天佑掌柜的真够朋友，看见没有，这么一大块白布，还另外给了两块钱！人家想的开：三个儿子，一个走出去，毫无音信，一个无缘无故的下了狱；钱算什么呢！"

"真奇怪，瑞丰那小子怎么不跟他爸爸和哥哥学一学！"孙七说，

315

然后把瑞丰不肯帮忙的情形，替长顺学说了一遍。

马老太太抱着白布走出去，她不喜欢听孙七与长顺的乱批评人。在她想，瑞丰和祁掌柜是一家人，祁掌柜既给了布和钱，瑞丰虽然什么都没给，也就可以说得过去了；十个脚指头哪能一边儿长呢。她的这种地道中国式的"辩证法"使她永远能格外的原谅人，也能使她自己受了委屈还不动怒。她开始细心的给小崔太太剪裁孝袍子。

前门外五牌楼的正中悬着两个人头，一个朝南，一个朝北。孙七的眼睛虽然有点近视，可是一出前门他就留着心，要看看朋友的人头。到了大桥桥头，他扯了李四爷一把："四大爷，那两个黑球就是吧？"

李四爷没言语。

孙七加快了脚步，跑到牌楼底下，用力眯着眼，他看清了，朝北的那个是小崔。小崔的扁倭瓜脸上没有任何表情，闭着双目，张着点嘴，两腮深陷，像是作着梦似的，在半空中悬着；脖子下，只有缩紧了的一些黑皮。再往下看，孙七只看到了自己的影子，与朱红的牌楼柱子。他抱住了牌楼最外边的那根柱子，已经立不住了。

李四爷赶了过来，"走！孙七！"

孙七已不能动。他的脸上煞白，一对大的泪珠堵在眼角上，眼珠定住。

"走！"李四爷一把抓住孙七的肩膀。

孙七像醉鬼似的，两脚拌着蒜，跟着李四爷走。李四爷抓着他的一条胳臂。走了一会儿，孙七打了个长嗝儿，眼角上的一对泪珠落下来。"四大爷，你一个人去吧！我走不动了！"他坐在了一家铺户的门外。

李四爷只愣了一小会儿，没说什么，就独自向南走去。

走到天桥，四爷和茶馆里打听了一下，才知道小崔的尸身已被拉到西边去。他到西边去找，在先农坛的"墙"外，一个破砖堆上，找到了小崔的没有头的身腔。小崔赤着背，光着脚，两三个脚指已被野狗咬了去。四爷的泪流了下来。

离小崔有两三丈远，立着个巡警。四爷勉强的收住泪，走了过去。

"我打听打听，"老人很客气的对巡警说，"这个尸首能收殓不能？"

巡警也很客气。"来收尸？可以！再不收，就怕叫野狗吃了！那一位汽车夫的，已经抬走了！"

"不用到派出所里说一声？"

"当然得去！"

"人头呢？"

"那，我可就说不上来了！尸身由天桥拖到这儿来，上边并没命令教我们看着。我们的巡官可是派我们在这儿站岗，怕尸首教野狗叼了走。咱们都是中国人哪！好吗，人教他们给砍了，再不留个尸身，成什么话呢？说到人头，就另是一回事了。头在五牌楼上挂着，谁敢去动呢？日本人的心意大概是只要咱们的头，而不要身子。我看哪，老大爷，你先收了尸身吧；人头……真他妈的，这是什么世界！"

老人谢了谢警察，又走回砖堆那里去。看一眼小崔，看一眼先农坛，他茫然不知怎样才好了。他记得在他年轻的时候，这里是一片荒凉，除了红墙绿柏，没有什么人烟。赶到民国成立，有了国会，这里成了最繁华的地带。城南游艺园就在坛园里，新世界正对着游艺园，每天都像过新年似的，锣鼓，车马，昼夜不绝。这里有最华丽的饭馆与绸缎庄，有最妖艳的妇女，有五彩的电灯。后来，新世界与游艺园全都关了门，那些议员与妓女们也都离开北平，这最繁闹的地带忽然的连车马都没有了。坛园的大墙拆去，砖瓦与土地卖给了民间。天桥的旧货摊子开始扩展到这里来，用喧哗叫闹与乱七八糟代替了昔日的华丽庄严。小崔占据的那堆破砖，便是拆毁了的坛园的大墙所遗弃下的。变动，老人的一生中看见了多少变动啊！可是，什么变动有这再大呢——小崔躺在这里，没有头！坛里的青松依然是那么绿，而小崔的血染红了两块破砖。

越看，老人的心里越乱。这是小崔吗？假若他不准知道小崔被杀了头，他一定不认识这个尸身。看到尸身，他不由的还以为小崔是有

317

头的，小崔的头由老人心中跳到那丑恶黑紫的脖腔上去。及至仔细一看，那里确是没有头，老人又忽然的不认识了小崔。小崔的头忽有忽无，忽然有眉有眼，忽然是一圈白光，忽然有说有笑，忽然什么也没有。

那位岗警慢慢的凑过来。"老大爷，你……"

老人吓了一跳似的揉了揉眼。小崔的尸首更显明了一些，一点不错这是小崔，掉了头的小崔。老人叹了口气，低声的叫："小崔！我先埋了你的身子吧！"说完，他到派出所去见巡长。办了收尸的手续。而后在附近的一家寿材铺定了一口比狗碰头稍好一点的柳木棺材，托咐铺中的人给马上去找杠夫与五个和尚，并且在坛西的乱死岗子给打一个坑。把这些都很快的办妥，他在天桥上了电车。电车开了以后，老人被摇动的有点发晕，他闭上眼待神，偶然睁眼，他看见车中人都没有头，坐着的立着的都是一些腔子，像躺在破砖堆上的小崔。他急忙的眨一眨眼，大家都又有了头。他嘟囔着："有日本人在这里，谁的脑袋也保不住！"

到了家，他和马老太太与孙七商议，决定了：孙七还得同他回到天桥，去装殓和抬埋小崔。孙七不愿再去，可是老人以为两个人一同去，才能心明眼亮，一切都有个对证。孙七无可如何的答应了。他们也决定了，不教小崔太太去，因为连孙七都见了人头就瘫软在街上，小崔太太若见到丈夫的尸身，恐怕会一下子哭死的。至于人头的问题，只好暂时不谈。他们既不能等待人头摘下来再入殓，也不敢去责问日本人为什么使小崔身首分家，而且不准在死后合到一处。

把这些都很快的商量好，他们想到给小崔找两件装殓的衣服，小崔不能既没有头，又光着脊背入棺材。马老太太拿出长顺的一件白小褂，孙七找了一双袜子和一条蓝布裤子。拿着这点东西，李四爷和孙七又打回头，坐电车到天桥去。

到了天桥，太阳已经平西了。李四爷一下电车便告诉孙七，"时候可不早了，咱们得麻利着点！"可是，孙七的腿又软了。李老人发了急："你是怎回子事？"

"我？"孙七挤咕着近视眼。"我并不怕看死尸！我有点胆子！可是，小崔，小崔是咱们的朋友哇，我动心！"

"谁又不动心呢？光动心，腿软，可办不了事呀！"李老人一边走一边说。"硬正点，我知道你是有骨头的人！"

经老人这么一鼓励，孙七加快了脚步，赶了上来。

老人在一个小铺里，买了点纸钱，烧纸，和香烛。

到了先农坛外，棺材，杠夫，和尚，已都来到。棺材铺的掌柜和李四爷有交情，也跟了来。

老人教孙七点上香烛，焚化烧纸，他自己给小崔穿上衣裤。孙七找了些破砖头挤住了香烛，而后把烧纸燃着。他始终没敢抬头看小崔。小崔入了棺材，他想把纸钱撒在空中，可是他的手已抬不起来。蹲在地上，他哭得放了声。李老人指挥着钉好棺材盖，和尚们响起法器，棺材被抬起来，和尚们在前面潦草的，敷衍了事的，击打着法器，小跑着往前走。棺材很轻，四个杠夫迈齐了脚步，也走得很快。李老人把孙七拉起来，赶上去。

"坑打好啦？"李四爷含着泪问那位掌柜的。

"打好了！杠夫们认识地方！"

"那么，掌柜的请回吧！咱们铺子里见，归了包堆该给你多少钱，回头咱们清账！"

"就是了，四大爷！我沏好了茶等着你！"掌柜的转身回去。

太阳已快落山。带着微红的金光，射在那简单的，没有油漆的，像个大匣子似的，白棺材上。棺材走得很快，前边是那五个面黄肌瘦的和尚，后边是李四爷与孙七。没有执事，没有孝子，没有一个穿孝衣的，而只有那么一口白木匣子装着没有头的小崔，对着只有一些阳光的，荒冷的，野地走去。几个归鸦，背上带着点阳光，倦怠的，缓缓的，向东飞。看见了棺材，它们懒懒的悲叫了几声。

法器停住，和尚们不再往前送。李四爷向他们道了辛苦。棺材走得更快了。

一边荒地，到处是破砖烂瓦与枯草，在瓦砾之间，有许多许多小的坟头。在四五个小坟头之中，有个浅浅的土坑，在等待着小崔。很快的，棺材入了坑。李四爷抓了把黄土，撒在棺材上："小崔，好好的睡吧!"

太阳落下去。一片静寂。只有孙七还大声的哭。

十三

天气骤寒。

瑞宣，在出狱的第四天，遇见了钱默吟先生。他看出来，钱先生是有意的在他每日下电车的地方等着他呢。他猜的不错，因为钱先生的第一句话就是：

"你有资格和我谈一谈了，瑞宣！"

瑞宣惨笑了一下。

钱先生的胡子下面发出一点笑意，笑得大方，美好，而且真诚，很像一个健康的婴儿在梦中发笑那么天真。

"走吧，谈谈去！"钱先生低声的说。

他们进了个小茶馆。钱先生要了碗白开水。

"喝碗茶吧？"瑞宣很恭敬的问，抢先付了茶资。

"士大夫的习气须一律除去，我久已不喝茶了！"钱先生吸了一小口滚烫的开水。"把那些习气剥净，咱们才能还原儿，成为老百姓。你看，趴在战壕里打仗的全是不吃茶的百姓，而不是穿大衫，喝香片的士大夫。老三没信？"

"没有。"

"刘师傅呢？"

"也没信。"

"好！逃出去的有两条路，不是死就是活。不肯逃出去的只有一条路——死！我劝过小崔，我也看见了他的头！"老人的声音始终是很低，而用眼光帮助他的声音，在凡是该加重语气的地方，他的眼就更亮一些。

瑞宣用手鼓逗着盖碗的盖儿。

"你没受委屈？在——"老人的眼极快的往四外一扫。

瑞宣已明白了问题，"没有！我的肉大概值不得一打！"

"打了也好，没打也好！反正进去过的人必然的会记住，永远记住，谁是仇人，和仇人的真面目！所以我刚才说：你有了和我谈一谈的资格。我时时刻刻想念你，可是我故意的躲着你，我怕你劝慰我，教我放弃了我的小小的工作。你入过狱了，见过了死亡，即使你不能帮助我，可也不会劝阻我了！劝阻使我发怒。我不敢见你，正如同我不敢去见金三爷和儿媳妇！"

"我和野求找过你，在金……"

老人把话抢过去："别提野求！他有脑子，而没有一根骨头！他已经给自己挖了坟坑！是的，我知道他的困难，可是不能原谅他！给日本人作过一次事的，都永远得不到我的原谅！我的话不是法律，但是被我诅咒的人大概不会得到上帝的赦免！"

这钢铁一般硬的几句话使瑞宣微颤了一下。他赶快的发问：

"钱伯伯，你怎么活着呢？"

老人微笑了一下。"我？很简单！我按照着我自己的方法活着，而一点也不再管士大夫那一套生活的方式，所以很简单！得到什么，我就吃什么，得到什么，我就穿什么；走到哪里，我便睡在哪里。整个的北平城全是我的家！有时候，衣冠文物可变成了人的累赘。现在，我摆脱开那些累赘，我感到了畅快与自由。剥去了衣裳，我才能多看见点自己！"

"你都干些什么呢？"瑞宣问。

老人喝了一大口水。"那，说起来可很长。"他又向前后左右扫了一眼。这正是吃晚饭的时节，小茶馆里已经很清静，只在隔着三张桌子的地方还有两个洋车夫高声的谈论着他们自己的事。"最初，"老人把声音更放低一些，"我想借着已有的组织，从新组织起来，作成个抗敌的团体。战斗，你知道，不是一个人能搞成功的。我抱定干一点是一点的心，尽管我的事业失败，我自己可不会失败：我决定为救国而死！尽管我的工作是沙漠上的一滴雨，可是一滴雨到底是一滴雨；

一滴雨的勇敢就是它敢落在沙漠上！好啦，我开始作泥鳅。在鱼市上，每一大盆鳝鱼里不是总有一条泥鳅吗？它好动，鳝鱼们也就随着动，于是不至于大家都静静的压在一处，把自己压死，北平城是个大盆，北平人是鳝鱼，我是泥鳅。"老人的眼瞪着瑞宣，用手背擦了擦嘴角上的白沫子。而后接着说：

"我逢人就劝他们逃走。我不只劝人们逃走，也劝大家去杀敌。见着拉车的，我会说：把车一歪，就摔他个半死；遇上喝醉了的日本人，把他摔下来，掐死他！遇见学生，我，我也狠心的教导：作手工的刀子照准了咽喉刺去，也能把日本教员弄死。你知道，以前我是个不肯伤害一个蚂蚁的人；今天，我却主张杀人，鼓励杀人了。将来，假若我能再见太平，我必会忏悔！人与人是根本不应当互相残杀的！现在，我可决不后悔。现在，我们必须放弃了那小小的人道主义，去消灭敌人，以便争取那比妇人之仁更大的人道主义。我们须暂时都变成猎人，敢冒险，敢放枪，因为面对面的我们遇见了野兽。我是个诗人，把诗人与猎户合并在一处，我们才会产生一种新的文化，它既爱好和平，而在必要的时候又会英勇刚毅，肯为和平与真理去牺牲。"

老人闭上眼，休息了一会儿。过了半天，瑞宣才问："你的行动，钱伯伯，难道不招特务们的注意吗？"

"当然！他们当然注意我！"老人很骄傲的一笑。"不过，我有我的办法。我常常的和他们在一道！你知道，他们也是中国人。特务是最时髦的组织，也是最靠不住的组织。同时，他们知道我身上并没有武器，不会给他们闯祸。他们大概拿我当个半疯子，我也就假装疯魔的和他们乱扯。我告诉他们，我入过狱，挺过刑，好教他们知道我并不怕监狱与苦刑。他们也知道我的确没有钱，在我身上他们挤不出油水来。在必要的时候，我还吓唬他们，说我是中央派来的。他们没有多少国家观念，可是也不真心信服日本人，他们渺渺茫茫的觉得日本人将来必失败——他们说不上理由来，大概只因为日本人太讨厌，所以连他们也盼望日本人失败。（这是日本人最大的悲哀！）既然盼望日本人失败，他们当然不肯真刀真枪的和中央派来的人蛮干，他们必须给自己留个退步。告诉你，瑞宣，死也并不容易，假若你一旦忘记了死的可怕。我不怕死，所以我在死亡的门前找到了许多的小活路儿。我一时没有危险。不过，谁知道呢，将来我也许会在最想不到的地方与时间，忽然的死掉。管它呢，反正今天我还活着，今天我就放胆的工作！"

这时候，天已经黑了。小茶馆里点起一盏菜油灯。

"钱伯伯，"瑞宣低声的叫。"家去，吃点什么，好不好？"

老人毫不迟疑的拒绝了："不去！见着你的祖父和小顺子，我就想起我自己从前的生活来，那使我不好过。我今天正像人由爬行而改为立起来，用两条腿走路的时候；我一松气，就会爬下去，又成为四条腿的动物！人是脆弱的，须用全力支持自己！"

"那么，我们在外边吃一点东西？"

"也不！理由同上！"老人慢慢的往起立。刚立稳，他又坐下了。"还有两句话。你认识尤桐芳吗？"

瑞宣点点头。

"她是有心胸的，你应该照应她一点！我也教给了她那个字——杀！"

"杀谁？"

"该杀的人很多！能消灭几个日本人固然好，去杀掉几个什么冠晓荷，李空山，大赤包之类的东西也好。这次的抗战应当是中华民族的大扫除，一方面须赶走敌人，一方面也该扫除清了自己的垃圾。"

"我怎么照应她呢？"瑞宣相当难堪的问。

"给她打气，鼓励她！一个妇人往往能有决心，而在执行的时候下不去手！"老人又慢慢的往起立。

两个人出了茶馆，瑞宣舍不得和钱老人分手，他随着老人走。走了几步，老人立住，说："瑞宣，送君千里终须别，你回家吧！"

瑞宣握住了老人的手。"伯父，我们是不是能常见面呢？你知道……"

"不便常见！看机会吧，当我认为可以找你来的时候，我必找你来。你不要找我！你看，你和野求已经把我窃听孙子的啼哭的一点享受也剥夺了！再见吧！问老人们好！"

瑞宣无可如何的松开手。手中像有一股热气流出去，他茫然的立在那里，看着钱先生在灯影中慢慢的走去。一直到看不见老人了，他才打了转身。

　　第二天是星期六。下午两点他就可以离开公事房。他决定去看看下午三时在太庙大殿里举行的华北文艺作家协会的大会。他要看，他不再躲避。

　　会场里坐着立着已有不少的人，可是还没有开会。他在签到簿上画了个假名字，在后边找了个人少的地方坐下。慢慢的，他认出好几个人来：那个戴瓜皮小帽，头像一块宝塔糖的，是东安市场专偷印淫书的艺光斋的老板；那个一脸浮油，像火车一样吐气的胖子，是琉璃厂卖墨盒子的周四宝；那个圆眼胖脸的年轻人是后门外德文斋纸店跑外的小山东儿；那个满脸烟灰，腮上有一撮毛的是说相声的黑毛儿方六。除了黑毛儿方六（住在小羊圈七号）一定认识他，那三位可是也许认识他，也许不认识，因为他平日爱逛书铺与琉璃厂，而且常在德文斋买东西，所以慢慢的知道了他们，而他们不见得注意过他。此外，正经的文化人，他一个也没见。

　　大赤包，招弟，冠晓荷，走了进来。大赤包穿着一件紫大缎的长袍，上面罩着件大红绣花的斗篷，头上戴着一顶大红的呢洋帽，帽檐很窄，上面斜插二尺多长的一根野鸡毛。她走得极稳极慢，一进殿门，她双手握紧了斗篷，头上的野鸡毛从左至右画了个半圆，眼睛随着野鸡毛的转动，检阅了全殿的人。这样亮完了相儿，她的两手松开，肩膀儿一拱，斗篷离了身，轻而快的落在晓荷的手中。而后，她扶着招弟，极稳的往前面走，身上纹丝不动，只有野鸡毛微颤。全殿里的人都停止了说笑，眼睛全被微颤的野鸡毛吸住。走到最前排，她随便的用手一推，像驱逐一个虫子似的把中间坐着的人推开，她自己坐在那里——正对着讲台桌上的那瓶鲜花。招弟坐在妈妈旁边。

　　晓荷把太太的斗篷搭在左臂上，一边往前走，一边向所有的人点头打招呼。他的眼眯着，嘴半张着，嘴唇微动，而并没说什么；他不费力的使大家猜想他必是和他们说话呢。这样走了几步，觉得已经对大家招呼够了，他闭上了嘴，用小碎步似跳非跳的赶上太太，像个小哈巴狗似的同太太坐在一处。

瑞宣看到冠家夫妇的这一场，实在坐不住了；他又想回家。可是，这时候，门外响了铃。冠晓荷半立着，双手伸在头上鼓掌。别人也跟着鼓掌。瑞宣只好再坐稳。

在掌声中，第一个走进来的是蓝东阳。今天，他穿着西服。没人看得见他的领带，因为他的头与背都维持着鞠躬的姿式。他横着走，双手紧紧的贴在身旁，头与背越来越低，像在地上找东西似的。他的后面是，瑞宣认得，曾经一度以宣传反战得名的日本作家井田。十年前，瑞宣曾听过井田的讲演。井田是个小个子，而肚子很大，看起来很像会走的一个泡菜坛子。他的肚子，今天，特别往外凸出；高扬着脸。他的头发已有许多白的。东阳横着走，为是一方面尽引路之责，一方面又表示出不敢抢先的谦逊。他的头老在井田先生的肚子旁边，招得井田有点不高兴，所以走了几步以后，井田把肚子旁边的头推开，昂然走上了讲台。他没等别人上台，便坐在正中间。他的眼没有往台下看，而高傲的看着彩画的天花板。第二，第三，第四，也都是日本人。他们的身量都不高，可是每个人都觉得自己是一座宝塔似的。日本人后面是两个高丽人，高丽人后面是两个东北青年。蓝东阳被井田那么一推，爽性不动了，就那么屁股顶着墙，静候代表们全走过去。都走完了，他依然保持着鞠躬的姿态，往台上走。这时候，冠晓荷也立起来，向殿门一招手。一个漂亮整齐的男仆提进来一对鲜花篮。晓荷把花篮接过来，恭敬的交给太太与女儿一人一只。大赤包与招弟都立起来，先转脸向后看了看，为是教大家好看清了她们，而后慢慢的走上台去。大赤包的花篮献给东阳，招弟的献给井田。井田把眼从天花板上收回，看着招弟：坐着，他和招弟握了握手。然后，母女立在一处，又教台下看她们一下。台下的掌声如雷。她们下来，晓荷慢慢的走上了台，向每个人都深深的鞠了躬，口中轻轻的介绍自己："冠晓荷！冠晓荷！"台下也给他鼓了掌。

蓝东阳宣布开会：

"井田先生！"一鞠躬。"菊池先生！"一鞠躬。他把台上的人都叫到，给每个人都鞠了躬，这才向台下一扯他的绿脸，很傲慢的叫了

声："诸位文艺作家！"没有鞠躬。叫完这一声，他愣起来，仿佛因为得意而忘了他的开会词。他的眼珠一劲儿往上吊。台下的人以为他是表演什么功夫呢，一齐鼓掌。他的手颤着往衣袋里摸，半天，才摸出一张小纸条来。他半身向左转，脸斜对着井田，开始宣读：

"我们今天开会。"

"因为必须开会！"他把"必须"念得很响，而且把一只手向上用力的一伸。台下又鼓了掌。他张着嘴等候掌声慢慢的停止。而后再念：

"我们是文艺家，

天然的和大日本的文豪们是一家！"

台下的掌声，这次，响了两分钟。在这两分钟里，东阳的嘴不住的动，念叨着："好诗！好诗！"掌声停了，他把纸条收起去。"我的话完了，因为诗是语言的结晶，无须多说。现在，请大文豪井田先生训话！井田先生！"又是极深的一躬。

井田挺着身，立在桌子的旁边，肚子支出老远。看一眼天花板，看一眼招弟，他不耐烦的一摆手，阻住了台下的鼓掌，而后用中国话说：

"日本的是先进国，它的科学，文艺，都是大东亚的领导，模范。我的是反战的，大日本的人民都是反战的，爱和平的。日本和高丽的，满洲国的，中国的，都是同文同种同文化的。你们，都应当随着大日本的领导，以大日本的为模范，共同建设起大东亚的和平的新秩序的！今天的，就是这一企图的开始，大家的努力的！"他又看了招弟一眼，转身坐下了。

东阳鞠躬请菊池致词。瑞宣在大家正鼓掌中间，溜了出来。

出来，他几乎不认识了东西南北。找了棵古柏，他倚着树身坐下去。他连想象也没想象到过，世界上会能有这样的无耻，欺骗，无聊，与戏弄。他没法不恨自己，假若他有胆子，一个手榴弹便可以在大殿里消灭了台上那一群无耻的东西，而消灭那群东西还不只是为报仇雪恨，也是为扫除真理的戏弄者。日本军阀只杀了中国人，井田却勒死了真理与正义。

327

十四

已是深冬。祁老人与天佑太太又受上了罪。今年的煤炭比去冬还更缺乏。去年，各煤厂还有点存货。今年，存货既已卖完，而各矿的新煤被日本人运走，只给北平留下十分之一二。祁老人夜间睡不暖，早晨也懒得起来。

刮十一夜的狂风。那几乎不是风，而是要一卜十便把地面的一切扫净了的灾患。天在日落的时候已变成很厚很低很黄，一阵阵深黄色的"沙云"在上面流动，发出使人颤抖的冷气。日落了，昏黄的天空变成黑的，很黑，黑得可怕。高处的路灯像矮了好些，灯光在颤抖。上面的沙云由流动变为飞驰，天空发出了响声，像一群疾行的鬼打着呼哨。树枝儿开始摆动。远处的车声与叫卖声忽然的来到，又忽然的走开。显露出一两个来，又忽然的藏起去。一切静寂。忽然的，门，窗，树木，一齐响起来，风由上面，由侧面，由下面，带着将被杀的猪的狂叫，带着黄沙黑土与鸡毛破纸，扫袭着空中与地上。灯灭了，窗户打开，墙在颤，一切都混乱，动摇，天要落下来，地要翻上去。人的心都缩紧，盆水立刻浮了一层冰。北平仿佛失去了坚厚的城墙，而与荒沙大漠打成了一片。世界上只有飞沙与寒气的狂舞，人失去控制自然的力量，连猛犬也不敢叫一声。

电车很早的停开，洋车夫饿着肚子空着手收了车，铺户上了板子，路上没了行人。北平像风海里的一个黑暗无声的孤岛。

祁老人早早的便躺下了。他已不像是躺在屋里，而像飘在空中。每一阵狂风都使他感到渺茫，忘了方向，忘了自己是在哪里，而只觉得有千万个细小的针尖刺着他的全身。他辨不清是睡着，还是醒着，

328

是作梦，还是真实。

好容易，风杀住了脚步。老人听见了一声鸡叫。鸡声像由天上落下来的一个信号，他知道风已住了，天快明。伸手摸一摸脑门，他好似触到一块冰。他大胆的伸了伸酸疼的两条老腿，赶快又蜷回来；被窝下面是个小的冰窖。屋中更冷了，清冷，他好像睡在河边上或沙漠中的一个薄薄的帐棚里，他与冰霜之间只隔了一层布。慢慢的，窗纸发了青。他忍了一个小盹。再睁开眼，窗纸已白；窗棱的角上一堆堆的细黄沙，使白纸上映出黑的小三角儿来。他老泪横流的打了几个酸懒的哈欠。他不愿再忍下去，而狠心的坐起来。

一开屋门，老人觉得仿佛是落在冰洞里了。一点很尖很小很有力的小风像刀刃似的削着他的脸，使他的鼻子流出清水来。他的嘴前老有些很白的白气。往院中一撒眼，他觉得院子仿佛宽大了一些。地上极干净，连一个树叶也没有。地是灰白的，有的地方裂开几条小缝。空中什么也没有，只是那么清凉的一片，像透明的一大片冰。天很高，没有一点云，蓝色很浅，像洗过多少次的蓝布，已经露出白色来。天，地，连空中，都发白，好似雪光，而哪里也没有雪。这雪光有力的联接到一处，发射着冷气，使人的全身都浸在寒冷里，仿佛没有穿着衣服似的。

老人想去找扫帚，可是懒得由袖口里伸出手来；再看一看地上，已经被狂风扫得非常的干净，无须他去费力，揣着手，他往外走。开开街门，胡同里没有一个人，没有任何动静。老槐落下许多可以当柴用的枯枝。老人忘了冷，伸出手来，去拾那些树枝。抱着一堆干枝，他往家中走。上了台阶，他愣住了，在门神脸底下的两个铜门环没有了。"嗯?"老人出了声。

这是他自己置买的房，他晓得院中每一件东西的变化与历史。当初，他记得，门环是一对铁的，鼓膨膨的像一对小乳房，上面生了锈。后来，为庆祝瑞宣的婚事，才换了一副黄铜的——门上有一对发光的门环就好像妇女戴上了一件新首饰。他喜爱这对门环，永远不许它们生锈。每逢他由外边回来，看到门上的黄亮光儿，他便感到痛快。

今天，门上发光的东西好像被狂风刮走，忽然的不见了，只剩下两个圆圆的印子，与钉子眼儿。门环不会被风刮走，他晓得；可是他低头在阶上找，希望能找到它们。台阶上连一颗沙也没有。把柴棍儿放在门坎里，他到阶下去找，还是找不到。他跑到六号的门外去看，那里的门环也失了踪。他忘了冷。很快的他在胡同里兜了一圈，所有的门环都不见了。"这闹的什么鬼呢？"老人用冻红了的手，摸了摸胡须，摸到了一两个小冰珠。他很快的走回来，叫瑞宣。

瑞宣一边穿衣服，一边听祖父的话。他似乎没把话都听明白，愣眼巴睁的走出来，又愣眼巴睁的随着老人往院外走。看到了门环的遗迹，他才弄清楚老人说的是什么。

"怎回事呢？"老人问。

"夜里风大，就是把街门搬了走，咱们也不会知道！进来吧，爷爷！这儿冷！"瑞宣替祖父把门内的一堆柴棍儿抱了进来。

"谁干的呢？好大胆子！一对门环能值几个钱呢？"老人一边往院中走，一边叨唠。

"铜铁都顶值钱，现在不是打仗哪吗？"瑞宣搭讪着把柴火送到厨房去。

老人和韵梅开始讨论这件事。瑞宣藏到自己的屋中去。屋中的暖而不大好闻的气儿使他想再躺下睡一会儿，可是他不能再放心的睡觉，那对丢失了的门环教他觉到寒冷，比今天的天气还冷。不便对祖父明说，他可是已从富善先生那里得到可靠的情报，日本军部已委派许多日本的经济学家研究战时的经济——往真切里说，便是研究怎样抢劫华北的资源。日本攻陷了华北许多城市与地方，而并没有赚着钱；现代的战争是谁肯多往外扔掷金钱，谁才能打胜的。不错，日本人可以在攻陷的地带多卖日本货。可是，战事影响到国内的生产，而运到中国来的货物又恰好只能换回去他们自己发行的，一个铜板不值的伪钞。况且，战争还没有结束的希望，越打就越赔钱。所以他们必须马上抢劫。他们须抢粮，抢煤，抢铜铁，以及一切可以伸手就拿到的东西。尽管这样，他们还不见得就能达到以战养战的目的，因为华北没有什么大的工业，也没有够用的技术人员与工人。他们打胜了

330

仗，而赔了本儿。因此，军人们想起来经济学家们，教他们给想点石成金的方法。

乘着一夜的狂风，偷去铜的和铁的门环，瑞宣想，恐怕就是日本经济学家的抢劫计划的第一炮。这个想法若搁在平日，瑞宣必定以为自己是浅薄无聊。今天，他可是郑重其事的在那儿思索，而丝毫不觉得这个结论有什么可笑。他知道，日本的确有不少的经济学家，但是，战争是消灭学术的，炮火的放射是把金钱打入大海里的愚蠢的把戏。谁也不能把钱扔在海里，而同时还保存着它。瑞宣告诉自己，日本人既因玩弄炮火与战争，把自己由"有"而变为"没有"，他们必会用极精密的计划与方法，无微不至的去抢劫。他们的心狠，会刮去华北的一层地皮，会把成千论万的人活活饿死。再加上汉奸们的甘心为虎作伥，日本人要五百万石粮，汉奸们也许要搜刮出一千万石，好博得日本人的欢心。

这时候，孩子们都醒了，大声的催促妈妈给熬粥。天佑太太与祁老人和孩子们有一搭无一搭的说话儿。瑞宣听着老少的声音，就好像是一些毒刺似的刺着他的心。

到八九点钟，天上又微微的发黄，树枝又间断的摆动。

"风还没完！"祁老人叹了口气。

老人刚说完，外面砰，砰，响了两声枪。很响，很近，大家都一愣。

"又怎么啦？"老人只轻描淡写的问了这么一句，几乎没有任何的表情。

"听着像是后大院里！"韵梅的大眼睁得特别的大，而嘴角上有一点笑——一点含有歉意的笑，她永远怕别人嫌她多嘴，或说错了话。她的"后大院"是指着胡同的葫芦肚儿说的。

瑞宣跑到大门外，三号的门口没有人，一号的门口站着那个日本老婆婆。她向瑞宣鞠躬，瑞宣本来没有招呼过一号里的任何人，可是今天在匆忙之间，他还了一礼。程长顺在四号门外，想动而不敢动的听着外婆的喊叫："回来，你个王大胆！顶着枪子，上哪儿去！"见着瑞宣，长顺急切的问："怎么啦？"

"不知道！"瑞宣往北走。

小文揣着手，嘴唇上搭拉着半根烟卷，若无其事的在六号门口立着。"好像响了两枪？或者也许是爆竹！"他对瑞宣说，并没拿下烟卷来。

瑞宣点了点头，没说什么，还往北走。他既羡慕，又厌恶，小文的不动声色。

七号门外站了许多人，有的说话，有的往北看。

白巡长脸煞白的，由北边跑来："都快进去！待一会儿准挨家儿检查！不要慌，也别大意！快进去！"说完，他打了转身。

"怎么回事？"大家几乎是一致的问。

白巡长回过头来："我倒霉，牛宅出了事！"

"什么事？"大家问。

白巡长没再回答，很快的跑去。

过了不到一刻钟，小羊圈已被军警包围住。两株老槐树下面，立着七八个宪兵，不准任何人出入。

祁家院里走进来一群人，有巡警，有宪兵，有便衣，还有武装的，小顺儿深恨的，日本人。地是冻硬了的，他们的脚又用力的踩，所以呱哒呱哒的分外的响。小人物喜欢自己的响动大。两个立在院中观风，其余的人散开，到各屋去检查。

瑞宣特别的招他们的注意。他的年纪，样子，风度，在日本人眼中，都仿佛必然的是嫌疑犯。他们把他屋中所有的抽屉，箱子，盒子，都打开，极细心的查看里边的东西。他们没找到什么，于是就再翻弄一过儿，甚至于把箱子底朝上，倒出里面的东西。瑞宣立在墙角，静静的看着他们。最后，那个日本人看见了墙上那张大清一统地图。他向瑞宣点了点头："大清的，大大的好！"瑞宣仍旧立在那里，没有任何表示。日本人顺手拿起连韵梅自己也不大记得的一支镀金的，錾花的，短簪，放在袋中，然后又看了大清地图一眼，依依不舍的走出去。

他们走后，大家都忙着收拾东西，谁都有一肚子气，可是谁也没说什么。

332

一直到下午四点钟，黄风又怒吼起来的时候，小羊圈的人们才得到出入的自由，而牛宅的事也开始在大家口中谈论着。

除了牛教授受了伤，已被抬到医院去这点事实外，大家谁也不准知道那是怎么一回事。牛教授向来与邻居们没有什么来往，所以平日大家对他家中的事就多半出于猜测与想象；今天，猜测与想象便更加活动。大家因为不确知那是什么事，才更要说出一点道理来。据孙七说：日本人要拉牛教授作汉奸，牛教授不肯，所以他们打了他两枪——一枪落了空，一枪打在教授的左肩上，不致有性命的危险。孙七相当的敬重牛教授，因为他曾给教授剃过一次头。

程长顺的看法和孙七的大不相同。他说：牛教授要作汉奸，被"我们"的人打了两枪。

风还相当的大，很冷。瑞宣可是在屋中坐不住。揣着手，低着头，皱着眉，他在院中来回的走。细黄沙渐渐的积在他的头发与眉毛上，他懒得去擦。冻红了的鼻子上垂着一滴清水，他任凭它自己落下来，懒得去抹一抹。从失去的门环，他想象到明日生活的困苦，他看见一条绳索套在他的，与一家老幼的，脖子上，越勒越紧。从牛教授的被刺，他想到日本人会一个一个的强奸清白的人；或本来是清白的人，一来二去便失去坚强与廉耻，而自动的去作妓女。

十五

　　牛教授还没有出医院，市政府已发表了他的教育局长。报纸上发表了他的谈话："为了中日的亲善与东亚的和平，他愿意担起北平的教育责任；病好了他一定就职。"在这条新闻旁边，还有一幅相片——他坐在病床上，与来探看他的日本人握手；他的脸上含着笑。

　　瑞宣呆呆的看着报纸上的那幅照相。"你怎会也作汉奸呢？"瑞宣半疯子似的问那张相片。这倒并不是因他和牛教授有什么交情，而是因为他看清楚牛教授的附逆必有很大的影响。牛教授的行动将会使日本人在国际上去宣传，因为他有国际上的名望。他也会教那些以作汉奸为业的有诗为证的说："看怎样，什么清高不清高的，老牛也下海了啊！清高？屁！"

　　果然，他看见了冠晓荷夫妇和招弟，拿着果品与极贵的鲜花（这是冬天），去慰问牛教授。

　　"我们去看看牛教授！"晓荷摸着大衣上的水獭领子，向瑞宣说："不错呀，咱们的胡同简直是宝地，又出了个局长！我说，瑞宣，老二在局里作科长，你似乎也该去和局长打个招呼吧？"

　　瑞宣一声没出。

　　慢慢的，他打听明白了：牛教授的确是被"我们"的人打了两枪，可惜没有打死。牛教授，据说，并没有意思作汉奸，可是，当日本人强迫他下水之际，他也没坚决的拒绝。他是个科学家。他向来不关心政治，不关心别人的冷暖饥饱，也不愿和社会接触。他的脑子永远思索着科学上的问题。极冷静的去观察与判断，他不许世间庸俗的事情扰乱了他的心。

日本人，为了收买人心，和威胁老汉奸们，想造就一批新汉奸。新汉奸的资格是要在社会上或学术上有相当高的地位，同时还要头脑简单。牛教授恰好有这两种资格。

手枪放在他面前，紧跟着枪弹打在他的肩上，他害了怕，因害怕而更需要有人保护他。他不晓得自己为什么挨枪，和闯进来的小伙子为什么要打他。他的逻辑与科学方法都没了用处，而同时他又不晓得什么是感情，与由感情出发的举动。日本人答应了保护他，在医院病房的门口和他的住宅的外面都派了宪兵站岗。他开始感到自己与家宅的安全。他答应了作教育局长。

老二瑞丰回来了。自从瑞宣被捕，老二始终没有来过。今天，他忽然的回来，因为他的地位已不稳，必须来求哥哥帮忙。他的小干脸上不像往常那么发亮，也没有那点无聊的笑容。进了门，他绕着圈儿，大声的叫爷爷，妈，哥哥，大嫂，好像很懂得规矩似的。叫完了大家，他轻轻的拍了拍小顺儿与妞子的乌黑的头发，而后把大哥拉到一边去，低声的恳切的说：

"大哥！得帮帮我的忙！要换局长，我的事儿恐怕要吹！你认识……"

瑞宣把话抢过来："我不认识牛教授！"

老二的眉头儿拧上了一点："间接的总……"

"我不能兜着圈子去向汉奸托情！"瑞宣没有放高了声音，可是每个字都带着一小团怒火。

老二把假象牙的烟嘴掏出来，没往上安烟卷，而只轻轻的用它敲打着手背。"大哥！那回事，我的确有点不对！可是，我有我的困难！你不会记恨我吧？"

"哪回事？"瑞宣问。

"那回，那回，"老二舐了舐嘴唇，"你遭了事的那回。"

"我没记恨你，过去的事还有什么说头呢？"

"噢！"老二没有想到哥哥会这么宽宏大量，小小的吃了一惊。同时，他的小干脸上被一股笑意给弄活软了一点。他以为老大既不记仇，那么再多说上几句好话，老大必会消了怒，而帮他的忙的。"大

335

哥，无论如何，你也得帮我这点忙！这个年月，弄个位置不是容易的事！我告诉你，大哥，这两天我愁得连饭都吃不下去！"

"老二，"瑞宣耐着性儿，很温柔的说："听我说！假若你真把事情搁下，未必不是件好事。你只有个老婆，并无儿女，为什么不跑出去，给咱们真正的政府作点事呢？"

老二干笑了一下。"我，跑出去？"

"你怎么不可以呢？看老三！"瑞宣把脸板起来。

"老三？谁知道老三是活着，还是死了呢？好，这儿有舒舒服服的事不作，偏到外边瞎碰去，我不那么傻！"

瑞宣闭上了口。

老二由央求改为恐吓："大哥，我说真话，万一不幸我丢了差事，你可得养活着我！谁教你是大哥呢？"

瑞宣微笑了一下，不打算再说什么。

老二又去和妈妈与大嫂嘀咕了一大阵，他照样的告诉她们："大哥不是不认识人，而是故意看我的哈哈笑！好，他不管我的事，我要是掉下来，就死吃他一口！反正弟弟吃哥哥，到哪里也讲得出去！"说完，他理直气壮的，叼着假象牙烟嘴，走了出去。

两位妇人向瑞宣施了压力。瑞宣把事情从头至尾细细的说了一遍，她们把话听明白，都觉得瑞宣应当恨牛教授，和不该去为老二托情。可是，她们到底还不能放心："万一老二真回来死吃一口呢？"

"那，"瑞宣无可如何的一笑，"那就等着看吧，到时候再说！"

他知道，老二若真来死吃他一口，倒还真是个严重的问题。但是，他不便因为也许来也许不来的困难而先泄了气。他既没法子去勒死牛教授，至少他也得撑起气，不去向汉奸求情。即使不幸而老二果然失了业，他还有个消极的办法——把自己的饭分给弟弟一半，而他自己多勒一勒腰带。这不是最好的办法，但是至少能教他自己不输气。他觉得，在一个亡城中，他至少须作到不输气，假使他作不出争气的事情来。

没到一个星期，瑞丰果然回来了。牛教授还在医院里，由新的副局长接收了教育局。瑞丰昼夜的忙了四五天。办清了交代，并且被免

336

了职。

牛教授平日的朋友差不多都是学者，此外他并不认识多少人。学者们既不肯来帮他的忙，而他认识的人又少，所以他只推荐了他的一个学生作副局长，替他操持一切；局里其余的人，他本想都不动。瑞丰，即使不能照旧作科长，也总可以降为科员，不致失业。但是，平日他的人缘太坏了，所以全局里的人都乘着换局长之际，一致的攻击他。新副局长，于是，就拉了自己的一个人来，而开掉了瑞丰。

瑞丰忽然作了科长，忘了天多高，地多厚。官架子也正像谈吐与风度似的，需要长时间的培养。瑞丰没有作过官，而想在一旦之间就十足的摆出官架子来，所以他的架子都不够板眼。对于上司，他过分的巴结，而巴结得不是地方。这，使别人看不起他，也使被恭维的五脊子六兽的难过，甚至于给一个工友道歉。在无事可干的时候，他会在公事房里叼着假象牙的烟嘴，用手指敲着板，哼唧着京戏；或是自己对自己发笑，仿佛是告诉大家："你看，我作了科长，真没想到！"

对于买办东西，他永远亲自出马，不给科里任何人以赚俩回扣的机会。大家都恨他。可是，他自己也并不敢公然的拿回扣，而只去敲掌柜们一顿酒饭，或一两张戏票。这样，他时常的被铺户中请去吃酒看戏，而且在事后要对同事们大肆宣传："昨天的戏好得很！和刘掌柜一块去的，那家伙胖胖的怪有个意思！"或是："敢情山西馆子作菜也不坏呢！樊老西儿约我，我这是头一回吃山西菜！"他非常得意自己的能白吃白喝，一点也没注意同事们怎样的瞪他。

对女同事们，瑞丰特别的要献殷勤。他以为自己的小干脸与刷了大量油的分头，和齐整得使人怪难过的衣服鞋帽必定有很大的诱惑力，只要他稍微表示一点亲密，任何女人都得拿他当个爱人。他时常送给她们一点他由铺户中白拿来的小物件，而且表示他要请她们看电影或去吃饭。他甚至于大胆的和她们定好了时间地点。到时候，她们去了，可找不着他的影儿。第二天见面，他会再三再四的道歉，说他母亲忽然的病了，或是局长派他去办一件要紧的公事，所以失了约。慢慢的，大家都知道了他的母亲与局长必会在他有约会的时候生病和有要事，也就不再搭理他，而他扯着脸对男同事们说："家里有太

337

太，顶好别多看花瓶儿们！弄出事来就够麻烦的！"他觉得自己越来越老成了。

论真的，他并没赚到钱，而且对于公事办得都相当的妥当。可是，他的浮浅，无聊，与摆错了的官架子，结束了他的官运。

胖菊子留在娘家，而把瑞丰赶了出来。她的最后的训令是："你找到了官儿再回来；找不到，别再见我！我是科长太太，不是光杆儿祁瑞丰的老婆！"

十六

尤桐芳的计划完全失败。她打算在招弟结婚的时候动手,好把冠家的人与道贺来的汉奸,和被邀来的日本人,一网打尽。茫茫人海,她没有一个知己的人;她只挂念着东北,她的故乡,可是东北已丢给了日本,而千千万万的东北人都在暴政与毒刑下过着日子。为了这个,她应当报仇。或者,假若高第肯逃出北平呢,她必会跟了走。可是,高第没有胆子。桐芳不肯独自逃走,她识字不多,没有作事的资格与知识。她的唯一的出路好像只有跑出冠家,另嫁个人。嫁人,她已看穿:凭她的年纪,出身,与逐渐衰老的姿貌,她已不是那纯洁的青年人所愿意追逐的女郎。要嫁人,还不如在冠家呢。冠晓荷虽然没什么好处,可是还没虐待过她。不过,冠家已不能久住,因为大赤包口口声声要把她送进窑子去。她没有别的办法,只好用死结束了一切。她可是不能白白的死,她须教大赤包与成群的小汉奸,最好再加上几个日本人,与她同归于尽。在结束她自己的时候,她也结束了压迫她的人。

她时常碰到钱先生。每逢遇见他一次,她便更坚决了一些,而且慢慢的改变了她的看法。钱先生的话教她的心中宽阔了许多,不再只想为结束自己而附带的结束别人。钱先生告诉她:这不是为结束自己,而是每一个有心胸有灵魂的中国人应当去作的事。锄奸惩暴是我们的责任,而不是无可奈何的"同归于尽"。钱先生使她的眼睁开,看到了她——尽管是个唱鼓书的,作姨太太的,和候补妓女——与国家的关系。她不只是个小妇人,而也是个国民,她必定能够作出点有关于国家的事。

339

桐芳有聪明。很快的，她把钱先生的话，咂摸出味道来。她不再和高第谈心了，怕是走了嘴，泄露了机关。她也不再和大赤包冲突，她快乐的忍受大赤包的逼迫与辱骂。她须拖延时间，等着下手的好机会。她知道了自己的重要，尊敬了自己，不能逞气一时而坏了大事。她决定在招弟结婚的时候动手。

可是，李空山被免了职。刺杀日本特使与向牛教授开枪的凶犯，都漏了网。日本人为减轻自己的过错，一方面乱杀了小崔与其他的好多嫌疑犯，一方面免了李空山的职。他是特高科的科长，凶手的能以逃走是他的失职。他不单被免职，他的财产也被没收了去。日本人鼓励他贪污，在他作科长的时候；日本人拿去他的财产，当他被免职的时候。这样，日本人赚了钱，而且惩办了贪污。

听到这消息，冠晓荷皱上了眉。不论怕怎么大胆，他到底是中国人，不好拿儿女的婚姻随便开玩笑。他不想毁掉了婚约，同时又不愿女儿嫁个无职无钱的穷光蛋。

大赤包比晓荷厉害的多，她马上决定了悔婚。

招弟同意妈妈的主张。她与李空山的关系，原来就不怎么稳定。她是要玩一玩，冒一冒险。把这个目的达到，她并不怎样十分热心的和李空山结婚。不过，李空山若是一定要她呢，她就作几天科长太太也未为不可。现在，李空山既已不再作科长，她可就不必多此一举的嫁给他；她本只要嫁给一个"科长"的。李空山加上科长，等于科长；李空山减去科长，便什么也不是了。她不能嫁给一个"零"。她对妈妈说：

"李空山现在真成了空山，我才不会跟他去呢！"

"乖！乖宝贝！你懂事，要不怎么妈妈偏疼你呢！"大赤包极高兴的说。

李空山可也不是好惹的。虽然丢了官，丢了财产，他可是照旧穿的很讲究，气派还很大。他赤手空拳的打下"天下"，所以在作着官的时候，他便是肆意横行的小皇帝；丢了"天下"呢，他至多不过仍旧赤手空拳，并没有损失了自己的什么，所以准备卷土重来。他永远不灰心，不悔过。他的勇敢与大胆是受了历史的鼓励。他是赤手空拳的抓住了时代。人民——那驯顺如羔羊，没有参政权，没有舌头，不会反抗的人民——在他的脚前跪倒，像垫道的黄土似的，允许他把脚踩在他们的脖子上。

戴着貂皮帽子，穿着有水獭领子的大衣，他到冠家来看"亲戚"。他带着一个随从，随从手里拿着七八包礼物——盒子与纸包上印着的字号都是北平最大的商店的。

晓荷看看空山的衣帽，看看礼物上的字号，再看看那个随从，（身上有枪！）他不知怎办好了。他怕那只手枪。

脱去大衣，李空山一下子把自己扔在沙发上，好像是疲乏的不得了的样子。随从打过热手巾把来，李空山用它紧捂着脸，好大半天才拿下来；顺手在毛巾上净了一下鼻子。擦了这把脸，他活泼了一些，半笑的说：

"把个官儿也丢咧，×！也好，该结婚吧！老丈人，定个日子吧！"

晓荷回不出话来，只咧了一下嘴。

"跟谁结婚？"大赤包极沉着的问。

晓荷的心差点儿从口中跳了出来！

"跟谁？"空山的脊背挺了起来，身子好像忽然长出来一尺多。"跟招弟呀！还有错儿吗？"

"是有点错儿！"大赤包的脸带出点挑战的笑来。"告诉你，空山，拣干脆的说，你引诱了招弟，我还没惩治你呢！结婚，休想！两个山字落在一块儿，你请出！"

晓荷的脸白了，搭讪着往屋门那溜儿凑，准备着到必要时好往外跑。

可是，空山并没发怒；流氓也有流氓的涵养。他向随从一挤眼。随从凑过去，立在李空山的身旁。

大赤包冷笑了一下："空山，别的我都怕，就是不怕手枪！手枪办不了事！你已经不是特高科的科长了，横是不敢再拿人！"

"不过，弄十几个盒子来还不费事，死马也比狗大点！"空山慢慢的说。

341

"论打手，我也会调十几二十个来；打起来，不定谁头朝下呢！你要是想和平了结呢，自然我也没有打架的瘾。"

"是，和平了结好！"晓荷给太太的话加上个尾巴。

大赤包瞪了晓荷一眼，而后把眼中的余威送给空山："我虽是个老娘们，办事可喜欢麻利，脆！婚事不许再提，礼物你拿走，我再送你二百块钱，从此咱们一刀两断，谁也别麻烦谁。你愿意上这儿来呢，咱们是朋友，热茶香烟少不了你的。你不愿意再来呢，我也不下帖子请你去。怎样？说干脆的！"

"二百块？一个老婆就值那么点钱？"李空山笑了一下，又缩了缩脖子。他现在需要钱。在他的算盘上，他这样的算计：白玩了一位小姐，而还拿点钱，这是不错的买卖。即使他没把招弟弄到手，可是在他的一部玩弄女人的历史里，到底是因此而增多了半页呀。况且，结婚是麻烦的事，谁有工夫伺候着太太呢。再说，他在社会上向来是横行无阻，只要他的手向口袋里一伸，人们便跪下，哪怕口袋里装着一个小木橛子呢。今天，他碰上了不怕他的人。他必须避免硬碰，而只想不卑不亢的多捞几个钱。

"再添一百，"大赤包拍出三百块钱来。"行呢，拿走！不行，拉倒！"

李空山哈哈的笑起来，"你真有两下子，老丈母娘！"这样占了大赤包一个便宜，他觉得应当赶紧下台；等到再作了官的时候，再和冠家重新算账。披上大衣，他把桌上的钱抓起来，随便的塞在口袋里。随从拿起来那些礼物。主仆二人吊儿郎当的走了出去。

"所长！"晓荷亲热的叫。"你真行，佩服！佩服！"

"哼！要交给你办，你还不白白的把女儿给了他？他一高兴，要不把女儿卖了才怪！"

晓荷听了，轻颤了一下；真的，女儿若真被人家给卖了，他还怎么见人呢！

招弟，只穿着件细毛线的红背心，外披一件大衣，跑了过来。进了屋门，嘴唇连串的响着："不噜……！"而后跳了两三步，"喝，好冷！"

"你这孩子，等冻着呢！"大赤包假装生气的说。"快伸上袖子！"

招弟把大衣穿好，手插在口袋中，挨近了妈妈，问："他走啦？"

"不走，还死在这儿？"

"那件事他不提啦？"

"他敢再提，教他吃不了兜着走！"

"得！这才真好玩呢！"招弟撒着娇说。

"好玩？告诉你，我的小姐！"大赤包故意沉着脸说："你也该找点正经事作，别老招猫递狗儿的给我添麻烦！"

"是的！是的！"晓荷板着脸，作出老父亲教训儿女的样子。"你也老大不小的啦，应当，应当。"他想不起女儿应当去作些什么。

"妈！"招弟的脸上也严肃起来。"现在我有两件事可以作。一件是暂时的，一件是长久的。暂时的是去练习滑冰。"

"那——"晓荷怕溜冰有危险。

"别插嘴，听她说！"大赤包把他的话截回去。

"听说在过新年的时候，要举行滑冰大会，在北海。妈，我告诉你，你可别再告诉别人哪！我，勾玛丽，还有朱樱，我们三个打算表演个中日满合作，看吧，准得叫好！"

"这想得好！"大赤包笑了一下。她以为这不单使女儿有点"正经"事作，而且还可以大出风头，使招弟成为报纸上的资料与杂志上的封面女郎。能这样，招弟是不愁不惹起阔人与日本人的注意的。"我一定送个顶大顶大的银杯去。我的银杯，再由你得回来，自家便宜了自家，这才俏皮！"

"这想得更好！"晓荷夸赞了一声。

"那个长久的，是这样，等溜冰大会过去，我打算正正经经的学几出戏。"招弟郑重的陈说："妈，你看，人家小姐们都会唱，我有嗓子，闲着也是闲着，何不好好的学学呢？学会了几出，啪，一登台，多抖啊！要是唱红了，我也上天津，上海，大连，青岛，和东京！对不对？"

"我赞成这个计划！"晓荷抢着说。"我看出来，现在干什么也不能大红大紫，除了作官和唱戏！你看，坤角儿有几个不一出来就红的，只要行头好，有人捧，三下两下子就挂头牌。讲捧角，咱们内行！只要你肯下工夫，我保险你成功！"

"是呀！"招弟兴高采烈的说："就是说！我真要成了功，爸爸你拴个班子，不比老这么闲着强？"

"的确！的确！"晓荷连连的点头。

"跟谁去学呢？"大赤包问。

"小文夫妇不是很现成吗？"招弟很有韬略似的说，"小文的胡琴是人所共知，小文太太又是名票，我去学又方便！妈，你听着！"招弟脸朝了墙，扬着点头，轻咳了一下，开始唱倒板："儿夫一去不回还"，她的嗓子有点闷，可是很有中气。

"还真不坏！真不坏！应当学程砚秋，准成！"晓荷热烈的夸赞。

"妈，怎样？"招弟仿佛以为爸爸的意见完全不算数儿，所以转过脸来问妈妈。

"还好！"大赤包自己不会唱，也不懂别人唱的好坏，可是她的气派表示出自己非常的懂行。

桐芳大失所望，颇想用毒药把大赤包毒死，而后她自己也自尽。可是，钱先生的话还时常在她心中打转，她不肯把自己的命就那么轻轻的送掉。她须忍耐，再等机会。在等待机会的时节，她须向大赤包屈膝，好躲开被送进窑子去的危险。她不便直接的向大赤包递降表，而决定亲近招弟。她知道招弟现在有左右大赤包的能力。她陪着招弟去练习滑冰，在一些小小的过节上都把招弟伺候得舒舒服服。慢慢的，这个策略发生了预期的效果。招弟并没有为她对妈妈求情，可是在妈妈要发脾气的时候，总设法教怒气不一直的冲到桐芳的头上去。这样，桐芳把自己安顿下，静待时机。

高亦陀见李空山败下阵去，赶紧打了个跟斗，拼命的巴结大赤包。倒好像与李空山是世仇似的，只要一说起话来，他便狠毒的咒诅李空山。

连晓荷都看出点来，亦陀是两面汉奸，见风使舵。可是大赤包依然信任他，喜爱他。她的心术不正，手段毒辣，对谁都肯下毒手。但是，她到底是个人，是个妇人。在她的有毒汁的心里，多少还有点

"人"的感情，所以她也要表示一点慈爱与母性。她爱招弟和亦陀，她闭上眼爱他们，因为一睁眼她就也想阴狠的收拾他们了。

亦陀不单只是消极的咒骂李空山，也积极的给大赤包出主意。他很委婉的指出来：李空山和祁瑞丰都丢了官，这虽然是他们自己的过错，可是多少也有点"伴君如伴虎"的意味在内。日本人小气，不容易伺候。所以，他以为大赤包应当赶快的，加紧的，弄钱，以防万一。大赤包觉得这确是忠告，马上决定增加妓女们给她献金的数目。高亦陀还看出来：现在北平已经成了死地，作生意没有货物，也赚不到钱，而且要纳很多的税。要在这块死地上抠几个钱，只有买房子，因为日本人来要住房，四郊的难民来也要住房。房租的收入要比将本图利的作生意有更大的来头。大赤包也接受了这个意见，而且决定马上头过一号的房来——假若房主不肯出脱，她便用日本人的名义强买。

把这些纯粹为了大赤包的利益的计划都供献出，亦陀才又提出有关他自己的一个建议。他打算开一家体面的旅馆，由大赤包出资本，他去经营。旅馆要设备得完美，专接贵客。在这个旅馆里，住客可以打牌聚赌，可以找女人——大赤包既是统制着明娼和暗娼，而高亦陀又是大赤包与娼妓们的中间人，他们俩必会很科学的给客人们找到最合适的"伴侣"。在这里，住客还可以吸烟。烟，赌，娼，三样俱备，而房间又雅致舒服，高亦陀以为必定能生意兴隆，财源茂盛。他负经营之责，只要个经理的名义与一份儿薪水，并不和大赤包按成数分账。他只有一个小要求，就是允许他给住客们治花柳病和卖他的草药——这项收入，大赤包也不得"抽税"。

听到这个计划，大赤包感到更大的兴趣，因为这比其他的事业更显得有声有色。亦陀对开旅舍毫无经验，他并没有必能成功的把握与自信。他只是为利用这个旅馆来宣传他的医道与草药。假若旅馆的营业失败，那不过只丢了大赤包的钱。而他的专治花柳与草药仍然会声名广播的。

大赤包是眼里不揉沙子的人，向来不肯把金钱打了"水漂儿"玩。但是，现在她手里有钱，她觉得只要有钱便万事亨通，干什么都能成

345

功。钱使她增多了野心，钱的力气直从她的心里往外顶，像蒸气顶着壶盖似的。她必须大锣大鼓的干一下。哼，烟，赌，娼，舞，集中到一处，不就是个"新世界"么？国家已经改朝换代，她是开国的功臣，理应给人们一点新的东西看看，而且这新东西也正是日本人和中国人都喜欢耍的。她觉得自己是应运而生的女豪杰，不单会赚钱，也会创造新的风气，新的世界。她决定开办这个旅馆。

对于筹办旅馆的一切，冠晓荷都帮不上忙，可是也不甘心袖手旁观。没事儿他便找张纸乱画，有时候是画房间里应当怎样摆设桌椅床铺，有时候是拟定旅舍的名字。"你们会跑腿，要用脑子可是还得找我来。"

在设计这些雅事而外，他还给招弟们想出化装滑冰用的服装。他告诉她们到那天必须和演话剧似的给脸上抹上油，眼眶涂蓝，脸蛋擦得特别的红。"你们在湖心，人们立在岸上看，非把眉眼画重了不可！"她们同意这个建议，而把他叫作老狐狸精，他非常的高兴。他又给她们琢磨出衣服来：招弟代表中国，应当穿鹅黄的绸衫，上边绣绿梅；勾玛丽代表满洲，穿满清时贵妇人的氅衣，前后的补子都绣东北的地图；朱樱代表日本，穿绣樱花的日本衫子。三位小姐都不戴帽，而用发辫，大拉翅，与东洋蓬头，分别中日满。三位小姐，因为自己没有脑子，就照计而行。

一晃儿过了新年，正月初五下午一点，在北海举行化装滑冰比赛。

到十二点，北海已装满了人。天很高很亮，浅蓝的一片，处处像落着小小的金星。这亮光使白玉石的桥栏更洁白了一些，黄的绿的琉璃瓦与建筑物上的各种颜色都更深，更分明，像刚刚画好的彩画。小白塔上的金顶发着照眼的金光，把海中全部的美丽仿佛要都带到天上去。

参加比赛的人很多，十分之九是青年男女。他们是民族之花，现在变成了东洋人的玩具。只有几个岁数大的，他们都是曾经在皇帝眼前溜过冰的人，现在要在日本人面前露一露身手，日本人是他们今天的主子。

346

五龙亭的两个亭子作为化装室，一个亭子作为司令台。也不是怎么一来，大赤包，便变成女化装室的总指挥。她怒叱着这个，教训着那个，又鼓励着招弟，勾玛丽，与朱樱。亭子里本来就很乱，有的女郎因看别人的化装比自己出色，哭哭啼啼的要临时撤退，有的女郎因忘带了东西，高声的责骂着跟来的人，有的女郎因穿少了衣服，冻得一劲儿打喷嚏，有的女郎自信必得锦标，高声的唱歌……再加上大赤包的发威怒吼，亭子里就好像关着一群饿坏了的母豹子。

　　日本人不管这些杂乱无章。当他们要整齐严肃的时候，他们会用鞭子与刺刀把人们排成整齐的队伍；当他们要放松一步，教大家"享受"的时候，他们会冷笑着像看一群小羊撒欢似的，不加以干涉。他们是猫，中国人是鼠，他们会在擒住鼠儿之后，还放开口，教它再跑两步看看。

　　集合了。男左女右排成行列，先在冰上游行。女队中，因为大赤包的调动，招弟这一组作了领队。后边的小姐们都撅着嘴乱骂。男队里，老一辈的看不起年轻的学生，而学生也看不起那些老头子，于是彼此故意的乱撞，跌倒了好几个。

　　冰上游行以后，分组表演。除了那几个曾经在御前表演过的老人有些真的功夫，耍了些花样，其余的人都只会溜来溜去，没有什么出色的技艺。招弟这一组，三位小姐手拉着手，晃晃悠悠的好几次几乎跌下去，所以只溜了两三分钟，便退了出来。

　　可是，招弟这一组得了头奖，三位小姐领了大赤包所赠的大银杯。那些老手没有一个得奖的。评判员们遵奉着日本人的意旨，只选取化装的"正合孤意"，所以第一名是"中日满合作"，第二名是"和平之神"——一个穿白衣的女郎，高举着一面太阳旗，第三名是"伟大的皇军"。至于溜冰的技术如何，评判员知道日本人不高兴中国人会运动，身体强壮，所以根本不去理会。

　　领了银杯，冠晓荷，大赤包，与三位小姐，高高兴兴的照了相，而后由招弟抱着银杯在北海走了一圈。晓荷给她们提着冰鞋。

　　在漪澜堂附近，他们看见了祁瑞丰，他们把头扭过去，作为没看见。

又走了几步，他们遇见了蓝东阳和胖菊子。东阳的胸前挂着评判的红缎条，和菊子手拉着手。

冠晓荷和大赤包交换了眼神，马上迎上前去。晓荷提着冰鞋，高高的拱手。"这还有什么说的，喝你们的喜酒吧！"

东阳扯了扯脸上的肌肉，露了露黄门牙。胖菊子很安详的笑了笑。他们俩是应运而生的乱世男女，所以不会红脸与害羞。日本人所倡导的是孔孟的仁义道德，而真心去鼓励的是污浊与无耻。他们俩的行动是"奉天承运"。

"你们可真够朋友，"大赤包故意板着脸开玩笑，"连我告诉都不告诉一声！该罚！说吧，罚你们慰劳这三位得奖的小姐，每人一杯红茶，两块点心，行不行？"可是，没等他们俩出声，她就改了嘴，她知道东阳吝啬。"算了吧 那是说着玩呢，我来请你们吧！就在这里吧，三位小姐都累了，别再跑路。"

他们都进了漪澜堂。

十七

瑞丰在"大酒缸"上喝了二两空心酒，红着眼珠子走回家来。唠里唠叨的，他把胖菊子变了心的事，告诉了大家每人一遍，并且声明：他不能当王八，必定要拿切菜刀去找蓝东阳拼个你死我活。他向大嫂索要香烟，好茶，和晚饭；他是受了委屈的人，所以，他以为，大嫂应当同情他，优待他。

祁老人可是真动了心。在他的心里，孙子是爱的对象。现在，听到胖菊子的事，他更同情瑞丰了。万一胖菊子要真的不再回来，他想，瑞丰既丢了差，又丢了老婆，可怎么好呢？再说：祁家是清白人家，真要有个糊里糊涂就跟别人跑了的媳妇，这一家老小还怎么再见人呢？老人没去想瑞丰为什么丢失了老婆，更想不到这是乘着日本人来到而要浑水摸鱼的人所必得到的结果，而只觉这全是胖菊子的过错——她嫌贫爱富，不要脸；她背着丈夫偷人；她要破坏祁家的好名誉，她要拆散四世同堂！

"不行！"老人用力的擦了两把胡子："不行！她是咱们明媒正娶的媳妇，活着是祁家的人，死了是祁家的鬼！她在外边瞎胡闹，不行！你去，找她去！你告诉她，别人也许好说话儿，爷爷可不吃这一套！告诉她，爷爷叫她马上回来！她敢说个不字，我会敲断了她的腿！你去！都有爷爷呢，不要害怕！"老人越说越挂气。对外来的侵犯，假若他只会用破缸顶上大门，对家里的变乱，他可是深信自己有控制的能力与把握。他管不了国家大事，他可是必须坚决的守住这四世同堂的堡垒。

瑞丰一夜没睡好。北海中的那一幕，比第一轮的电影片还更清

349

晰，时时刻刻的映献在他的眼前。菊子和东阳拉着手，在漪澜堂外面走！这不是电影，而是他的老婆与仇人。他不能再忍，忍了这口气，他就不是人了！这样胡思乱想的到了鸡鸣，他才昏昏的睡去，一直睡到八点多钟。一睁眼，他马上就又想起胖菊子来。不过，他可不再想什么一刀切下两个人头来了。他觉得那只是出于一时的气愤，而气愤应当随着几句夸大的话或激烈的想头而消逝。至于办起真事儿来，气愤是没有什么用处的。和平，好说好散，才能解决问题。他细细的分好了头发，穿上最好的衣服，一边打扮一边揣摸：凭我的相貌与服装，必会战胜了蓝东阳的。

他找到了胖菊子。他假装不知道她与东阳的关系，而只说来看一看她；假若她愿意呢，请她回家一会儿，因为爷爷，妈妈，大嫂，都很想念她。他是想把她诓回家去，好，多势众的向她开火；说不定他们也许去把人们关好，不再放她出来的。

菊子可是更直截了当，她拿出一份文件来，教他签字——离婚。

瑞丰的小干脸白得像了一张纸。离婚？好吗，这可真到了拿切菜刀的时候了！他晓得自己不敢动刀。

胖菊子又说了话："快一点吧！反正是这么一回事，何必多饶一面呢？离婚是为有个交代，大家脸上都好看。你要不愿意呢，我还是跟了他去，你不是更……"

"难道，难道，"瑞丰的嘴唇颤动着，"难道你就不念及夫妇的恩情……"

"我要怎么着，就决不听别人的劝告！咱们在一块儿的时候，不是我说往东，你不敢说往西吗？"

"这件事可不能！"

"不能又怎么样呢？"

瑞丰答不出话来。想了半天，他想起来："即使我答应了，家里还有别人哪！"

"当初咱们结婚，你并没跟他们商议呀！他们管不着咱们的事！"

"你容我两天，教我细想想，怎样？"

"你永远不答应也没关系，反正东阳有势力，你不敢惹他！惹恼

350

了他，他会教日本人惩治你！"

瑞丰的怒气冲上来，可是不敢发作。他的确不敢惹东阳，更不敢惹日本人。他含着泪走出来。

"你不签字呀？"胖菊子追着问。

"永远不！"瑞丰大着胆子回答。

"好！我跟他明天就结婚，看你怎样！"

瑞丰箭头似的跑回家来。进了门，他一头撞进祖父屋中去，喘着气说："完啦！完啦！"然后用双手捧住小干脸，坐在炕沿上。

"怎么啦？老二！"祁老人问。

"完啦！她要离婚！"

"什么？"

"离婚！"

"离——"离婚这一名词虽然已风行了好多年，可是在祁老人口中还很生硬，说不惯。"她提出来的？新新！自古以来，有休妻，没有休丈夫的！这简直是胡闹！"老人，在日本人打进城来，也没感觉到这么惊异与难堪。"你对她说了什么呢？"

"我？"瑞丰把脸上的手拿下来。"我说什么，她都不听！好的歹的都说了，她不听！"

"你就不会把她扯回来，让我教训教训她吗？你也是糊涂鬼！"老人越说，气越大，声音也越高。"当初，我就不喜欢你们的婚姻，既没看看八字儿，批一批婚，又没请老人们相看相看；这可好，闹出毛病来没有？不听老人言，祸患在眼前！这简直把祁家的脸丢透了！"

晚间，瑞宣回来，一进门便被全家给包围住。他，身子虽在家里，心里却想着别的事。在使馆里，他得到许多外面不晓得的情报。他知道战事正在哪里打得正激烈，知道敌机又在哪里肆虐，知道敌军在海南岛登陆，和兰州的空战我们击落了九架敌机，知道英国借给我们五百万镑，知道……知道的越多，他的心里就越七上八下的不安。

对瑞丰的事，他实在没有精神去管。在厌烦之中，他想好一句很俏皮的话："我不能替你去恋爱，也管不着你离婚！"可是，他不肯说出来。他是个没出息的国民，可得充作"全能"的大哥。"我看哪，老

351

二，好不好冷静一会儿，再慢慢的看有什么发展呢？她也许是一时的冲动，而东阳也不见得真要她。暂时冷静一点，说不定事情还有转圜。"

"不！大哥！"老二把大哥叫得极亲热。"你不懂得她，她要干什么就一定往牛犄角里钻，决不回头！"

"要是那样呢？"瑞宣还婆婆妈妈的说，"就不如干脆一刀两断，省得将来再出麻烦。你今天允许她离异，是你的大仁大义；等将来她再和东阳散了伙呢，你也就可以不必再管了！在混乱里发生的事，结果必还是混乱，你看是不是？"

"我不能这么便宜了蓝东阳！"

"那么，你要怎办呢？"

"我没主意！"

"老天！"祁老人发了话："你说的对，一刀两断，干她的去！省得日后捣麻烦！"老人本来不赞成离婚，可是怕将来再捣乱，所以改变了心意。"可有一件，咱们不能听她怎么说就怎么办，咱们得给她休书；不是她要离婚，是咱们休了她！"老人的小眼睛里射出来智慧，觉得自己是个伟大的外交家似的。

"休她也罢，离婚也罢，总得老二拿主意！"瑞宣不敢太冒失，他知道老二丢了太太，会逼着哥哥替他再娶一房的。

"咱们慢慢想十全十美的办法吧！"瑞宣把讨论暂时作个结束。

老二又和祖父去细细的究讨，一直谈到半夜，还是没有结果。

第二天，瑞丰又去找胖菊子。她不见。瑞丰跑到城外去，顺着护城河慢慢的遛。他想自杀。走几步，他立住，呆呆的看着一块坟地上的几株松树。四下无人，这是上吊的好地方。看着看着，他害了怕。松树是那么黑绿黑绿的，四下里是那么静寂，他觉得孤单单的吊死在这里，实在太没趣味。树上一只老鸦呱的叫了一声，他吓了一跳，匆匆的走开，头发根上冒了汗，怪痒痒的。

河上的冰差不多已快化开，在冰窟窿的四围已陷下许多，冒出清凉的水来。他在河坡上找了块干松有干草的地方，垫上手绢儿，坐下。他觉得往冰窟窿里一钻，也不失为好办法。可是，头上的太阳是那么晴暖，河坡上的草地是那么松软，小草在干草的下面已发出极嫩极绿的小针儿来，而且发着一点香气。他舍不得这个冬尽春来的世界。他也想起游艺场，饭馆，公园，和七姥姥八姨儿，心中就越发难过。泪成串的流下来，落在他的胸襟上。他没有结束自己性命的勇气，也没有和蓝东阳决一死战的骨头，他怕死。想来想去，他得到了中国人的最好的办法：好死不如赖活着。他的生命只有一条，不像小草似的，可以死而复生。他的生命极可宝贵。他是祖父的孙子，父母的儿子，大哥的弟弟，他不能抛弃了他们，使他们流泪哭嚎。是的，尽管他已不是胖菊子的丈夫，究竟还是祖父的孙子，和……他死不得！

他立起来，顺着河边走。在离他有一丈多远的地方，平平正正的放着一顶帽子，他心中一动。既没有自杀，而又拾一顶帽子，莫非否极泰来，要转好运么？他凑近了几步，细看看，那还是一顶八成新的帽子，的确值得拾起来。往四外看了一看，没有一个人。他极快的跑过去，把帽子抓到手中。下边，是一颗人头！被日本人活埋了的。他的心跳到口来，赶紧松了手。帽子没正扣在人头上。他跑了几步，回头看了一眼，帽子只罩住人头的一半。像有鬼追着似的，他一气跑到城门。

擦了擦汗，他的心定下来。他没敢想日本人如何狠毒的问题，而只觉得能在这年月还活着，就算不错。他决不再想自杀。好吗，没被日本人活埋了，而自己自动的钻了冰窟窿，成什么话呢！他心中还看得见那个人头，黑黑的头发，一张怪秀气的脸，大概不过三十岁，因为嘴上无须。那张脸与那顶帽子，都像是读书人的。岁数，受过教育，体面，都和他自己差不多呀，他轻颤了一下。算了，算了，他不能再惹蓝东阳；惹翻了东阳，他也会被日本人活埋在城外的。

受了点寒，又受了点惊，到了家他就发起烧来，在床上躺了好几天。

在他害病的时候，菊子已经和东阳结了婚。

十八

正是芍药盛开的时节，汪精卫到南京，成立了傀儡政府，当了头号大汉奸。为了和汪精卫争地盘，北平的汉奸们死不要脸的向日本军阀献媚，好巩固自己的地位。日本人呢，因为在长沙吃了败仗，也特别愿意牢牢的占据住华北。北平人又遭了殃。"强化治安"，"反共剿匪"，等等口号都被提了出来。西山的炮声又时常的把城内震得连玻璃窗都哗啦哗啦的响。城内，每条胡同都设了正副里长，协助着军警维持治安。全北平的人都须重新去领居住证。在城门，市场，大街上，和家里，不论什么时候都可以遭到检查，忘带居住证的便被送到狱里去。中学，大学，一律施行大检举，几乎每个学校都有许多教员与学生被捕。被捕去的青年，有被指为共产党的，有被指为国民党的，都随便的杀掉，或判长期的拘禁。有些青年，竟自被指为汪精卫派来的，也受到苦刑或杀戮。

小羊圈自成为一里，已派出正副里长。小羊圈的人们还不知道里长究竟是干什么的。他们以为里长必是全胡同的领袖，协同着巡警办些有关公益的事。所以，众望所归，他们都以李四爷为最合适的人。他们都向白巡长推荐他。

可是，还没等李四爷表示出谦让，冠晓荷已经告诉了白巡长，里长必须由他充任。他已等了二年多，还没等上一官半职，现在他不能再把作里长的机会放过去。虽然里长不是官，但是有个"长"字在头上，多少也过点瘾。况且，事在人为，谁准知道作里长就没有任何油水呢？

这本是一桩小事，只须他和白巡长说一声就够了。可是，冠晓荷又去托了一号的日本人，替他关照一下。惯于行贿托情，不多说几句好话，他心里不会舒服。

白巡长讨厌冠晓荷，但是没法子不买这点账。他只好请李四爷受点屈，作副里长。李老人根本无意和冠晓荷竞争，所以连副里长也不愿就。可是白巡长与邻居们的"劝进"，使他无可如何。白巡长说得好："四大爷，你非帮这个忙不可！谁都知道姓冠的是吃里扒外的混球儿，要是再没你这个公正人在旁边看一眼，他不定干出什么事来呢！得啦，看在我，和一群老邻居的面上，你老人家多受点累吧！"

好人禁不住几句好话，老人的脸皮薄，不好意思严词拒绝："好吧，干干瞧吧！冠晓荷要是胡来，我再不干就是了。"

"有你我夹着他，他也不敢太离格儿了！"白巡长明知冠晓荷不好惹，而不得不这么说。

冠晓荷可是急于摆起里长的架子来。他首先去印了一盒名片，除了一大串"前任"的官衔之外，也印上了北平小羊圈里正里长。印好了名片，他切盼副里长来朝见他，以便发号施令。李老人可是始终没露面。他赶快的去作了一面楠木本色的牌子，上刻"里长办公处"，涂上深蓝的油漆，挂在了门外。他以为李四爷一看见这面牌子必会赶紧来叩门拜见的。李老人还是没有来。他找了白巡长去。

白巡长准知道，只要冠晓荷作了里长，就会凭空给他多添许多麻烦。可是，他还须摆出笑容来欢迎新里长；新里长的背后有日本人啊。

"我来告诉你，李四那个老头子是怎么一回事，怎么不来见我呢？我是'正'里长，难道我还得先去拜访他不成吗？那成何体统呢！"

白巡长沉着了气，话软而气儿硬的说："真的，他怎么不去见里长呢？不过，既是老邻居，他又有了年纪，你去看看他大概也不算什么丢脸的事。"

"我先去看他？"晓荷惊异的问。"那成什么话呢？告诉你，我是正里长，只能坐在家里出主意，办公；跑腿走路是副里长的事。我去找他，新新！"

355

"好在现在也还无事可办。"白巡长又冷冷的给了他一句。

白巡长可是没有说对，里长并非无公可办。冠晓荷刚刚走，巡长便接到电话，教里长马上切实办理，每家每月须献二斤铁。听完电话，白巡长半天都没说上话来。别的他不知道，他可是准知道铜铁是为造枪炮用的。日本人拿去北平人的铁，还不是去造成枪炮再多杀中国人？假若他还算个中国人，他就不能去执行这个命令。

可是，他是亡了国的中国人。挣人钱财，与人消灾。他不敢违抗命令，他挣的是日本人的钱。

像有一块大石头压着他的脊背似的，他一步懒似一步的，走来找李四爷。

"噢！敢情里长是干这些招骂的事情啊？"老人说："我不能干！"

"那可怎办呢，四大爷！"白巡长的脑门上出了汗，"你老人家要是不出头，邻居们准保不往外交铁，咱们交不上铁，我得丢了差事，邻居们都得下狱，这是玩的吗？"

"教冠晓荷去呀！"老人绝没有为难白巡长的意思，可是事出无奈的给了朋友一个难题。

到了冠家，李老人决定不便分外的客气。一见冠晓荷要摆架子，他就交代明白："冠先生，今天我可是为大家的事来找你，咱们谁也别摆架子！平日，你出钱，我伺候你，没别的话可说。今天，咱们都是替大家办事，你不高贵，我也不低搭。是这样呢，我愿意帮忙；不这样，我也有个小脾气，不管这些闲事！"

晓荷见李四爷来势不善，又听见巡长的卖面子的话，连连的眨巴眼皮。然后，他不卑不亢的说："白巡长，李四爷，我并没意思作这个破里长。不过呢，胡同里住着日本朋友，我怕别人办事为难，所以我才肯出头露面。"

白巡长不等老人开口，把话接了过去："好的很！总而言之，能者多劳，你两位多操神受累就是了！冠先生，我刚接到上边的命令，请两位赶紧办，每家每月要献二斤铁。"

"铁？"晓荷好像没听清楚。

"铁！"白巡长只重说了这一个字。

"干什么呢?"晓荷眨巴着眼问。

"造枪炮用!"李四爷简截的回答。

晓荷本想说:造枪炮就造吧,反正打不死我就没关系。可是,他又觉得难以出口,他只好给日本人减轻点罪过,以答知己:

"也不一定造枪炮,不一定!作铲子,锅,水壶,不也得用铁么?"

白巡长很怕李老人又顶上来,赶快的说:"管它造什么呢,反正咱们得交差!"

"就是!就是!"晓荷连连点头,觉得白巡长深识大体。"那么,四爷你就跑一趟吧,告诉大家先交二斤,下月再交二斤。"

李四爷瞪了晓荷一眼,气得没说出话来。

"事情恐怕不那么简单!"白巡长笑得怪不好看的说:"第一,咱们不能冒而咕咚去跟大家要铁。你们二位大概得挨家去说一声,教大家伙儿都有个准备,也顺手儿教他们知道咱们办事是出于不得已,并非瞪着眼帮助日本人。"

"这话对!对的很!咱们大家是好邻居,日本人也是大家的好朋友!"晓荷嚼言咂字的说。

"若是有的人交不出铁来,怎么办?是不是可以折合现钱呢?"

素来最慈祥和蔼的李老人忽然变成又倔又硬:"这件事我办不了!要铁已经不像话,还折钱?金钱一过手,无弊也是有弊。我活了七十岁了,不能教老街旧邻在背后用手指头戳打我!折钱?谁给定价儿?要多了,大家纷纷议论;要少了,我赔垫不起!干脆,你们二位商议,我不陪了!"老人说完就立了起来。

白巡长不能放走李四爷,一劲儿的央告:"四大爷!四大爷!没有你,简直什么也办不通!你说一句,大家必点头,别人说破了嘴也没用!"

晓荷也帮着拦阻李老人。听到了钱,他那块像豆腐的脑子马上转动起来。这是个不可放过的机会。是的,定价要高,一转手,就是一笔收入。他不能放走李四爷,教李四爷去收钱,而后由他自己去交差;骂归老人,钱入他自己的口袋。他急忙拦住李四爷。看老人又落了座，他聚精会神的说：

"大概谁家也不见得就有二斤铁，折钱，我看是必要的，必要的！这么办，我自己先献二斤铁，再献二斤铁的钱，给大家作个榜样，还不好吗？"

"算多少钱一斤呢？"白巡长问。

"就算两块钱一斤吧。"

"两块一斤？"李四爷没有好气儿的说："一个拉车的一月能拉多少钱呢？白巡长，你知道，一个巡警一月挣几张票子呢？一要就是四块，不是要大家的命吗？"

白巡长皱上了眉。他知道，他已经是巡长，每月才拿四十块伪钞，献四元便去了十分之一！

冠晓荷可没感到问题的严重，所以觉得李四爷是故意捣乱。"照你这么说，又该怎办呢？"他冷冷的问。

"怎么办？"李四爷冷笑了一下。"大家全联合起来，告诉日本人，铁没有，钱没有，要命有命！"

冠晓荷吓得跳了起来。"四爷！四爷！"他央告着："别在我这儿说这些话，成不成？你是不是想造反？"

李四爷慢慢的立起来："我没办法，我看我还是少管闲事的好！"

白巡长可是真着了急。急，可是并没使他心乱。他也赶紧告辞，不愿多和晓荷谈论。他准备着晚半天再去找李四爷；非到李四爷点了头，他决不教冠晓荷出头露面。

新民会在遍街上贴标语："有钱出钱，没钱出铁！"这很巧妙：他们不提献铁，而说献金；没有钱，才以铁代。这样，他们便无须解释要铁去干什么了。

同时，钱默吟先生的小传单也在晚间进到大家的街门里："反抗献铁！敌人用我们的铁，造更多的枪炮，好再多杀我们自己的人！"

大赤包在娘家住了几天。回来，她一眼便看见了门口的楠木色的牌子，顺手儿摘下来，摔在地上。

"晓荷！"她进到屋中，顾不得摘去带有野鸡毛的帽子，就大声的

358

喊："晓荷！"

晓荷正在南屋里，听到喊叫，心里马上跳得很快，不知道所长又发了什么脾气。整了一下衣襟，把笑容合适的摆在脸上，他轻快的跑过来。"喝，回来啦？家里都好？"

"我问你，门口的牌子是怎回事？"

"那，"晓荷噗哧的一笑，"我当了里长啊！"

"嗯！你就那么下贱，连个里长都稀罕的了不得？去，到门口把牌子拣来，劈了烧火！好吗，我是所长，你倒弄个里长来丢我的人，你昏了心啦吧？没事儿，弄一群臭巡警，和不三不四的人到这儿来乱吵嚷，我受得了受不了？你作事就不想一想啊？你的脑子难道是一团儿棉花？五十岁的人啦，白活！"大赤包把帽子摘下来，看着野鸡毛轻轻的颤动。

"报告所长，"晓荷沉住了气，不卑不亢的说："里长实在不怎么体面，我也晓得。不过，其中也许有点来头，所以我……"

"什么来头？"大赤包的语调降低了一些。

"譬如说，大家要献铁，而家中没有现成的铁，将如之何呢？"晓荷故意的等了一会儿，看太太怎样回答。大赤包没有回答，他讲了下去："那就只好折合现钱吧。那么，实价比如说是两块钱一斤，我硬作价三块。好，让我数数看，咱们这一里至少有二十多户，每月每户多拿两块，一月就是五十来块，一个小学教员，一星期要上三十个钟头的课，也不过才挣五十块呀！再说，今天要献铁，明天焉知不献铜，锡，铅呢？有一献，我来它五十块，有五献，我就弄二百五十块。一个中学教员不是每月才挣一百二十块吗？想想看！况且……"

"别说啦！别说啦！"大赤包截住了丈夫的话，她的脸上可有了笑容。"你简直是块活宝！"

晓荷刚刚把牌子挂好，白巡长来到。

有大赤包在屋里，白巡长有点坐立不安了。当了多年的警察，他自信能对付一切的人——可只算男人，他老有些怕女人，特别是泼辣的女人。三言两语的，他把来意说明。果然，大赤包马上把话接了过去：

359

"这点事没什么难办呀！跟大家去要，有敢不交的带了走，下监！干脆嘹亮！"

白巡长十分不喜欢听这种话，可是没敢反驳；好男不跟女斗，他的威风不便对个妇人拿出来。他提起李四爷。大赤包又发了话：

"叫他来！跑腿是他的事！他敢不来，我会把他们老两口子都交给日本人！白巡长，我告诉你，办事不能太心慈面善了。反正咱们办的事，后面都有日本人兜着，还怕什么呢！"大赤包稍稍停顿了一下，而后气派极大的叫："来呀！"

男仆恭敬的走进来。

"去叫李四爷！告诉他，今天他不来，明天我请他下狱！听明白没有？去！"

李四爷一辈子没有低过头，个天却低着头走进了冠家。他须低头去见一个臭妇人，好留着老命死在家里，而不在狱里挺了尸。他愤怒，但是无可如何。没费话，他答应了去敛铁。可是，他坚决的不同意折合现钱的办法。"大家拿不出铁来，他们自己去买；买贵买贱，都与咱们不相干。这样，钱不由咱们过手，就落不了闲话！"

"要是那样，我就辞职不干了！大家自己去买，何年何月才买得来呢？耽误了期限，我吃不消！"晓荷半恼的说。

白巡长为了难。

李四爷坚决不让步。

大赤包倒拐了弯儿："好，李四爷你去办吧。办不好，咱们再另想主意。"在一转眼珠之间，她已想好了主意：赶快去大量的收买废铁烂铜，而后提高了价钱，等大家来买。

可是，她得到消息较迟。高亦陀，蓝东阳们早已下了手，收买了碎铜烂铁。

李四爷相当得意的由冠家走出来，他觉得他是战胜了大赤包与冠晓荷。他通知了全胡同的人，明天他来收铁。大家一见李老人出头，心中都感到舒服。虽然献铁不是什么好事，可是有李老人出来办理，大家仿佛就忘了它本身的不合理。钱先生的小传单所发生的效果只是教大家微微难过了一会儿而已。北平人是不会造反的。

祁老人和韵梅把家中所有的破铁器都翻拾出来。每一件都没有用处，可是每一件都好像又有点用处；即使有一两件真的毫无用处，他们也从感情上找到不应随便弃舍了的原因。他们选择，比较，而决定不了什么。

全胡同里的每一家也像祁老人似的，从家中每个角落，去搜拣那可以使他们免受惩罚的宝物。在搜索的时节，他们得到一些想不到的小小的幽默与惨笑，就好像在立冬以后，偶然在苇子梗里发现了一个还活着的小虫子似的。有的人明明记得在某个角落还有件铁东西，及至因找不到而刚要发怒，才想起恰恰被自己已经换了梨膏糖吃。有的人找到了一把破菜刀，和现在手下用的那把一比，才知道那把弃刀的钢口更好一些，而把它又官复原职。这些小故典使他们忘了愤怒，而啼笑皆非的去设法找铁。

在七号的杂院里，几乎没有一家能一下子就凑出二斤铁来的。他们必须去买。他们晓得李四爷的公正无私，不肯经手收钱。可是，及至一打听，铁价已在两天之内每斤多涨了一块钱，他们的心都发了凉。

同时，他们由正里长那里听到，正里长本意教大家可以按照两块五一斤献钱，而副里长李四爷不同意。李四爷害了他们。一会儿的工夫，李四爷由众望所归变成了众怒所归的人。他们不去考虑冠晓荷是否有意挑拨是非，也不再想李老人过去对他们的好处，而只觉得用三块钱去换一斤铁——也许还买不到——纯粹是李四爷一个人造的孽！他们对日本人的一点愤怒，改了河道，全向李四爷冲荡过来。有人公然的在槐树下面咒骂老人了。

听到了闲言闲语与咒骂，老人没敢出来声辩。他知道自己的确到了该死的时候了。他闹不过日本人，也就闹不过冠晓荷与大赤包，而且连平日的好友也向他翻了脸。坐在屋中，他只盼望出来一两位替他争理说话的人，一来是别人的话比自己的话更有力，二来是有人出来替他争气，总算他过去的急公好义都没白费，到底在人们心中种下了一点根儿。

盼来盼去，他把祁老人盼了来。祁老人拿着破铁锅，进门就说：

"四爷，省得你跑一趟，我自己送来了。"

李四爷见到祁老人，像见了亲弟兄，把前前后后，始末根由，一口气都说了出来。

听完李四爷的话，祁老人沉默了半天才说："四爷，年月改了，人心也改了！别伤心吧，你我的四只老眼睛看着他们的，看谁走的长远！"

李四爷感慨着连连的点头。

四大妈由两位老人的谈话中才听到献铁，与由献铁而来的一些纠纷。她是直筒子脾气。假如平日对邻居的求援，她是有求必应，现在听到他们对"老东西"的攻击，她也马上想去声讨。她立刻要到七号去责骂那些忘恩负义的人。她什么也不怕，只怕把"理"委屈在心里。

两位老人说好说歹的拦住了她。她只在给他们煮茶水的当儿，在院中高声骂了几句，像军队往远处放炮示威那样；烧好了水，她便进到屋中，参加他们的谈话。

这时候，七号的，还有别的院子的人，都到冠家去献金，一来是为给李四爷一点难堪，二来是冠家只按两块五一斤收价。

冠晓荷并没有赔钱，虽然外边的铁价已很快的由三块涨到三块四。大赤包按着高亦陀的脖子，强买——仍按两块钱一斤算——过来他所囤积的一部分铁来。

"得！赚得不多，可总算开了个小小利市！"冠晓荷相当得意的说。

十九

　　招弟才只学会了两出戏，一出《汾河湾》，一出《红鸾禧》。她相当的聪明，忙碌到极点，滑冰、学戏、逛公园、吃饭馆。她的生活里有许多小小的烦恼，假若三个男朋友一个约她看电影，一个约她看戏，一个约她逛公园吃饭，她就不能同时分身到三处去，而一定感到困难。若是辞谢两个吧，便得罪了两个朋友。若是只看半场电影，然后再看一出戏，最后去吃饭吧，便又须费许多唇舌，扯许多的谎，而且还许把三个朋友都得罪了。

　　对于男朋友们，她也往往感到厌烦。在她的一些男友之中，较比的倒是新交的几个伶人还使她满意。他们的身体强，行动轻佻，言语粗俗。和他们在一处，她几乎可以忘了她是个女人，而谁也不脸红的把村话说出来。她觉得这颇健康。

　　她忙碌，迷糊，劳累，她瘦了。她不知道自己有病没有，而只感到有时候是在雾里飘动。等到搽胭脂抹粉的打扮完了，她又有了自信，她还是很强壮，很漂亮，一点都不必顾虑什么健康不健康。她学会了吸香烟，也敢喝两杯强烈的酒。

　　为避免，或延缓，堕入烟花的危险，桐芳用尽心计抓住了二小姐。她并不十分的恨恶招弟，也不想因鼓励招弟去胡搞而毁灭了招弟。她是被人毁害过了的女人，她不忍看任何的青春女子变成她自己的样子。她只深恨大赤包与日本人。她不能坐候大赤包把她驱逐到妓院去，一入妓院，她便无法再报仇。所以，她抓住了招弟作为自己的掩蔽。在掩蔽的后面，她只能用力推着它，还给它时时的添加一点土，或几根木头，加强它的抵御力。她不能冷水浇头的劝告招弟，引起招弟的不快；招弟一讨厌了她，她便失去了掩蔽，而大赤包的枪弹随时可以打到她。

招弟最初似乎也看出来，桐芳的亲善是一种政略。可是，过了几天，以桐芳的能说会道，多知多懂，善于察言观色，她感到了舒服，也就相信桐芳是真心和她交好了。桐芳的年纪比妈妈小得多，相貌也还看得过去，所以跟桐芳一块儿出来进去，她就感到她是初月，而桐芳是月钩旁的一颗小星，更足以使画面美丽。跟妈妈在一道呢，人们看一眼老气横秋的妈妈，再看一眼美似春花的她，就难免不发笑，像看一张滑稽影片似的。这每每教她面红过耳。

大赤包的眼睛是不揉沙子的。她一眼便看明白桐芳的用意。可是眼睛不揉沙子的人，心里可未必不容纳几个沙子。她认准了招弟是只宝贝珍，将来一也可以变成杨贵妃或西太后。一方面她须控制住这个宝贝，一方面也得讨小姐的喜欢。假若母女之间为桐芳而发生了冲突，女儿一气而嫁个不三不四的，长相漂亮而家里没有一斗白米的兔蛋，岂不是自己打碎了自己的玛瑙盘子翡翠碗么？不，她不能不网开一面，教小姐在小处得到舒服，而后在大事上好不得不依从妈妈。再说，女儿花是开不久的，招弟必须在全盛时代出了嫁。女儿出嫁后，她再收拾桐芳。

天冷起来。买不到煤。每天，街上总有许多冻死的人。日本人把煤都运了走，可是还要表示出他们的善心来。他们发动了冬季义赈游艺大会，以全部收入办理粥厂，好教该冻死的人在一息尚存的时节感激日本人。在这意义之外，他们也就手儿又教北平人多消遣一次；消遣便是麻醉。该冻死的总要冻死，他们可是愿意看那些还不至于被冻死的听到锣鼓，看到热闹，好把心灵冻上。对于这次义赈游艺，他们特别鼓励青年们加入，能唱的要出来唱，能耍的要出来耍；青年男女若注意到唱与耍，便自然的忘了什么民族与国家。

蓝东阳与胖菊子亲自来请招弟小姐参加游艺。冠家的人们马上感到兴奋，心都跳得很快。冠晓荷心跳着而故作镇定的说：

"小姐，小姐！时机到了，这回非唱它一两出不可！"

招弟立刻觉得嗓子有点发干，撒着娇儿说："那不行啊！又有好几天没吊嗓子啦，词儿也不熟。上台？我不能丢那个人去！我还是溜冰吧！"

"丢人？什么话！咱们冠家永远不作丢人的事，我的小姐！谁的嗓子也不是铁的，都有个方便不方便。只要你肯上台，就是放个屁给他们听听，也得红！反正戏票是先派出去的，咱们唱好了，是他们的造化；唱不好，活该！"晓荷兴奋得几乎忘了文雅，目光四射的道出他的"不负责主义"的真理。

"是要唱一回！"大赤包气派极大的说："学了这么多的日子，花了那么多的钱，不露一露算怎么回事呢？"然后转向东阳："东阳，事情我们答应下了！不过，有一个条件：招弟必须唱压轴！不管有什么角色，都得让一步儿！我的女儿不能给别人垫戏！"

东阳对于办义务戏已经有了点经验。他知道招弟没有唱压轴的资格，但是也知道日本人喜欢约出新人物来。扯了扯绿脸，他答应了条件。虽然这里面有许多困难，他可是晓得在办不通的时候可以用势力——日本人的势力——去强迫参加的人。于是他也顺手儿露一露自己的威风：

"我教谁唱开场，谁就得唱开场；教谁压台谁就压台；不论什么资格，本事！不服？跟日本人说去呀！敢去才怪！"

自从小崔死后，程长顺就跟丁约翰合作，作了个小生意。这个小生意很奇特而肮脏。丁约翰是发现者。在英国府，他常看到街上一大车一大车的往日本使馆和兵营拉旧布的军服。军服分明是棉的，因为上下身都那么厚墩墩的。可是，分量很轻，每一车都堆得很高，而拉车的人或马似乎并不很吃力。这引起他的好奇心。他找了个在日本军营作工友的打听打听。那个工友是他的朋友——在使馆区作工友的都自成一帮——可是不肯痛痛快快的告诉他那到底是怎回事。丁约翰，身为英国府的摆台的，当然有些看不起在日本军营作工友的朋友，本想扬着脸走开，不再探问。可是，福至心灵，他约那个朋友去喝两杯酒。以一个世袭基督教徒而言，他向来反对吃酒；但是，为了满足自己的好奇心，他只好对上帝告个便。

酒果然有灵验，三杯下去，那个朋友口吐了真言。那是这样一回事：日本在华北招收了许多伪军，到了冬天当然要给他们每人一身棉军衣。可是，华北的棉花已都被日本人运回国去，不能为伪军再运回来。于是日本的策士们埋头研究了许多日子，发明了一种代用品。这种代用品无须用机器造，也无须在上海或天津定做，而只需要一些破布与烂纸就能作成。这就是丁约翰所看到的一车一车的军衣。这种军衣一碰就破，一湿就瘫；就是在最完好的时候，穿上也不挡寒。虽然如此，伪军可是到底得着了军衣——日本人管它叫作军衣，它便是军衣。

　　这批军衣的承做者是个日本人。日本人使馆的工友们贿赂了这日本人，取得了特权去委托他们自己的亲友制作。那位朋友也便是得到特权的一个。

　　整花了十天的工夫，丁约翰和那个朋友变成了莫逆。凡是该往冠家送的黄油，罐头，与白兰地，都送到那个朋友的家中去。这样，他分到了一小股特权，承办一千套军衣。得到这点特权之后，他十分虔敬的作了礼拜，领了圣餐，并且献了五角钱，（平日作礼拜，他只献一角，）感谢上帝。然后，他决定找长顺合作，因为在全胡同之中只有长顺最诚实，而且和他有来往。

　　约翰的办法是这样的：他先预支一点钱，作为资本。然后，他教长顺去收买破布，破衣服，和烂纸。破衣服若是棉的，便将棉花抽出来，整理好再卖出去。卖旧棉花的利钱，他和长顺三七分账；他七成，长顺三成。这不大公平，但是他以为长顺既是个孩子，当然不能和一个成人，况且是世袭基督徒，平分秋色。

二十

　　天佑老头儿简直不知道怎么办好了。他是掌柜的，他有权调动，处理，铺子中的一切。但是，现在他好像变成毫无作用，只会白吃三顿饭的人。冬天到了，正是大家添冬衣的时节，他却买不到棉花，买不到布匹。买不进来，自然就没有东西可卖，十个照顾主儿进来，倒有七八个空手出去的。

　　铺中只有那么一些货，越卖越少，越少越显着寒碜。在往日，他的货架子上，一格一格的都摆着折得整整齐齐的各色的布，蓝的是蓝的，白的是白的，都那么厚厚的，崭新的，安静的，温暖的，摆列着；有的发着点蓝靛的温和的味道，有的发着些悦目的光泽。天佑坐在靠进铺门的，覆着厚蓝布棉垫子的大凳上，看着格子中的货，闻着那点蓝靛的味道，不由的便觉到舒服，愉快。那是货物，也便是资本；那能生利，但也包括着信用，经营，规矩等等。即使在狂风暴雨的日子，一天不一定有一个买主，也没有多大关系。货物不会被狂风吹走，暴雨冲去；只要有货，迟早必遇见识货的人，用不着忧虑。在他的大凳子的尽头，总有两大席篓子棉花，雪白，柔软，暖和，使他心里发亮。

　　一斜眼，他可以看到内柜的一半。虽然他的主要的生意是布匹，他可是也有个看得过眼的内柜，陈列着绫罗绸缎。这些细货有的是用棉纸包着斜立在玻璃橱里，有的是折好平放在矮玻璃柜子里的。这里，不像外柜那样朴素，而另有一种情调，每一种货都有它的光泽与尊严，使他想象到苏杭的温柔华丽，想象到人生的最快乐的时刻——假若他的老父亲庆八十大寿，不是要做一件紫的或深蓝或古铜色的，大缎子夹袍么？哪一对新婚夫妇不要穿上件丝织品的衣服呢？一看到内柜，他不单想到丰衣足食，而且也想到升平盛世，连乡下聘姑娘的也要用几匹绸缎。

一年三百六十五天，他几乎老在铺子里，从来也没讨厌过他的生活与那些货物。他没有野心，不会胡思乱想，他像一条小鱼，只要有清水与绿藻便高兴的游泳，不管那是一座小湖，还是一口瓷缸子。

现在，两篓棉花早已不见了，只剩下空篓子在后院里扔着。外柜的格子，空了一大半。最初，天佑还叫伙计们把货匀一匀，尽管都摆不满，可也没有完全空着的。渐渐的，匀也匀不及了；空着的只好空着。在自己的铺子里，天佑几乎不敢抬头，那些空格子像些四方的，没有眼珠的眼睛，昼夜的瞪着他，嘲弄他。没法子，他只好把空格用花纸糊起来。但是，这分明是自欺，难道糊起来便算有货了么？

格子多一半糊起来，柜台里只坐着一个老伙计——其余的人都辞退了。老伙计没事可作，只好打盹儿。这不是生意，而是给作生意的丢人呢！内柜比较的好看一些，但是看着更伤心。绸缎，和妇女的头发一样，天天要有新的花样。搁过三个月，就没有再卖出的希望；半年就成了古董——最不值钱的古董。绸缎比布匹剩的多，也就是多剩了赔钱货。内柜也只剩下一个伙计，他更没事可作。无可如何，他只好勤擦橱子与柜子上的玻璃。玻璃越明，旧绸缎越显出暗淡，白的发了黄，黄的发了白。天佑是不爱多说话的人，看着那些要同归于尽的，用银子买来的细货，他更不肯张嘴了。

他偷偷的去看邻近的几家铺户。点心铺，因为缺乏面粉，也清锅子冷灶。茶叶铺因为交通不便，运不来货，也没有什么生意好作。猪肉铺里有时候连一块肉也没有。看见这种景况，他稍为松一点心：是的，大家都是如此，并不是他自己特别的没本领，没办法。这点安慰可仅是一会儿的。在他坐定细想想之后，他的心就重新缩紧，比以前更厉害，他想，这样下去，各种营业会一齐停顿，岂不是将要一齐冻死饿死么？那样，整个的北平将要没有布，没有茶叶，没有面粉，没有猪肉，他与所有的北平人将怎样活下去呢？想到这里，他不由的想到了国家。国亡了，大家全得死；千真万确，全得死！

不久，他接到了清查货物的通知。他早已听说要这样办，现在它变成了事实。每家铺户都须把存货查清，极详细的填上表格。天佑明白了，这是"奉旨抄家"。等大家把表格都办好，日本人就清清楚楚的晓得北平还一共有多少物资，值多少钱。北平将不再是有湖山宫殿之美的，有悠久历史的，有花木鱼鸟的，一座名城，而是有了一定价钱的一大块产业。这个产业的主人是日本人。

　　铺中的人手少，天佑须自己动手清点货物，填写表格。不错，货物是不多了，但是一清点起来，便并不十分简单。他知道日本人都心细如发，他若粗枝大叶的报告上去，必定会招出麻烦来。他须把每一块布头儿都从新用尺量好，一寸一分不差的记下来，而后一分一厘不差的算好它们的价钱。

　　这样的连夜查点清楚，计算清楚，他还不敢正式的往表上填写。他不晓得应当把货价定高，还是定低。他知道那些存货的一多半已经没有卖出去的希望，那么若是定价高了，货卖不出去，而日本人按他的定价抽税，怎样办呢？反之，他若把货价定低，卖出去一定赔钱，那不单他自己吃了亏，而且会招同业的指摘。他皱上了眉头。他只好到别家布商去讨教。他一向有自己的作风与办法，现在他须去向别人讨教。他还是掌柜的，可是失去了自主权。

　　同业们也都没有主意。日本人只发命令，不给谁详细的解说。命令是命令，以后的办法如何，日本人不预先告诉任何人。日本人征服了北平，北平的商人理当受尽折磨。

　　天佑想了个折中的办法，把能卖的货定了高价，把没希望卖出的打了折扣，他觉得自己相当的聪明。把表格递上去以后，他一天到晚的猜测，到底第二步办法是什么。他猜不出，又不肯因猜不出而置之不理；他是放不下事的人。他烦闷，着急，而且感觉到这是一种污辱——他的生意，却须听别人的指挥。他的已添了几根白色的胡子常常的竖立起来。

　　等来等去，他把按照表格来查货的人等了来——有便衣的；也有武装的，有中国人，也有日本人。这声势，不像是查货，而倒像捉捕江洋大盗。日本人喜欢把一粒芝麻弄成地球那么大。天佑的体质相当

369

的好，轻易不闹什么头疼脑热。今天，他的头疼起来。查货的人拿着表格，他拿着尺，每一块布都须重新量过，看是否与表格上填写的相合。老人几乎忘了规矩与客气，很想用木尺敲他们的嘴巴，把他们的牙敲掉几个。这不是办事，而是对口供；他一辈子公正，现在被他们看作了诡弊多端的惯贼。

这一关过去了，他们没有发现任何弊病。但是，他缺少了一段布。那是昨天卖出去的。他们不答应。老人的脸已气紫，可是还耐着性儿对付他们。他把流水账拿出来，请他们过目，甚至于把那点钱也拿出来："这不是？原封没动，五块一角钱！"不行，不行！他们不能承认这笔账！

这一案还没了结，他们又发现了"弊病"。为什么有一些货物比价特别低呢？他们调出旧账来："是呀，你这的价钱，比收货时候的价钱还低呀！怎回事？"

天佑的胡子嘴颤动起来。嗓子里噎了好几下才说出话来："这是些旧货，不大能卖出去，所以……"不行，不行！这分明是有意捣乱，作生意还有愿意赔钱的么？

"可以不可以改一改呢？"老人强挤出一点笑来。

"改？那还算官事？"

"那怎么办呢？"老人的头疼得像要裂开。

"你看怎么办呢？"

老人像一条野狗，被人们堵在墙角上，乱棍齐下。

大伙计过来，向大家敬烟献茶，而后偷偷的扯了扯老人的袖子："递钱！"

老人含着泪，承认了自己的过错，自动的认罚，递过五十块钱去。他们无论如何不肯收钱，直到又添了十块，才停止了客气。

他们走后，天佑坐在椅子上，只剩了哆嗦。在军阀内战的时代，他经过许多不近情理的事。但是，那时候总是由商会出头，按户摊派，他既可以根据商会的通知报账，又不直接的受军人的辱骂。今天，他既被他们叫作奸商，而且拿出没法报账的钱。他一方面受了污辱与敲诈，还没脸对任何人说。没有生意，铺子本就赔钱，怎好再白白的丢六十块呢?

呆呆的坐了好久,他想回家去看看。心中的委屈不好对别人说,还不可以对自己的父亲,妻,儿子,说么?他离开了铺子。可是,只走了几步,他又打了转身。算了吧,自己的委屈最好是存在自己心中,何必去教家里的人也跟着难过呢。回到铺中,他把没有上过几回身的,皮板并不十分整齐的,狐皮袍找了出来。是的,这件袍子还没穿过多少次,一来因为他是作生意的,不能穿得太阔气了,二来因为上边还有老父亲,他不便自居年高,随便穿上狐皮——虽然这是件皮板并不十分整齐值钱的狐皮袍。拿出来,他交给了大伙计:"你去给我卖了吧!皮子并不怎么出色,可还没上过几次身儿;面子是真正的大缎子。"

"眼看就很冷了,怎么倒卖皮的呢?"大伙计问。

"我不爱穿它!放着也是放着,何不换几个钱用?乘着正要冷,也许能多卖几个钱。"

"卖多少呢?"

"瞧着办,瞧着办!五六十块就行!一买一卖,出入很大;要卖东西就别想买的时候值多少钱,是不是?"天佑始终不告诉大伙计,他为什么要卖皮袍。

大伙计跑了半天,四十五块是他得到的最高价钱。

"就四十五吧,卖!"天佑非常的坚决。

四十五块而外,又东拼西凑的弄来十五块,他把六十元还给柜上。他可以不穿皮袍,而不能教柜上白赔六十块。他应当,他想,受这个惩罚;谁教自己没有时运,生在这个倒霉的时代呢。时运虽然不好,他可是必须保持住自己的人格,他不能毫不负责的给铺子乱赔钱。

又过了几天,他得到了日本人给他定的物价表。老人细心的,一款一款的慢慢看。看完了,他一声没出,戴上帽头,走了出去,他出了平则门。城里仿佛已经没法呼吸,他必须找个空旷的地方去呼吸,去思索。日本人所定的物价都不到成本的三分之二,而且绝对不许更改;有擅自更改的,以抬高物价,扰乱治安论,枪毙!

护城河里新放的水，预备着西北风到了，冻成坚冰，好打冰储藏起来。水流得相当的快，可是在靠岸的地方已有一些冰凌。岸上与别处的树木已脱尽了叶子，所以一眼便能看出老远去。淡淡的西山，已不像夏天雨后那么深蓝，也不像春秋佳日那么爽朗，而是有点发白，好像怕冷似的。阳光很好，可是没有多少热力，连树影人影那么淡淡的，枯小的，像是被月光照射出来的。老人看一眼远山，看一眼河水，深深的叹了口气。

买卖怎么作下去呢？货物来不了。报歇业，不准。税高。好，现在，又定了官价——不卖吧，人家来买呀；卖吧，卖多少赔多少。这是什么生意呢？

呆呆的立在河岸上，天佑忘了他是在什么地方了，他思索，思索，脑子里像有个乱转的陀螺，越想，心中越乱，他恨不能一头扎在水里去，结束了自己的与一切的苦恼。

一阵微风，把他吹醒。眼前的流水，枯柳，衰草，好像忽然更真切了一些。他无意的摸了摸自己的腮，腮很凉，可是手心上却出着汗，脑中的陀螺停止了乱转。他想出来了！很简单，很简单，其中并没有什么深意，没有！那只是教老百姓看看，日本人在这里，物价不会抬高。日本人有办法，有德政。至于商人们怎么活着，谁管呢！商人是中国人，饿死活该！商人们不再添货，也活该！百姓们买不到布，买不到棉花，买不到一切，活该！反正物价没有涨！日本人的德政便是杀人不见血。

想清楚了这一点，他又看了一眼河水，急快的打了转身。他须去向股东们说明他刚才所想到的，不能胡胡涂涂的就也用"活该"把生意垮完，他须交代明白了。他的厚墩墩的脚踵打得地皮出了响声，像奔命似的他进了城。他是心中放不住事的人，他必须马上把事情搞清楚了，不能这么半死不活的闭着眼混下去。

所有的股东都见到了，谁也没有主意。谁都愿意马上停止营业，可是谁也知道日本人不准报歇业。大家都只知道买卖已毫无希望，而没有一点挽救的办法。他们只能对天佑说："再说吧！你多为点难吧！谁教咱们赶上这个……"大家对他依旧的很信任，很恭敬，可是任何办法也没有。他们只能教他去看守那个空的蛤壳，他也只好点了头。

无可如何的回到铺中，他只呆呆的坐着。又来了命令：每种布匹每次只许卖一丈，多卖一寸也得受罚。这不是命令，而是开玩笑。一丈布不够作一身男裤褂，也不够作一件男大衫的。日本人的身量矮，十尺布或者将就够作一件衣服的；中国人可并不都是矮子。天佑反倒笑了，矮子出的主意，高个子必须服从，没有别的话好讲。"这倒省事了！"他很难过，而假装作不在乎的说："价钱有一定，长短有一定，咱们满可以把算盘收起去了！"说完，他的老泪可是直在眼圈里转。这算哪道生意呢！经验，才力，规矩，计划，都丝毫没了用处。这不是生意，而是给日本人做装饰——没有生意的生意，却还天天挑出幌子去，天天开着门！

他一向是最安稳的人，现在他可是不愿再老这么呆呆的坐着。他已没了用处，若还像回事儿似的坐在那里，充掌柜的，他便是无聊，不知好歹。他想躲开铺子，永远不再回来。

第二天，他一清早就出去了。没有目的，他信马由缰的慢慢的走。经过一个小摊子，也立住看一会儿，不管值得看还是不值得看，他也要看，为是消磨几分钟的工夫。

回到铺中，他看见柜台上堆着些胶皮鞋，和一些残旧的日本造的玩具。

"这是谁的？"天佑问。

"刚刚送来的。"大伙计惨笑了一下。"买一丈绸缎的，也要买一双胶皮鞋；买一丈布的也要买一个小玩艺儿；这是命令！"

看着那一堆单薄的，没后程的日本东西，天佑愣了半天才说出话来："胶皮鞋还可以说有点用处，这些玩艺儿算干什么的呢？况且还是这么残破，这不是硬敲买主儿的钱吗？"

大伙计看了外边一眼，才低声的说："日本的工厂大概只顾造枪炮，连玩艺儿都不造新的了，准的！"

"也许！"天佑不愿意多讨论日本的工业问题，而只觉得这些旧玩具给他带来更大的污辱，与更多的嘲弄。他几乎要发脾气："把它们放在后柜去，快！多年的老字号了，带卖玩艺儿，还是破的！赶明儿还得带卖仁丹呢！哼！"

看着伙计把东西收到后柜去，他泡了一壶茶，一杯一杯又一杯的慢慢喝。这不像是吃茶，而倒像拿茶解气呢。看着杯里的茶，他想起昨天看见的河水。他觉得河水可爱，不单可爱，而且仿佛能解决一切问题。他是心路不甚宽的人，不能把无可奈何的事就看作无可奈何，而付之一笑。他把无可奈何的事看成了对自己的考验，若是他承认了无可奈何，便是承认了自己的无能，没用。他应付不了这个局面，他应当赶快结束了自己——随着河水顺流而下，漂，漂，漂，漂到大河大海里去，倒也不错。心路窄的人往往把死看作康庄大道，天佑便是这样。想到河，海，他反倒痛快一点，他看见了空旷，自由，无忧无虑，比这么揪心扒肝的活着要什么的多。

刚刚过午，一部大卡车停在了铺子外边。

"他们又来了！"大伙计说。

"谁？"天佑问。

"送货的！"

"这回恐怕是仁丹了！"天佑想笑一笑，可是笑不出来。

车上跳下来一个日本人，三个中国人，如狼似虎的，他们闯进铺子来。虽然只是四个人，可是他们的声势倒好像是个机关枪连。

"货呢，刚才送来的货呢？"一个中国人非常着急的问。

大伙计急忙到后柜去拿。拿来，那个中国人劈手夺过去，像公鸡掘土似的，极快而有力的数："一双，两双……"数完了，他脸上的肌肉放松了一些，含笑对那个日本人说："多了十双！我说毛病在这里，一定是在这里！"

日本人打量了天佑掌柜一番，高傲而冷酷的问："你的掌柜？"

天佑点了点头。

"哈！你的收货？"

大伙计要说话，因为货是他收下的。天佑可是往前凑了一步，又向日本人点了点头。他是掌柜，他须负责，尽管是伙计办错了事。

"你的大大的坏蛋！"

374

天佑咽了一大口唾沫，把怒气，像吃丸药似的，冲了下去。依旧很规矩的，和缓的，他问：

"多收了十双，是不是？照数退回好了！"

"退回？你的大大的奸商！"冷不防，日本人一个嘴巴打上去。

天佑的眼中冒了金星。这一个嘴巴，把他打得什么全不知道了。忽然的他变成了一块不会思索，没有感觉，不会动作的肉，木在了那里。他一生没有打过架，撒过野。他万想不到有朝一日他也会挨打。他的诚实，守规矩，爱体面，他以为，就是他的钢盔铁甲，永远不会教污辱与手掌来到他的身上。现在，他挨了打，他什么也不是了，而只是那么立着的一块肉。

大伙计的脸白了，极勉强的笑着说："诸位老爷给我二十双，我收二十双，怎么，怎么……"他把下面的话咽了回去。

"我们给你二十双？"一个中国人问。他的威风仅次于那个日本人的。"谁不知道，每一家发十双！你乘着忙乱之中，多拿了十双，还怨我们，你真有胆子！"

事实上，的确是他们多给了十双。大伙计一点不晓得他多收了货。为这十双鞋，他们又跑了半座城。他们必须查出这十双鞋来，否则没法交差。查到了，他们不能承认自己的疏忽，而必把过错派在别人身上。

转了转眼珠，大伙计想好了主意："我们多收了货，受罚好啦！"

这回，他们可是不受贿赂。他们必须把掌柜带走。日本人为强迫实行"平价"，和强迫接收他们派给的货物，要示一示威。他们把天佑掌柜拖出去。从车里，他们找出预备好了的一件白布坎肩，前后都写着极大的红字——奸商。他们把坎肩扔给天佑，教他自己穿上。这时候，铺子外边已围满了人。浑身都颤抖着，天佑把坎肩穿上。他好像已经半死，看看面前的人，他似乎认识几个，又似乎不认识。他似乎已忘了羞耻，气愤，而只那么颤抖着任人摆布。

日本人上了车。三个中国人随着天佑慢慢的走，车在后面跟着。上了马路，三个人教给他："你自己说：我是奸商！我是奸商！我多收了货物！我不按定价卖东西！我是奸商！说！"

天佑一声没哼。

三把手枪顶住他的背。"说！"

"我是奸商！"天佑低声的说。平日，他的语声就不高，他不会粗着脖子红着筋的喊叫。

"大点声！"

"我是奸商！"天佑提高了点声音。

"再大一点！"

"我是奸商！"天佑喊起来。

行人都立住了，没有什么要事的便跟在后面与两旁。北平人是爱看热闹的。只要眼睛有东西可看，他们便看，跟着看，一点不觉得厌烦。他们只要看见了热闹，便忘了耻辱，是非，更提不到愤怒了。

天佑的眼被泪迷住。路是熟的，但是他好像完全不认识了，他只觉得路很宽，人很多，可是都像初次看见的。他也不知道自己是在作什么。他机械的一句一句的喊，只是喊，而不知道喊的什么。慢慢的，他头上的汗与眼中的泪联结在一处，他看不清了路，人，与一切东西。他的头低下去，而仍不住的喊。他用不着思索，那几句话像自己能由口中跳出来。猛一抬头，他又看见了马路，车辆，行人，他也更不认识了它们，好像大梦初醒，忽然看见日光与东西似的。他看见了一个完全新的世界，有各种颜色，各种声音，而一切都与他没有关系。一切都那么热闹而冷淡，美丽而惨酷，都静静的看着他。他离着他们很近，而又像很远。他又低下头去。

走了两条街，他的嗓子已喊哑。他感到疲乏，眩晕，可是他的腿还拖着他走。他不知道已走在哪里，和往哪里走。低着头，他还喊叫那几句话。可是，嗓音已哑，倒仿佛是和自己叨唠呢。一抬头，他看见一座牌楼，有四根极红的柱子。那四根红柱子忽然变成极粗极大，晃晃悠悠的向他走来。四条扯天柱地的红腿向他走来，眼前都是红的，天地是红的，他的脑子也是红的。他闭上了眼。

过了多久，他不知道。睁开眼，他才晓得自己是躺在了东单牌楼的附近。卡车不见了，三个枪手也不见了，四围只围着一圈小孩子。他坐起来，愣着。愣了半天，他低头看见了自己的胸。坎肩已不见

了，胸前全是白沫子与血，还湿着呢。他慢慢的立起来，又跌倒，他的腿已像两根木头。挣扎着，他再往起立；立定，他看见了牌楼的上边只有一抹阳光。他的身上没有一个地方不疼，他的喉中干得要裂开。

一步一停的，他往西走。他的心中完全是空的。他的老父亲，久病的妻，三个儿子，儿媳妇，孙男孙女，和他的铺子，似乎都已不存在。他只看见了护城河，与那可爱的水；水好像就在马路上流动呢，向他招手呢。他点了点头。他的世界已经灭亡，他须到另一个世界里去。在另一世界里，他的耻辱才可以洗净。活着，他只是耻辱的本身；他刚刚穿过的那件白布红字的坎肩永远挂在他身上，粘在身上，印在身上，他将永远是祁家与铺子的一个很大很大的一个黑点子，那黑点子会永远使阳光变黑，使鲜花变臭，使公正变成狡诈，使温和变成暴厉。

他雇了一辆车到平则门。扶着城墙，他蹭出去。太阳落了下去。河边上的树木静候着他呢。天上有一点点微红的霞，像向他发笑呢。河水流得很快，好像已等他等得不耐烦了。水发着一点点声音，仿佛向他低声的呼唤呢。

很快的，他想起一辈子的事情；很快的，他忘了一切。漂，漂，漂，他将漂到大海里去，自由，清凉，干净，快乐，而且洗净了他胸前的红字。

天佑的尸身并没漂向大河大海里去，而是被冰、水藻，与树根，给缠冻在河边儿上。

第二天一清早就有人发现了尸首，到午后消息才传至祁家。

二十一

高亦陀把长顺约到茶馆里去谈一谈。亦陀很客气，坐下就先付了茶钱。然后，真照着朋友在一块儿吃茶谈天的样子，他扯了些闲篇儿。他问马老太太近来可硬朗？他们的生活怎样，还过得去？他也问到孙七，和丁约翰。程长顺虽然渐渐成人自居，可是到底年轻，心眼简单，所以一五一十的回答，并没觉出亦陀只是没话找话的闲扯。

说来说去，亦陀提到了小崔太太。长顺回答得更加详细，而且有点兴奋，因为小崔太太的命实在是他与他的外婆给救下来的，他没法不觉得骄傲。他并且代她感谢亦陀：

"每月那十块钱，实在太有用了，救了她的命！"

亦陀仿佛完全因为长顺提醒，才想起那点钱来："呕，你要不说，我还忘了呢！既说到这儿，我倒要跟你谈一谈！"他轻轻的挽起袍袖，露出雪白的衬衫袖口来。然后，他慢慢的把手伸进怀里，半天才掏出那个小本子来——长顺认识那个小本子。掏出来，他吸着气儿，一页一页的翻。翻到了一个地方，他细细的看，而后眼往上看，捏着手指算了一会儿。算完，他噗哧的一笑："正好！正好！五百块了！"

"什么？"程长顺的眼睛得很大。"五百？"

"那还有错？咱们这是公道玩艺儿！你有账没有？"亦陀还微笑着，可是眼神不那么柔和了。

长顺摇了摇大脑袋。

"你该记着点账！无论作什么事，请你记住，总要细心，不可马马虎虎！"

378

"我知道，那不是'给'她的钱吗？何必记账呢？"长顺的鼻音加重了一些。

"给——她的？"亦陀非常的惊异，眨巴了好大半天的眼。"这个年月，你想想，谁肯白给谁一个钱呢？"

"你不是说……"长顺嗅出怪味道。

"我说？我说她借的钱，你担的保；这里有你的签字！连本带利，五百块！"

"我，我，我……"长顺说不上话来了。

"可不是你！不是你，难道还是我？"亦陀的眼整个的盯在长顺的脸上，长顺连一动也不敢动了。

眼往下看着，长顺呜囔出一句："这是什么意思呢？"

"来，来，来！别跟我装傻充愣，我的小兄弟！"亦陀充分的施展出他的言语的天才来："当初，你看她可怜；谁能不可怜她呢？人同此心，心同此理，我不能怪你！你有个好心肠！所以，你来跟我借钱。"

"我没有！"

"唉，唉，年轻轻的，可不能不讲信义！"亦陀差不多是苦口婆心的讲道了。"处世为人，信义为本！人而无信，不知其可也！"

"我没跟你借钱！你给我的！"长顺的鼻子上出了汗。

亦陀的眼眯成一道缝儿，脖子伸出多长，口中的热气吹到长顺的脑门上："那么，是谁，是谁，我问你，是谁签的字呢？"

"我！我不知道……"

"签字有自己不知道的？胡说！乱说！我要不看在你心眼还不错的话，马上给你两个嘴巴子！不要胡说，咱们得商议个办法。这笔账谁负责还？怎么还？"

"我没办法，要命有命！"长顺的泪已在眼圈中转。

"不准耍无赖！要命有命，像什么话呢？要往真理说，要你这条命，还真一点不费事！告诉你吧，这笔钱是冠所长的。她托我给放放账，吃点利。你想想，即使我是好说话的人——我本是好说话的人——我可也不能给冠所长丢了钱，放了秃尾巴鹰啊！我惹不起她，不用说，你更惹不起她。好，她跺一跺脚就震动了大半个北京城，咱们，就凭咱们，敢在老虎嘴里掏肉吃？她有势力，有本领，有胆量，有日本人帮助她，咱们，在她的眼里，还算得了什么呢？不用说你，就是我要交不上这五百元去，哼，她准会给我三年徒刑，一天也不会少！你想想看！"

长顺的眼中要冒出火来。"教她给我三年监禁好了。我没钱！小崔太太也没钱！"

"话不是这样讲！"亦陀简直是享受这种谈话呢，他的话一擒一纵，有钩有刺，伸缩自如。"你下了狱，马老太太，你的外婆，怎么办呢？她把你拉扯到这么大，容易吗？"他居然揉了一下眼，好像很动心似的。"想法子慢慢的还债吧，你说个办法，我去向冠所长求情，就比如说，一月还五十，十个月不就还清了吗？"

"我还不起！"

"这可就难办了！"亦陀把袖口又放下来，揣着手，拧着眉，替长顺想办法。想了好大半天，他的灵机一动："你还不起，教小崔太太想办法呀！钱是她用了的，不是吗？"

"她有什么办法呢？"长顺抹着鼻子上的汗说。

亦陀把声音放低，亲切诚恳的问："她是你的亲戚？"

长顺摇了摇头。

"你欠她什么情？"

长顺又摇了摇头。

"完啦！既不沾亲，又不欠情，你何苦替她背着黑锅呢？"

长顺没有说什么。

"女人呀，"亦陀仿佛想起个哲学上的问题似的，有腔有调的说："女人呀，比咱们男人更有办法，我们男人干什么都得要资本，女人方便，她们可以赤手空拳就能谋生挣钱。女人们，呕，我羡慕她们！她们的脸，手，身体，都是天然的资本。只要她们肯放松自己一步，她们马上就有金钱，吃穿，和享受！就拿小崔太太说吧，她年轻，长得满下得去，她为什么不设法找些快乐与金钱呢？我简直不能明白！"

380

"你什么意思?"长顺有点不耐烦了。

"没有别的意思,除了我要提醒她,帮助她,把这笔债还上!"

"怎么还?"

"小兄弟,别怪我说,你的脑子实在不大灵活;读书太少的关系!是的,读书太少!"

"你说干脆的好不好?"长顺含着怒央告。

"好,我们说干脆的!"亦陀用茶漱了漱口,喷在了地上。"她或你,要是有法子马上还钱,再好没有。要是不能的话,你去告诉她,我可以帮她的忙。我可以再借给她五十元钱,教她作两件花哨的衣服,烫烫头发。然后,我会给她找朋友,陪着她玩耍。我跟她对半分账。这笔钱可并不归我,我是替冠所长收账,巡警不会来麻烦她,我去给她打点好。只要她好好的干,她的生意必定错不了。那么以后我就专去和她分账,这五百元就不再提了!"

"你是教她卖……"长顺儿的喉中噎了一下,不能说下去。

"这时兴的很!一点儿也不丢人!你看,"亦陀指着那个小本子,"这里有多少登记过的吧!还有女学生呢!好啦,你回去告诉她,再给我个回话儿。是这么办呢,咱们大家都是朋友;不是呢,你们俩马上拿出五百元来。你要犯牛脖子不服气呢——不,我想你不能,你知道冠所长有多么厉害!好啦,小兄弟,等你的回话儿!麻烦你呀,对不起!你是不是要吃点什么再回去呢?"亦陀立起来。

长顺莫名其妙的也立起来。

亦陀到茶馆门口拍了拍长顺的肩头,"等你的回话儿!慢走!慢走!"说完,他好像怪舍不得离开似的,向南走去。

长顺儿的大头里像有一对大牛蜂似的嗡嗡的乱响。在茶馆外愣了好久,他才迈开步儿,两只脚像有一百多斤沉。走了几步,他又立住。不,他不能回家,他没脸见外婆和小崔太太。又愣了半天,他想起孙七来。他并不佩服孙七,但孙七到底比他岁数大,而且是同院的老邻居,说不定他会有个好主意。

在街上找了半天,他把孙七找到。两个人进了茶馆,长顺会了茶资。

"喝！了不得，你连这一套全学会了！"孙七笑着说。

长顺顾不得闲扯。他低声的，着急的，开门见山的把事情一五一十的告诉了孙七。

"哼！我还没想到冠家会这么坏，妈的狗日的！怪不的到处都是暗门子呢，敢情有人包办！妹妹的！告诉你，日本人要老在咱们这儿住下去，谁家的寡妇，姑娘，都不敢说不当暗门子！"

"先别骂街，想主意哟！"长顺央告着。

"我要有主意才怪！"孙七很着急，很气愤，但是没有主意。

"没主意也得想！想！想！快着！"

孙七闭上了近视眼，认真的去思索。想了不知有多久。他忽然的睁开了眼："长顺！长顺！你娶了她，不就行了吗？"

"我？"长顺的脸忽然的红了。"我娶了她？"

"一点不错！娶了她！她成了你的老婆，看他们还有什么办法呢！"

"那五百块钱呢？"

"那！"孙七又闭上了眼。半天，他才又说话："你的生意怎样？"

长顺的确是气胡涂了，竟自忘了自己的生意。经孙七这一提示，他想起那一千元钱来。不过，那一千元，除去一切开销，也只许剩五六百元，或更少一点。假若都拿去还债，他指仗着什么过日子呢？况且，冠家分明是敲诈；他怎能把那千辛万苦挣来的钱白送给冠家呢？思索了半天，他对孙七说："你去和我外婆商议商议，好不好？"他没脸见外婆，更没法开口对外婆讲婚姻的事。

"连婚事也说了？"孙七问。

长顺不知怎么回答好。他不反对娶了小崔太太。即使他还不十分明白婚姻的意义与责任，可是为了搭救小崔太太，他仿佛应当去冒险。他傻子似的点了头。

孙七觉出来自己的重要。他今天不单没被长顺儿驳倒，而且为长顺作了媒。这是不可多得的事。

孙七回了家。

长顺儿可不敢回去。他须找个清静地方，去凉一凉自己的大脑袋。慢慢的他走向北城根去。坐在城根下，他翻来覆去的想，越想越生气。但是，生气是没有用的，他得想好主意，那足以一下子把大赤包和高亦陀打到地狱里去的主意。好容易，他把气沉下去。又待了好大半天，他想起来了：去告，去告他们！

到哪里去告状呢？他不知道。

怎么写状纸呢？他不会。

告状有用没有呢？他不晓得。

假若告了状，日本人不单不惩罚大赤包与高亦陀，而反治他的罪呢？他的脑门上又出了汗。

不过，不能管那么多，不能！当他小的时候，对得罪了他的孩子们，即使他不敢去打架，他也要在墙上用炭或石灰写上，某某是个大王八，好出一口恶气，并不管大王八对他的敌人有什么实际的损害与挫折。今天，他还须那么办，不管结果如何，他必须去告状；不然，他没法出这口恶气。

胡里胡涂的，他立起来，向南走。在新街口，他找到一位测字的先生。花了五毛钱，他求那位先生给他写了状子。那位先生晓得状纸内容的厉害，也许不利于告状人。但是，为了五毛钱的收入，他并没有警告长顺。状纸写完，先生问："递到什么地方去呢？"

"你说呢？"长顺和测字先生要主意。

"市政府吧？"先生建议。

"就好！"长顺没特别的用心去考虑。

拿起状纸，他用最快的脚步，直奔市政府去。他拼了命。是福是祸，都不管了。

把状子递好，他往回走。走得很慢了，他开始怀疑自己的智慧，有点后悔。但是，后悔已太迟了，他须挺起胸膛，等着结果，即使是最坏的结果。

孙七把事情办得很快。在长顺还没回来的时候，他已经教老少两个寡妇都为上了难。马老太太对小崔太太并没有什么挑剔，但是，给外孙娶个小寡妇未免太不合理。再说，即使她肯将就了这门亲事，事情也并不就这么简单的可以结束，而还得设法还债呀。她没了主意。

小崔太太呢，听明白孙七的话，就只剩了落泪。还没工夫去细想，她该再嫁不该，和假若愿再嫁应该嫁给谁。她只觉得自己的命太苦，太苦，作了寡妇还不够，还须去作娼！落着泪，她立了起来。她要到冠家去拼命。她是小崔的老婆，到被逼得无路可走的时候，她会撒野，会拼命！"好，我欠他们五百元哪，我还给他们这条命还不行吗？我什么也没有，除了这条命！"她的眉毛立起来，说着就往外跑。她忘了她是寡妇，而要痛痛快快的在冠家门外骂一场，然后在门上碰死。她愿意死，而不能作暗娼。

　　孙七吓慌了，一面拦着她，一面叫马老太太。"马老太太，过来呀！我是好心好意，我要有一点坏心，教我不得好死！快来！"

　　马老太太过来了，可是无话可说。两个寡妇对愣起来。愣着愣着，她们都落了泪，她们的委屈都没法说，因为那些委屈都不是由她们自己的行为招来的，而是由一种莫名其妙的，无可抵御的什么，硬压在她们的背上的。马老太太忘了什么叫谨慎小心。她拉住了小崔太太的手。她只觉得大家能在一块儿活着，关系更亲密一点，仿佛就是一种抵御"外侮"的力量。

二十二

　　把父亲安葬了以后，瑞宣病了好几十天。

　　天佑这一死，祁家可不像样子了。虽然在他活着的时候，他并不住在家里，可是大家总仿佛觉得他老和他们在一处呢。家里每逢得到一点好的茶叶，或作了一点迎时当令的食品，大家不是马上给他送去，便是留出一点，等他回来享用。他也是这样，哪怕他买到一些樱桃或几块点心，他也必抓工夫跑回家一会儿，把那点东西献给老父亲，而后由老父亲再分给大家。

　　特别是因为他不在家里住，所以大家才分外关心他。虽然他离他们不过三四里地，可是这点距离使大家心中仿佛有了一小块空隙，时时想念他，说叨他。这样，每逢他回来，他与大家就特别显出亲热，每每使大家转怒为喜，改沉默为欢笑，假若大家正在犯一点小别扭或吵了几句嘴的话。

　　他没有派头，不会吹胡子瞪眼睛。进了家门，他一点也不使大家感到"父亲"回来了。他只是那么不声不响的，像一股温暖的微风，使大家感到点柔软的兴奋。

　　在祁老人，天佑太太，瑞丰，与韵梅心里，都多少有点迷信。假若不是天佑，而是别人，投了河，他们一定会感到不安，怕屈死鬼来为厉作祟。但是，投河的是天佑。大家一追想他的温柔老实，就只能想起他的慈祥的面容，而想象不到他可能的变为厉鬼。大家只感到家中少了一个人，一个最可爱的人，而想不到别的。

　　因此，在丧事办完之后，祁家每天都安静得可怕。瑞宣病倒，祁老人也时常卧在炕上，不说什么，而胡子嘴轻轻的动。天佑太太瘦得

385

已不像样子，穿着件又肥又大的孝袍，一声不出，而出来进去的帮助儿媳操作。她早就该躺下去休养，她可是不肯。她知道自己已活不很久，可是她必须教瑞宣看看，她还能作事，一时不会死去，好教他放心。她知道，假若家里马上再落了白事，瑞宣就毫无办法了。她有病，她有一肚子的委屈，但是她既不落泪，也不肯躺下。她须代丈夫支持这个家，使它不会马上垮台。

瑞丰一天到晚还照旧和一群无赖子去鬼混。没人敢劝告他。"死"的空气封住了大家的嘴，谁都不想出声，更不要说拌几句嘴了。

丧事办得很简单。可是，几乎多花去一倍钱。婚丧事的预算永远是靠不住的。零钱好像没有限制，而瑞丰的给大家买好烟，好酒，好茶，给大家雇车，添菜，教这无限制的零用变成随意的挥霍。瑞宣负了债，祁家一向没有多少积蓄，可是向来不欠债，祁老人永远不准人家赊一斤炭，或欠人家一块钱。瑞宣不敢告诉祖父，到底一共花了多少钱。天佑太太知道，可也不敢在长子病着的时候多说多问。韵梅知道一切，而且觉得责无旁贷的须由她马上紧缩，虽然多从油盐酱醋里节省一文半文的，并无济于事，可是那到底表现了她的责任心。但是，手一紧，就容易招大家不满，特别是瑞丰，他的烟酒零用是不能减少的，减少了他会吵闹，使老人们焦心。

韵梅和婆母商议，好不好她老人家搬到老三的屋里来，而把南屋租出去，月间好收入两个租钱。房子现在不好找，即使南屋又暗又冷，也会马上租出去，而且租价不会很低。

天佑太太愿意这么办。瑞宣也不反对。这可伤了祁老人的心。

虽然他心里难过，他可是没有坚决的反对。在这荒乱的年月，个人的意见有什么用处呢？他含着泪去告诉了李四爷："有合适的人家，你分心给招呼一下，那两间南屋……"

李老人答应给帮忙，并且嘱咐老友千万不要声张，因为消息一传出去，马上会有日本人搬来，北平已增多了二十万日本人，他们见缝子就钻，说不定不久会把北平人挤走一大半的！是的，日本人已开始在平则门外八里庄建设新北平，好教北平人去住，而把城里的房子匀给日本人。日本人似乎拿定了北平，永远不再放手。

当天，李四爷就给了回话，有一家刚由城外迁来的人，一对中年夫妇，带着两个孩子，愿意来住。

　　祁老人要先看一看租客。他小心，不肯把屋子随便租给不三不四的人。李四爷很快的把他们带了来。这一家姓孟。从西苑到西山，他们有不少的田地。日本人在西苑修飞机场，占去他们许多亩地，而在靠近西山的那些田产，既找不到人去耕种，又要照常纳税完粮，所以他们决定放弃了土地，而到城里躲一躲。孟先生人很老成，也相当的精明，孟太太是掉了一个门牙的，相当结实的中年妇人，看样子也不会不老实。两个孩子都是男的，一个十五岁，一个十二岁，长得虎头虎脑的怪足壮。

　　祁老人一见孟先生为人老实，马上点了头，第二天，孟家搬进来。祁老人虽然相当满意他的房客，可是不由的就更思念去世了的儿子。在院中看着孟家出来进去的搬东西，老人低声的说："天佑！天佑！你回来可别走错了屋子呀！你的南屋租出去了！"

　　马老太太穿着干净的衣服，很腼腆的来看祁老人。她不是喜欢串门子的人，老人猜到她必定有要事相商。天佑太太也赶紧过来陪着说话。虽然都是近邻，可是一来彼此不大常来往，二来因日本人闹的每家都有一本难念的经，所以偶尔相见，话就特别的多。大家谈了好大半天，把心中的委屈都多少倾倒出一些，马老太太才说到正题。她来征求祁老人的意见，假若长顺真和小崔太太结婚，招大家耻笑不招？祁老人是全胡同里最年高有德的人，假若他对这件事没有什么指摘，马老太太便敢放胆去办了。

　　祁老人遇见了难题。他几乎无从开口了。假若他表示反对，那就是破坏人家的婚姻——俗语说得好，硬拆十座庙，不破一门婚呀！反之，他若表示同意吧，谁知道这门婚事是吉是凶呢？第一，小崔太太是个寡妇，这就不很吉祥。第二，她比长顺的岁数大，也似乎不尽妥当。第三，即使他们决定结婚，也并不能解决了一切呀，大赤包的那笔钱怎办呢？

　　他的小眼睛几乎闭严了，也决定不了什么。说话就要负责，他不能乱说。想来想去，他只想起来："这年月，这年月，什么都没

387

法办！"

天佑太太也想不出主意来，她把瑞宣叫了过来。瑞宣的病好了一点，可是脸色还很不好看。把事情听明白了，他想了一会儿，然后说道：

"据我看，马老太太，这件婚事倒许没有人耻笑。你，长顺，小崔太太，都是正经人，不会招出闲言闲语来。难处全在他们俩结了婚，就给冠家很大很大的刺激。说不定他们会用尽心机来捣乱！"

"对！对！冠家什么屎都拉，就是不拉人屎！"祁老人叹着气说。

"可是，要不这么办吧，小崔太太马上就要变成，变成……"马老太太的嘴和她的衣服一样干净，不肯说一个不好听的字。看看这个，看看那个，她失去平日的安静与沉稳。

屋里没有了声音，好像死亡的影子轻轻地走进来。

刚父过五点。天短，已经有点像黄昏时候了。

马老太太正要告辞，瑞丰满头大汗，像被鬼追着似的跑进来。顾不得招呼任何人，他一下子坐在椅子上，张着嘴急急的喘气。

"怎么啦?"大家不约而同的问。他只摆了摆手，说不上话来。大家这才看明白：他的小干脸上碰青了好几块，袍子的后襟扯了一尺多长的大口子。

今天是义赈游艺会的第一天，西单牌楼的一家剧场演义务戏。戏码相当的硬，倒第三是文若霞的《奇双会》，压轴是招弟的《红鸾禧》，大轴是名角会串《大溪皇庄》。

冠家忙得天翻地覆。行头是招弟的男朋友们"孝敬"给她的，她试了五次，改了五次，叫来一位裁缝在家中专伺候着她。亦陀忙着借头面，忙着找来梳头与化妆的专家。大赤包忙着给女儿"征集"鲜花篮，她必须要八对花篮在女儿将要出台帘的时候，一齐献上去。晓荷更忙，忙着给女儿找北平城内最好的打鼓佬，大锣与小锣；又忙着叫来新闻记者给招弟照化妆的与便衣的相片，以便事前和当日登露在报纸上与杂志上。此外，他还得写诗与散文，好交给蓝东阳分派到各报纸去，出招弟女士特刊。

戏票在前三天已经卖光。池子第四五排全留给日本人。一二三排与小池子全被招弟的与若霞的朋友们定去。黑票的价钱已比原价高了三倍至五倍。若霞的朋友们看她在招弟前面出台，心中不平，打算在招弟一出来便都退席，给她个难堪。招弟的那一群油头滑面的小鬼听到这消息，也准备拼命给若霞喊倒好儿，作为抵抗。幸而晓荷得到了风声，赶快约了双方的头脑，由若霞与招弟亲自出来招待，还请了一位日本无赖出席镇压，才算把事情说妥，大家握了手，停止战争。

瑞丰无论怎样也要看上这个热闹。他有当特务的朋友，而特务必在开戏以前布满了剧场，因为有许多日本要人来看戏。他在午前十点便到戏园外去等，他的嘴张着，心跳的很快，两眼东张西望，见到一个朋友便三步改作两步的迎上去："老姚！带我进去哟！"待一会儿，又迎上另一个人："老陈，别忘了我哟！"这样对十来个人打过招呼，他还不放心，还东瞧瞧西看看预备再多托咐几位。离开锣还早，他可是不肯离开那里，倒仿佛怕戏园会忽然搬开似的。慢慢的，他看到检票的与军警，和戏箱来到，他的心跳得更快了，嘴张得更大了些。他又去托咐朋友，朋友们没好气的说："放心，落不下你！早得很呢，你忙什么？"

到了十一点多钟，他差不多要急疯了。拉住一位朋友，央告着非马上进去不可。他已说不上整句的话来，而只由嘴中蹦出一两个字。他的额上的青筋都鼓起来，鼻子上出着汗，手心发凉。朋友告诉他："可没有座儿！"他啊啊了两声，表示愿意立着。

他进去了，坐在了顶好的座位上，看着空的台，空的园子，心中非常的舒服。他并上了嘴，口中有一股甜水，老催促着他微笑。他笑了。

好容易，好容易，台上才打通，他随着第一声的鼓，又张开了嘴，而且把脖子伸出去，聚精会神的看台上怎么打鼓，怎么敲锣。他的身子随着锣鼓点子动，心中浪荡着一点甜美的，有节奏的，愉快。

又待了半天，《天官赐福》上了场。他的脖子更伸得长了些。正看得入神，他被人家叫起来，"票"到了。他眼睛还看着戏台，改换了座位。待了一会儿，"票"又到了，他又换了座位。他丝毫没觉到难堪，因为全副的注意都在台上，仿佛已经沉醉。改换了不知多少座

389

位，到了《奇双会》快上场，他稍微觉出来，他是站着呢。

日本人到了，他欠着脚往台上看，顾不得看看日本人中有哪几个要人。在换锣鼓的当儿，他似乎看见了钱先生由他身旁走过去。他顾不得打招呼。小文出来，坐下，试笛音。他更高了兴。他喜欢小文，佩服小文，小文天天在戏园里，多么美！他也看见了蓝东阳在台上转了一下。他应当恨蓝东阳。可是，他并没动心；看戏要紧。胖菊子和一位漂亮的小姐捧着花篮，放在了台口。他心中微微一动，只咽了一口唾沫，便把她打发开了。晓荷在台帘缝中，往外探了探头，他羡慕晓荷！

虽然捧场的不少，若霞可是有真本事，并不专靠着捧场的人给她喝彩。反之，一个碰头好儿过后，戏园里反倒非常的静了。她的秀丽、端庄、沉稳，与适当的举动，都使人没法不沉下气去。她的眼仿佛看到了台下的每一个人，教大家心中舒服，又使大家敬爱她。即使是特来捧场的也不敢随便叫好了，因为那与其说是讨好，还不如说是不敬。她是那么瘦弱苗条，她又是那么活动焕发，倒仿佛她身上有一种什么魔力，使大家看见她的青春与美丽，同时也都感到自己心中有了青春的热力与愉快。她控制住了整个的戏园，虽然她好像并没分外的用力，特别的卖弄。

小文似乎已经忘了自己。探着点身子，横着笛，他的眼盯住了若霞，把每一音都吹得圆，送到家。他不仅是伴奏，而是用着全份的精神把自己的生命化在音乐之中，每一个声音都像带着感情，电力，与光浪，好把若霞的身子与喉音都提起来，使她不费力而能够飘飘欲仙。

在那两排日本人中，有一个日本军官喝多了酒，已经昏昏的睡去。在他的偶尔睁开的眼中，他似乎看到面前有个美女子来回的闪动。他又闭上了眼，可是也把那个美女子关闭在眼中。一个日本军人见了女的，当然想不起别的，而只能想到女人的"用处"。他又睁开了眼，并且用力揉了揉它们。他看明白了若霞。他的醉眼随着她走，而老遇不上她的眼。他生了气。他是大日本帝国的军人，中国人的征服者，他理当可以蹂躏任何一个中国女子。而且，他应当随时随地发

390

泄他的兽欲，尽管是在戏园里。他想马上由台上把个女的拖下来，扯下衣裤，表演表演日本军人特有的本事，为日本军人增加一点光荣。可是，若霞老不看他。他半立起来，向她"嘻"了一声。她还没理会。很快的，他掏出枪来。枪响了，若霞晃了两晃，要用手遮一遮胸口，手还没到胸前，她倒在了台上。

楼上楼下马上哭喊，奔跑，跌倒，乱滚，像一股人潮，一齐往外跑。瑞丰的嘴还没并好，就被碰倒。他滚，他爬，他的头上手上身上都是鞋与靴；他立起来，再跌倒，再滚，再喊，再乱抡拳头。他的眼一会儿被衣服遮住，一会儿挡上一条腿，一会儿又看到一根柱子。他迷失了方向，分不清哪是自己的腿，哪是别人的腿。乱滚，乱爬，乱碰，乱打，他随着人潮滚了出来。

日本军人都立起来，都掏出来枪，枪口对着楼上楼下的每一角落。

桐芳由后台钻出来。她本预备在招弟上场的时候，扔出她的手榴弹。现在，计划被破坏了，她忘了一切，而只顾去保护若霞。钻出来，一个枪弹从她的耳旁打过去。她趴下，用手用膝往前走，走到若霞的身旁。

小文扔下了笛子，顺手抄起一把椅子来。像有什么魔鬼附了他的体，他一跃，跃到台下，连人带椅子都砸在行凶的醉鬼头上，醉鬼还没清醒过来的脑子溅出来，溅到小文的大襟上。

小文不能再动，几只手枪杆在他的身上。他笑了笑。他回头看了看若霞："霞！死吧，没关系！"他自动的把手放在背后，任凭他们捆绑。

后台的特务特别的多。上了装的，正在上装的，还没有上装的，票友与伶人；龙套，跟包的，文场，一个没能跑脱。招弟已上了装，一手拉着亦陀一手拉着晓荷，颤成一团。

楼上的人还没跑净。只有一个老人，坐定了不动，他的没有牙的胡子嘴动了动，像是咬牙床，又像是要笑。他的眼发着光，仿佛得到了一些诗的灵感。他知道桐芳还在台上，小文还在台下，但是他顾不了许多。他的眼中只有那一群日本人，他们应当死。他扔下他的手榴

391

弹去。

第二天，瘸着点腿的诗人买了一份小报，在西安市场的一家小茶馆里，细细的看本市新闻：

"女伶之死：本市名票与名琴手文若霞夫妇，勾通奸党，暗藏武器，于义赈游艺会中，拟行刺皇军武官。当场，文氏夫妇均被击毙。文若霞之女友一名，亦受误伤身死。"老人眼盯着报纸，而看见的却是活生生的小文，若霞，与尤桐芳。对小文夫妇，老人并不怎么认识，也就不敢批评他们，但是，他觉得他们很可爱，因为他们是死了；他们和他的妻与子一样的死了，也就一样的可爱。他特别的爱小文，小文并不只是个有天才的琴手，也是个烈士——敢用椅子砸出仇人的脑浆！对桐芳，他不单爱惜，而且觉得对不起她！她！多么聪明，勇敢的一个小妇人——必是觉出了桐芳半中，炸弹的一个小碎片就会杀死她。假若她还活着，她必能成为他的助手，帮助他作出更大的事来。她的姓名也许可以流传千古。现在，她只落了个"误伤身死"！想到这里，老人几乎出了声音："桐芳！我的心，永远记着你，就是你的碑记！"他的眼往下面看，又看到了新闻："皇军武官无一受伤者。"老人把这句又看了一遍，微微的一笑。哼，无一受伤者，真的！他再往下看："行刺之时，观众秩序尚佳，只有二三老弱略受损伤。"老人点了点头，赞许记者的"创造"天才。"所有后台人员均解往司令部审询，无嫌疑者日内可被释放云。"老人愣了一会儿，哼，他知道，十个八个，也许一二十个，将永远出不来狱门！他心中极难过，但是他不能不告诉自己："就是这样吧！这才是斗争！只有死，死，才能产生仇恨；知道恨才会报仇！"

老人喝了口白开水，离开茶馆，慢慢的往东城走，打算到坟地上，去告诉亡妻与亡子一声："安睡吧，我已给你们报了一点点仇！"

二十三

　　小羊圈里乱了营，每个人的眼都发了光，每个人的心都开了花，每个人的脸上都带着笑；嘴，耳，心，都在动。他们想狂呼，想乱跳，想喝酒，想开一个庆祝会。黑毛儿方六成了最重要的人物，大家围着他，扯他的衣襟与袖子要求他述说，述说戏园中的奇双会，枪声，死亡，椅子，脑浆，炸弹，混乱，伤亡……听明白了的，要求他再说，没听见的，舍不得离开他，仿佛只看一看他也很过瘾；他是英雄，天使——给大家带来了福音。

　　方六，在这以前，已经成了"要人"。论本事，他不过是第二三流的说相声的，可是，北平的沦陷教他转了运气。他的一个朋友，在新民会里得了个地位。由这个朋友，他得到去广播的机会。由这个朋友，他知道应当怎样用功——"你赶快背熟了四书！"朋友告诉他。"日本人相信四书，因为那是老东西。只要你每段相声里都有四书句子，日本人就必永远雇用你广播！你要时常广播，你就会也到大茶楼和大书场去作生意，你就成了头路角儿！"

　　方六开始背四书。他明知道引用四书句子并不能受听众的欢迎，因为现在的大学生中学生，和由大学生中学生变成的公务员，甚至于教员，都没念过四书。可是，他不管听众，他的眼只看着日本人。同时，福至心灵的他也热心的参加文艺协会，和其他一切有关文化的集会。他变成了文化人。

　　在义赈游艺会里，他是招待员。他都看见了，而且没有受伤。他的嘴会说，也爱说。他不便给日本人隐瞒着什么。虽然他吃着日本人的饭，他可是并没有把灵魂也卖给日本人。特别是，死的是小文夫

393

妇，使他动了心。他虽和他们小夫妇不同行，也没有什么来往，可是到底他们与他都是卖艺的，兔死狐悲，他不能不难受。

大家对小文夫妇一致的表示惋惜，他们甚至于到六号院中，扒着东屋的窗子往里看一看，觉得屋里的桌椅摆设都很神圣。可是，最教他们兴奋的倒是招弟穿着戏行头就被军警带走，而冠晓荷与高亦陀也被拿去。

他们还看见了大赤包呀。她的插野鸡毛的帽子在头上歪歪着，鸡毛只剩下了半根。她的狐皮皮袍上面湿了半边襟，像是浇过了一壶茶。她光着袜底，左手提着"一"只高跟鞋。她脸上的粉已完全落下去，露着一堆堆的雀斑。她的气派还很大，于是也就更可笑。她没有高亦陀搀着，也没有招弟跟着，也没有晓荷在后面给拿着风衣与皮包。几是她一个人，光着袜底儿，像刚被魔王给赶出来的女怪似的，一瘸一拐的走进了三号。

程长顺顾不得操作了。他也挤在人群里，听方六有声有色的述说。听完了，他马上报告了外婆。孙七的近视眼仿佛不单不近视，而且能够透视了；听完了方六的话，他似乎已能远远的看到晓荷和亦陀在狱中正被日本人灌煤油，压棍子，打掉了牙齿。他高兴，他非请长顺喝酒不可。长顺还没学会喝酒，孙七可是非常的坚决："我是喝你的喜酒！你敢说不喝！"他去告诉马老太太，"老太太，你说，教长顺儿喝一杯酒，喜酒！"

"什么喜酒啊？"老太太莫名其妙的问。

孙七哈哈的笑起来。"老太太，他们——"他往三号那边指了指，"都教宪兵锁了走，咱们还不赶快办咱们的事？"

马老太太听明白了孙七的话，可是还有点不放心。"他们有势力，万一圈两天就放出来呢？"

"那，他们也不敢马上再欺侮咱们！"

马老太太不再说什么。她心中盘算：外孙理当娶亲，早晚必须办这件事，何不现在就办呢？小崔太太虽是个寡妇，可是她能洗能作能吃苦，而且脾气模样都说得下去。再说，小崔太太已经知道了这回事，而且并没表示坚决的反对，若是从此又一字不提了，岂不教她很难堪，大家还怎么在一个院子里住下去呢？没别的办法，事情只好怎么来怎么走吧。她向孙七点了点头。

第二天下午，小文的一个胯骨上的远亲，把文家的东西都搬了走。这引起大家的不平。第一，他们想问问，小文夫妇的尸首可曾埋葬了没有？第二，根据了谁的和什么遗言，就来搬东西？这些心中的话渐渐的由大家的口中说出来，然后慢慢的表现在行动上。李四爷，方六，孙七，都不约而同的出来，把那个远亲拦住。他没了办法，只好答应去买棺材。

但是，小文夫妇的尸首已经找不到了。日本人已把他们扔到城外，喂了野狗。日本人的报复是对死人也毫不留情的。李四爷没的话可说，只好愤愤的看着文家的东西被搬运了走。

瑞丰见黑毛儿方六出了风头，也不甘寂寞，要把自己的所闻所见也去报告大家。可是，祁老人拦住了他："你少出去！脸上青一块紫一块的，万一教侦探看见，说你是凶犯呢？你好好的在家里坐着！"瑞丰无可如何，只好蹲在家里，把在戏园中的见闻都说与大嫂与孩子们听，觉得自己是个敢冒险，见过大阵式的英雄好汉。

大赤包对桐芳的死，觉得满意。桐芳的尸身已同小文夫妇的一齐被抛弃在城外。大赤包以为这是桐芳的最合适的归宿。她决定不许任何人给桐芳办丧事，一来为是解恨，二来是避免嫌疑——好家伙，要教日本人知道了桐芳是冠家的人，那还了得！她嘱咐了高第与男女仆人，绝对不许到外边去说死在文若霞身旁的是桐芳，而只准说桐芳拐去了金银首饰，偷跑了出去。她并且到白巡长那里报了案。

这样把桐芳结束了，她开始到处去奔走，好把招弟，亦陀，晓荷赶快营救出来。

她找了蓝东阳去。东阳，因为办事不力，已受了申斥，记了一大过。由记过与受申斥，他想象到撤职丢差。他怕，他恐慌，他忧虑，他恨不能咬掉谁一块肉！他的眼珠经常的往上翻，大有永远不再落下来的趋势。他必须设法破获凶手，以便将功赎罪，仍然作红人。看大赤包来到，他马上想起，好，就拿冠家开刀吧！桐芳有诡病，无疑的；他须也把招弟，亦陀，晓荷咬住，硬说冠家吃里爬外，要刺杀皇军的武官。

大赤包的确动了心，招弟是她的掌上明珠，高亦陀是她的"一种"爱人。她必须马上把他们救了出来。她并没十分关切晓荷，因为晓荷到如今还没弄上一官半职，差不多是个废物。真要是不幸而晓荷死在狱中，她也不会十分伤心。说不定，她还许，在他死后，改嫁给亦陀呢！她的心路宽，眼光远，一眼便看出老远老远去。不过，现在她既奔走营救招弟与亦陀，也就不好意思不顺手把晓荷牵出来罢了。

虽然心中很不好受，见了东阳，她可是还大摇大摆的。她不是轻易皱上眉头的人。

"东阳！"她大模大样的，好像心中连豆儿大的事也没有的，喊叫："东阳！有什么消息没有？"

东阳的脸上一劲儿抽动，身下眼不住肉颤，很像吃过烟油了的壁虎。他决定不回答什么。他的眼看着自己的心，他的心变成一剂毒药。

见东阳不出一声，大赤包和胖菊子闲扯了几句。胖菊子的身体面积大，容易被碰着，所以受了不少的伤，虽然都不怎样重，可是她已和东阳发了好几次脾气——以一个处长太太而随便被人家给碰伤，她的精神上的损失比肉体上要大着许多。

她喜欢和大赤包闲扯，然而大赤包今天可不预备多和菊子闲谈，她还须去奔走。胖菊子愿意随她一同出去。她不高兴蹲在家里，接受或发作脾气——东阳这两天老一脑门子官司，她要是不发气，他就必横着来。大赤包也愿意有菊子陪着她去奔走，因为两个面子凑在一处，效力当然大了一倍。菊子开始忙着往身上擦抹驰名药膏和万金油，预备陪着大赤包出征。

东阳拦住了菊子。没有解释，他干脆不准她出去。菊子胖脸红得像个海螃蟹。"为什么？为什么？"她含着怒问。

东阳不哼一声，只一劲儿啃手指甲。被菊子问急了，他才说了句："我不准你出去！"

大赤包看出来，东阳是不准菊子陪她出去。她很不高兴，可是仍然保持着外场劲儿，勉强的笑着说："算了吧！我一个人也会走！"

菊子转过脸来，一定要跟着客人走。东阳，不懂什么叫作礼貌，哪叫规矩，把实话说了出来："我不准你同她出去！"

大赤包的脸红了，雀斑变成了一些小葡萄，灰中带紫。"怎么着，东阳？看我有点不顺心的事，马上就要躲着我吗？告诉你，老太太还不会教这点事给难住！哼，我瞎了眼，拿你当作了朋友！你要知道，招弟出头露面的登台，原是为捧你！别忘恩负义！你掰开手指头算算，吃过我多少顿饭，喝过我多少酒，咖啡？说句不好听的话，我要把那些东西喂了狗，它见着我都得摇摇尾巴！"大赤包本来觉得自己很伟大，可是一骂起人来，也不是怎的她找不到了伟大的言语，而只把饭食与咖啡想起来。这使她自己也感到点有失体统，而又不能不顺着语气儿骂下去。

东阳自信有丰富的想象力，一定能想起些光伟的言语来反攻。可是，他也只想起："我还给你们买过东西呢！"

"你买过！不错！一包花生豆，两个凉柿子！告诉你，你小子别太目中无人，老太太知道是什么东西！"说完，大赤包抓起提包，冷笑了两声，大摇大摆的走了出去。

胖菊子反倒不知道怎么办好啦。以交情说，她实在不高兴东阳那么对待大赤包。她觉得大赤包总多少比东阳更像个人，更可爱一点。可是，大赤包的责骂，也多少把她包括在里面，她到底是东阳的太太，为什么不教东阳大方一点，而老白吃白喝冠家呢？大赤包虽骂的是东阳，可是也把她——胖菊子——连累在里面。她是个妇人，她看一杯咖啡的价值，在彼此争吵的时候，比什么友谊友情更重要。为了这个，她不愿和东阳开火。可是，不和他开火，又减了自己的威风。她只好板着胖脸发愣。

东阳的心里善于藏话，他不愿告诉个中的真意。可是，为了避免太太的发威，他决定吐露一点消息。"告诉你！我要斗一斗她。打倒了她，我有好处！"然后，他用诗的语言说出点他的心意。

菊子起初不十分赞同他的计划。不错，大赤包有时候确是盛气凌人，使人难堪。但是，她们到底是朋友，怎好翻脸为仇作对呢？她想了一会儿，拿不定主意。想到最后，她同意了东阳的意见。好吧，把大赤包打下去，而使自己成为北平天字第一号的女霸，也不见得不是件好事。在这混乱的年月与局面中，她想，只有狠心才是成功的诀窍。假若当初她不狠心甩了瑞丰，她能变成处长太太吗？不能！好啦，她与大赤包既同是"新时代"的有头有脸的人，她何必一定非捧着大赤包，而使自己坐第二把交椅呢？她笑了，她接受了东阳的意见，并且愿意帮助他。

东阳的绿脸上也有了一点点笑意。夫妇靠近了嘀咕了半天。他们必须去报告桐芳是冠家的人，教日本人怀疑冠家。然后他们再从多少方面设法栽赃，造证据，把大赤包置之死地。即使她死不了，他们也必弄掉了她的所长，使她不再扬眉吐气。

"是的！只要把她咬住，这案子就有了交代。我的地位可也就稳当了。你呢，你该去运动，把那个所长地位夺过来！"

胖菊子的眼亮了起来。她没想到东阳会有这么多心路，竟自想起教她去作所长！从她一认识东阳，一直到嫁给他，她没有真的喜爱过他一回。今天，她感到他的确是个可爱的人，他不但给了她处长太太，还会教她作上所长！除了声势地位，她还看见了整堆的钞票像被狂风吹着走动的黄沙似的，朝着她飞了来。只要作一二年妓女检查所的所长，她的后半世的生活就不成问题了。一旦有了那个把握，她将是最自由的女人，蓝东阳没法再干涉她的行动，她可以放胆的信意而为，不再受丝毫的拘束！她吻了东阳的绿脸。她今天真喜爱了他。等事情成功之后，她再把他踩在脚底下，像踩一个虫子似的收拾他。

她马上穿上最好的衣服，准备出去活动，她不能再偷懒，而必须挺起一身的胖肉，去找那个肥差事。等差事到手，她再加倍的偷懒，连洗脸都可以找女仆替她动手，那才是福气。

瑞宣听到了戏园中的"暴动"，和小文夫妇与桐芳的死亡。他觉得对不起桐芳。钱先生曾经嘱咐过他，照应着她。他可是丝毫没有尽力。除了这点惭愧，他对这件事并没感到什么兴奋。不错，他知道小文夫妇死得冤枉；但是，他自己的父亲难道死得不冤枉么？假若他不能去为父报仇，他就用不着再替别人的冤枉表示愤慨。

可是，有一件事使他稍微的高了兴。当邻居们都正注意冠家与文家的事的时候，一号的两个日本男人都被征调了走。瑞宣觉得这比晓荷与招弟的被捕更有意义。冠家父女的下狱，在他看，不过是动乱时代的一种必然发生的丑剧。而一号的男人被调去当炮灰却说明了侵略者也须大量的，不断的，投资——把百姓的血泼在战场上。随着士兵的伤亡，便来了家庭的毁灭，生产的人力缺乏，与抚恤经费的增加。侵略只便宜了将官与资本家，而民众须去卖命。

在平日，他本讨厌那两个男人。今天，他反倒有点可怜他们了。他们把家眷与财产都带到中国来，而他自己却要死在异域，教女人们抱一小罐儿骨灰回去。

他看见了那两个像瓷娃娃的女人，带着那两个淘气的孩子，去送那两个出征的人。

立在槐树下，他注视着那出征人，瓷娃娃，与两个淘气鬼。他的心中不由的想起些残破不全的，中国的外国的，诗句："一将功成万骨枯；可怜无定河边骨；谁没有父母，谁没有兄弟？……"可是，他挺着脖子，看着他们与她们，把那些人道的，崇高的句子，硬放在了一边，换上些"仇恨，死亡，杀戮，报复"等字样。"这是战争，不敢杀人的便被杀！"他对自己说。

一号的老婆婆是最后出来的。她深深的向两个年轻的鞠躬，一直等到他们拐过弯去才直起身来。她抬起头，看见了瑞宣。她又鞠了一躬。直起身，她向瑞宣这边走过来，走得很快。她的走路的样子改了，不像个日本妇人了。她挺着身，扬着脸，不再像平日那么团团着了。她好像一个刚醒来的螃蟹，把脚都伸展出来，不是那么圆圆的一团。她的脸上有了笑容，好像那两个年轻人走后，她得到了自由，可以随便笑了似的。

"早安！"她用英语说。"我可以跟你说两句话吗？"她的英语很流利正确，不像是由一个日本人口中说出来。

瑞宣愣住了。

"我久想和你谈一谈，老没有机会。今天，"她向胡同的出口指了指，"他们和她们都走了，所以……"她的口气与动作都像个西洋人，特别是她的指法，不用食指，而用大指。

瑞宣一想便想到：日本人都是侦探，老妇人知道他会英文，便是很好的证据。因此，他想敷衍一下，躲开她。

老妇人仿佛猜到了他的心意，又很大方的一笑。"不必怀疑我！我不是平常的日本人。我生在加拿大，长在美国，后来随着我的父亲在伦敦为商。我看见过世界，知道日本人的错误。那俩年轻的是我的侄子，他们的生意，资本，都是我的。我可是他们的奴隶。我既没有儿子，又不会经营——我的青春是在弹琴，跳舞，看戏，滑冰，骑马，游泳……渡过去的——我只好用我的钱买来深鞠躬，跪着给他们献茶端饭！"

瑞宣还是不敢说话。他知道日本人会用各种不同的方法侦探消息。

老婆婆凑近了他，把声音放低了些："我早就想和你谈谈。这一条胡同里的人，算你最有品格，最有思想，我看得出来。我知道你会小心，不愿意和我谈心。但是，我把心中的话，能对一个明白人说出来，也就够了。我是日本人，可是当我用日本语讲话的时候，我永远不能说我的心腹话。我的话，一千个日本人里大概只有一个能听得懂。"她的话说得非常的快，好像已经背诵熟了似的。

"你们的事，"她指了三号，五号，六号，四号，眼随着手指转了个半圈。"我都知道。我们日本人在北平所作的一切，当然你也知道。我只须告诉你一句老实话：日本人必败！没有另一个日本人敢说这句话。我——从一个意义来说——并不是日本人。我不能因为我的国籍，而忘了人类与世界。自然，我凭良心说，我也不能希望日本人因为他们的罪恶而被别人杀尽。杀戮与横暴是日本人的罪恶，我不愿别人以杀戮惩罚杀戮。对于你，我只愿说出：日本必败。对于日本人，我只愿他们因失败而悔悟，把他们的聪明与努力都换个方向，用到造福于人类的事情上去。我不是对你说预言，我的判断是由我对世界的认识与日本的认识提取出来的。我看你一天到晚老不愉快，我愿意使你乐观一点。不要忧虑，不要悲观；你的敌人早晚必失败！不要说别的，我的一家人已经失败了：已经死了两个，现在又添上两

400

个——他们出征，他们毁灭！我知道你不肯轻易相信我，那没关系。不过，你也请想想，假若你肯去给我报告，我一样的得丢了脑袋，像那个拉车似的！"她指了指四号。"不要以为我有神经病，也不要以为我是特意讨你的欢心，找好听的话对你说。不，我是日本人，永远是日本人，我并不希望谁格外的原谅我。我只愿极客观的把我的判断说出来，去了我的一块心病！真话不说出来，的确像一块心病！好吧，你要不怀疑我呢，让我们作作朋友，超出中日的关系的朋友。你不高兴这么作呢，也没关系；今天你能给我机会，教我说出心中的话来，我已经应当感谢你！"说完，她并没等着瑞宣回答什么，便慢慢的走开。把手揣在袖里，背弯了下去，她又恢复了原态——一个老准备着鞠躬的日本老妇人。

二十四

　　快到阴历年，长顺和小崔太太结了婚。婚礼很简单。孙七拉上了刘棚匠太太同作大媒，为是教小崔太太到刘太太那里去上轿。一乘半旧的喜轿，四五个鼓手；喜轿绕道护国寺，再由小羊圈的正口进来。洞房是马老太太的房子，她自己搬到小崔太太屋里去。世明老年的规矩，娶再醮的妇人应当在半夜里，因为寡妇再嫁是不体面的，见不到青天白日的。娶到家门，须放一挂火炮，在门坎里还要放个火盆，教她迈过去；火炮若是能把她前夫的阴魂吓走，火盆便正好能补充一下，烧去一切的厉气。

　　按着马老太太的心意，这些规矩都须遵守，一方面是为避邪，一方面也表示出改嫁的寡妇是不值钱的——她自己可是堂堂正正，没有改嫁过。

　　不过，现在的夜里老在半戒严的状态中，夜间实在不好办事。火炮呢，久已不准燃放——日本人心虚，怕听那远听颇似机关枪的响声。火炮既不能放，火盆自然也就免了吧。这是孙七的主意："马老太太，就不用摆火盆了吧！何必叫小崔太太更难过呢！"

　　连这样，小崔太太还哭了个泪人似的。她想起来小崔，想起来自己一切的委屈。她已失去了自主，而任凭一个比孙七，长顺，马老太太都更厉害的什么东西，随便的摆布她，把她抬来抬去，教她换了姓，换了丈夫，换了一切。她只有哭，别无办法。

　　长顺儿的大脑袋里嗡嗡的直响。他不晓得应当哭好，还是笑好。穿着新蓝布袍罩，和由祁家借来的一件缎子马褂，他坐着不安，立着发僵，来回的乱走又无聊。在他的心里，他却一会儿一算计：一千套

402

军衣已经完全交了活，除了本钱和丁约翰的七折八扣，只落下四百多块钱。这是他全部的财产。他可是又添了一口吃饭的人。结了婚，他便是成人了。他必须养活着外婆与老婆，没有别的话好说。四百多块钱，能花多少日子呢？尽管婚礼很简单，可是鼓手，花轿不要钱吗？自己的新大衫是白拣来的吗？街坊四邻来道贺，难道不预备点水酒和饭食吗？这都要花钱。结过婚，他应当干什么去呢？想不出。不错，他为承作那些骗人的军衣，已学会了收买破烂。可是，难道他就老去弄那些肮脏东西，过一辈子吗？为钱家，祁家，崔家，他都曾表示过气愤，都自动的帮过忙。他还记得祁瑞宣对他的期望与劝告，而且他曾经有过扛枪上阵去杀日本人的决心。可是，今天他却糊糊涂涂的结了婚，把自己永远拴在了家中。他皱上了眉。

但是贺喜的人——李四老人，四妈，祁瑞丰，孙七，刘太太，还有七号的一两家人——都向他道喜。他又不能不把眉头放开。他有点害羞，又不能不大模大样的假充不在乎。人们的吉利话儿像是出于诚心，又似乎像讽刺与嘲弄，使他不敢不接受，而接受了又不大好过。他不知怎样才好，而只能硬着头皮去敷衍。他的脸上红一阵白一阵，他的鼻音呜囔的特别的难听，连自己听着都不够味儿。

贺客之中，最活跃的，也最讨厌的，是祁瑞丰。长顺永远忘不了在教育局的那一幕。况且，今天他是和小崔太太结婚，他万想不到瑞丰还有脸来道喜。瑞丰可是满不在乎，他准知道只要打着贺客的招牌，他就不会被人家撵出来，所以他要来吃一顿喝一顿。而且，既无被驱逐出来的危险，他就必须像一个贺客的样子，他得对大家开玩笑，尽情的嘲弄新郎，板着面孔跟主人索要香烟，茶水，而且准备恶作剧的闹洞房。本来，他还穿着孝，家里的人都不许他来道贺。他答应了母亲，只把礼金在门外交给长顺或马老太太就赶快回家，可是，他把孝衣脱下来，偷偷的溜出去，满面春风的进了马家的门。他自居为交际家，觉得自己若不到场，不单自己丢了吃喝的机会，也必教马家的喜事减色。一进门，他便张罗着和长顺开玩笑，而他的嘴又没有分寸，时时弄得长顺面红过耳。赶到摆饭的时候，他大模大样的坐了首座，他以为客人中只有他作过科长，理应坐首座。

403

孙七早就不高兴了。他是大媒，理当坐首座。多亏李四爷镇压着他，他才忍着气没有发作。等到他也喝了几杯之后，他不再看李四爷的眼神，而把酒壶抄了起来。

"祁科长！"他故意的这么叫："咱们对喝六杯！"

李四爷伸出手来要抢酒壶。孙七不再听话。"四大爷，你别管！我跟祁科长比比酒量！"

瑞丰的脸上发了光。他以为孙七很看得起他。"牛饮没意思，咱们划拳吧！一拳一个，六个！告诉你，我不教你喝六个，也得喝五个，信不信！来，伸手！"

"我不划拳！你是英雄，我是好汉，对喝六杯！"孙七说着，已斟满了三杯。

瑞丰知道 六杯一气灌下去，他准得到桌子底下去。"那，我不来，没意思！喜酒，要喝得热闹一点！你要不划拳，咱们来包袱剪子布的？"

孙七没出声，端起杯来，连灌了三杯，然后，又斟满："喝！喝完这三个，还有三个！"

"那，我才不喝呢！"瑞丰嘿嘿的笑着，觉得自己非常的精明，有趣。

"喝吧，祁科长！"孙七的头上的青筋已跳起来，可是故作镇定的说。"这是喜酒，你不是把太太丢了吗？多喝两杯喜酒，你好再娶上一个！"

李四爷赶快拦住了孙七："你坐下！不准再乱说！"然后对瑞丰："老二，吃菜！不用理他，他喝醉了！"

大家都以为瑞丰必定一摔袖子走出去，而且希望他走出去。虽然他一走总算美中不足，可是大家必会在他走后一团和气的吃几杯酒。

可是，他坐着不动，他必须讨厌到底，必须把酒饭吃完，不能因为一两句极难听的话而牺牲了酒饭。

正在这个难堪的时节，高亦陀走了进来。长顺的嘴唇开始颤动。

大赤包有点本事。奔走了一两天，该送礼的送礼，该托情的托情，该说十分客气话的，说十分，该说五分好话的，说五分，她把晓荷，亦陀，招弟，全救了出来。他们都没受什么委屈，只是挨了几天的饿。他们的嘴不惯于吃窝窝头与白水。最初，他们不肯吃。后来，没法不吃了，可是吃了还不饱。招弟在这几天里，始终穿着行头，没有别的衣服替换。她几天没有洗脸，洗脚，她的身上发痒，以为是长了虱子。她对每个人都送个媚眼，希望能给她一点水，可是始终无效。她着急，急得不住的哭泣。最使她难过的是那么一身漂亮的行头，不单没摸着在台上露一露，反穿到狱中来。她已不是摩登的姑娘，而是玉堂春与窦娥，被圈在狱中。她切盼她的男友们会来探视她，营救她。可是，他们一个也没有来。

晓荷真害了怕。自从一出戏园的后台，他已经不会说话。他平日最不关心的人，像钱先生与小崔，忽然的出现在眼前。他是不是也要丢了脑袋呢？他开始认真的祷告玉皇大帝，吕祖，关夫子，与王母娘娘。他觉得这些位神仙必能保佑他，不至于教他受一刀之苦。坐在潮湿的小牢房里，他检讨自己的过去。他找不出自己的错误来。他低声的告诉玉皇大帝："该送礼的，我没落过后；该应酬的，我永远用最好的烟酒茶饭；我没错待过人哪！对太太，对姨太太，我是好的丈夫；对女儿，我是好的父亲；对朋友，我最讲义气；末了，对日本人，我五体投地的崇拜，巴结；老天爷，怎么还这样对待我呢？"他诚恳的祷告，觉得十分冤枉。越祷告，他可是越心慌，因为他弄不清哪位神仙势力最大，最有灵应。万一祷告错了，那才糟糕！

受罪最大的是高亦陀，他有烟瘾，而找不到烟吃。被捕后两三个钟头，他已支持不住了，鼻涕流下多长，连打哈欠都打不上来。他什么也顾不得想，而只搭拉着脑袋等死。

大赤包去接他们。招弟见了妈，哭出了声音。冠晓荷也落了泪。他故意的哼哼着，为是增加自己的身分："所长！这简直是死里逃生啊！"他心中赶快的撰制一篇受难记，好逢人便讲，表示自己下过狱，不失为英雄好汉。高亦陀是被两个人抬出来的，他已瘾得像一团泥。

回到家中，招弟第一件事是洗个澡。洗完了澡，她一气吃了五六块点心。吃完，她摸着胸口，告诉高第："得了，这回可把我管教得

405

够瞧的！从此我不再唱戏，也不溜冰！好家伙，再招出一场是非来，我非死在狱里不可！"她要开始和高第学一学怎么织毛线帽子："你教给我，姐！从此我再也不淘气了！"她把"姐"叫得挺亲热，好像真有点要改过自新似的。可是，没有过了一刻钟，她又坐不住了。"妈！咱们打八圈吧！我仿佛有一辈子没打过牌了！"

晓荷需要睡觉。"二小姐，你等我睡一觉，我准陪你打八圈。死里逃生，咱们得庆贺一下。所长，待会儿咱们弄几斤精致的羊肉，涮涮吧？"

大赤包没回答他们，气派极大的坐在沙发上，吸着一支香烟。把香烟吸完，她才开口："哼！你们倒仿佛都受了委屈！要不是我，你们也会出得来，那才怪呢！我的腿，为你们，都跑细了，你们好像连个谢字都不会说！"

"真的！"晓荷赶快把话接下去。"要不是所长，我们至少也还得圈半个月！甭打我，只要再圈半个月，我准死无疑！下狱，不是好玩的！"

"哼，你才知道！"大赤包要把这几天的奔走托情说好话的劳苦与委屈都一总由晓荷身上取得赔偿。"平日，你招猫逗狗，偏向着小老婆子，到下了狱你才想起老太太来。你算哪道玩艺儿！"

"哟！"招弟忽然想起来："桐芳呢？"

晓荷也要问，可是张开口又赶紧并上了。

"她呀？"大赤包冷笑了一下："对不起，死啦！"

"什么？"晓荷不困了。他动了心。

"死啦？"招弟也动了心。

"她，文若霞，小文，都炸死啦！我告诉你，招弟，晓荷，桐芳这一死，咱们的日子就可以过得更整齐一点。你们可是得听我的，我一心秉正，起早睡晚，劳心淘神，都是为了你们。你们有我，听从我，咱们就有好日子过。你们不听我的，好，随你们的便，你们有朝一日再死在狱里可别怨我！"

晓荷没听见这一套话。坐在椅子上，他捧着脸低声的哭起来。

招弟也落了泪。

406

他们这一哭，更招起大赤包的火儿来："住声！我看谁敢再哭那个臭娘们！哭？她早就该死！我还告诉你们，谁也不准到外面去说，她是咱们家里的人！万幸，报纸上没提她的姓名；咱们自己可就别往头上揽狗屎！我已经报了案，说她拐走了金银首饰，偷跑了出去。你们听见没有？大家都得说一样的话，别你说东，他说西，打自己的嘴巴！"

晓荷慢慢的把手从脸上放下来，咽了许多眼泪，对大赤包说："这不行！"他的声音发颤，可是很坚决。

"不行？什么不行？"大赤包挺起身来问。

"她好歹是咱们家的人。无论怎说，我也得给她个好发送。她跟了我这么多年！"晓荷决定宣战。桐芳是他的姨太太，他不能随便的丢弃了她，像丢一个死猫或死狗那样。在这一家里，没有第二个人能替桐芳，他不能在她丧了命的时候反倒赖她拐款潜逃。死了不能再活，真的；但是他必须至少给她买口好棺材，相当体面的把她埋葬了。她与高第招弟都不同，假若她们姐妹不幸而死去一个，他，或者不至于像这么伤心；她们是女儿，即使不死，早晚也要出嫁；桐芳是姨太太，永远是他的，她死不得。再说，虽然他的白发是有一根，拔一根，可是他到底慢慢的老起来；他也许不会再有机会另娶一房姨太太。那么，桐芳一死，他便永远要过着凄凉的日子——没有了知心的人，而且要老受大赤包的气！不行，说什么也不行，他必须好好的发送发送她。他没有别的可以答报她，他只知道买好棺材，念上一两台经，给她穿上几件好衣服，是唯一的安慰他自己与亡魂的办法。假若连这点也作不到，他便没脸再活下去。

大赤包站起来，眼里打着闪，口中响了雷："你要怎着呢？说！成心捣蛋哪？好！咱们捣捣看！"

冠晓荷决定迎战。他也立起来，也大声的喊："我告诉你，这样对待桐芳不行！不行！打，骂，拼命，我今儿个都奉陪！你说吧！"

大赤包的手开始颤动。晓荷这分明是叛逆！她不能忍受！这次要容让了他，他会大胆再弄个野娘们来："你敢跟我瞪眼哪，可以的！我混了心，瞎了眼，把你也救出来！死在狱里有多么干脆呢！"

407

"好，咒我，咒吧！"晓荷咬上了牙。"你咒不死我，我就给桐芳办丧事！谁也拦不住我！"

"我就拦得住你！"大赤包拍着胸口说。

"妈！"招弟看不过去了。"妈，桐芳已经死了，何必还忌恨她呢？"

"噢！你也向着她？你个吃里爬外的小妖精！在这儿有你说话的份儿？你是穿着行头教人家拿进去的，还在这儿充千金小姐呀？好体面！我知道，你们吃着我，喝着我，惹出祸来，得我救你们，可齐了心来气我！对，把我气死，气死，你们好胡反：那个老不要脸的好婊姨太太，你，小姐，好去乱搭姘头！你们好，我不是东西！"大赤包打了自己一个嘴巴，打得不很疼，可是相当的响。

"好吧，不许我开口哦，我出去透透风是可以吧！"招弟点了头改自新，想出去疯跑一大。说着，她便往外走。

"你回来！"大赤包跺着脚。

"再见，爸！"招弟跑了出去。

见没有拦住招弟，大赤包的气更大了，转身对晓荷说："你怎样？"

"我？我去找尸首！"

"你也配！她的尸首早就教野狗嚼完了！你去，去！只要你敢出去，我要再教你进这个门，我是兔子养的！"

这时节，亦陀在里间已一气吸了六七个烟泡儿。他本想忍一个晌儿，可是听外面吵得太凶了，只好勉强的走出来。一掀帘，他知道事情有点不对，因为晓荷夫妇隔着一张桌子对立着，眼睛都瞪圆，像两只决斗的公鸡似的，彼此对看着。亦陀把头伸在他们的中间，"老夫老妻的，有话慢慢的说！都坐下！怎么回事？"

大赤包坐下，泪忽然的流下来。她觉得委屈。好容易盼来盼去把桐芳盼死了，她以为从此就可以和晓荷相安无事，过太平日子了。哪知道晓荷竟自跟她瞪了眼，敢公然的背叛她，她没法不伤心。

晓荷还立着。他决定打战到底。他的眼中冒着火，使他自己都有点害怕，不知道自己从哪儿来的这么多的怒气。

408

大赤包把事情对亦陀说明白。亦陀先把晓荷扶在一张椅子上坐好，而后笑着说："所长的顾虑是对的！这件事绝对不可声张。咱们都掉下去，受了审问，幸而咱们没有破绽，又加上所长的奔走运动，所以能够平安的出来。别以为这是件小事！要是赶上'点儿低'，咱们还许把脑袋要掉了呢！桐芳与咱们不同，她为什么死在那里？没有人晓得！好家伙，万一日本人一定追究，而知道了她和咱们是一伙，咱们吃得消吃不消？算了吧，冠先生！死了的不能再活，咱们活着的可别再找死；我永远说实话！"

冠家夫妇全不出声了。沉默了半天，晓荷立了起来，要往外走。

"干什么去?"亦陀问。

"出去走走！一会儿就回来！"晓荷的怒气并没妨碍他找到帽子，怕脑袋受了风。

大赤包深深的叹了口气。亦陀想追出去，被她拦住。"不用管他，他没有多大胆子。他只是为故意的气我！"

亦陀喝了碗热茶，吃了几块点心，把心中的话说出来："所长！也许是我的迷信，我觉得事情不大对！"

"怎么?"大赤包还有气，可是不便对亦陀发作，所以口气相当的柔和。

"凭咱们的地位，名誉，也下了两天狱，我看有点不大对！不大对!"他揣上手，眼往远处看着。

"怎么?"大赤包又问了声。

"伴君如伴虎啊！人家一翻脸，功臣也保不住脑袋!"

"嗯！有你这么一想!"

"我看哪，所长，赶快弄咱们的旅馆，赶快加紧的弄俩钱。有了底子，咱们就什么也不怕了。人家要咱们呢，咱们就照旧作官；人家不要咱们呢，咱们就专心去作生意。所长，看是也不是?"

大赤包点了点头。

"小崔太太打算扯咱们的烂污，那不行，我马上过去，给她点颜色看看!"

"对!"

409

"办完这件事，我赶紧就认真的去筹备那个旅馆。希望一开春就能开张。开了张，生意绝不会很坏。烟，赌，娼，舞，集聚一堂，还是个创举！创举！生意好，咱们日进斗金，可就什么也不怕了！"

大赤包又点了点头。

"所长，好不好先支给我一点资本呢？假若手里方便的话。现在买什么都得现款，要不然的话，咱们满可以专凭两片子嘴皮就都置备齐全了。"

"要多少呢？"

亦陀假装了的想了想，才说："总得先拿十万八万的吧？先别多给我，万一有个失闪，我对不起人！亲是亲，财是财！"

"先拿八万吧？"大赤包信任高亦陀，但是也多少留了点神。她不能不给他钱，她不是摸摸屁股，嘶嘶手指头的人。而说，亦陀是她的功臣。专以制造暗娼一项事业来说，他给她就弄来不止八万。对功臣不放心，显然不是作大事业，发大财的，道理与气派。可是，她也不敢一下子就交给他十万二十万。她须在大方之中还留个心眼。她给了他一张支票。

亦陀把支票带好，奔了四号来。

孙七喝了酒，看明白了进来的是亦陀，他马上冒了火。他本是嘴强身子弱，敢拌嘴不敢打架的人；今天他可是要动手。他带了酒，他是大媒，而亦陀又是像个瘦小鸡子似的烟鬼，所以他不再考虑什么，而只想砸亦陀一顿拳头。

李四爷一把抓住了孙七，"等等，看他说什么！"

亦陀向长顺与马老太太道了喜，而后凑过李四爷这边来，低声的对老人说：

"都放心！一点事没有！我是你们的朋友。她，那个大娘们，"他向三号指了指，"才是你们的仇人。我不再吃她的饭，也犯不上再替她挨骂！这不是？"他掏出那个小本子来，"当着大家，看！"他三把两把将小本子撕了个粉碎，扔在地上。撕完，他对大家普遍的笑了笑。而后，他拿起一杯酒，一扬脖灌了下去："长顺，恭贺白头到老！别再恨我，我不过给人家跑跑腿；坏心眼，我连一点也没有！请坐了，诸位！咱们再会！"说完，他扬着绿脸，摔着长袖口，大模大样的走出去。

他一直奔了前门去，在西交民巷兑了支票，然后到车站买了一张二等的天津车票。"在天津先玩几天，然后到南京去卖卖草药也好！在北平恐怕吃不住了！"他对自己说。

正

二十五

晓荷忙着往回走，在西四牌楼，他教车子停住，到干果店里买了两罐儿温朴，一些焙杏仁儿。他须回家烫一壶竹叶青，清淡的用温朴汤儿拌一点大白菜心，嚼几个杏仁，赶一赶寒。买完了这点东西，他又到洋货店选了两瓶日本制的化妆品，预备送给所长太太。从此，他不能再和太太闹气。

含着笑，他回了家。

一迈门坎，他看见一堆东西，离他也就只有五尺远。嗯了一声，他看明白：那不是什么东西，而是个人；不是别人，而是他的大女儿高第！她倒剪着双臂，在墙根上窝着呢。

"怎么回事？"他差一点失手，摔了那两罐儿温朴。"怎么回事？"

高第扭了扭身子，抬起一点头来，弩着双睛，鼻中出了一点声音。她的嘴里堵着东西呢。

"见鬼！这是怎回事？"他一边说一边轻轻的放下手中的两个小罐儿。

高第的眼要弩出来。她又扭了扭身子，用力的点了点头。

晓荷掏出口中的东西。她长吸了一口气，而后干呕了好几下。

"怎回事？"

"快解开我的绳子！"她发着怒说。

晓荷挽了挽袖口，要表示自己的迅速麻利，而反倒更慢的，过去解绳扣。扣系得很紧，他又怕伤了自己的指甲，所以抓挠了半天，并无任何效果。

"拿刀子去！"高第急得要哭。

412

他身上有一把小刀。把刀掏出来，他慢慢的锯绳子。

"快着点！我的腕子快掉下来了！"

"别忙！别忙！我怕伤了你的肉！"他继续的锯绳子。高第一劲的替他用力，鼻子里哼哼的响。

好容易把绳子割断，晓荷吐了口气，擦了擦头上的汗。他的确出了汗。他是横草不动，竖草不拿的人，用一点力气就要出汗。

高第用左右手交互的揉着双腕，腕子已被绳子磨破，可是因为麻木，还不觉得疼。揉了半天手腕之后，她猛的往起立。她的腿也麻了，没立好就又坐下去，把头碰到了墙上。"搀着我！"

晓荷赶快搀起她来，慢慢的往院里走。

北屋的门开着呢。晓荷一眼便看到里面：桌凳歪着的歪着，倒着的倒着；瓷器摔了满地，花瓶和瘘赢在一处躺着；很像刚经过一次地震。他放开高第，一跳，跳到屋里。他的最心爱的沙发上张着大嘴，像被刺刀给划破的。他的腿不能再动，他的嘴张着。这是他一二十年的心血所造成的堡垒，居然会变成了垃圾堆。他的泪整串的流下来。

高第扶着门框，活动她的腿："我们遭了报！"

"什么？"晓荷问了一声。随着这么一出声，他的腿会活动了。他踩着地上的东西，跳进卧室去。床上，连他的绣花被子，与鸭绒的枕头都不见了。木器，和外间屋一样，都横七竖八的倒在地上。"这是怎回事？"他狂叫起来。

高第一瘸一点的蹭进来。"咱们遭了报！"

"说！说这是怎回事！什么遭报不遭报？我为什么遭报？我没作过伤天害理的事！"

"爸爸！"高第坐在倒在地上的一张小凳子上。"你陷害过钱伯伯；你任着妈妈的性儿教好人家的妇女变成妓女，敲诈妓女们的钱；你放纵招弟，教她随便玩弄男人，也教男人随便玩弄她；你任着妈妈的性儿欺侮桐芳；你一天到晚吃喝玩乐，交些个狐朋狗友，一点也不问那些钱是怎么来的！"

"我问你这是怎回事，没教你教训我！"晓荷跺着脚嚷。

"你最不该拿日本人当作宝贝，巴结他们，谄媚他们，好像他们并没杀咱们的人，抢咱们的土地！"

"你要把我急死！我问你，这——是——怎——回——事！"

"是，我这就告诉你！日本人干的！"

"什么?"他不肯相信自己的耳朵。

"日本人干的！"她重说了一遍，比第一遍更清楚。

他没法不再信任自己的耳朵。可是，他心里还疑惑不定。腿似乎立不住了，他蹲在了地上，用手捧着脸。"不能！"他心里说："不能是日本人干的！"想到这里，他出了声音："不能！不能是日本人！我没有对不起日本人的地方！高第，你说真话！"

"我没说一句假话！"

"真有日本人进来把……"

"妈妈吃过午饭就办公去了。"高第的手腕开始疼痛，她可是忍着痛，心想把又未劝明白。"招弟始终没有回来。家里只有我一个人。也就有两点半钟吧，一共来了十个人。其中有两个日本人。一进门，他们一声不出，就搬东西。"

"搬东西?"

"你看哪！妈妈的箱子哪儿去了?"高第指了指平日放箱子的地方。

晓荷往那里看了一眼，空的。不单箱子，连箱子上装首饰的盒子也不见了。他的手颤起来。

"这屋里的，桐芳，和我与招弟屋里的，箱子匣子，一律搬净！我急了，过去质问他们。他们把我用绳子捆上。我要喊叫，他们堵上了我的嘴。我只能瞪着眼看他们往外搬运，他们必是有一部卡车，在胡同口上停着呢。出来进去搬东西的都是中国人，那两个日本人大概只管挑选，不管搬运。有时候，院里只剩下我自己和他们两个！我打好了主意，只要他们俩敢过来强行无礼，我就一头碰死墙上！我决定碰死，一方面是要保全我的清白，一方面也是为妈妈赎一点罪——她害了那么多的女人，她的女儿应当死！可是，他们没来找我，或者也许太注意抢东西了。搬得差不多了，他们找到了酒。我开始往外滚。我知道，他们喝了酒必不肯放过我去。我滚到了门坎那里，没有了办法。无论如何使劲，我没法越过门坎去。他们喝完了酒，开始摔东西。我听得见各屋里砰砰哪哪的响。摔完了东西，他们出来，把我由门坎里提到墙根去。他们走了，把街门关好。我们遭了报。我们巴结，逢迎，谄媚他们，为了得一点钱。现在，我们赔了老本，连衣服和被子都丢光了！"

晓荷听完，半天没有出声。愣了好大一会儿之后，他低声的问："高第，你准知道那两个是真日本人呢？你怎么知道他们不是假扮的呢？"

高第压不住了怒气："是！他们是假扮的！日本人都是你的亲戚朋友，绝不会来伤害你！"

"别生气！别生气！我想，凭我与日本人的关系，他们不至于这么不客气！"

"他们一定对你很客气，要不然怎么来侵占了你的城抢去你的地，盗去你的国家呢？"

"别生气！生气办不了事！我有办法！你先好歹的收拾收拾屋子，我找你妈去。只要她一见日本的要人，咱们必能把东西都找回来！你收拾一下，等仆人们回来，教他们帮助你。"

"他们都不会回来！"

"怎么？"

"日本人走后，他们回来过了。拿了他们自己的东西，也顺手拿了咱们一些东西，又都走啦。"

"都是混蛋！"

"没有人看得起我们的生活，他们并不混蛋！"

"别说了！我找你妈去！"

晓荷还没走出屋门，招弟跑进来。"爸爸！爸爸！"她慌慌张张的，几乎被地上的东西绊倒。

"怎么啦？又是什么事？"

"妈，妈教人家拿了去啦！"招弟说完，一下子坐在了地上。

"你妈——"晓荷说不上话来了。

"我找她去要点钱，正赶上，她教人家给绑了出来！"

"绑——"晓荷的泪整串的流下来。"咱们完了!完了!我作了什么错事?教我受这样的报应呢?家产完了,你妈妈再有个好歹,剩下咱们三个怎么活着呢?"

父女三个全都闭上了嘴。

愣了半天,招弟立起来,说:"爸爸!去救妈妈呀!妈妈一完,咱们全完,我简直的不敢想:好吗,真要是没漂亮的衣服,头发一个月不烫一次,我怎么活下去呢?"

晓荷的想法和招弟的一样。他知道没有了所长太太,便没了一切。他须赶快去营救她。可是,他胆子小,他怕,怕出去一奔走,把自己也饶在了里面。他是大赤包的丈夫,大赤包要是真犯了罪,日本人也许不会不想到了他。他不住的搓手,想不出任何主意。

"走!"招弟挺着小胸脯,说,"走!我跟你去!"

"上哪儿呢?"晓荷低着头问。

"找日本人去!"

"找哪个日本人去?"晓荷的心中像刀刺着的那么疼。平日,他以为所有的日本人都是他的朋友;今天,他才看清,他连一个日本人也不认识!

招弟偏倾着头,想了一会。"有啦!咱们先到一号去看看那个老太婆吧!有用没用的,反正她是日本人!"

晓荷的脸上立刻好看了许多。"对的!"他心里说:"反正她是日本人,任何一个日本人也比中国人强!""可是,"他问招弟:"咱们不带点礼物去吗?空着手,怎好意思去呢?"

高第冷笑了一声。

"你笑什么?"招弟美丽的眼睛里带着微怒。"平日,你什么都不管!现在,妈妈教人家抓了去,你还看哈哈笑!你愿意妈妈死在狱里,好教咱们也都饿死,是不是?"

高第也立起来。"你们只看见了妈妈,可是没有看见妈妈的罪恶!我决不能盼望她死,她是我的母亲!我可是也决不能因为她是我的妈妈,就说她的行为都对!我没有多少本事,可是我愿意去找个小事情,清清白白的挣一碗饭吃。"

晓荷转向大女儿："高第，你一向就别扭，到如今大祸临头还是这么别扭！好啦，你看家，我和招弟出去，这总行了吧?"

高第还想说话，可是只叹了一口气。

招弟开始抹口红，和往脸上加香粉。整妆完毕，她拉着晓荷走出去。刚到一号门口，晓荷必恭必敬的把脚并齐，预备门一开便深深的鞠躬。招弟叩门。

老太婆来开门。刚一看清楚门外的人，她把门又关上了。

冠家父女愣住了。

"事情严重了！严重!"晓荷告诉招弟。"你看，你妈妈刚刚出了事，立竿见影，人家马上不搭理咱们了！这，这怎么办呢?"

招弟挂了火："爸爸你回家，我跑一跑去！我有朋友！我必能把妈妈救出来!"说完，她跑出胡同去。

晓荷独自回了家。更迫要的是大已黑上来，他的腹中已开始咕噜咕噜的响。

高第正收拾屋子。晓荷看着女儿操作，心中非常的难过，不是为心疼女儿，而是为他的女儿居然亲自动手收拾屋子，实在有失体统。最后，他说了话：

"高第！晚饭怎么办呢?"

高第还继续的工作，只回答了声："你去买几个烧饼，我把火生上，烧点开水，对付对付吧!"

晓荷不能出去买烧饼，那太丢人！他可是没敢出声。他开始看见了真的困苦。他的眼前是黑暗与最大的耻辱——得自己去买烧饼！他轻轻的走出去，在院子里来回的转。这是他自己的院子，可是他丢失了安全与舒适。走了一会儿，他感到寒冷，肚子也越来越饿。他想出去买烧饼——肚子是不大管脸面与耻辱的。几次，他走到街门，又折了回来。不，他宁可挨一夜的饥饿，也不能丧失自己的体面！好吗，今天他要是肯打破了自己的脸去买烧饼，明天他大概就甘心作个"无耻之徒"了！

他又进到屋中。

"爸爸，你不是饿了吗？怎么不去买烧饼呢?"高第问。

417

晓荷不肯开腔。他觉得高第绝不会了解他，所以用不着多费话。

"饿了吧？好，我买烧饼去，就手儿捎一壶开水来省得再生火！"高第拍了拍身上的灰土，要往外走。

"你——"晓荷要阻拦她。他的女儿去买烧饼，打开水，与他自己去，是一样的丢人！可是，烧饼到底是可以充饥的东西，他又不便过度的和肚子闹别扭。在以吃为最主要的成分的文化里，人是要有"理想"，而同时又须顾及实际的。

高第跑出去。

剩下他自己，他觉得凄凉黯淡。他很想悬梁自尽，假若不是可能在五分钟内就吃上烧饼的话。

高第买回了烧饼来。晓荷含着泪吃了三个。

吃完。他马上想起睡的问题来——没有被子！他不敢向高第要主意，高第不了解他。他又没法不向她要主意，他自己想不出办法。他的文化使他生下来便包在绣花被子里，凡事都由别人给他预备得妥妥当当的，用不着他费心费力。赶到长大成人，他唯一的才智便是怎么去役使别人，利用别人，把别人用血汗作成的东西供他享受。

"爸爸！盖上我的褥子和大衣，先睡吧！我等着招弟！"高第把自己的褥子取过来。

晓荷躺在了床上。他以为一定睡不着。可是，过了一会儿，他打开了呼。

第二部　事在人为

一

恰巧丁约翰在家。要不然，冠晓荷和高第就得在大槐树下面过夜。

晓荷，盖着一床褥子与高第的大衣，正睡得香甜，日本人又回来了。

"醒醒，爸！他们又来了！"高第低声的叫。

"谁？"晓荷困眼矇眬的问。

"日本人！"

晓荷一下子跳下床来，赶紧披上大衣。"好！好得很！"他一点也不困了。日本人来到，他见到了光明。他忙着用手指拢了拢头发，抠了抠眼角；然后，似笑非笑，而比笑与非笑都更好看的，迎着日本人走。他以为凭这点体面与客气，只需三言五语便能把日本人说服，而拿回他的一切东西来。他深信只有日本人是天底下最讲情理的，而且是最喜欢他的。

见到他们，（三个：一个便衣，两个宪兵）晓荷把脸上的笑意一直运送到脚指头尖上，全身像刚发青的春柳似的，柔媚的给他们鞠躬。

便衣指了指门。晓荷笑着想了想。没能想明白，他过去看了看门，以为屋门必有什么缺欠，惹起日本人的不满。看不出门上有什么不对，他立在那里不住的眨巴眼；眼皮一动便增多一点笑意，像刚睡醒就发笑的乖娃娃似的。

便衣看他不动，向宪兵们一努嘴。一边一个，两个宪兵夹住他，往外拖。他依然很乖，脚不着地的随着他们往外飘动。到了街门，他

421

们把他扔出去；他的笑脸碰在地上。

高第早已跑了出来，背倚影壁立着呢。

慢慢的爬起来，他看见了女儿："怎回事？怎么啦？高第！"

"抄家！连一张床也拿不出来了！"高第想哭，可是硬把泪截住。
"想办法！想办法！咱们上哪儿去！"

晓荷不再笑，可也没特别的着急："不会！不会！东洋人对咱们
不能那么狠心！"

"日本人是你什么？会不狠心！"高第搓着手问。假若不是几千年
的礼教控制着她，她真想打他几个嘴巴！

"等一等，等着瞧！等他们出来，咱们再进去！我没得罪过东洋
人，他们不会对我无情无理！"

高第躲开了他，去立在槐树下面。

晓荷必恭必敬的朝家门立着。等了半个多钟头，日本人从里面走
出来。便衣拿着手电筒，宪兵借着那点光亮，给街门上贴了封条。

晓荷的心仿佛停止了跳动。可是，像最有经验的演员，能抱着病
把戏演到完场，他还向三个人的背影深深的鞠了躬。鞠完躬，他似乎
已筋疲力尽，一下子坐在台阶上，手捧着脸哭起来。他的历史，文
化，财产，享受，哲学，虚伪，办法，好像忽然都走到尽头。

高第轻轻的走过来："想办法！哭有什么用？"

"我完啦！完啦！"他说不下去了，因为心中太难受。用力横了一
下心，才又找到他的声音："我去报告，报告！"他猛的立起来。"那
三个必不是真正东洋人，冒充！冒充！真东洋人决不会办这样的事！
我去报告！"

"你混蛋！"高第向来没有辱骂过父亲，现在她实在控制不住自己
了。"日本人抄了你的家，你怎么还念叨他们呢？难道这个封条能是
假的？要是假的，你把它撕下来！"她的喉中噎了一下，说不上话来。
用力嗽了几下，她才又说："上哪儿去？不能在这儿冻一夜！"

晓荷想不出主意。因人成事的人禁不住狂风暴雨。

高第去叫祁家的门。

祁家的大小，因天寒，没有煤，都已睡下。韵梅听见拍门，不由

的打了个冷战。瑞宣也听见了，马上要往起爬。"不是又拿人呀？"韵梅拦住了他，而自己披衣下了床。她轻轻的往外走；走到街门，她想从门缝先往外看看。可是，天黑，她看不见任何东西；大着胆，她低声问了声："谁？"

"我，高第，开开门！"高第的声音也不大，可是十分的急切。

韵梅开了门。高第没等门开利落便挤了进来，猛的抓住韵梅的手："祁大嫂，我们遭了报！抄了家！"

韵梅与高第一齐哆嗦起来。

瑞宣不放心，披着大衣赶了出来。"怎回事？怎回事？"他本想镇定，可是不由的有点慌张。

"大哥！抄了家！给我们想想办法！"高第的截堵住许久的泪落了下来。

瑞宣又问了几句，把事情大致的搞清楚。他愿意帮忙高第，他晓得她是好人。可是，为帮忙她，也就得帮忙冠晓荷；他迟疑起来。他的善心，不管有多大，也不高兴援助出卖钱默吟的，无耻的冠晓荷。

韵梅不高兴给冠家作什么，不是出于狠心，而是怕受连累。在这年月，她晓得，小心谨慎是最要紧的事。

高第看出瑞宣夫妇的迟疑，话中加多了央告的成分："大哥！大嫂！帮我个忙，不用管别人！冬寒时冷的，真教我在槐树底下冻一夜吗？"

瑞宣的心软起来，开始忘了晓荷，而想怎么教高第有个去处。"大小姐，小文的房子不是还空着？问问丁约翰去！"

韵梅也忘了小心谨慎。"你自己去一趟，他看得起你，不至于碰了钉子！好吗，真要在树底下蹲一夜，还了得！"

约翰恰巧在家。这整个的院子是由他包租的，他给了瑞宣个面子。"可是，屋子里什么也没有啊！"

"先对付一夜再说吧！"瑞宣说。

韵梅给高第找来一条破被子。

大家都没理会晓荷，除了丁约翰给了他两句："日本人跟英国人

423

不同，你老没弄清楚。日本人翻脸不认人，英国人老是一个劲儿。不信，你问问祁先生！"

晓荷没敢还言。可是，也并没感激瑞宣与约翰，因为他只懂得人与人之间的互相利用，而不懂得什么叫善心与友情。他以为他们的帮忙是一种投资：虽然他今天丢失了一切，可是必能重整旗鼓，（只要东洋人老不离开北平！）再跳动起来，所以他们才肯巴结他。

坐着约翰给拿来的小板凳，腿上盖着祁家的破被子，晓荷感到寒冷，痛苦，可是心中还没完全失望。每一想到大赤包，他就减少一点悲观，也就不由得说出来："高第，不用发愁！只要你妈妈一出来，什么都好办！"

"你怎么知道她可以出来？"高第没有好气的问。

"你还能盼她永远不出来？"

"我不能盼她，可是我也知道她都作了什么事！"

"什么事？难道她给我们挣来金钱，势力，酒饭，热闹，都不对吗？"

高第不愿再跟他费话。

第二天，全胡同的人都看见了冠家大门上的封条，也就都感到高兴。大家都明白日本人的狠毒——放任汉奸作恶，而后假充好人把汉奸收拾了；不但拿去他们刮来的地皮，而且没收了他们原有的财产。虽然如此，大家，看见那封条，还是高兴；只要他们不再看见冠家的人，他们便情愿烧一股高香！

他们没想到，晓荷会搬到六号院子去。不过，这点失望并没发展成仇视与报复；他们都是中国人，谁也不好意思去打落水狗。他们都不约而同的不再向晓荷打招呼——这点冷酷的冷淡，在他们想，也满够冠晓荷受的了！

可是瑞丰是个例外。他看，这是和冠家恢复友好的好机会。他必须去跟晓荷聊天扯淡。而且，假若乘冠家正倒霉的时节去献殷勤，说不定可以把高第弄到手。尽管高第不及招弟貌美，可是有个老婆总比打光棍儿强。这是他的机会，万不可失的机会。

"干什么去？老二！"瑞宣吃过早饭，见瑞丰匆匆忙忙的往外走，这样问。

"看看冠先生去。"老二颇高兴的回答。

"干吗？"

"干吗？喊！大哥你不是还帮忙给他找住处吗？"

瑞宣在昨天夜里，就迟疑不定，是否应当帮这点忙。他最怕因善心而招出误解——像老二的这种误解。这种误解至少会使他得到不明是非，不辨善恶的罪名。听到老二的话，他的脸马上变了颜色。几乎是怒叱着，他告诉老二："我不准你去！"

"怎么？"老二也不带好气的问。

"不怎么！我不准你去！"瑞宣不愿解释什么，只这样怒气冲冲的喊。

天佑太太明白老大的心意——他的善心是有分寸的，虽然帮了冠家一点忙，而仍不愿与晓荷为友。她说了话："听你哥哥的话，老二！"

瑞丰非常的不高兴。扬着小干脸说："好，好，我不去了还不行吗？哼！这儿没有一丁点自由，我知道！"说完，他气哼哼的走进屋里去。

瑞宣真愿意大吵大闹一顿，好出出心中的恶气，可是看了看妈妈，他把话都封锁在心里。匆忙的戴上帽子，他走了出去。

刚一出门，他遇上了冠晓荷！

晓荷向来不这么早起来；今天，因为屋中冷得要命，他只好早早的出来活动活动半僵了的腿。小羊圈的人们多数是起床很早的，他遇见了好几位邻居。他不知道怎么办好：对他们递个和气吗，未免有失身分；虽然他目下的时运不太好，可是冠晓荷到底是冠晓荷，死了的骆驼总比驴大！要是不招呼他们吧，似乎又有点别扭；他觉得自己现在是"公子落难"，理应受到大家的体贴与安慰；大家一定很爱听一听他的遭遇，而他有对他们讲一讲的责任。

可是大家谁也没招呼他。他们只看他一眼，而后把眼移到那张封条上去，而后淡然的走过去，好像他与封条是属于同一类的东西。

一眼看到瑞宣，他以为得到了发发牢骚的机会。平日，他总以为

425

瑞宣高傲，冷酷，不和群儿；现在，他看瑞宣是比全胡同的男女老少都更精明，因为瑞宣看出来死骆驼比驴大的意思。

"瑞宣！"晓荷叫得亲切而凄凉："瑞宣！"他的脸上挂着三分笑意，七分忧惨，很巧妙的表示出既不完全悲观，而又颇可怜来。

瑞宣连点头也没有点，昂然的走开。

晓荷倒没怎么难过，他原谅了瑞宣："这并不是瑞宣敢对我摆架子，而是英国府的关系！"正在这么自言自语的，高第半掩着门叫他："你进来，爸！"

进到屋中，晓荷看了看四角皆空的屋子，又看了看没有梳妆洗脸的女儿，他干咽了几口。

"爸！你有主意没有？"高第干脆的问。

"啊——"他想了一想．"咱们银行里还有钱！看，"他由怀里掏出支票本子来，"我老把这个宝贝本子揣在怀里！哪时用钱，哪时刷刷的一写，方便！你妈妈的那本，我可不知道放在哪儿了！"

"日本人抄了咱们的家，还给咱们留下钱？倒想得如意！"

"怎么？怎么？钱也抄了去？"晓荷着了急。"不能！不能！"

"你不记得李空山的事？"

"嗯——"他答不出话来，头上忽然出了汗。

"不要再作梦！"

"我走，到银行看看去！"

"爸，你听着！我手里还有一点点钱。我去托李四爷先给咱们买两张破床，跟一些零碎东西。我呢，赶紧出去找事。找到了事，我养活你！可有一样，不准你再提日本人，再想帮助日本人；是这样，我马上出去找事；不是这样，我走！"

"上哪儿？"

"哪儿不可以去？"

"你看你妈妈出不来了？"

"不知道！"

"你去找什么事？"

"能干的就干！"

426

"我先上银行去，咱们回头再商量好不好？"

"也好！"

晓荷没雇车，居然也走到了银行。银行拒绝兑他的支票。

他生平第一次，走得这么快，几乎是小跑着，跑回家来。

"怎样？"高第问。

他说不出话来。他仿佛已经死了一大半。他一个钱也没有了——而且是被日本人抢了去！

好久好久，他才张开口："高第，咱们赶紧去救你妈妈，没有第二句话！她出来，咱们还有办法；不然……"

"她要真出不来呢？"

"托人，运动，没有不成功的！"

"又去托蓝东阳，胖菊子？"

晓荷的眼瞪圆。"不要管我！我有我的办法！"

高第没再说什么。她找到李四爷，托他给买些破旧的东西。然后，她自己到街上买了一个小瓦盆，一把砂壶，并且打了一壶开水，买了几个烧饼。

吃过了烧饼，喝了口开水，晓荷到处去找他的狐朋狗友。这些朋友，有的根本拒绝见他，有的只对他扯几句淡。

连着十几天，他连大赤包的下落也没打听出来。他可是还不死心。他以为自己虽然不行，招弟可一定有些办法。她在哪儿呢？他开始到处打听招弟的下落。招弟仿佛像一块石头沉入了大海。

二

大赤包下狱。

她以为这一定，一定，是个什么误会。

凭她，一位女光棍，而且是给日本人作事的女光棍，绝对不会下狱。误会，除了误会，她想不出别的解释。

"误会，那就好办！"她告诉自己。只要一见到日本人，凭她的口才，气派，精明，和过去的劳绩，三言两语她就会把事情撕掳清楚，而后大摇大摆的回家去。

可是三天，五天，甚至于十天，都过去了，她并没有看见一个日本人。一天两次，只有一个中国人扔给她一块黑饼子，和一点凉水。她问这个人许多问题，他好像是哑巴，一语不发。她没法换一换衣裳，没地方去洗澡，甚至于摸不着一点水洗洗手。不久，她闻见了自己身上的臭味儿。她着了慌。她开始怀疑这到底是不是个误会！

她切盼有个亲人来看看她。只要，在她想，有个人来，她便会把一切计划说明白，传出去，而后不久她便可以恢复自由。可是，一个人影儿也没来过，仿佛是大家全忘记了她，要不然就是谁也不晓得她被囚在何处。假若是前者，她不由的咬上了牙：啊哈——！大家平日吃着我，喝着我，到我有了困难，连来看我一眼都不肯，一群狗娘养的！假若是后者——没人知道她因在哪里——那可就严重了，她出了凉汗！

她盘算，昼夜的盘算：中国人方面应当去运动谁，日本人方面应该走哪个门路，连对哪个人应当说什么话，送什么礼物，都盘算得有条有理。盘算完一阵，她的眼发了亮；是的，只要有个人进来，把她

428

的话带出去，照计而行，准保成功。是的，她虽然在进狱的时候有点狼狈，可是在出狱的时候必要风风光光的，她须大红大紫的打扮起来，回到家要摆宴为自己压惊。

她特别盼望招弟能来。招弟漂亮，有人缘儿，到处一奔走，必能旗开得胜。可是，谁也没来！她的眼前变成一片乌黑。"难道我英雄了一世，就这么完了吗?"她问自己，问墙壁，问幻想中的过往神灵。白问，丝毫没有用处。她的自信开始动摇，她想到了死！

不，不，不，她不会死！她还没被审问过，怎会就定案，就会死？绝对不会！再说，她也没犯死罪呀！难道她包庇暗娼，和敲妓女们的一点钱，就是死罪？笑话！哪个作官的不搂钱呢？不为搂钱，还不作官呢，真！

她想起来，自己的脾气太暴，太急，所以就这么快的想到了死！忍着点，忍着点，她劝慰自己，只要一过堂，见到日本法官，几句话她便能解释清楚一切，而后安然无事的回家。这么一想，她得到暂时的安慰与镇定。她整一整襟，拍拍头发，耐心的等着过堂受审；什么话呢，光棍还能怕吃官司？她抿着嘴笑起来。

一天天的过去了，没有人来传她过堂。她的脸上似乎只剩了雀斑与松皮，而没了肉。她的飞机头，又干，又乱，像拧在一处的乱麻，里边长了又黑又胖的虱子。她的眼睛像两个小火山口儿，四圈儿都是红的，两手老在抓挠。抓完了一阵，看看手，她发现指甲上有一堆儿灰白的鳞片，有时候还有一些血。她的脚踵已冻成像紫里蒿青的两个芥菜疙疸。她不能再忍。抓住狱房的铁栏杆，她拼命的摇晃，像一个发了狂的大母猩猩。她想出去，去看看北海，中山公园，东安市场，和别的地方。她想喝丁约翰由英国府拿来的洋酒，想吃一顿由冠晓荷监造的饭食。至少，她要得到一点热水，烫一烫她的冻疮！

把手摇酸，铁栏杆依然挡着她的去路。她只好狂叫。也没用。慢慢的，她坐下，把下巴顶在胸上，听着自己咬牙。

除了日本人，她怀恨一切她所认识的老幼男女。她以为她的下狱一定和日本人无关，而必是由于她的亲友，因为嫉妒她，给她在日本人面前说了坏话。咬过半天牙以后，她用手托住脑门，怀着怒祷告：

"东洋爸爸们，不要听那些坏蛋们的乱造谣言！你们来看看我，问问我，我冤枉，我是你们的忠臣！"

并没有十分睡熟，只是那么似睡非睡的昏迷：一会儿她看见自己，带着招弟，在北海溜冰大会上，给日本人鞠躬；一会儿她是在什么日本人召集的大会上，向日本人献花；一会儿她是数着妓女们献给她的钞票。这些好梦使她得到些甜美的昏迷，像吃了一口鸦片烟那样。她觉得自己是在往上飞腾，带着她的臭味，虱子，与冻疮，而气派依然像西太后似的，往起飞，一位肉体升天的女光棍！

忽然的一股冷气使她全身收缩，很快的往下降落，像一块脏臭的泥巴，落在地上。她睁开了眼，四围只有黑暗，污浊，恶味，冷气，包围着她，一个囚犯。她不由的又狂叫起来。怒火燃烧着她的心，她的喉咙，她的全身——她忘记了冷，解开衣上的纽扣，露出那松而长的双乳，教墙壁看："你看，你看，我是女的，女光棍！为什么把我圈在这里？放我出去！"她要哭，可是哈哈的狂笑起来。三把两把的把衣服脱掉，歪着头，斜着眼，扭着腰，她来回的走。"你看，看！"她命令着墙壁："看我像妓女不像？妓女，窑子，干女儿，钞票，哈哈！"

由栏杆的隙缝中，扔进来一块黑的饼子和一小铁筒水。她赤着身，抓住铁栏杆，喊："嗨！就他妈的这么对待我吗？连所长都不叫一声？我是所长，冠所长！"而后，像条疯狗似的，爬在地上，喝了那点水。舔着嘴唇，她拾起那块黑饼，闻了闻，用力摔在墙上。

在她这样一半像人，一半像走兽，又像西太后，又像母夜叉，在狱中忽啼忽笑的时节，有多少多少封无名信，投递到日本人手里控告她。程长顺的那个状子居然也引起了日本人的注意。同时，颇有几位女的，因想拿大赤包的地位，不惜有枝添叶的攻击她，甚至于把她的罪状在报纸上宣布出来，把她造成的暗娼都作了统计表揭露在报纸上。

冬天过去了。春把北平的冰都慢慢的化开，小溪小湖像刚刚睡醒，一睁眼便看见了一点绿色。小院的墙角有了发青的小草，猫儿在墙头屋脊上叫着春。

大赤包的小屋里可没有绿草与香花。她只看见了火光，红的热辣辣的火光，由她的心中烧到她的口，她的眼，她的解了冻的脚踵。她自己是红的，小屋中也到处是红的。她热，她暴躁，她狂喊。她的声音里带着火苗，烧焦了她的喉舌。她用力喊，可是已没有了声音；嗓子被烧哑。她只能哼吃哼吃的出气，像要断气的母猪。

她把已长满了虱子的衣服，一条条的扯碎。没有可撕拉的了，她开始扯自己的头发，那不知曾经费过多少时间与金钱烫卷的头发。她握着拳击打尤桐芳，可是打在墙上，手上出了血。她扯着自己的头发叫骂："臭娘们，撕碎你！"她撕扯，撕扯，已分不清撕扯的是臭娘们，还是她自己。虽然没有了声音，她却依然喊叫。她喊叫汽车夫，怒叱着男女仆人与小崔，高叫着"皇军胜利！"虽然只有她自己知道她喊叫的是什么，可是她以为全世界都听见了她。疲乏了，停止喊叫，她却还嘟囔着：打！打！打！她的脑中一会儿出现了一群妓女，一会儿出现了几个亲友；打，打，打，她把那些影子都一一的打倒，堆在一块，像一座人山，她站在山巅上；她是女英雄，女光棍，所长！

慢慢的，她忘了自己。一会儿她变成招弟，打扮得花枝招展的，拉着一个漂亮的男子，在公园调情散步；一会儿她变成个妓女，疯狂的享受着爱的游戏。忽然的，她立起来，像公鸡搔土似的，四处搜寻，把身子，头，手脚，碰在门上，墙上。"我的钞票呢？钞票呢？谁把我的钱藏起来？谁？藏在哪儿？"碰得浑身是血，她立定了不动。歪着头，她用心的听着，而后媚笑："来了！来了！你们传冠所长过堂吧？"

可是，连个人影也没有。她的怒火从新由心中燃起，烧穿了屋顶，一直烧到天空，半空中有红光结成的两个极亮的大字：所长！

看着那两个大的红字，她感到安慰与自傲，慢慢的坐下去。用手把自己的粪捧起来，揉成一个小饼，作为粉扑，她轻轻的，柔媚的，拍她的脸："打扮起来，打扮起来！"而后，拾起几条布条，系在头发上："怪年轻呀，所长！"

她已不辨白天与黑夜，不晓得时间。她的梦与现实已没有了界线。她哭，笑，打，骂，毫无冲突的可以同时并举。她是一团怒火，

431

她的世界在火光中旋舞。

最后，她看见了晓荷，招弟，高亦陀，桐芳，小崔，还有无数的日本人，来接她。她穿起大红的呢子春大衣，金的高跟鞋，戴上插着野鸡毛的帽子，大摇大摆的走出去。日本人的军乐队奏起欢迎曲。招弟献给她一个鲜花篮。一群"干女儿"都必恭必敬的向她敬礼，每人都递上来一卷钞票。她，像西太后似的，微微含笑，上了汽车："开北海。"她下了命令！

汽车开了，开入一片黑暗。她永远没再看见北海。

当大赤包在狱里的时候，运动妓女检查所所长这个地位最力的是她的"门徒"，胖菊子。

胖菊子决定把自己由门徒提升为人师。她开始大胆地创造自己的衣服鞋帽，完全运用自己的天才，不再模仿大赤包。她更胖了，可是偏偏把衣服作得又紧又瘦，于是她的肥肉都好像要由衣服里钻了出来。蓝东阳很喜爱她的新装束，而且作了他自认为最得意的一首诗：

"从衣裳外面，我看到你的肉；

肉感的一大堆灌肠！"

她不喜爱他，更不喜爱他的诗。可是，她的胖脸上，为他，画出几根笑纹来。她必须敷衍他，好能得到他的协助，而把"所长"弄到她的胖手里。一旦她作了所长，她盘算，她就有了自己的收入，地位，权柄，和——自由！到那时候，她可以拒绝他的臭嘴，绿脸，和一块大排骨似的身体。他若是反抗，她满可以和他翻脸。当初，她跟从了他，是为了他的地位；现在，假若她有了自己的地位，她可以毫不留情的一脚踹开他。

穿着她的紧贴身的衣裳，她终日到处去奔走。凡是大赤包的朋友，胖菊子都去访问，表示出："从今以后，我是你们的领袖了。你们必须帮助我，而打倒大赤包！"

奔走了几天，事情还没有一点眉目。胖菊子着了急。

东阳在这几天，差不多是背生芒刺，坐卧不安。一想到若能把大赤包的地位，收入，拿到自己家中来，他的浑身就都立刻发痒：于

432

是，他就拼命去奔走，去写诗，去组织"讨赤团"。这末一项是他独自发动，独自写文章，攻击大赤包，而假造出一些人名，共同声讨，故名曰"团"。他的第一篇文章里有这样的句子："夫大赤包者，绰号也。何必曰赤？红也！红者共产党也！有血气者，皆曰红者可死，故大赤包必死！"他非常满意这几句文章，因为他知道，在今天，只要一说"红"，日本人就忘了黑白。这比给大赤包造任何别的罪名都狠毒。

三

招弟，自从家中被抄，就没再回家。她怕家中再出了什么意外，而碰到像什么把她也绑了走的事。她可是一心一意的要救出妈妈。没有妈妈，她看出来，她便丢失了一切。

在她学戏的时候，她曾经捧过一位山票及们下海的女伶——粉妆楼。她找了这位粉妆楼去，三言两语的就住在了那里。

粉妆楼有许多朋友，一天到晚门庭若市。招弟便和这些人打成一气，托他们营救大赤包。

在旧日的亲友中，她也去找过几位，大家对她可是都很冷淡。有的甚至当面告诉她："我们怕连累，请你不要再来！"

在粉妆楼的许多男友中，有一个是给日本人作特务的。他，黄醒，是个漂亮的青年。他的长相好，装束好，老带着手枪。他知道自己体面，所以无论在什么时候，他老把一点不必需的媚笑放在脸上，以便加多他的体面。他知道自己的装束好，所以一天到晚老在扯扯领子，提提裤子，或正正衣襟。在手枪而外，他还老带着一面小镜子，时时的掏出来照照自己的脸，有时候连牙床儿都照到。

跟招弟谈了一会儿，黄醒明白了她的困难。他愿意帮她的忙，而且极有把握；只要她跟他走一趟，去见一个人，大赤包就能马上出狱！

招弟喜出望外的愿意跟他去。

他把招弟带到东城，离城根不远的孤零零的一所房子里。进去，他把她介绍给一个日本人。转眼之间，黄醒不见了，招弟开始怀疑这是怎回事。日本人详细的问了她的履历，她一边回答，一边把大赤包

434

的事提出来。他把她的履历都记录下来，对大赤包的事没说什么。然后，他领她到一间小屋，很小，只有一床一椅。

"这是你的屋子。记清楚，一〇九号。以后，你就是一〇九号，没人再叫你的姓名。"说完，日本人向外面喊了声：

"一〇四号！"

不大的工夫，进来个与招弟年纪相仿佛的女子。极恭敬的向日本人敬礼，而后她笔直的立定。

"告诉她这里的规矩！"日本人走了出去。

招弟的心要跳出来，想赶快逃跑。一〇四号拦住了她："别动！这里，进来的就出不去！"

"怎回事？怎回事！"招弟急切的问。

"待下去自然就明白了，用不着大惊小怪的！"

"放我出去！放我走！我还有要紧的事呢！"

"放了你？这里还没放过一个人！"一〇四号毫不动感情的说。

"我必得出去，得去救我的妈妈！"

"在这里待下去，将来立了功就能救你的妈妈！"一〇四号笑了笑，笑得极短，极冷，极硬。

"真的？"招弟不相信一〇四号的话。

"信不信由你！"一〇四号又那么笑了一下，而后开始告诉招弟此处的规矩。

招弟的心凉了半截。她一向没受过任何拘束，根本不懂得规矩两个字怎么讲。可是，这里一切都有规矩，仿佛要把活人变成机器！她哭了半夜。

好容易才睡着了，可是不久她被铃声吵醒，天还不十分亮呢。一〇四号在门外低声的说："快起，你！迟到一会儿，打个半死！"

招弟颤抖着爬了起来，迷迷糊糊的往外跑。天很冷，冷气猛的打在她的脸上，她似乎才醒利落。马上，泪又迷住她的眼。跑到盥洗处，她只含了口水漱漱嘴，捧了一把水抹抹脸，就赶紧离开，恐怕迟到挨打。手揉着眼，她随着大家——一共有四十多个青年男女——跑进后院的一块空地去集合。

435

空地的三面是高墙，墙头上密扎铁网；另一面是房子，山墙上有几个方方的洞儿。院子的东墙外，不远，便是城墙；那灰黑的，高大的，城墙，不声不响的看着院内。

地是光光的，冰硬的，灰黄的，城墙是灰黑的，坚硬的，光光的。天是灰碌碌的，阴寒的，光光的。招弟由地看到城墙，再看到天，作梦她也没梦过这么可怕的地方。一切是灰的，冷的，静的，光光的，她不敢再看。即使不看，她还觉得到那冷气，和灰暗，像要把她冻僵，凝结在灰暗里。她想抓住谁的胳臂，好使自己立稳。她浑身都发颤，能听到自己的牙响。

男的在前，女的在后，大家站成一排，面对着有方孔的山墙。由一〇五号到一〇九号立在最后，大概都是新进来的，神情上都显出特别的不自然与不安。

大家站好了，息了，四位教官，三个日本人，一个中国人，才全副武装的，极庄严的，由前院走来。队长喊了敬礼。三个日本教官还礼，眼珠由排头看到排尾，全身都往外漾溢杀气，严肃，与得意。

中国教官向日本人们敬过礼，而后大转大抹的，像个木头人似的，转向了队伍，把鞋跟磕得像小爆竹那么响。他开始训话。说了几句关于全体学员的话，他叫新来的几个号数："向前五步——走！"

招弟看了看左右的同伴，而后随着他们向前走。

中国教官嗽了一声，相当亲热的说："你们已经知道了这里的规矩，不必我再重复。现在是你们最后的机会，来决定你们到底愿意在这里不愿意。有不愿意的，请再向前走五步！"

没有人敢动。后面的老学员们似乎已都停止了呼吸。招弟想往前走，可是她的脚已不会迈动。她向左右看，左右的人也正看她。

"没有？"教官催问了一声。

在招弟左边的一个小姑娘，看样子不过十六七岁，扁扁的脸，红红的腮，身体不高，而颇粗壮，模样不俊，而颇浑厚可爱，猛的向前走去。

"好！"教官笑了笑。"还有没有？"

招弟要迈步，可是被身旁的一个女的拉住。她晃了晃，又立定。

"好，你过来！"教官向扁脸红腮的小姑娘说。她迟疑了一下，而后很勇敢的往前走；口中冒着些白气。

"这边！"教官把她领到房子的山墙下，叫她背倚着墙上的一个小方洞。这时候，太阳上来了，把灰碌碌的天空忽然照红，多半个天全是灰红的，像淤住了血。城墙更黑了，而院中的墙与人都清楚了点儿。扁脸姑娘的身上都发了红，口中的白气更白了。一个日本教官跳起来，手一扬，喊了声："好的！"屋里边开了枪，小姑娘，口中还冒着点白气，像块木板似的，往前栽倒。天上更红了，地上流着血。

"归队！"中国教官向招弟们说。

招弟不晓得怎么退回去的。她的眼前已没有了别的东西与颜色，只有一片红光由地上通到天空，红光里有些金星在飞动。

"向左转！跑步！"教官发了命令。

招弟跑不动。可是，有那具死尸躺在那里，她不敢不跑。每逢跑到死尸附近，她就想闭上眼。可是，不知怎么的，她偏偏看见了它，与地上的血。她透不过气来，又不敢站住。她张着口，双手捧着小肚子，肠子仿佛要扯断了似的。忍着疼，她东一脚西一脚的乱晃，仿佛是个醉鬼。不久，她的眼前遮上了一块红幕，与红的天，红的血，联接到一处。她忘了自己，忘了一切，只觉得天地，红的天地，在旋舞转动。

她不晓得什么时候，和怎么，进到屋中。睁开眼，她是在床上躺着呢，已经正午。

她没再落泪。不敢想什么。她惜命，决定不去靠一靠墙上的方洞儿。

青春是铁，环境是火炉。过了一个月，她又"活"了。她不再怕血与死，她的心已变成了石头的。她忘了以前小姐的生活，不再往手指甲上涂上蔻丹，而变成了个新的招弟。这个新招弟，她自己盘算，将要比她的妈妈更厉害，更毒辣。以前，她只知道利用花般的容貌，去浪漫，去冒险；现在，她将把花容月貌加上一颗铁石的心，变成比妈妈还伟大许多的女光棍。不错，她的妈妈是还在狱里，可是她不能不感谢日本人给了她个机会，使她有了前途。她想：只要她立点功，

437

她一定能把妈妈救出来。等妈妈恢复了自由,她们俩并肩立在一处,必能教全北平城都发抖!

春天过去了,招弟受完了训。

她希望得一只手枪。没有得到。

她希望得到一些足以使她兴奋的工作。可是她被派到火车站上,查看来往的旅客。她得到一本子照片,须一一的记住在心里,而后在车站上看有没有与相片相符的人。这点事不易作,而且毫无趣味。她须时刻的留着神,而不见得能发现一个"奸细"。她须每天改变她的化装,今天扮作乡下丫头,明天变作中年的妇人;可是老不能擦胭脂抹粉的扮成摩登小姐。她不高兴这个差遣,更不喜欢她的化装。可是,命令是命令,无法反抗。她知道反抗命令的结果是什么,她还没忘了那个扁脸的女郎。她渴望再穿上漂亮的衣服与高跟鞋,像好莱坞影片中的女间谍,来往在华丽的大旅馆与间人之间。可是,她必须去作乡下丫头!

头一天到前门车站去值班,她感到高兴。她又有了自由,又看见春暖花开的北平。及至走到了车站,她又有些害怕。不错,她是特务,有捉拿人的权柄。可是,捉拿人是不是也有危险呢?是的,她的身上有个证章;可是,它并没显露在外面,而是藏在衣裳里边;她露不出自己的威风,而只缩头缩脑的站在那里,像个乡下来的傻丫头。她感到寂寞,无聊,与寒伧。

过了一会儿,她拾起一张报纸。头一眼,她看见了妈妈的相片!大赤包已死在狱中!相片的上下左右都说明着她的贪污,罪状,与如何在狱里发狂!

看完,她的泪整串的落下来。她白受了苦,白当了特务,永远不能再看见妈妈!

隔着泪,她看见车站上来来往往的人;那么多人,可是她只剩了自己。她已没有了那爱她的,供给她一切的,妈妈!

愣了半天之后,第一个来到她心中的念头是——逃走!作了特务既没能救出妈妈来,还有什么意义呢?日本人是骗了她的妈妈,骗了她自己;她应当逃走,不再给骗她的人作爪牙!

可是，她知道自己逃不了。看着车站上来往的人，以及脚行，巡警，车站上的职员，她不知道他们之中有多少是特务，哪几个是特务。她可是准知道其中必有特务，而且不止一个。他们之中，也许有专负责监视着她的。她又看见了那个扁脸的女郎，在方洞儿前面一声没出的就栽倒在地，流尽了鲜血！

她抬头看见了城墙的垛口，觉得那些豁口儿正像些巨大的眼睛，只要她一动，就会有一粒枪弹穿入她的胸口！她颤抖了一下。她忘了作特务的兴奋与威风，而只感到多少只枪在她背后！

"好吧，"过了好大半天，她告诉自己："混下去吧！顶毒辣的混下去吧！能杀谁就杀谁，能陷害谁就陷害谁！杀害谁也是解恨的事！"

同时，高第天天出去找事，但是找不到。北平已经半死，凡是中国人的生意，都和祁天佑的布铺差不多，开着门而没有买卖；因此，到处裁人，哪儿也不肯多添吃饭的。大一点的生意，即使是饭馆子，已都不能不接受日本人的"股子"，和日本人合作。高第不高兴到这种"合作"的地方去作事，即使她能得到机会。至于官方的机关，那就更不用说，通通被日本人一手拿住，不走日本人的或汉奸的门路，不用打算得到个地位。这样，北平的躯壳虽然仍是高大宽厚的城墙，与那曾经住过多少位皇帝的亭园殿宇，可是它的心肺已完全是日本人；凡想呼吸一点空气的，得到一点血液的，都必须到日本人那里摇尾乞怜。高第不肯这么作。她亲眼看见她的母亲作了些什么，和怎样被抄家。

即使她肯去卖苦力挣饭吃，她的机会也还是不多。在太平年月，一个女人给铺户里的人们洗洗缝缝的，也能吃上三顿饭。现在铺户的人已裁减去一大半，她抢不到活计。在人家里，只有"红"汉奸才用得到仆人，高第既不愿作女仆，更不高兴作奴隶的奴隶。

已到春天，高第还没找到事。她，因心中发慌，开始觉得这是大赤包为非作恶的报应，不单她自己下了狱，而且她的女儿也得饿死！她的，和晓荷的，冬衣，刚一脱下来，便卖了出去。她不能不和父亲商议一下了："我尽到我的力量，可是没有用；怎么办呢？"

439

晓荷的答话倒很现成："我看哪，只有出嫁是个好办法！嫁个有钱的人，你我就都有了饭吃！"真的，这是他由一部历史提出的一个最妥当的结论：幼年吃父母；壮年，假若能作了官，吃老百姓；老年吃儿女。高第是他的女儿，她应当为养活着他而卖了自己的肉体。

"没有别的办法？"高第又问了一声。

"没有！"

高第偷偷的找了瑞宣去，详详细细的把一切告诉了他，并且向他要主意。

"恐怕你得走吧？此地已经死了，在死地方找不到生活！"瑞宣告诉她。

"怎么走呢？"

"当然有困难！第一是路费，第二是办出境的手续，第三是吃苦冒险。不过，走总比蹲在这里有希望！"

"爸爸呢？"

"也许我太不客气，他值不得一管！这，你比我知道的更清楚一点！"

高第点了点头。

瑞宣，仿佛是，由骨头上刮下二十块钱来，给了她："这太少点！可是至少能教你出了北平城；走出去再说吧！"

拿着二十块钱和一个很小的包裹，她没敢向父亲告别，也没敢去办离境的手续，便上了前门车站。她打听明白：若是去办离境手续，她必须说明到哪里去，去多少日子；假若到期不回来，日本人会向她家中要人；所以她宁可冒点险，而不愿给别人找麻烦。再说，她根本不知道她自己到哪里去。她大致的想了想，以为自己须先到天津，走一站说一站；就凭那二十块钱，是不会给她个详细的旅行计划的。

上了到前门去的电车，她的心跳得极快。低着头，紧握着那个小包，她觉得多少只眼都盯着她呢！过了几站，人们上来下去，似乎并没有注意她。她这才敢抬了抬眼皮。可是，正看见一个巡警，与两个日本人，上车。她的心又跳起来。她以为他们必定是来捉她的。不久，他们都下了车。她咽了一口唾沫，松了口气。她想起桐芳来。闭着口，在喉中叫："桐芳！桐芳！早知道，咱们俩要是一块逃出去，多么好！请你保佑我！教我能平安的出去！"

这是北平的一个和暖的春天，高第可没感到温暖。没了家，没了一切，她现在是独自走向不可知的地方去！看见了前门，她的心中更慌了。高大的前门，在她心中，就好像是阴阳分界的标记。下了车，她慢慢的往车站上走，她的腿似如已完全没有了力气。

开往天津的快车还有二十多分钟才开车。她低着头，立在相当长的一队旅客的后边。她的脊背上时时爬动着一股凉气，手心上出了凉汗。她不敢想别的，只盼身后赶快来人，好把她挤在中间，有点掩饰。

正在这么半清醒，半迷糊的当儿，有人轻轻的拍了拍她的肩。她本能的要跑。可是，她的腿并没有动。她只想起两个字来："完啦！"

"姐！"招弟声音极低的叫了一声。

高第全身都软了，泪忽然的落下来。好几个月了，她已没听见过这个亲密的字——姐！尽管她平日跟招弟并没有极厚的感情，可是骨肉到底是骨肉。这一声"姐"，把她几个月来的坚决与挣扎仿佛都叫散了！

没敢看招弟，她只任凭招弟拉着她的手，往人少的地方走。她忘了桐芳，忘了一切，像个迷了路的小娃娃似的，紧紧的握着妹妹的手，那小的，热乎乎的手。

出了车站，在一排洋车的后边，姐妹打了对脸。姐姐变了样子，妹妹也变了样子，彼此呆呆的看着。

对看了许久，招弟低声的问："姐，你上哪儿？"

"上天津！"

"干吗？"

"找到了事！"高第握紧了小包，为是掩饰手颤。

"什么事？"

"你不用管！我得赶快买票去！"

"不告诉我，你走不了！我是管这个的！"

"什么？"

441

"我管这个！"

"你？"高第的腿也颤起来。"妈妈怎么死的？现在，你又……难道你一点好歹也不懂？"

"我没办法！"招弟惨笑了一下，而后把语气改硬。"你好好的回家！我要是放了你，我就得受罚！"

"我是你的姐姐！"

"那也是一样！即使我放了你，别人也不会愣着不动手！走，回家！"招弟掏出一点钱来，塞在姐姐的手中，而后扯着姐姐往洋车前面走。"雇洋车，还是坐电车？"

高第回不出话来。她的手脚都不再颤，她的脸红起来，翻来覆去的，她的脑中只折腾着这一句话："报应！报应！拦阻你走的是你的亲妹妹！"

"姐，好好的回家！"招弟一边走一边说，"你要是再想跑，我可就不再客气！再说，这个车站是天罗地网，没有证据，谁也出不去！"她给高第叫了一部洋车。

高第已往车上迈腿，招弟又拉住她，向她耳语："你等着，我会给你找事作！"

高第瞪着妹妹，字从牙齿间挤出来："我？我饿死也不吃你的饭！"她把手中的一点钱扔给了妹妹。

四

进了前门不远，高第停住了车，抱歉的对车夫说："对不住，我不坐了！"给了车夫几个钱，她向西走去。她不知向哪里走呢，也不知要向哪里走呢；她只知道须走一走，好散散胸中的怒气。

迷迷糊糊的走了半天，她才知道她是顺着顺城街往西走呢。又走了一会儿，她看见路北的一座小庙，她不由的立住了。庙门，已经年久失修，开着一扇，她走了进去。她不一定要拜佛烧香，而只觉得这是个可以静静的坐一会儿，想一想前前后后的好地方。山门里一个人也没有。三面的佛殿都和庙门一样的寒伧，可是到处都很干净。这，使她心里舒服了一点。正在这么东张西望的时节，由西殿里出来一个人，钱默吟先生。他穿着一件旧棉道袍，短撅撅的只达到膝部。手中，他提着一个大粗布口袋，上面写着很大很黑的"敬惜字纸"。

老人的脸很黑很瘦，头发已花白。看见高第，他愣住了。眨了眨眼，他想了起来，极温柔的笑了笑。"高第！"紧跟着，他停止了笑，几乎有点不安的问："你怎么知道我在这里？谁告诉你的？"

高第也笑了："没人告诉我，我误投误撞的走了进来。"

老人仿佛是放了心，低声的说："别对任何人说，我在这里。这里也不是我的住处，不过有时候来，来……"老人又笑了一下。"告诉我，你干什么呢？"老人一边说，一边往正殿那边走。高第在后边跟着。他们都坐在石阶上。

高第的话开了闸，把过去几个月的遭遇都倾倒出来。老人一声不响的听着。最后，高第又提出"报应"作为结论。

老人听完，愣了一会儿，才说："没有报应，高第！事在人为，

443

不要信报应！"

"我怎么办呢？"

"等我想一想看！"老人闭上了眼。

高第似乎等不及了，紧跟着问："招弟要是也教我当特务去，我怎么办？"

"我正想这个问题！你有胆子去没有？"老人睁开眼，注视着她。

"我，有胆子也不能去，我不能给……"

"你只想了一面，没看另一面。假若你有胆子进去，把你的一切都时时的告诉我，不是极有用吗？"

"那么，我得等着她，她教我进去，我就进去？"

"一点不错！可是，"老人的眼还注视着高第的脸，"可是被他们知道了，你马上没了命，所以我问你有胆子没有！"

高第迟疑了一下。"钱伯伯，你不能给找点事作！我愿意跟着您。"

"哼，我一时还不敢用小姐们！你看，日本人喜欢造就女间谍，一来是因为他们看不起女人，以为女人们胆子小，容易管束；二来是因为中国人对女的客气，女间谍容易混进内地去。至于他们自己，可不大容易受女子的骗，他们到处都给军官们，兵们，安置好妓女，伺候着他们；咱们的女间谍即使肯牺牲色相，也无从接近他们。因此，我只在万不得已的时候，男人活动不开的时候，才求女人帮帮忙。你到底敢去不敢，假若招弟找了你来？"

"我去！可是她要不找我来呢？"

"等着她！同时，我有用着你的地方，必通知你！"

"可是，我没有收入，怎么活着呢？"

"嗯，慢慢的想办法！先别愁，别急，一个人还不那么容易饿死！"

"我相信你的话，钱伯伯！回到家里，我把招弟的事告诉爸爸不告诉呢？"

"告诉他！一告诉他，他必马上找招弟去，必定到处去吹嘘他的女儿当了特务。这么一来，招弟必吃亏，而无从红起来。她红不起来，咱们就减少了一个祸害星！"

"可是她要是红不起来，也许她就不来找我，教我也去当……"

"人是活的，高第！要见机而作，不能先给自己画好了白线，顺着它走！"老人立了起来。"还有，随时跟瑞宣商议，他没胆子，可有个细心！"

高第也立起来。"钱伯伯，我以后上哪儿找你去呢？"

"这里，我要不在这里，告诉后院的明月和尚，他是咱们的人。见到他，先要说'敬惜字纸'，要不然他不相信你！"

高第随着老人，慢慢的往庙外走，看着老人手中的口袋，她好奇的问出来："钱伯伯，口袋里有什么？"

老人立住，看着她，笑了笑，没说什么。快到庙门口，老人教高第先出去："高第记住了！别对任何人说我的事！好好的回家，等着招弟，或我的消息。别着急，发愁！见机而作！你是个好孩子，我早就知道！走吧！"

高第先独自走出来。她不敢回头再看一看，知道老人不愿和她一同出来必有用意，她不便再东瞧西望的，惹老人不高兴。可是，老人的黑瘦的脸与温和的笑容，还都非常清晰的在她心中。那个形影，像发着光与热力，使她看见春天，全身都温暖起来。那个形影，像个最美丽的菩萨似的，教她感到安全，给了她无限的希望。她想到，即使马上再遇到招弟，马上去当特务，她也会连眼也不眨一下，便去冒险，牺牲；有钱先生的话在她心中，即使她马上掉了脑袋，也是舒服的！

最使她高兴的是钱先生说没有报应。这几个字揭去了她心上的一片黑云。她是她，大赤包是大赤包，她并不须替妈妈负责，承受惩罚。只要她大起胆来，敢去作钱先生教她作的事，她便能对得起自己的良心，也对得起一切的人。想明白了这一点，她的全身都感到轻松，腿上有了力气。她一气走回家来。

冠晓荷和祁瑞丰正在屋中闲扯淡。一看见他们俩，高第马上皱上了眉。她下了决心，不再对他们客气，敷衍。瞪了他们一眼，告诉他们："刚才我看见招弟来着。"

445

两个人一齐跳起来，一齐问："招弟？招弟？"

"她当了特务！"

"真的？"瑞丰狂喜的说："喝！谢天谢地！二小姐是真有两下子，真有两下子，我佩服，五体投地的佩服！"

晓荷问高第："你在哪里看见她的？"

"前门车站！"

"前门车站！"瑞丰也跟出来，点头赞叹。

"她穿着什么？"

"像个乡下丫头。"

"化装！化装！"瑞丰给下了注解。

"瑞丰，"晓荷拉住瑞丰的胳臂："走，跟我找她去！"

到了车站，二人扑了个空。招弟已离开了那里。

"大哥，交给我好啦，我去打听她在哪里。我有特务上的朋友，一定能打听得到！你先回家，咱们家里见！"瑞丰横打鼻梁的说。

"好，就那么办！我再在这儿等一会儿，家里见！"

在车站上又等了一个多钟头，晓荷还是没遇见招弟。他回了家。

第二天，冠家门上的封条被扯掉，搬来七八口子日本人。全胡同的人都把头低下去。这么小的一条胡同，倒有两个院子被日本人占据住，大家感到精神上的负担实在太重。因为讨厌日本人，他们也就更恨冠晓荷。

晓荷可是另有一个看法，他对邻居们解释："咱们必要看清楚，东洋人跟咱们是一家人。那是我的房子，我能不心疼吗？当然心疼！可是，话得从两面说，招弟现在作着他们的事，而他们又住着我的房子，这不是越来越亲热，越有交情吗？一定！"

除了这样声明，他还每见到新搬来的日本男女，都深深的鞠躬，赶上去搭讪着说几句话，并且报告一点房子的历史："这所房子是我——等我想一想啊——前六年翻修过的，砖瓦木料全骨力硬棒！下多大的雨，绝对，绝对不漏！就是呀，夏天稍微热一点，必须吗，请记住，搭个凉棚！搭上棚，地上再洒点水，我告诉您，就甭提多么舒服啦！"

瑞丰跑了一天，没打听到招弟的下落。他非常的着急。见到晓荷，他保证第二天再去打听，必定能打听出她的下落。晓荷拿出老太爷的劲儿来："好啦，瑞丰，你就多偏劳吧！你去跑跑，就省得我奔驰了！"

瑞丰可是比晓荷还更急切。他有他的盘算：假若他能找到招弟，说不定她也能把他介绍进去，他确信作特务是发财的最好的捷径。

终于招弟的住处被瑞丰设尽了方法打听到。瑞丰和晓荷像一对探险家似的，兴高采烈的来到东城根。门儿关得严严的，他们俩不敢去叫门，而恭恭敬敬的立候招弟出来。守门的在门内，早已由门缝看清楚他们。他们等了有二十多分钟，没有一个人出来。晓荷决定去叫门。他以为自己既是招弟的父亲，他必能受一番招待，不管招弟现在在这里与否。他还没把手放在门上，门开了一点。守门的，一个中国青年，低声的问："干什么？"

"找小女招弟！"晓荷装出极文雅的样子说。

"赶紧走！别惹麻烦！"守门的青年说。"我看你岁数不小了，不便去报告；你知道，在这里东张西望都有罪过！"

"行个方便，给我通报一声；冠招弟，她是我的女儿，我来看看她！"

守门的青年急了。"我是好意，告诉你赶紧走开？你要不信，我就进去报告，起码他们圈禁你半年！谁告诉你的，她在这里！"

晓荷赶紧指了指瑞丰："他！"

"走！走！"青年急切的说。

晓荷和瑞丰不肯走，他们既找对了地方，怎能不见到招弟就轻易的走开呢！？

正在这个时候由里面出来一个日本人。晓荷急忙调动两脚，要给日本人行九十度的鞠躬礼，守门的青年已经把手枪掏出来："别动！"

瑞丰要跑，青年又喊了声："别动！"

日本人一点头，青年用枪比着他们俩，教他们进去。晓荷在迈步之前，到底给日本人鞠了一个深躬。瑞丰的小干脸上已吓得没了血色。

447

到了里边，日本人问了守门的青年几句话，一转眼珠，马上看到一个极大的阴谋。他是征服者，征服者的神经不安使他见神见鬼。他首先追究，他们怎么知道招弟在这里。晓荷把这个完全推到瑞丰的身上。瑞丰很想掩护告诉他招弟的地址的那位特务，可是两个嘴巴打在他的干脸上，他吐了实话。日本人听到瑞丰的话，马上推想到："中国的特务已经不十分可靠，应当马上大检举，否则日本特务机关将要崩溃！"

瑞丰怕再挨打，不等问便连忙把他平日所认识的特务都说了出来。日本人的心中看见了：里应外合，中国的地下工作者与在日本特务机关作事的中国人，将要有个极大的暴动！

他追问瑞丰为什么交结特务？瑞丰回答："我愿意当特务！"这是个很好的回答，可是并没有能减少日本人的疑心。

为报复晓荷搁狗屎堆在他的身上，教他挨了嘴巴，他告诉日本人："是他先知道招弟作了特务，所以我才去打听她的下落。"

日本人问晓荷怎么知道招弟作了特务，晓荷决定不等掌嘴，马上把高第攀扯出来。

日本人忙起来，把晓荷与瑞丰囚起之后，马上把瑞丰提到的那些特务，一齐圈入暗室，听候审讯。

五

到晚间十点钟了，晓荷还没有回来，高第心中打开了鼓。最初，她感到欢喜，假若晓荷和瑞丰都被日本人扣下，招弟也就得受惩戒。那么，钱先生的妙计岂不是成了功？可是再一想，假若他们真被扣下，日本人也一定不会轻易放过祁家和她自己；她有点发慌。她决定先去警告祁家一下。

韵梅也正在等着瑞丰。

高第把来意说明，韵梅把瑞宣叫了起来。瑞宣听罢高第的话，马上去把祖父与母亲都叫了起来；他知道，假使日本人真来调查，他们必分别的审问祁家的每一个人，大家的话若是说得不一致，就必有危险。

高第把话又说了一遍，祁老人与天佑太太都一声没出。

瑞宣首先提议：“我们就是受刑，也不能说出钱先生来！是不是？”

祁老人点了点头。

“日本人问到老二，我们怎么回答呢？”瑞宣问。

“实话实说！”天佑太太低声而坚决的说。

“对！实话实说！”祁老人的小眼睛盯住了自己的磕膝说。“他的年纪，他的为人，他的履历，跟他愿意去当特务，都照实的说，不必造假！我们说实话，信不信全在日本人！杀剐存留，任凭他们，反正我们说的是真话！”老人把头抬起来，小眼睛看着大家。“实话，还要硬说！我活了快八十岁了，永远屈己下人，先磕头，后张嘴；现在，我明白了，磕头说好话并不见得准有好处！硬着点！”说完，老人的

449

手可是颤起来。

"我呢？大哥！也实话实说？"高第问瑞宣。

"除了遇见钱先生的那一点，都有什么说什么！他会教招弟跟你对证！"瑞宣告诉她。

"那么，我大概得下狱！"

"怎么？"韵梅问了一声。

"我为什么要离开北平？我不能自圆其说！"

"还是实话实说！"祁老人像发了怒，声音相当的大。"咱们的命都在人家手里攥着呢，干吗再多饶一面，说假话呢！"

高第沉默了半天，才说："好吧，我等着他们就是了！"

瑞宣把她送回去。

果然不出高第所料，约摸着大概刚刚五点钟吧，小羊圈来了一卡车日本人。胡同口，大槐树下，都设了临时的岗位，倒仿佛胡同里有一连游击队似的。

三个进了六号，五个进了祁家。

祁老人有了双重的准备——几年的折磨与昨晚的会商——决定硬碰硬的对付日本人。他的眼直看着他们，语声相当的高，表示出他已不再客气谦恭；客气谦恭并没救了天佑，小文，小崔们的命。

四个人在四处分头审问瑞宣，韵梅，天佑太太，和祁老人。这样审问后，他们比较了一下他们的记录，而后把大家集合在一处，从头儿考问。祁老人的眼神告诉了瑞宣们，他自己愿意作代言人。日本人问一句，老人毫不迟疑的回答一句。日本人问道："你们知道他愿意作特务？"

"知道！"祁老人回答。

"为什么他要去当特务？"

"因为他没出息！"

"怎么？"

"甘心去作伤天害理的事，还不是没出息？"

天佑太太和韵梅听老人这样回答，都攥着一把汗。可是，日本人的态度仿佛倒软和了一点。他们都看着祁老人，半天没再问什么。老

450

人的白发，高身量，与铁硬的言语，好像有一种不可侵犯的尊严，使他们不好再开口。

两个日本人嘀咕了几句，其中的一个匆忙的走出去。不大的工夫，他走回来，带着一号的日本老太婆。瑞宣心里亮了一下，他就疑心她，所以每次她用话探他，他老留着神，不肯向她多说多道。可是，不久，他发现了自己的错误。

日本人逐一的指着祁家的人，问老太婆几句话，老太婆必恭必敬的作简单的回答。虽然他们说的是日本话，瑞宣听不懂，可是由老太婆的神气，与他们的反应，他看清楚，她是给祁家的人说好话呢。

问完了老太婆，他们又盘问了瑞宣几句。他回答的和他们已记录下的完全一致。他们无可奈何的往外走。老太婆极恭敬的跟在他们的后面，仅在到了院中，她才抓着机会看了瑞宣一眼，微微的一点头。瑞宣明白她的意思，也只微一点头，而没敢说什么。

日本人走后，祁老人仿佛后怕起来，坐在炕沿上，两手发颤。

韵梅为安慰老人，勉强笑着说："这大概就没事了吧？"

老人愣了半天才说出来："让他们再来！反正我已经活够了，干吗还怕死呢！教他们再来，我等着他们的！"又愣了一会儿，他摇着头说："一个人没出息呀，能闹得鸡犬不安！我，你，大家，都错了，都不该那么善待老二！"

"虽然这么说呀，一家人到底是一家人，难道因为他没出息，就不要他了吗？"韵梅还勉强笑着说。"不信，他明天出了狱，回来，咱们还不是得给他饭吃！"

老人没再说什么，歪在了炕上。

高第被日本人带走。她回答不出为什么要离开北平，为什么要走而不办出境的手续。

跟着他们走，她的心反倒安静下来。她对自己说："既逃不出北平去，不下狱也等于下狱；那么，到狱里去仿佛倒更妥当一点。假若日本人强迫我作特务，我，我便点头——给钱先生作点事！他们要杀我呢，也好；反正活着也是受罪！"这么想好，她不单镇定，而且几乎有点快活。

来到狱中，日本人马上教她和招弟对质，她们所说的完全与以前的口供相合。而后，他们把姊妹俩带到前门车站去表演上次相遇的情形，她们几乎连一步都没走错，通通与口供相符。车站相遇这一场算是毫无破绽。

可是，他们不能释放了高第，因为她还没解释清楚她为什么要逃出北平，他们以为那绝对不能出于她的自动，而一定有什么背景——比如：城外有什么秘密的机关，专招收北平的青年。他们，所以，必须关起她来。慢慢的，细细的，把那个背景审问出来。

假若因为一两个人的无聊，也能造成一段杀人流血的历史，这回事便是个好的例证。北平的日本特务机关举行了整饬风纪运动，要彻底肃清不可靠的中国人。晓荷与瑞丰一点也不知道他们的无聊无耻会发生这么大的作用，可是多少个青年的鲜血都因此而流在暗室里！凡是瑞丰所供出的特务，都人不知鬼不觉的丢了命。而后，特务与特务之间又乘此机会互相检举，倾轧，于是有一大批人被囚在暗室里。

招弟，在和姐姐对质后，仍然被禁在暗室。她解释得很好："我教高第回家，不是私自放了她，而是想也把她介绍进来，作特务。"可是，日本人不接受这个解释。他们以为她应当马上向上方报告，不应私自拿主意，放高第回家。假若高第没有回家，而从别处跑出北平去呢，怎么办？招弟无言答对。

最难以处置的倒是晓荷与瑞丰。日本人调查他们俩的过去经历，他们俩，一点不错，是百分之百的顺民。日本人特由天津调来两位有权威的"支那通"，教他们鉴定这两个活宝。结果是：在相貌，言谈举止，嗜好，志愿，心理，各项中，晓荷的平均分数是九十八；瑞丰稍差一点，九十二！据两位支那通说：能得到平均分数八十分的就可以作第一等的顺民；晓荷与瑞丰应当是超等！

日本人是崇拜权威的，按照两位支那通的报告，他们理应马上重用晓荷与瑞丰。可是，他们到底还有点不放心，只好再细细的调查。他们每天要审问晓荷与瑞丰三次；越审问，他们越觉得他们俩可爱，可也越有点摸不清头脑。

晓荷的鞠躬，说话（模仿着日本人说中国话的语调与用字），与种种小身段，使日本人惊异：他们占领了北平才这么三四年，会居然产生了这样的中日合璧的人物。他们问他："大赤包死在狱里，你有没有一点反感?"他的回答是那么自然，天真，使日本人不知怎办才好。他深深鞠了一躬说："你们给我个官儿作呢，就是把大赤包的骨头挖出来，再鞭打一顿，我也不动心；有了官儿作，我会再娶个顶漂亮的，年轻的，太太！你们要是不给我事情作呢，没办法，我总得想念大赤包!"

"你要作什么官呢?"他们问。

"越大越好，不管什么官!"

他们彼此相视，谁也没办法。他们喜欢汉奸，也卑视汉奸，他们可是不知是喜爱晓荷好，还是卑视他好！他几乎是个超人，弄得日本人没了办法。他们提审瑞丰："你愿意干什么?"

"我?"瑞丰摸着小干脸，说："愿意当特务。"

"为什么?"

"好弄钱!"

是的，瑞丰的言谈，风度，的确没有晓荷的那么成熟，得体。可是，他的天真与爽直，也使日本人受了感动。说真的，日本人来侵略中国，哪一个不是为弄钱呢？他们没法再抬起手来掌瑞丰的嘴！他也是一个什么超人！

为试探他，他们答应下教他作特务。他噎了好几口气才说出来："那好极了!"

回到狱室，他欢喜得似乎发了狂。见着给他送饭的，和从门外走过的，他都眉飞色舞的告诉他们："看见过这种事儿没有？我进来坐狱，一共只挨过两个嘴巴，猛古丁的，大变戏法，我当上了特务！我，嘁，嗯，有点福分！等着瞧吧，从这儿一出去，腰里掖着手枪，喝，钞票塞满了口袋哟!"

日本人们只能干咽唾沫，想不出主意，如何处置他。他们不能再给他施刑，那对不起两位支那通的报告。他们不能真用他作特务，因为他的嘴是一座小广播电台。他们囚着他，光多费一些饭食；放了他，又不大妥当。

六

当大赤包入狱的时候，欧洲的大战已经开始。

北平的一般人，可是，并没怎么十分注意这些事。他们的切身的问题，也使他们无暇去高瞻远瞩的去关心与分析世界问题。

德军攻下华沙，德军占领丹麦，英法军失败……消息一串串的传来，仿佛战神，和大赤包一样，已经发了疯。但是，北平人们的眼却看着四处的麦秋。他们切盼有个什么收成，可以吃到新的面粉。

华北的新麦收下来了，可是北平人不单没见到新麦，也看不见了一切杂粮。

日本人一道命令，北平所有的面粉厂与米厂都停了工，大小的粮店都停止交易。存粮一律交出，新粮候命领取。面粉厂的机器停止了活动，粮店的大椭圆形的笸箩都底儿朝天放起来。北平变成了无粮的城。

天津，石家庄，保定，却建立了极大的粮库，囤积起粮食，作长期战争的准备。

小羊圈里最有办法的人，李四大爷，竟自没有了办法。在几十年的忧患中，不管是总统代替了皇帝，还是由洋人或军阀占领了北平，他始终能由一个什么隙缝中找到粮食；不单为自己充饥，也尽可能的帮助别人。今天，他没有了办法。他亲自去看过了：面粉厂里已鸦雀无声，粮店的大笸箩底子朝了天，打烧饼的熄了灶，卖馄饨与面条的歇了工。平日，他老把坏消息报告给邻居们，不是要使大家心中不安，而是为教大家有个准备。今天，他低着头回了家，没敢警告街坊四邻，因为他只看到了患难，而毫无帮助大家的办法。

祁老人发了脾气。听到断粮的消息，他亲自去检看米缸与面坛子。他希望看到有三个月的存粮——他的一成不变的预防危患的办法。可是，他发现坛子与缸中的东西只够再吃十来天的。他冒了火，责备韵梅为什么不遵行他的老规矩。

韵梅有可以为自己辩护的理由：粮食早已一天比一天贵，一天比一天更难买到，她没有那么多的钱，也没有那么大的本事，去购买存粮。可是，她不便向老人声辩。她是旧式的贤妇，不肯为洗刷自己，而招老人更生气。

孙七因在粮店作活，打听到更多的消息，也就更恐慌。他打听明白：以后每家粮店都没有了自由交易，而改为向日本人领取杂粮，领到多少，便磨多少面粉，而后以一定的价钱，与规定的时间，凭粮证卖给住户们。这样，粮店已不是作生意，而是替日本人作分配粮食的义务机关。这样，除了领到粮的时候，粮店的人们便没有任何事可作，所以每家都须裁人；有十个伙计的，只留下一两个便够用了。长顺已结了婚，而且不久就可以作父亲，（太太已有了孕）已经不像先前那么爱生气，爱管闲事，和爱说话了。他还是恨日本人，真的；但是不像从前那样一提日本人便咬牙，便想逃出北平去当兵了。现在，他似乎把养活外婆与妻子当作第一件事，而把国家大事放在其次了。

在作完了那一批烂纸破布的军服以后，他摸清了点"小市"上的规矩与情形，于是就拿丁约翰分给他的一点钱作资本，置办了一副挑担，变成个"打鼓儿的"。

自从他作了买卖破烂的，长顺就不再找瑞宣去谈天。见到瑞宣，他总搭讪着呜囔两声，便很快的躲开。他，在瑞宣面前，总想起二三年前的自己。那时候，他有勇气与热心，虽然没有作出什么惊人的事，可是到底有点人味儿。他没脸再和瑞宣谈话。

瑞宣，自从父亲被逼死，便已想到迟早北平会有人造的饥荒；日本人既施行棉纱与许多别的物品的统制，就一定不会单单忘记了统制粮食。虽然有这点先见之明，他可是毫无准备。一来是他没有富余的钱去存粮，二来是他和多数的文人相似，只会忧虑，而不大会想实际的办法。

由日本人在天津与英国人的捣乱，由欧洲大战的爆发，他也看出来日本人可能的突击英国在东方的军事据点与要塞。假若这将成为事实，日本人就必须拼命的搜刮物资与食粮，准备扩大战争。

　　他屡次想和富善先生说这件事，可是老人总设法闪躲着他。老人知道瑞宣所知道的一切，明知情形不妙，可是还强要相信日本人不敢向英帝国挑战。

　　见老人不高兴谈话，瑞宣想专心的作事，好截住心中的忧虑。可是，他的注意力不能集中。一会儿，他想起欧洲的战事，而推测到慢慢的全世界会分为两大营阵，中国就有了助援与胜利的希望。一会儿，他想象到祖父，母亲，与儿女，将要挨饿的惨状。这样的一忧一喜，使他感到焦躁。

　　小顺儿已到了上学的年岁。瑞宣决定不教他去入学——他的儿子不能去受奴化教育。天佑太太与韵梅都反对这个办法，瑞宣可是很坚决，倒好像不教儿子去受奴化教育是他的抗日最后的一道防线！

　　不久，他开始笑自己："要用个小娃娃去挡住侵略吗？去洗刷一家人的苟延残喘的耻辱吗？"可是，他依然不肯改变主张。每天一得空，他便亲自教小顺儿识字，认数目。在这以外，他还对孩子详细的讲述中国的历史与文化。他明知道，这不大合教育原理，可是，这似乎是他最高兴作的事。在这么讲论的时候，他能暂时忘了眼前的危亡与耻辱，而看见个光华灿烂，到处是周铜汉瓦，唐诗晋字，与梅岭荷塘的中华。

　　为省灯油，韵梅总在白天抓着工夫作活，晚上很早的就睡，不必点灯。就是点上灯，灯头也捻得很小。为教小顺儿读书，瑞宣狠心的把灯头捻大！不，他不能为省一点油而耽误了孩子的教育！屋中的这点灯光，仿佛是亡城中的唯一的光明，是风暴里的灯塔！

　　冷天，他把小顺儿的小手放在自己的袖口里，面对面的给讲古说今。讲着讲着，小顺儿打了盹。他无可如何的把孩子放到床上去。热天，父子会坐在院中用功。这时候，小妞子也往往装模作样的坐下听讲。小顺儿若提出抗议："妞妞，你听不懂！"瑞宣温和的说："教她听听，她会懂的！"

456

在最近两天，正在这么讲说，忽然想起目前的人造饥荒，瑞宣浑身忽然的一冷。他看见了个将要饿死的小儿，样子还像小顺儿，可是瘦得只剩了一层皮！他讲不下去了。"小顺儿，睡觉去吧！"

七

或者只有北平，才会有这样的夏天的早晨：清凉的空气里斜射着亮而喜悦的阳光，到处黑白分的光是光，影是影。空气凉，阳光热，接触到一处，凉的刚刚要暖，热的刚搀上一点凉；在凉暖未调匀净之中，花儿吐出蕊，叶儿上闪着露光。

就连小羊圈这样不很体面的小地方，也有它美好的画面：两株老槐的下半还遮在影子里，叶子是暗绿的；树的梢头已见到阳光，那些浅黄的花朵变为金黄的。嫩绿的槐虫，在细白的一根丝上悬着，丝的上半截发着白亮的光。晓风吹动，丝也左右颤动，像是晨光曲的一根琴弦。阳光先照到李四爷的门上。那矮矮的门楼已不甚整齐，砖瓦的缝隙中长出细长的几根青草；一有了阳光，这破门楼上也有了光明，那发亮的青草居然也有点生意。

几只燕子在树梢上翻来覆去的飞，像黑的电光那么一闪一闪的。蜻蜓们也飞得相当的高：忽然一只血红的，看一眼树头的槐花便钻入蓝的天空；忽然一只背负一块翡翠的，只在李四爷的门楼上的青草一逗便掉头而去。

放在太平年月，这样的天光，必使北平的老人们，在梳洗之后，提着装有"靛颔"或"自自黑"的鸟笼，到城外去，沿着柳岸或苇塘，找个野茶馆喝茶解闷。它会使爱鸽子的人们，放起几十只花鸽，在蓝天上旋舞。它也会使钓者很早的便出了城，找个僻静地方消遣一天。就是不出城远行的，也会租一只小船，在北海去摇桨，或到中山公园的老柏下散步。

今天，北平人可已顾不得扬头看一看天，那飞舞着的小燕与蜻蜓

458

的天；饥饿的黑影遮住了人们的眼。

韵梅，就是在这样的一个早晨，决定自己去领粮。她知道从此以后，她须把过去的生活——虽然也没有怎么特别舒服自在过——只当作甜美的记忆；好的日子过去了，眼前是苦难与饥荒。她须咬起牙来，不慌不忙的，不大惊小怪的，尽到她的责任。她的腮上特意摆出一点笑来，好教大家看见："我还笑呢，你们也别着急！"

韵梅给大家打点了早饭，又等大家吃完，刷洗了家伙，才擦擦脸，换上件干净的蓝布衫，把粮证用小手绢裹好，系在手腕上，又拿上口袋，忙而不慌的走出去。走到了影壁前，她又折回来嘱咐孩子们："小顺儿，妞妞，都不准胡闹哟！听见没有？"

妞妞先答了话："妈取吃吃，妞妞乖！不闹！"

小顺儿告诉妈妈："取点白面，不要杂合面！"

"哼，"韵梅一边往外走，一边说："不是人家给我什么是什么吗？"

天还早，也不过八点来钟，韵梅以为一定不会迟到。而且，取粮的地方正是祁家向来买粮的老义顺；那么，她想，即使稍迟一点，也总有点通融，大家是熟人啊。

快走到老义顺，她的心凉了。黑糊糊的一大排人，已站了有半里多地长。明知无用，她还赶走了几步，站在了最后边。老义顺的大门关得严严的。她不明白这是怎回事。她后悔自己来迟。假若她须等到晌午，孩子和老人们的午饭怎么办呢？她着了急，大眼睛东扫西瞵的，想找个熟人打听一下，这到底是怎回事，和什么时候才发粮。可是，附近没有一个熟人。她明白了，小羊圈的人，对领粮这类的事是向来不肯落后的；说不定，他们在一两个钟头以前已经来到，立在了最前边，好能早些拿到粮。她后悔自己为什么忘了早来一些。她的前面，一位老太婆居然带来了小板凳，另一位中年妇人拿着小伞。

在她初到的时候，大家都老老实实的立着，即使彼此交谈，也都是轻轻的嘀咕，不敢高声。人群外，有十来个巡警维持秩序，其中有两三个是拿着皮鞭的。看一看皮鞭，连彼此低声嘀咕的都赶紧闭上嘴。

及至立久了，太阳越来越强，阴影越来越小，大家开始感到烦躁，前前后后都出了声音。巡警们的脚与眼也开始加紧的活动。起初，巡警们的眼神所至，便使一些人安静一会儿，等巡警们走开再开始嘟嘟。这样，声音一会儿在这边大起来，却在那边低下去，始终没打成一片，成为一致的反抗。渐渐的，巡警的眼神失去了作用，人群从头至尾的成了一列走动着的火车，到处都乱响。

韵梅有点发慌，唯恐出一点什么乱子；她没有出头露面在街上乱挤乱闹的习惯。她想回家。但是，一想到自己的责任，她又改了念头。不，她不能逃走，她必须弄回粮食去！她警告自己：必须留神，可是不要害怕！

很热的阳光已射在她的头上。最初，她只感到头发发热；过了一会儿，她的头皮痒痒起来，痒得怪难过。她的夹肢窝和头上都出了汗。抬头看看，天空已不是蓝汪汪的了，而是到处颤动着一些白气。风已停止，马路旁的树木的叶子上带着一层灰土，一动也不动。便道上，一过来车马便带起好多灰尘，灰白的，有牲口的粪与尿味的，呛得她的鼻子眼里发痒。无聊的，她把小手绢从腕上解下来，擦擦头上的汗，而后把它紧紧的握在手中。

她看见了白巡长，心中立刻安定了些。白巡长的能干与和善使她相信：有他在这里，一定不会出乱子。她点了点头，他走了过来："祁太太，为什么不来个男人呢？"

她没回答他的问题，而笑着问他："为什么还不发粮啊？白巡长！"

"昨天夜里才发下粮来，铺子里赶夜工磨面！再待一会儿，就可以发给大家了。"白巡长虽然是对她说话，可是旁人自然也会听到；于是她与大家都感到了安定。

可是，半点钟又过去了，还是没有发粮的消息。白巡长的有镇定力的话已失去了作用。大家的心中一致的想到："日本人缺德！故意拿穷人开玩笑！"太阳更热了，晒得每个人的头上都出粘糊糊的，带着点油的汗。越出汗，口中便越渴，心中也越焦躁。天色由白而灰，空中像飞荡着一片灰沙。太阳，在这层灰气上边，极小极白极亮，使

人不敢抬眼；低着头，那极热的光像多少烫红了的针尖，刺着大家的头，肩，背，和一切没有遮掩的地方。肚子空虚的开始发晕；口渴的人要狂喊；就是最守规矩的韵梅也感到焦急，要跺一跺脚！这不是领粮，而是来受毒刑！

可是，谁也不敢公然的喊出来："打倒日本！"口渴的，拼命的咽唾沫；发晕的，扶住旁边的人；腿酸了的，轻轻的踏步。为挡住一点阳光，有的把手绢缠在头上，有的把口袋披在肩上，有的把褂子脱下，双手举着，给自己支起一座小小的棚儿。他们都设法减少一点身体上的痛苦，以便使心中安定；心中安定便不会有喊出"打倒日本"的危险！

前面忽然起了波动，队伍马上变成了扇面形。欠着脚，韵梅往前看：粮店的大门还关着呢。她猜不透这是怎回事，可是不由得增多了希望，以为一定是有了发粮的消息。她忘了脚酸，忘了毒热的阳光，只盼马上得到粮食，拿回家去。

前面有几个男的开始喊叫。韵梅离开行列，用力欠脚，才看明白：粮店的大门旁，新挖了一个不大的洞儿，挡着一块木板，这块木板已开了半边。多少多少只手都向那小洞伸着，晃动。她不想往前拥挤，可是前面那些乱动的手像有些引诱力，使她不由的往前挪了几步，靠近了人群，仿佛只有这样，她才能得到粮食，而并不是袖手旁观的在看热闹。

皮鞭响了。嗖——啪！嗖——啪！太阳光忽然凉了，热空气里生了凉风，人的皮肤上起了冷疙疸，人的心在颤抖。韵梅的腿似乎不能动，虽然她想极快的跑开。前面的人都在乱冲，乱躲，乱喊；她像裹在了一阵狂风里，一切都在动荡，而她迈不开脚。"无论如何，我必须拿到粮食！"她忽然听见自己这样说。于是，她的腿上来了新的力气，勇敢的立在那里，好像生了根。

忽然的，她看不见了一切。皮鞭的梢头擦着了她的眼旁。她捂上了眼，忘了一切，只觉得世界已变成黑的。她本能的要蹲下，而没能蹲下；她想走开，而不能动。她还没觉得疼痛，因为她的全身，和她的心，都已麻木；惊恐使神经暂时的死去。

461

"祁太太！"过了一会儿，她恍惚的听见了这个声音："快回家！"

她把未受伤的眼睁开了一点，只看见了一部分制服，她可是已经意识到那必是白巡长。还捂着眼，她摇了摇头。不，她不能空手回家，她必须拿到粮食！

"把口袋，钱，粮票，都给我，我替你取，你快回家！"白巡长几乎像抢夺似的，把口袋等物都拿过去。"你能走吗？"

韵梅已觉出脸上的疼痛，可是咬上牙，点了点头。还捂着眼，她迷迷糊糊的往家中走。走到家门口，她的腿反倒软起来，一下子坐在了阶石上。把手拿下来，她看见了自己的血。这时候，热汗杀得她的伤口生疼，像撒上了一些细盐。一咬牙，她立起来，走进院中。

小顺儿与妞子正在南墙根玩耍，见妈妈进来，他们飞跑过来："妈妈！"可是，紧跟着，他们的嗓音变了："妈——"而后又喊："太爷爷！奶奶！快平！"

一家大小把她包围住。她捂着眼，忍着疼，说："不要紧！不要紧！"

天佑太太教韵梅赶快去洗一洗伤口，她自己到屋中去找创药。两个孩子不肯离开妈妈，跟出来跟进去的随着她。小妞子不住的吸气，把小嘴努出好高的说："妈流血，妈疼哟！"

洗了洗，韵梅发现只在眼角外打破了一块，幸而没有伤了眼睛。她放了心。上了一点药以后，她简单的告诉大家："有人乱挤乱闹，巡警们抢开了皮鞭，我受了点误伤！"这样轻描淡写的说，为是减少老人们的担心。她知道她还须再去领粮，所以不便使大家每次都关切她。

她的伤口疼起来，可是还要去给大家作午饭。天佑太太拦住她，而自己下了厨房。祁老人力逼着孙媳去躺下休息，而后长叹了一口气。

韵梅眯了个小盹儿，赶紧爬了起来。对着镜子，她看到脸上已有点发肿。愣了一会儿，她反倒觉得痛快了："以后我就晓得怎么留神，怎么见机而作了！一次生，两次熟！"她告诉自己。

白巡长给送来粮食——小小的一口袋，看样子也就有四五斤。

462

祁老人把口袋接过来，很想跟白巡长谈一谈。白巡长虽然很忙，可是也不肯放下口袋就走。他对韵梅的受伤很感到不安，必须向她解释一番。韵梅从屋里出来，他赶紧说了话：

"我，祁太太，我没教他们用鞭子抽人，可是我也拦不住他们！他们不是我手下的人，是区署里另派来的。他们拿着皮鞭，也就愿意试试抡它一抡！你不要紧了吧？祁太太！告诉你，我甭提多难过啦！什么话呢，大家都是老街旧邻，为领粮，还要挨打，真！可是我没有办法，他们不属我管，不听我的话。哼，我真不敢想，全北平今天得有多少挨皮鞭的！我是走狗，我拦不住拿皮鞭的走狗们乱打人，还有什么可说的呢？得啦，祁太太，好好的休息休息吧！日久天长，有咱们的罪受，瞧着吧！"白巡长把话一气说完，没有给别人留个说话的机会，便走出去。

祁老人送到门口，白巡长已走出老远去，他很想质问白巡长几句，可是白巡长没给他个开口的机会。他觉得白巡长可爱，也可恨；诚实，也狡猾。

天佑太太与儿媳被好奇心所使，已把那点粮食倒在了一个大绿瓦盆中。她们看不懂那是什么东西，所以去请老太爷来鉴定。

老人立着，看了会儿，摇了摇头。哈着腰，用手摸了摸，摇了摇头。他蹲下去，连摸带看，又摇了摇头。活了七十多岁，他没看见过这样的粮食。

盆中是各种颜色合成的一种又像茶叶末子，又像受了潮湿的药面子的东西，不是米糠，因为它比糠粗糙的多；也不是麸子，因为它比麸子稍细一点。它一定不是面粉，因为它不棉棉软软的合在一处，而是你干你的，我干我的，一些谁也不肯合作的散沙。老人抓起一把，放在手心上细看，有的东西像玉米棒子，一块一块的，虽然经过了磨碾，而拒绝成为粉末。有的虽然也是碎块块，可是颜色深绿，老人想了半天，才猜到一定是肥田用的豆饼渣子。有的挺黑挺亮，老人断定那是高粱壳儿。有的……老人不愿再细看。够了，有豆饼渣滓这一项就够了；人已变成了猪！他闻了闻，这黑绿的东西不单连谷糠的香味也没有，而且又酸又霉，又涩又臭，像由老鼠洞挖出来的！老人的手颤起来。把手心上的"面"放在盆中，他立起来，走进自己的屋里，一言未发。

小顺儿走过来，问："太爷，到底是什么呀？"

老人把头摇得很慢，没有回话，好像是不仅表示自己的知识不够，也否定了自己的智慧与价值——人和猪一样了。

韵梅决定试一试这古怪的面粉，看看它到底能作出什么来——饺子？面条？还是馒头？

把面粉加上水，她愣住了。这古怪的东西，遇见了水，有的部分马上稠嘟嘟的粘在手上和盆上，好像有胶似的；另一部分，无论是加冷水或热水，始终拒绝粘合在一处；加水少了，这些东西不动声色；水多了，它们便飘浮起来，像一些游动的小扁虫子。费了许多工夫与方法，最后把它们团成了一大块，放在案板上。

无论如何，她也没法子把它擀成薄片——饺子与面条已绝对作不成。改主意，她开始用手团弄，想作些馒头。可是，无论轻轻的拍，还是用力的揉，那古怪的东西决定不愿意团结到一处。这不是面粉，而是马粪，一碰就碎，碎了就再也团不起来。

生在北平，韵梅会作面食；不要说白面，就是荞面，油麦面，和豆面，她都有方法把它们作成吃食。现在，她没有了办法。无可奈何的，她去请教婆母。

天佑太太，凭她的年纪与经验，以为必定不会教这点面粉给难倒。可是，她看，摸，团，揉，擀，按，都没用！"活了一辈子，倒还没见过这样不听话的东西！"老太太低声的，失望的，说。

"简直跟日本人一样，怎么不得人心怎么干！"韵梅啼笑皆非的下了一点注解。

婆媳像两位科学家似的，又试验了好大半天，才决定了一个最原始的办法：把面好歹的弄成一块块的，摊在"支炉"上，干烙！这样既非饼，又非糕，可到底能弄熟了这怪东西。

"好吧，您歇着去，我来弄！"韵梅告诉婆母，而后独自像作土坯似的一块块的摊烙。同时，她用小葱拌了点黄瓜，作为小菜。

祁老人，天佑太太，和两个孩子，围着一张小桌，等着尝一尝那古怪的吃食。小顺儿很兴奋的喊：“妈！快拿来呀！快着呀！”

韵梅把几块“土坯”和“菜”拿了来，小顺儿劈手就掰了一块放在口中，还没尝出滋味来，一半已落入他的食道，像一些干松的泥巴。噎了几下，那些泥巴既不上来，也不下去，把他的小脸憋紫，眼中出了泪。

“快去喝口水！”祖母告诉他。

他飞跑到厨房，喝了口水，那些泥巴才刺着他的食道走下去；他可是还不住的打嗝儿。

祁老人掰了一小块放在口中，细细的嚼弄，臭的！他不怕粮粗，可是受不了臭味。他决定把它咽下去。他是全家的老太爷，必须给大家作个好榜样。他费了很大的力量，才把一口臭东西咽下去；而后直着脖子向厨房喊：“小顺的妈，作点汤吧！”他知道，没有点汤水往下送，他没法再多吃一口那个怪“土坯”。

“汤就来！”韵梅在厨房里高声的回答，还问了声：“到底怎样啊？”

老人没回答她。

小妞子掰了很小的一块，放在她的小葫芦嘴里。扁了几扁，她很不客气的吐了出来，而后用小眼睛撩着太爷爷，搭讪着说：“妞妞不饿！”

小顺儿随着妈妈，拿了汤来——果然是白水冲虾米皮。他坐下，又掰了一块，笑着说：“看这回你还噎我不！”

韵梅见妞妞不动嘴，问了声：“妞子！你怎么不……来，妈给你一块黄瓜！”

“妞妞不饿！”小妞子低着头说。

“不能不吃呀！以后咱们天天得吃这个！”韵梅笑着说，笑得很勉强。

465

八

　　胖菊子没有运动成妓女检查所的所长。因为竞争的人太多，日本人索性裁撤了这个机关，而改由军部直接管理花姑娘的事。胖菊子狠狠的和蓝东阳吵闹了几次，甚至于摔砸了一些不很值钱的杯碗什么的。她以为她的失败纯粹因为东阳没有尽到所有的力量去运动。

　　蓝东阳，在计口授粮的办法实行以后，也有点后悔，没能帮助胖菊子运动成功。假若太太能作到所长，岂不多拿一份较好的粮！他决定去得到个肥缺，教胖菊子看看他的本事，也使自己的心灵上得到自慰。他开始调查哪个机关肥，哪个机关瘦，以便找个肥的，死啃一口。越调查，他越发怒。敢情有的机关，特别是军事机关，不单发较多较好的粮，而且还有香烟，茶叶，与别的日用品呢！这使他由悔而恨，恨自己为什么不早早的下手，打入这样的机关里去！

　　由这种机关再往别处看，他发现了铁路学校的学生是由官方发给伙食的。他的眼忽然发出火来，绿脸上出了汗，用力的把手拍在桌子上："啊！作这个学校的校长！校长！"吊起一只眼珠，他细细的啃手指甲，把指甲中的黑泥都有滋有味的吃下去。这才使他镇定了一些，他开始计算："就拿三百个学生算吧，每人扣下一斤粮，一月就是三百斤！三百斤哪，我的天！嗯，嗯，每月再开除几个学生，又多落下几份粮！哎哟，哎哟，我为什么没早想到这个呢？"

　　停止了啃指甲，他决定去运动这个学校的校长。

　　不过，铁路学校的校长并没有出缺呀！东阳又啃上了指甲。指甲上流了血，他想起来了：给现任的校长栽赃就是了。愣说校长窝藏各处来的"奸细"，岂不一下子就把他打下去？好主意！东阳马上看到

466

多少袋子白面堆在自己的屋中！为这些面粉，他必须去捉几个学生，屈打成招的使他们承认"通敌"，而后把校长也拿下监去！为了面粉，屈杀几个人算什么呢？他决定先去看看教育局的牛局长，探听一点消息。

蓝东阳来到小羊圈，有四五株绿树的门前，然而不巧，牛局长不在家。刚一转过头来，面对面他看见了冠晓荷和祁瑞丰——他的盟兄弟，同事，情敌。

冠祁二位被放了出来，因为日本人既没法定他们的罪，又不愿多费狱中的粮食。

祁瑞丰的小干脸当时没了血色。他的第一个念头是打东阳一顿。可是，他没有动手。他是祁老人的孙子，天佑的儿子，瑞宣的弟弟，冠晓荷的朋友，他不敢打架，即使面对面见着抢去他的老婆的人。

蓝东阳明知瑞丰不敢打架，可还有点怕，绿脸更绿了一些。

冠晓荷先开了口："哎呀，东阳老弟！我想死你啦！"

东阳看着他们俩，见他们的狼狈的样子，想不出一声便走开。

晓荷一句话把东阳扣住："老弟，你可晓得，招弟当了特务？"

东阳暗自庆幸："幸而我没得罪她！"紧跟着，他叫了声："冠大哥！"虽然他手下也有特务，可是他想招弟恐怕是直属于军部的；一个军部的特务是可以随便欺侮一个文官的。

瑞丰见晓荷唬住了东阳，他也搬运出一点狡猾来："东阳，你猜怎着，我也当了特务！"说着，他把手伸在衣襟里去，仿佛是摸手枪。

东阳真想请他们俩到家中去吃饭，可是，那又根本与他的天性矛盾着，于是改为："你们有工夫，到我那里谈谈！"

"明天准去！"晓荷兴高采烈的说。"瑞丰，你也……"他不便替瑞丰答应下来，因为怕瑞丰不好意思见到胖菊子。

瑞丰的确有点不好意思去，可是，又一想，假若到了蓝家，能吃上一顿饭什么的呢，也就不便过于固执。"真有事吗？"他问了一句。

"有事！有事！"东阳心中盘算好：假若招弟和瑞丰都是军部的特务，他就不妨利用他们俩给铁路学校的校长栽赃。军部的人既有特殊的势力，又能即使惹出祸来也与他无关。

"总得弄点什么给我们吃哟!"晓荷笑着说:"哪怕有四两酒呢,哥儿们老不见了,还不亲热一回?"

　　东阳决定不掉在圈套里,没说请他们吃饭,也没说不请他们,而只吊了吊眼珠。

　　晓荷实在希望能吃到一顿好饭,于是开始夸赞东阳的眼珠:"真的,老弟,你的官运越好,眼珠儿也越吊得高!"

　　东阳不单没答应请他们吃饭,反而告诉他们:"明天到我那里,你们俩得换换衣服!我那里常来有地位的人!"看他俩破衣拉撒的样子,他怀疑招弟与瑞丰是否真作了特务。

　　瑞丰的灵机一动:"我这是化装!到哪儿去也是这样打扮!"

　　东阳赶紧赔笑:"好啦,明天见!"

　　傍晚,瑞宣回来的晚了一些。一到家,只见冠晓荷在祁家门外的那石上坐着呢。看见瑞宣,他慌忙立了起来:"啊,瑞宣!我想着都平安无事的出来了!你能不能……"他还没有说完,瑞宣已推开门,走进去,而后把门上了闩。

　　韵梅轻轻的告诉他:"老二回来啦!"

　　他一声没出,走进屋里去。

　　晓荷,吃了瑞宣的钉子,呆呆的立在那里,看着原来是他自己的那所房子。他想起以前的自己,大赤包,桐芳,与女儿们。他不能明白他怎么会落到这步天地。左思右想,他想不出自己有什么过错;假若真的有因果报应一说,他既没有过错,怎会有这么惨的报应呢?堂堂的冠晓荷会没有了住处!长叹了一声,他走出小羊圈。

　　他的肚中响起来。饥饿是最迫切的问题;他忘了别的,而只想怎么能马上吃到点东西。他决定去找蓝东阳。他知道东阳是啬刻鬼,可是他也相信自己的三寸不烂之舌;即使东阳真是鬼,他相信,他也会把鬼说活了心的。

　　东阳,因为巴结日本人的经验,晓得凡是急于求事的必在约定的时间以前来到;他自己就是那样。他也晓得,求事的人来得越早,被求的人就越要拿架子,故意的不肯出来会见;他自己就受过多少回这样的冷淡与折磨。因此，一见晓荷今天晚上就来到，他马上起了疑心：大概晓荷是急于求助，而急于求助就表明招弟未必真作了特务。于是，他开门见山的问晓荷："告诉我，招弟的事是不是真的？"

晓荷像忽然被马蜂螫了一下："哎呀！你怎可以不信我的话呢？你就不想想，我敢拿东洋人的事随便开玩笑吗？"

东阳愣了一会儿，觉得晓荷并没说假话。"告诉我，我上哪儿去找她？"

"那——"晓荷不敢说出她的地址来，怕再下狱。"那，你知道，特务的地址是不准告诉别人的！"

"我找不到她，还有什么可说的呢？你呢？你也找不到她？"

"我——"晓荷不知怎么回答好。

"好啦，别多耽误我的工夫！你既也找不到她，我只好用祁瑞丰了！"

"瑞丰？他骗你呢，他要是特务，我就是日本天皇了！"

"晓荷，你怎么敢当着我，随便拿天皇开玩笑呢？"东阳立起来，吊着眼珠，向东方鞠了一躬。

"呕，我错了！我道歉！"

"你跟瑞丰全是骗子，滚出去！"

"我还没吃饭哪，东阳！"

"我，这儿又不是饭馆！滚出去！敢来戏弄处长，哈！"

晓荷的脸跟东阳的一样的绿了。头上出着冷汗，他慢慢的走出来。

已经走到大门，他灵机一动，又走回去，对东阳说：

"东阳，我不计较你！你的态度对！比如说你是我，我是处长，我还不是也这样对待你？对，你对，理应如此！可是，你记住，招弟真是特务，有朝一日，我见到她，你可也提防着点！"说完，他扭身便往外走。

东阳追出来。他不懂什么叫对人不可斩尽杀绝，不懂什么叫维持人缘，可是他知道军部的特务有多么厉害。他扯住了晓荷："你回来！我给你一顿饭吃！"他以为一顿饭必能收买住晓荷，因为他向来连一颗米粒也没白给过任何人。

晓荷的脸上又有了笑意。

这时候，瑞丰在屋里没敢出来向大哥招呼，怕大哥也像祖父似的责骂他。第二天早上，他等着大哥出去上班，才敢起床。起来，胡乱的吃了口东西，他又藏在屋里去思索：到底他应当去找东阳不应当。想到菊子，他不好意思去。想到东阳也许给他点事作，他又愿意去。他知道昨天他骗了东阳；那么，假若东阳需要的是特务，他怎么办呢？想了好大半天，他噗哧的一笑："蒙着锅儿来吧！到时候再说！"这么一想，他决定去见东阳。他觉得瞎猫碰死耗子是最妥当的办法。他细细的刮了脸，里外都换上干净衣裳，又跟大嫂要了点零花，而后气象焕然一新的走出家门。

天气非常的晴爽，虽然温度相当的高，可是时时有一阵凉风儿使人觉得舒服。瑞丰扬着小干脸，走几步便伸开胳臂，使凉风吹吹他的胳肢窝，有点飘飘欲仙的样子。他忘了祖父的责骂，狱中的苦楚，而只一心一意的想和东阳去"合作"，给自己创出一条新生路。

到了蓝宅，他在门外站了半天，决定不了去叫门与否。忽然门开了，一个年轻人相当客气的往里边让瑞丰。瑞丰不再迟疑，跟年轻人走了进去。他心中说："东阳真诚心诚意的等着我呢，有门儿！"

东阳，还另有一个青年，在院里站着呢。瑞丰怕见到胖菊子；可又似乎愿意看见她，不住的向四处打眼。他听见屋里咳嗽了一声，很像菊子的声音。他的心跳起来。

东阳斜着绿脸，为是把眼调正了，瞪着瑞丰。瑞丰莫名其妙的笑了一下。东阳猛的把眼珠吊起去，问："你说，你是特务，真的？"

瑞丰，说惯了谎话，硬着头皮回答："那还能是假的？"

东阳问两个青年："你们听见了？"青年们点了点头，而后一齐走向瑞丰，一边一个把他夹在中间。瑞丰猜不透这是怎回事，心中有点发慌，连声的问："怎回事？怎回事？"一边问，一边他想起最好的主意，跑！可是，刚要抬脚，他觉得两个硬东西一左一右的顶在他的肋骨上。他不敢再动，脸上没有了血色，嘴张了半天才问出来："东

470

阳，我怎么了？"

"你，冒充特务！"东阳向两个青年一扬手，"带他走！"

第二天清晨，瑞宣正往外院走。走到影壁前，他看见地上有个不大的纸包。他的心里马上一动。那是东洋纸，他认识。包儿上的细白绳也是东洋的。愣了一会儿，他猛的把纸包拾起来，把绳子揪开。里边，是瑞丰的一件大褂。搂着大褂，他的泪忽然落下来。他讨厌老二，可是他们到底是亲手足！

轻轻的开了街门，他去找白巡长。

找到白巡长，瑞宣极简单的说："我们老二昨天穿着这件大褂出去的，今儿个早晨有人从墙外把它扔进来，包得好好的。"

看了看瑞宣，看了看大褂，白巡长点了点头，"他们弄死人，总把一件衣裳送回来；老二大概——完啦！"

听白巡长说的和他自己想的正一样，瑞宣想不起再说什么。

白巡长叹了口气。"哼，老二虽然为人不大好，可是也没有死罪！"他打开了户口簿子。"祁先生，这件大褂就是通知书，以后别再给他领粮！"说着，他把"瑞丰"用笔抹上条黑杠儿。

九

北平人到什么时候也不肯放弃了他们的幽默。明快理发馆门前贴出广告："一毛钱，包办理发，刮脸，洗头！"对面的二祥理发馆立刻也贴出："一毛钱，除了理发，刮脸，洗头，还敬送掏耳，捶背！"左边的桃园理发馆贴出："八分钱，把你打扮成泰伦鲍华！"右边的兴隆理发馆赶紧贴出："七分钱包管一切，而且不要泰伦鲍华的小账！"

孙七在往日，要从早到晚作十八个钟头，才能作完他作的活。现在，他只须作一两个钟头就完结了一天的事。铺户里都大批的裁人，他用不着再忙。而且，因为小理发馆都发狂的减价，有的铺户便干脆辞掉了他，而去照顾那花钱少而花样多的地方。他，孙七，非另想办法不可了！

他是爱脸面的人。虽然手艺不高，可是作惯了铺户的包活，他总以为自己应当有很高的地位，像什么技术专家似的。因此，他不能到街头和那群十三四岁的，刚出师的小孩子们挤在一处，去伺候洋车夫和小贩们。他也不肯挑起剃头挑子，沿街响着唤头，去兜生意。在平日，他打扮得相当的漂亮：短蓝布衫，浆洗得干净硬正，底襟仅将将过膝，显出规矩而利落。里面的小褂，很白，袖子很长，以便把白袖口挽出来，增加他的漂亮干净。他没拿着过那铮铮响的唤头，而只夹着一个雪白的布包，里面放着他的家伙。这样，每天早晨，夹起白布包，甩着长而白的袖口，去到铺户作活，他感到像一位艺术家去开展览会似的。他体面，规矩，自傲。他一定不肯沿街去兜揽生意，那损伤了他的尊严。

现在，他可是非下街不可了！他的眼本来就有点近视，现在就更

472

迷糊了，因为眼中有些泪。他爱瞎扯。他对什么都不十分了解，所以才敢信意的瞎扯；瞎扯使他由无知变为无所不知。现在，他闭上了他的嘴。他须和程长顺一个样子的去游街，弄得满身尘土，像个泥鬼。他伤心，也就不肯再瞎扯。

每天早晨，他依旧到几家他作过多少年生意的铺户里去。作完这点活，天色还不到正午。下半天他干什么去呢？在家中坐着，棚顶上不会给他掉下钱来！没办法，他去买了个唤头。夹着白布包，打着唤头，他沿街去作零散的活计。听着唤头铮铮的响，他心里一阵阵的发酸。混了二三十年，混来混去会落到这步天地！他的尊严，地位，忽然的都丢掉。在前些日子，他还敢拒绝给冠晓荷刮脸，现在，谁向他点手，谁便是财神爷！

他不敢在家门附近响唤头，他必须远走，到没有人认识他的地方去。他须在生疏的地方去丢脸，而仍在家门左近保持着尊严。转了天，不管有无生意，他必在离家门还相当远的地点，把唤头掩藏起来，掸去鞋上与身上的灰土，走回家中。

有时候，孩子们中间有认识他的，便高声的问他："孙师傅，你也下街啦？"教他轰的一下，连头发根儿都红了起来。为避免这种难堪，他开始选择小胡同去走。可是胡同越小，人们越穷，他找不到生意。

天极热，小胡同里的房子靠得紧，又缺少树木，像一座座的烤炉。可是孙七必须在这些烤炉中走来走去。被阳光晒得滚烫的墙壁，发着火气，灼炙着他的脸，他的身体。串过几条这样的胡同，他便闻到自己身上的臭汗味。他的袜子，像两片湿泥巴，贴在他的脚心上。哪里都是烫的，他找不到个地方去坐一坐。他的肚子里只有些共和面和凉水，身上满是臭汗与灰土，心中蓄满了忧虑，愤恨，与耻辱。这样，走着走着，他便忘了敲打手中的唤头，忘了方向，只机械的往前缓缓的移动脚步。忽然一声犬吠或别的声音，才惊醒了他，赶紧再响动手中的唤头，铮铮的给自己更增加一些烦躁。

饥，暑，疲倦，忧虑，凑在了一处，首先弄坏了他的肠胃，他时常泻肚。走着走着，肚子一阵疼，他就急忙的坐下，用手揉着肚子。

473

他的脸登时变成绿的，全身出着盗汗。他的肚子像要拧成一根绳，眼前飞动着金星。他张着嘴呼吸；一阵疼，身子要分为两截。他的耳中轻响，像有两个花蚊子围着他飞旋。随着这响声，他的心也旋转；越转越快，他渐渐失去知觉。那点响声走远了，他的眼前完全变成黑的；心中忽然舒服了一下，身子像在空中飘着。这么飘荡了许久，那点响声又飞了回来，他又觉出肚中疼痛；原来他已昏过去一会儿。睁开眼，他也许还在地上坐着呢，也许是躺着呢。他愣着，心与身都懒得动一动。肚子还疼，他不能不立起来。哼哼着，他很费力的立起来。他的手，天气虽然是那么热，变成煞白煞白的。他扶着那炙手的墙壁，去找茅房。

他没钱去看医生，也不肯买点现成的药，只在疼得太厉害的时候，去喝一口酒。酒，辣辣的，走入腹中，暂时麻醉了内部，使他舒服一会儿。可是，经过这刺激，他的肠胃就更衰弱，更容易闹病。一来二去，孙七已经病得不像样子了。他的近视眼陷进去多深，脸上只剩了一些包着骨头的黑皮。在作活的时候，他的手常常颤动，好像已拿不住剃刀。

在他的心里，他知道自己恐怕不久于人世了。可是，只要肚子舒服了一点，他便乐观的欺哄自己："并没有多大的病，只要能休息休息，吃口儿好东西，我就会好起来的！"但是，好东西在哪儿呢？

快到七七纪念日，他又昏倒在街上。

苏醒过来，不知怎的，他却是躺在一辆大卡车上。他觉得奇怪，可是没有精神去问这是怎回事。走了好久？他不晓得。他只觉出车子已停止摇动；然后，有人把他从车上拖下来。他还半闭着眼；肚子已经好些，可是他十分疲乏。迷迷糊糊的，他走进一间相当大的屋子。屋里除了横躺竖卧的几个人，没有任何东西。他找了个墙角坐下。他打不起精神去看什么，只感到一股子强烈的石炭酸水味儿。这个味道使他恶心，他干噎了几下，并没能吐出来，只噎出几点泪，迷住他的近视眼。

隔了好久，他听见有人叫他，语声怪熟。他挤了挤眼，用力的看。那个人又说了话："我，冠晓荷！"

474

一听到"冠晓荷"三个字，孙七马上害了怕，他不知道自己为什么被拖到这里，和这里是什么所在，他也没想到这里会有什么危险。可是，一听到"冠晓荷"，他立刻联想到危险，祸患，因为冠晓荷是，在他看，一切恶事的祸首；只要有冠晓荷，就不会有好事。

　　晓荷的上身穿着一件白小褂，颜色虽然不很白，可是扣子还系得十分整齐。下身，穿着一条旧蓝布裤子，磕膝那溜儿已破了，他时时用手去遮盖。他的脸很黑很瘦，那双俊美的眼，所以，显着特别的大。他还爱笑，可是因为骨棱儿太显明，所以笑得不甚妩媚。他的牙还是很白，可惜唇上与腮上有些稀稀的，相当长的胡子，减少了白牙的漂亮。他的脑门上有许多褶子，褶子中有些小小的白皮，像是被日光晒焦的；他时时用手去抠它们，而后用袖子擦擦脑门。

　　自从他在蓝宅吃过一顿饭以后，他就赤手空拳的到处蒙吃蒙喝，变成个骗子兼乞丐。他受尽了冷淡，污辱，与饥渴，可是他并不灰心丧气；他的心中时时刻刻的记着招弟。招弟，在他心中，仿佛是圣母，即使不能马上来给他吃，给他喝，也总会暗中保佑他。

　　孙七看了再看，把晓荷完全看清楚。可是他更糊涂了：晓荷在这儿干什么呢？看样子，晓荷大概也是被人家拖了来的；为什么呢？他想：假若晓荷和他自己同样的被人家拖了来，晓荷就不至于陷害他；不过，晓荷总是晓荷，有晓荷的地方必不会有好事。他没有好气的问出来："你在这儿干什么呢？是不是又害人呢？"

　　晓荷要笑一笑，可是忽然的咬上了牙。他的脸忽然缩扁了许多，眉眼拧在一起。他蜷起腿来，双手抱住肚子："噗——肚子疼！"

　　孙七出了凉汗。肚子疼不算罪恶，他知道。可是，晓荷既也肚子疼，既也被拖到这里，大概非出岔子不可！一急，他骂了出来："他妈的，我孙七要跟这小子死在一块儿才倒了血霉！"

　　晓荷揉着肚子，忽略了孙七的咒骂，而如怨如诉的自述："这不是一天了，时常啊，肚子里一拧，拧得我要叫妈！毛病都在我太贪油腻！天天哪，我总得弄什么四两清酱肉啊，什么半只熏鸡啊，下点酒！好东西敢情跟共和面调和不来，所以……"他又咬上了牙，他的肚子仿佛是在惩戒他的扯谎！

疼过一阵去，他继续着说："自从我搬开小羊圈以后，好多朋友都给我介绍事作，我可是不高兴去。招弟，你知道她的地位？她既有了好事，我老头子何必再去多受累呢？所以呀，我就天天的约几个朋友，有时候也有日本朋友，坐坐野茶馆呀，钓钓鱼呀，图个清闲自在！日本朋友屡次对我说：冠先生——他们老称呼我先生——你总得出来帮帮我们的忙啊！我微微那么一笑，对他们说呀：'我老了，教我的女儿效劳吧，我得休息休息！'"

孙七知道晓荷是在扯谎，知道顶好不答理他，可是他按不住他的怒气："他妈的，饿成了屌样，你还他妈的念叨日本人，你是什么玩艺呢！"

"说话顶好别带脏字儿，孙七！"

"我要再分有点力气，我掰下你的脑袋来！"

"哑，你也肚子痛？别着急，这是医院。待会儿，日本医生一来，给咱们点药儿，——日本药是好的，好的！ 咱们就可以出去了！"

孙七没入过医院，不晓得医院是否就应当像这个样子。"我才不吃日本药呢！他妈的，用共和面弄坏了我的肚子，又给我点药；打一巴掌揉三揉，缺他妈的德！"

下午三点，正是一天最热的时节。院里毒花花的太阳烧焦了一层地皮。树木都把叶儿卷起去。什么地方都是烫的，没有一点凉风。连正忙着孵窝的麻雀都不敢动了，张着小嘴在树叶下蹲着。屋里相当的阴凉，可是人们仍然感到暑热与口渴。孙七不愿再听晓荷瞎扯乱吹，头倚墙角，昏昏的睡去。

门前来了个又像兵又像护士的日本人。晓荷像见了亲人似的赶紧立起来，把所有能拿出来的笑意都搬运到瘦脸上来。等日本人看明白他的笑脸，他才深深的鞠躬，口中吱吱的吸着气。鞠完了躬，他赶紧把孙七叫醒："别睡了，医官来了。"

日本人问晓荷："你的？"

晓荷并齐两脚，挺了挺腰，笑纹在脸上画了个圆圈，恭敬的回答："肚子疼！"恐怕日本人不明白，他又补充上："闹肚子，拉稀，

476

肠胃病，消化不良！"

日本人逐一的问屋里的人，大家都回答：肚子不好。

"要消毒的！"日本人说了这么一句，匆匆的走开。

大家都不明白消毒是什么意思。晓荷觉得责任所在，须给大家说明一下："大概是教咱们洗洗澡，换换衣服。这是必有的手续，日本人最讲究卫生，清洁，我知道！"

又过了几分钟，那个日本人又回来，拉开门，说了声："开路！"

晓荷抢先往外走，并且像翻译官似的告诉大家："教咱们走！"

连晓荷，孙七一共是七个病人。大家都慢慢走出来。一出屋门，热气像两块烧红的铁，贴在大家的脸上。孙七扶住了门框，感到眩晕。

"快着走呀，孙七！"晓荷催促他，然后向日本人一笑。

走出大门，一部大卡车在门外等着他们呢。司机的已在车上坐好，旁边还坐着个持枪的日本兵。

"上车的！"日本人喊。

"大概呀，这是送咱们到正式的医院去。"晓荷一边往车上爬，一边推测。

车上没有座位，没有棚子。车板上有些血条子，被阳光晒得综起来，发着腥臭。晓荷认识这部车，它是专往城外拖死尸的。

车上没有地方不是滚烫的，大家没有坐下去的勇气，只好蹲着。车开了，有了一点风，也是热的。太阳似乎已不在天上，而是就在他们的身旁。车很快，像要冲出火海。什么地方都是亮的，连墙影儿都没有多少黑色。墙头，屋瓦，特别是电线上，都发着一些颤动的光。车飞驰，强烈的颜色联成一道飞虹，车上的人都闭上了眼。

忽然一黑，车声像雷似的响，大家全快忙睁开了眼，原来是到了城门洞内。

晓荷怕出城，预感到什么危险。可是，他不便说出来，怕那样对不起日本人。他想起大赤包来；但是，大赤包被杀也不能教他怀恨日本人；不是吗，他想，日本人会给她官儿作，当然也会杀了她，当然！

477

车上的人都发了慌，一齐问："到底是怎回事？"

出了城门，毒热的阳光又晒在大家的头上。他们停止了说话，又都闭上眼。

车冲过关厢，尘土被车轮卷起多高，热的灰沙落在他们的脸上。

"孙七！孙七！"晓荷看到一大片白薯地，更发慌了："这，这是……"

"你放心，日本人决不会害你！"孙七没有好气的说。

"对的！对的！"晓荷点了点头。"我没得罪过日本人！"

车停在一片榆林外。榆叶几乎已都被虫子吃光，秃眉烂眼的非常难看。树枝上，裹着好些虫网，网上挂着一颗颗的黑的虫屎。林外，四面都是白薯地，灰绿的叶子卷卷着，露出灰红的秧蔓，像些爬不动的大虫子。四外没有一个人，没有一点声音。一阵热风卷过来，只卷起一些干的黄土，吹落几片被虫子咬过的榆叶。两只黑鸦在不远的坟头上落着，飞起来，又落下。

前面的兵由车上跳下来，把刺刀安上。那长窄的刺刀，发出亮光，像一条冰似的，使大家的心都发凉起来。司机的也下了车，手中提着两把军用的铁锹。兵叫大家下车。

晓荷由车上滚下来，没顾得整一整衣服，便扑奔了日本兵去，跪在地上："老爷！老爷！我是你们的人，我的太太跟女儿都给你们作事！我没犯罪呀，老爷！老爷！"

孙七本是胆小的人，但在自从昏倒在街上几次以后，他已不那么怕死。现在，他想不出自己有什么死的罪名，也顾不得去想他该怎样处置自己。他好像完全没经过考虑，扑奔过晓荷去，他的手与脚全踢打在晓荷的身上。"你！你！我知道，遇见你就没好事；你，没有骨头，没有血的走狗！"

这时候，日本兵正要用刺刀扎孙七，可是最后下车的一个，穿着长衫颇体面的人，跳下车来掉头就跑。日本兵赶了他去，刺刀扎入他的背中。

端着枪，日本兵跑回来。孙七还在踢打冠晓荷。刺刀离孙七很近了，他把近视眼眯成两条缝子，而后睁开，睁得很大；紧跟着，他怒

吼了一声："干什么?"说也奇怪，冷不防的听到这一吼，日本兵莫名其妙的立定，仿佛忘了他要干什么了。

愣了一会儿，日本兵不去用刺刀扎孙七，而教大家排好。晓荷还在地上跪着，兵顺手把他揪起来，作为排头。孙七糊糊涂涂的排在第二。

天更亮了。阳光照着这些人，一片光杆的榆树，坟头，白薯地，也照着死亡。坟头上的一对乌鸦又飞起来，哀叫了两声，再落下。日本兵端着枪，领着大家往树后走。

树后有一大溜挖好的坑，土块上有些被晒死的紫红的蚯蚓。

"消毒的!"日本兵一枪把子将冠晓荷打入第一个坑；晓荷尖锐的狂喊了一声："饶命哟!"

司机把铁锹交给孙七与第三个人，用手比画着，教他们填土。孙七忘了一切，只知道坑中是卖国卖友的冠晓荷。他把身上所有的一点力气都拿出来，往坑中填土。晓荷还在喊："饶命呀!"

坑中的土越来越厚，晓荷的声音越来越小。土埋到他的胸，他翻眼看看日本兵，要再喊饶命，可是一锹堵住他的嘴，乌鸦飞了过来，在树林上旋转了一下，又飞开。

第二个坑是孙七的，他跳了进去，没出一声。

这叫做消毒。

全城都在消毒。共和面弄坏了北平人的肠胃，而日本人疑心是什么传染病，深怕染到日本居民。几辆大卡车日夜在街上巡行，见到晕倒的，闹肚子的，都拖走去消毒。消灭一个便省一份粮食。

一号的日本老婆婆走了过来，用英语向瑞宣打招呼："早安!"

瑞宣向前迎了两步："早安! 我应当早就去谢谢你，可是……"

"我懂，我懂!"她拦住他的话，向自己的街门指了指："她们到前门车站去接骨灰，骨灰!"咽了一口吐沫，她好像还有许多的话，而说不出来了。

"那……"瑞宣自然而然的想安慰她，可是很快的管束住自己，他不能可惜阵亡了的敌人，虽然老太婆帮过他的忙。

愣了好大一会儿，老太婆才又想起话来："什么时候咱们才会由一半走兽，一半人，变成完全是人，不再打仗了呢？"

"你我也许已经没有了兽性，"瑞宣惨笑着说："可是你拦不住你家的男人去杀中国人，我也没因爱和平而挡住你们来杀我们！在我的心中，我真觉得自古以来所有的战争都不值得流一滴血，可是从今天的局势来看，我又觉得把所有的血都流净也比被征服强！"

老太婆叹了口气，慢慢的走回家中去。

瑞宣，仍然立在门前，听见了小顺儿与妞子的歌声。他几乎要落下泪来。小孩们是多么天真，多么容易满足！假若人们运用聪明，多为儿童们想一想，世界上何必有战争呢！

回到院中，他的心怎样也安不下去。又慢慢的走出来，看着一号的门，他才想清楚，他是要看看那两个日本妇人怎样捧回来骨灰。他恨自己为什么要这样，这分明是要满足自己没出息的一点愿望——我不去动手打仗，敌人也会死亡！

刚到正午，他看见了。他的眼亮起来，心也跳得快了些。紧跟着，他改了主意，要转身走开。可是，他的腿没有动。

两个日本孩子，手中举着小太阳旗，规规矩矩的立在门外，等着老太婆来开门。他们已不像平日那么淘气，而像是有什么一些重大的责任与使命，放在他们的小小的身躯上。他们已不是天真的儿童，而是负着一种什么历史的使命的小老人；他们似乎深深的了解家门的"光荣"，那把自己的肢体烧成灰，装入小瓶里的光荣。

极快的他想到：假若他自己死了，小顺儿和妞子应当怎样呢？他们，哼，必定扯着妈妈的衣襟，出来进去的啼哭，一定！中国人会哭，毫不掩饰的哭！日本人，连小孩子，都知道怎么把泪存在心里！可是，难道为伤心而啼哭，不是更自然，更近乎人情吗？难道忍心去杀人与自杀不更野蛮吗？

还没能给自己一个合适的回答，他听见了一号的门开了，两扇门都开了。他的心，随着那开门的响声，跳得更快了些。他觉得，不论怎样，他也应当同情那位老太婆——她不完全是日本人，她是看过全世界的，而日本，在她心中，不过是世界的一小部分；因此，她的心

480

是超过了种族，国籍，与宗教等等的成见的。他想走开，恐怕老太婆看见他；可是，他依然没动。

老太婆走出来。她也换上了礼服——一件黑地儿，肩头与背后有印花的"纹符"。走出来，她马上把手扶在膝部，深深的鞠躬，敬候着骨灰来到。

两个妇人来了，两人捧着一个用洁白的白布包着的小四方盒。她们也都穿着"纹符"。老婆婆的腰屈得更深了些。两个妇人像捧着圣旨，脸上没有任何表情，就那么机械的，庄严的，无情的，走进门去。门又关上。瑞宣的眼中还有那黑地的花衣，雪白的白布，与三个傀儡似的妇人，呆呆的立着。他的耳倾听着，希望听见一声啼叫。没有，没有任何响动。日本妇人不会放声的哭。一阵风把槐叶吹落几片，一个干枝子轻响了一声。

十

　　一阵冷飕飕的西北风使多少万北平人颤抖。

　　在往年，这季节，北平城里必有多少处菊花展览；多少大学中学的男女学生到西山或居庸关，十三陵，去旅行；就是小学的儿童也要到万牲园去看看猴子与长鼻子的大象。诗人们要载酒登高，或到郊外去欣赏红叶。秋，在太平年月，给人们带来繁露晨霜与桂香明月；虽然人们都知道将有狂风冰雪，可是并不因此而减少了生趣；反之，大家却希望，并且准备，去享受冬天的围炉闲话，嚼着甜脆的萝卜或冰糖葫芦。

　　现在，西北风，秋的先锋，业已吹来，而没有人敢到城外去游览；西山北山还时常发出炮声。即使没有炮声，人们也顾不得去看霜林红叶，或去登高赋诗，他们的肚子空，身上冷。他们只知道一夜的狂风便会忽然入冬，冬将是他们的行刑者，把他们冻僵。

　　在那晨霜未化的大路上，他们看见，老有一部卡车，那把冠晓荷与孙七送到"消毒"的巨坑的卡车，慢慢的游行。这是鬼车！每逢它遇到路旁的僵尸，病死的，饿死的，或半死的，它便随便的停下来，把尸身拖走。看到鬼车，他们不由的便想到自己也有被拖走的可能——你倒在路上，被拖走，去喂野狗！没有医生看护来招呼，没有儿女问你的遗言，没有哀乐与哭声伴送棺材，你就那么像条死猫死狗似的销声灭迹。

　　韵梅三天两头的看见这部鬼车。

　　有了第一次领粮的经验，她不敢再迟到。每逢去领粮，她黑早的便起床。有时候起猛了，天上还满是星星。起来，她好歹的梳洗一下，便去给大家勾出一锅黑的，像药汤子似的粥来；而后把碗筷和咸菜都打点好。这些作罢，她到婆母的窗外，轻声的叫了一声："妈，我走啦！"

领粮的地方并不老在一处。有时候，她须走四五里路；有时候，她甚至须到东城去。假若是在东城，她必须去赶第一班电车；洋车太贵，她坐不起。她没坐惯电车，但是她下了决心去试验。她是负责的人，她不肯因为日本人的戏弄，残暴，而稍微偷一点懒。

使她最胆战心惊的是那部鬼车。不管是阴是晴，是寒是暖，一眼看见它，她马上就打冷战。有时候，车上有三四个，甚至于十来个，死尸，她不由的便闭上了眼。那些死尸，在她心里，不仅是一些冰冷的肢体，而是和她一样的人；他们都必定有家族，亲友，与吃喝穿戴等等的问题。她想，他们必然还惦念着他们的儿女，父母，和家中的事情。是的，有一次她看见一个死尸，右腕上还挂着一个面口袋！和她一样，她的手中也有个口袋！

有一天，她抱着半袋子共和面，往家中走。离家还有二三里地呢，可是她既不肯坐洋车，也不愿坐电车。洋车贵，电车不易挤上去。她走得很慢，因为那点臭面像个死孩子似的，越走越沉重。

猛一抬头，她看见了招弟。招弟（已由狱中出来，被派为监视北平的西洋人的"联络"员）虽然穿着高跟鞋，可是身量还显着很矮。与她同行的是个极高极大的西洋人。她的右手紧紧的抓着那个"伟人"的臂，脸儿仰着，一边走一边笑着和他说话。她的头发一半朝上，像个极大的刷瓶子的刷子，蓬蓬着，颤动着，那一半披散在肩上。她的小脸比从前胖了许多，眉眼从远处看都看得很清楚，因为都按照电影明星拍制影片时候那么化过装。她高声的说笑，脸上的肌肉都大起大落的活动：眉忽然落在嘴角上，红唇忽然卷过鼻尖去。及至笑得喘不过气来，她立住，双手抱住"伟人"的臂，把蓬蓬着的头发都放在他的怀里，肩与背一抽一抽的动弹。这样笑够了，她抽出他的领带，轻轻的搌一搌眼角。而后，她掏出小镜子，粉扑，劈拍劈拍的往脸上拍粉，倒好像北平的全城是她的化装室。

韵梅抱着面袋，愣在了那里。招弟没注意她，也没注意任何人，所以韵梅放胆的看着，直到招弟拍完粉，又和那个"伟人"缓缓的走开。

韵梅不由的啐了一口吐沫。她不知道什么国家大事，但是她看明白了这一点——日本人来到北平，才会有这种怪事与丑态。想到这里，她不由的看了看面袋与自己的旧蓝布大褂。看完，她抬起头来，觉出自己的硬正。别管她吃的是什么，穿的是什么，她没有变成和洋人一块出怪象的招弟。她觉得应当自傲！

假若招弟的丑态教韵梅的脸红，刘棚匠太太可是教她感到妇女并不是白吃饭的废物或玩物。

刘太太一向时常到祁家来，帮助韵梅作些针头线脑什么的。最近，因为粮食缺乏，物价高涨，刘太太决定不再要瑞宣每月供给她的六块钱。她笨嘴巴舌的把这个决定首先告诉了韵梅，韵梅既不能作主，又�刘太太是否因为不好意思要求增加钱数，而故意的以退为进的拒绝再接受供给。

"我有法儿活着！有法儿！"刘太太一劲儿那么说，而不肯说出她到底有什么法儿活着。

过了两天，刘太太不见了。连韵梅带祁家的老幼全很不放心。特别是瑞宣：虽然因为经济的力量不够，不能多照应刘太太，可是他既受到刘师傅之托，就不能不关切她的安全。

又过了几天，刘太太忽然回来了，拿来有一斤来的小米子，送给祁老人。不会说别的，她只笑着告诉老人："熬点粥喝吧！"

小米子，在战前，是不怎么值钱的东西；现在，它可变成了宝贝！每逢祁老人有点不舒服，总是首先想到："要是有碗稠糊糊的小米粥喝，够多么好呢！"今天，看见这点礼物，他摸弄着那一粒粒娇黄的米粒，倒好像是摸着一些小的珍珠。他感激得说不上话来。

把刘太太扯到自己屋中，韵梅问她从哪儿和怎么弄来的小米子。刘太太接三跳两的说出她的行动。原来，自从日本人统制食粮，便有许多人，多半是女的，冒险到张家口，石家庄等处去作生意。这生意是把一些布匹或旧衣裳带去，在那些地方卖出去，而后带回一些粮食来。那些地方没有穿的，北平没有吃的，所以冒险者能两头儿赚钱。

这是冒险的事，他们或她们必须设法逃过日本人的检查，必须买通铁路上的职工与巡警。有时候，他们须藏在货车里，有时候须趴伏在车顶上。得到一点粮，他们或她们须把它放在袖口或裤裆里，带进北平城。刘太太加入了这一行。她不肯老白受祁家的供给，而且那点供给已经不够她用的了。

粗枝大叶的把这点事说完，刘太太既没表示出自己有胆量，也没露出事体有什么奇怪，而只那么傻乎乎的笑了笑。直到韵梅问她难道不害怕吗？她才简单的说了句："我是乡下人！"倒好像乡下人能够掉了脑袋也还能走路似的。

过了两天，刘太太又不见了。

从这以后，韵梅每逢要害怕，或觉得生活太苦，便马上想起刘太太来，而咬上了牙。她甚至对自己说："万一真连一点粮也买不到，我也得跟刘太太到张家口去！不论怎么苦，怎么险，反正不能看着一家老小都饿死！"

假若刘太太的勇敢引起韵梅的坚强与自信，李四妈的广泛的爱心又使她增多了对人与人之间的了解，与应有的互相关切。在从前，韵梅除了到街上买点东西，很少出街门，所以虽然知道李四妈是菩萨心肠，可是总嫌老婆子有点疯疯颠颠，不大懂规矩。现在，她常常出门，常常遇到李四妈，她开始了解那个老妇人。因为她常常到街上去，所以她时常需要别人的安慰与援助，而每逢遇到李四妈，她就必能得到她所需要的。这使她受了感动。在从前，她的处世待人的方法多半是本着祁家的传统，凡事都有个分寸，对谁都不即不离。现在，在屡次受李四妈的援助以后，她开始明白分寸与不即不离并不是最好的方法，而李四妈的热诚也并非过火与故意讨好。因此，她也试着步儿去帮助别人，在帮助了别人以后，她感到一种温暖，不是温暖的接受，而是放射；放射温暖使她觉得自己充实坚定。

不错，李四妈时常的撒村骂人，特别是在李四爷备受邻居的攻击的时候。可是，尽管她骂人，她还去帮忙大家；她并不为小小的一点怨恨而收起她的善心；她不仅有一点善心，她伟大！

在全胡同里，受李家帮助最多的是七号杂院那些人，可是攻击李

485

四爷最厉害的也是那些人。他们穷，所以他们的嘴特别厉害。虽然如此，李四妈还时常到七号去。他们说闲话，她马上用最脏的村话反攻。可是，在他们的病榻前，产房里，她像一盏灯似的，给他们一点光明。

七号的黑毛儿方六，自从能熟背四书以后，已成为相声界的明星，每星期至少有两三次广播。

有一天，在广播的节目中，他说了一段故事，俏皮日本人。节目还没表演完，方六就下了狱。

听到广播的人一致同情方六，可是并没有人设法营救他。李四妈并没听见广播，不晓得方六为什么下狱。但，她是第一个来安慰方家的人的，而后力逼"老东西"去设法救出方六来。

李四爷不过是小小的里长，有什么力量能救出方六呢？他去找白巡长，问问有无办法。

"四爷，我佩服您的好心，可是这件事不大好管！"白巡长警告李老人。

"我要是不管，连四妈带七号的人还不把我骂化了？"

"嗯——"白巡长闭了会儿眼，从心中搜寻妙计。"我倒有个主意，就怕您不赞成！"

"说说吧！谁不知道你是诸葛亮！"

"这一程子，大家不是老抱怨你老人家吗？好，咱们也给他们一手瞧瞧！"

李老人惨笑了一下。"我老啦，不想跟他们赌气！我好，我坏，老天爷都知道！"

"对！我也不劝您跟他们赌气！我是说，您出头，对大家伙儿去说：咱们上个联名保状，把方六保出来！看看，到底有几个敢签字的？他们要是不敢签字呀，好啦，他们也就别再说您的坏话，您看是不是？"

"他们要是都签字呢？"

"他们？"白巡长狡猾的一笑。"才怪！我懂得咱们的邻居们！"

李老人不高兴作这种无聊的事。不过，邻居们近来的攻击，又真

486

使他不甘心低着头挨骂。他正这么左右为难，白巡长又给加了点油："四爷，我并不愿挑拨是非，我是为您抱不平！试验试验他们，看看到底有几个有骨头的！"

李老人无可如何的点了头。

果然不出白巡长所料，七号的人没有敢签字的。他们记得小崔，小文夫妇，不肯为了义气而丧掉了命。

李老人有点高兴，不久就又变成了扫兴。他觉得那些人可恨，也可怜。他很想把保状撕碎，结束了这件无聊的事。可是，一点好奇心催动着他，他继续的去访问邻居们。

丁约翰没说什么便签了字。他不是为帮方六的忙，而大概是为表示英国府的人不怕日本鬼子。

程长顺，看了看保状，呜囔了两声什么，他也签了字。

李老人到了祁家，来应门的是韵梅。听明白李四爷的来意，她没进去商议，就替端宣签了名。她识字不多，可是知道怎么写丈夫的名字。

这教李四爷倒吓了一跳。他知道祁家是好人，可是没料到韵梅会有这么大的胆子。

真的，她的确长了胆子。她常常的上街，常常看到听到各种各样的事，接触各种各样的人，她不知不觉的变了样子。在从前，厨房是她的本营，院子是她的世界。现在，她好似睁开了眼，她与北平的一切似乎都有了密切的关系。假若营救方六，她盘算，是件错事，李四爷就一定不会出头。李四爷既肯出头，她就也应当帮忙；为什么好事都教李四老夫妇一手包办了呢？

最使她高兴的是瑞宣回来，听到她的报告，并没有责备她轻举妄动。他笑了笑，只说了声："救人总是好事！"

李四爷并没把保状递上去，一来是签名的太少，二来知道递上去不但不见得有用，而且倒许给签名的人惹出麻烦来。可是，由这回事，他更认清楚了街坊中谁是真人，谁是假人。特别对于韵梅，他觉得她仿佛是他的一个新的收获。

在她上街的时候，韵梅常常遇见一号的日本老婆婆和那两个淘气的日本孩子。她一向不搭理他们。她恨那两个孩子，因为他们欺侮过小顺儿子。

现在，她知道了一号的男人阵亡，妇女作了营妓，她开始可怜他们，开始和那老婆婆过话。老婆婆只会说几句简单的中国话，可是韵梅能由她的眼神中猜出许多要说而没能说出来的意思。有时候，她们俩立在一处，呆呆的一言不发，而感到彼此之间有些了解。老太婆仿佛是要说："我不是平常的日本人，别拿我的相貌服装判断我！"韵梅呢，想不出什么简单明了的话来说明自己的态度，可是那几千年文化培养出的一点一视同仁之感使她可怜老太婆的遭遇。渺茫的，她觉得自己非常伟大——她能可怜她的敌人！

一夜飕飕的西北风，地上头一次见了冰。一清早，韵梅须去领粮。看着地上的薄冰，她想找出她的手套来。可是，她并没去找。她不能怕冷，她知道这一冬天，苦难还多着呢，不能先教一点冰吓倒。出了门，冰凉的小风一会儿便把她的鼻尖冻红；她加速了脚步，好给自己增多一点热力。

领粮的人们，有的戴上了多年不见的红呢子破风帽，有的戴上了已成古董的耳帽儿，有的穿着油腻多厚的旧棉袍，有的穿着只有皮板而没有毛的皮坎肩。韵梅看着这些带着潮味的"奇装异服"，忽然怀疑自己是不是在北平的街上立着呢。她知道，北平人是最讲体面的；就是衣服破旧，也要洗得干干净净的。她想不起什么时候看见过这么多，这么脏，这么臭的衣裳来。

仰起头，看看天，那蓝得像宝石的天，她知道自己的确是在北平。那街道，铺户，与路旁落了叶子的树，也都不错，是她所熟识的。她只是不认识了那些人。假若今年，北平人已成了这么人不人鬼不鬼的样子，明年应当怎样呢？她不敢再往下想。

正在这时候，她敢起誓，她的的确确的看见了老三瑞全！他穿着一副短撅撅的，像种地的人穿的，蓝布旧棉袄，腰中系着一根青布搭包。光着头，头上冒着热汗，他顺着马路边走，走得很快。她张开口，喊："老三！"可是，没有声音。一眨眼的工夫，老三已走出老远去。

老三！老三！她无声的叫了多少次，她不冷了；反之，她的手心上出了汗。老三回来了；刚才，他离她不过有两丈多远！老三，在户口登记簿上已经"死"了，居然又回到北平！老三，在外边打敌人，不单没被敌人打死，反倒公然的打进北平，在马路边上大踏步走着！韵梅的眼亮起来，腮上红了两小块。她无须再怕任何人，任何事，老三就离她不远，一定会保护她！

领了粮，回到家中，多少次她要把这个好消息告诉给老人们。可是，她晓得这不是随便说着玩的事，必须先和丈夫商议一下。她的话像一群急于出窝的蜂子，在心中乱挤乱撞。她须咬紧了嘴唇，把唇咬痛，才能使那群蜂儿暂时安静一会儿。院中每逢一有脚步声，她就以为是老三。即使没有声音，她还时时的看见他，在厨房，在院中，在各处，她看见他，穿着蓝短棉袄，头上出着热汗。好容易到了就寝的时候，她才得到开口的机会：

"小顺儿的爸，你猜怎么着，我看见了老三！"

瑞宣已经躺下，猛的坐起来："什么？"

"我看见了老三！我起誓，一定是他！"

"在哪儿？他什么样子？"

韵梅一五一十的告诉了他。

抱住膝，他把眼盯在墙上，照着韵梅所说的，他给自己描画出一个老三来，像一张相片似的，挂在墙上。呆呆的看着那张想象的相片，他忘了一切。耳中，他仿佛只听到自己的心跳。

韵梅一脱鞋，响了一声，瑞宣吓了一跳；墙上的形影忽然不见了。他慢慢的躺下。"你可千万别对任何人说呀！"

"我就那么傻？"

"好，千万别说！别说！"

"一定不说！"韵梅也躺下。

韵梅不再出声，她的想象可是充分的活动着：她想老三必定是爬过山，越过岭，到过很远很远的地方，甚至于走到海边，看见了大海。她一生没出过北平城，对于山她只远远的看见过西山与北山，老那么蓝汪汪的，比天色深一点。她可不晓得山上的东西是不是也全是

489

蓝颜色的。对于海，她只见过三海公园的"海"，不知道真正的大海要比三海大多少。韵梅闭上了眼，心中浮起比三海大着多少倍的海，与蓝石头蓝树木的蓝山。海边山上都有个结实的，勇敢的老三。

十一

身上带着秦岭上的黄土，老三瑞全在旧历除夕进了西安古城，只穿着一套薄薄的棉学生装。

在这以前，他的黑豆子似的眼已看见了黄河的野浪，扬子江心的风帆，三峡的惊涛，与乱山中连茶叶都没见过的三家村。

对于他，没有一个地方能比得上北平。可是，每一个地方都使他更多明白些什么是中国。中国，现在他才明白，有那么多不同的天气，地势，风俗，方言，物产；中国大得使他狂喜，害怕，颤抖。连各处的云与蚊子都不一样！他没法忘了北平，可也高兴看那些不同的地域。那滚滚的黄流与小得可怜的山村，似乎是原始的，一向未经人力经营过的。可是它们也就因此有一种力量，是北平所没有的一种力量，紧紧的和天地连在一处。假若那人为的，精巧的，北平，可以被一把大火烧光，这些河流与村庄却仿佛能永远存在——从有历史以来，它们好像老没改过样子，所以也永远不怕，不能，被毁灭。这些地方也许在三代以前就是这样，而且永远这样。它们使他担心它们的落伍，可也高兴它们的坚实与纯朴。他想，新的中国大概是由这些坚实纯朴的力量里产生出来，而那些腐烂了的城市，像北平，反倒也许负不起这个责任的。

他也爱那些脚登在黄土上的农民，他们耕植的方法是守旧的，他们的教育几乎是等于零的，他们的生活是极端艰苦的，可是他们诚实，谨慎，良善，勤俭。只要他们听明白了，他们就（哪怕他们自己须挨饿呢！）不惜拿出粮食，金钱，甚至于他们的子弟，献给国家。他们没有北平人那样文雅，聪明，能说会道，可是他们，他们，负起

491

抗战的全部责任；中国是他们的。是他们，把秦岭与巴山的巨石铲开，修成公路；是他们，用一筐一筐的灰沙，填平水田，筑成了飞机场；是他们，当敌人来到的时候，烧了房屋，牵了牛马，随着国旗撤退；是他们，把子弟送上前线，把伤兵从战场上抬救下来。

这样看明白了，瑞全才也骄傲的承认自己是中国人，而不仅是北平人。他几乎有点自愧是北平人了。他有点知识，爱清洁，可是，他看出来，他缺乏着乡民的纯朴，力量，与从地土中生长出来的智慧。有许多事，乡民知道，乡民能作，而他不懂，不能作。他的知识，文雅清洁，倒好像是些可有可无的装饰；乡民才是真的抓紧了生命，一天到晚，从春至冬，忙着作那与生命密切相关的事情；而且到时候，他们敢去拼命——尽管他们的皮肤是黑的，他们的血可是或者比他的更热更红一点。

他开始不注意自己的外表。看着自己身上的破衣服，鞋子上的灰土，和指甲缝中的黑泥，他不单不难过，而反觉得应当骄傲。他甚至于觉得乡民身上若有虱子，他就也应当有几个。以前，在北平的时候，他与别的青年一样，都喜欢说"民众"。可是，那时节，他的"民众"不过是些无知的，肮脏的，愚民。他觉得自己有知识，有善心，应去作愚民的尊师与救主。现在，他才知道，乡民，在许多事情上，不但不愚，而且配作他的先生。

他不会骑马放枪，可是下了决心请百姓们教给他。他甚至于强迫自己承认，乡下的红裤子绿袄的姑娘比招弟更好看。假若他要结婚，他须娶个乡下姑娘！

他更瘦了些，可是身量又高出半寸来，他的脸晒得乌黑，可是腮上有棱有角的显出结实硬棒。没法子和乡下青年打篮球，他学会和他们摔跤，举石墩。摸着自己的筋肉，他觉得他能一枪把儿打碎两个敌人的头颅。

热血循环得快，他的想象也来得快，他甚至于盘算到战后的计划。他想，在胜利以后，他应当永远住在乡下，娶个乡下姑娘，生几个像小牛一般结实的娃娃。为教育自己的娃娃，他顺手儿便办一个学校，使村中老幼男女都得到识字的机会。他将办一个合作社，一个小

492

工厂，一个医院，一个……他不单看见了胜利，也看见了战后的新中国。在那个新中国里，乡村都美化得像花园一样！

可是，不久，因当权者的不信任民众与怀疑知识青年们的自由思想，瑞全被迫离开他的工作与朋友，而必须到城市里作他所不高兴的工作，打击与失望使他愤怒。可是"不要灰心"！他想起钱伯伯与瑞宣大哥给他的临别赠言。他忍住气，闭上口，把乱说乱唱的时间都让给静静的思索。

他被派去做情报工作，到许多城市，然而没有去过敌后。假若他能在民间工作，或被军队收容，他万也不想回北平。他真爱北平，可是现在已体会出来它是有毒的地方。那晴美的天光，琉璃瓦的宫殿，美好的饮食，和许多别的小小的方便与享受，都是毒物。它们使人舒服，消沉，苟安，懒惰。瑞全宁可到泥塘与血狱里去滚，也不愿回到那文化过熟的故乡。不过既没有旁的机会，他也只好回北平，去给北平消毒。

在除夕，他进了西安古城。因穿得太薄，他很冷。绕了几条街，他买不到一件棉袍。铺户已都关上门，过年。

他去敲寿衣铺的门。不管是除夕，还是元旦，人间总有死亡；寿衣铺不会因过年而拒绝交易。他买了件给死鬼穿的棉袍。他笑了。好，活人穿死人的衣服，就也算不怕死的一点表示吧。

从西安，他往东走。遇上什么车，便坐什么车；没有车，他步行。当坐火车或汽车的时候，他必和日本人坐在一处，跟他们闲谈，给他们一点东西吃，倒好像他是最喜欢日本人的人。假若他拿着机密的文件或抗日的宣传品，他必把它们放在日本人的行李当中，省得受检查；有时候，他托日本人给他带出车站去。这些小小的把戏使他觉得自己很不值钱，因为日本人就专好玩这种小聪明。可是，及至它们得到了应得的效果，他又不由的有点高兴，心中说："你们会玩的，我也会！"

当他步行的时候，他有时候为躲避日本人，有时候为故意进入占领区，就绕了许多许多路，得到详细观察各处情形的机会。走了些日子之后，闭上眼他能给自己画出一张地图来。在这地图上，不仅有山

493

河与大小的村镇，也有各处的军队与人民的动态。这是一张用血画的地图：一个小小的村子，也许遭受过十次八次的烧杀；一条静静的小溪，也许被敌人与我们抢渡过多少次。看着这张他心中的地图，他知道了中国人并不老实，并不轻易投降给敌人。

越走，离北平越近了，他不由的想起家来。他特别想念母亲与大哥。可是，这并没教他感到难过，因为三四年来的流亡，他看明白，已使他永远不会把自己再插入那四世同堂的家庭里，恢复战前的生活状态。那几乎已不可能。他已经看见了广大的国土，那么多的人民，和多少多少民间的问题。他的将来的生活关系，与其是家庭的，毋宁说是社会的。战争打开了他的心与眼，他不愿再把自己放在家里去。

已是秋天，他才由廊坊上了火车。

他决定变成廊坊的人。这不难，只要口音稍微一变，他就可以冒充廊坊的人。他的服装——一件长蓝布夹袍，一双半旧的千层底缎鞋，一顶青缎小帽——教他变成了粮店少掌柜的样子。他的行李是一件半旧的"捎马子"，上面影影绰绰的还带着"三槐堂"的字样。他姓了王。此外，他带着一副大风镜，与一条毛巾。拿毛巾当作手绢，带出点乡下人的土气，而大风镜又恰好给他添加些少掌柜的气派。捎马子里放着那"死灵魂"的棉袍，与三五件小衣裳。除了捎马子上的"三槐堂"，他浑身上下没有任何带字的东西。

高高的，黑黑的，他装傻充愣的上了火车，颇像常走路的买卖人。在车上，他想好王少掌柜的家谱与王家村的地图。一遍，两遍，十几遍，他把家谱与地图都背得飞熟。假若遇上日本人盘问，他好能用详细的形容与述说去满足他们的细心与琐碎——日本人不是最理想的仇敌，他们太琐碎。琐碎使日本人只看见了树，而忘了林，因而也就把精力全浪费在阴险与破坏上，而忘了人世间最崇高，最有意义的事情。

离北平越来越近了。火车一动一动的，瑞全的眼中一闪一闪的看到了家。家门，门外的大槐树，院中的一切，同时的，像图画似的，都显现在目前。他赶紧闭上眼，听着火车的轮声，希望把自己催眠过去。他一定不要因为看见北平而心跳得快起来。他已经被日本人摸过几次胸口，看他的心跳得快不快。这是北平，是他的家，也是虎口；他必须毫不动心的进入虎口，而不被它咬住。

车停住。他慢慢的扛起行李，一手高举着车票，一手握着那条灰不噜的毛巾，慢慢的下了车。车站旁的古老的城墙，四围的清脆的乡音，使他没法不深吸一口气。一吸气，他闻到北平特有的味道。他想快跑几步，像小儿看到家门那样兴奋的跑几步。北平有毒，可是，北平到底是他的生身之地，那颜色，气味，语声，都使他感到舒服与恰好合适，倒仿佛他一伸手就可以摸到母亲的手腕似的。可是，他必须镇定的，慢慢的，走。他知道，只要有人一拍他的肩膀，他就得希望那最好的，而勇敢的接受那最坏的。这已不是北平，而是虎口。

平安无事的，在车站上的木栅前，他交出手中的车票。可是，他还不敢高兴；北平的任何一块土，在任何时间，都可以变成他的坟墓。

果然，他刚一出木栅，一只手就轻轻的放在他的肩上。他反倒更镇定了，因为这是他所预料到的。

他用握着毛巾的手把肩头上的手打落，而后拿出少掌柜的气派问了声："干什么?"不屑于看那只手是谁的，他照旧往前走，一边叨唠着："我有熟旅馆，别乱拉生意! 北平是常来常往的地方，别拿我当作乡下脑壳!"

可是，这点瞎虎事并没发生作用。一个硬棒棒的东西顶住了他的肋部。后面出了声："走! 别废话!"

三槐堂的王少掌柜急了，转过身来，与背后的人打了对脸。"怎回事? 在车站上绑票? 不躲开我，我可喊巡警!"

口中这样乱扯，瑞全心里却恨不能咬下那个人几块肉来。那是个中国的青年。瑞全恨这样的人甚于日本人。可是，他须纳住气，向连猪狗不如的人说好话。他叫了"先生"，"先生，我身上没有多少钱，您高抬贵手!"

"走!"那条狗龇了龇牙，一口很整齐洁白的牙。

王少掌柜见说软说硬都没有用，只好叹气，跟着狗走。

票房后边的一间小屋就是他预期的虎口。里边，一个日本人，两

495

个中国人，是虎口的三个巨齿。

瑞全忙着给三个虎齿鞠躬，忙着放下行李，忙着用毛巾擦脸。而后，立在日本人的对面，傻乎乎的用小手指掏掏耳朵，还轻轻的揉了揉耳朵眼。

日本人像鉴定一件古玩似的看着瑞全，看了好大半天。瑞全时时的傻笑一下。

日本人开始掀着一大厚本相片簿子。瑞全装傻充愣的也跟着看，看见了好几个他熟识的人。日本人看几片，停一停，抬头端详瑞全一会儿，而后再看相片。看了半天，瑞全看到他自己的相片。他已忘了那是在哪里照的，不过还影影绰绰的记得那大概是三年前的了。相片上的他比现在胖，而且留着分头，（现在，他是推着光头，）一绺儿松散下的头发搭拉在脑门上。也许是因为这些差异，日本人并没有看出相片与瑞全的关系，而顺手翻了过去。瑞全想象着吐了吐舌头。

日本人推开相片本子了，开始审问瑞全。瑞全把已背熟了的家谱与乡土志，有点结巴，而又不十分慌张的，一一的说出来。他说，那两个中国人便记录下来。

问答了一阵，日本人又去翻弄相片，一个中国人从新由头儿审问，不错眼珠的看着记录。这样问完一遍，第二个中国人轻嗽了一下，从记录的末尾倒着问。瑞全回答得都一点不错。

日本人又推开相片本子，忽然的一笑。"我认识廊坊！"这样说完，他紧跟着探进手去，摸瑞全的胸口。

瑞全假装扭咕身子，倒好像有点害羞似的，可是并没妨碍日本人的手贴在他的胸口。他的心跳得正常。

日本人拿开手，开始跟瑞全"研究"廊坊，倒好像他对那个地方有很深的感情似的。

听了几句，瑞全知道日本人的话多半是临时编制的，所以他不应当完全顺着日本人的话往下爬，也不该完全呛着说。他须调动好，有顺有逆的，给假话刷上真颜色。

"王家村北边那个大坑还有没有？"

"那个大坑？孩子们夏天去洗澡的那个？早教日本军队给填

平了!"

"大坑的南边有两条路,你回家走哪一条?"

"哪一条我也不走!我永远抄小道走,可以近上半里多路!"

日本人又问了许多问题,瑞全回答得都相当得体。日本人一努嘴,两个中国人去搜检行李与瑞全的身上。什么也没搜出来。

日本人走出去。两个中国人愣了一会儿,也走出去。

瑞全把钮扣系好,然后把几件衣服折叠得整整齐齐,又放回捎马子里。一边收拾,一边暗中咒骂。他讨厌这种鬼鬼祟祟的变戏法的人。这不是堂堂正正的作战,而是儿戏。但是,他必耐着心作这种游戏,必须在游戏中达到他的抗敌的目的。是的,战争本身恐怕就是最愚蠢可笑的游戏。

他没出声的叹了口气。而后,把捎马子拉平,坐在上面,背倚着墙角,假装打瞌睡。

"睡"了一会儿,他听见有一个人走回来。他的睡意更浓了,轻轻的打着呼。没有心病的才会打呼。

"嗨!"那个人出了声:"还不他妈的滚?"

瑞全睁开眼,擦了擦脸,不慌不忙的立起来,扛起行李。他给那个人,一个中国人,深深的鞠了躬;心里说:"小子,再见!我要不收拾你,汉奸,我不姓祁!"

出了屋门,他还慢条斯理的东张西望,仿佛忘了方向,在那里磨蹭。他知道,若是出门就跑,他必会被他们再捉回去;不定有多少只眼睛在暗处看着他呢!

十二

扛着行李，瑞全慢慢的进了前门。

一看见天安门雄伟的门楼，两旁的朱壁，与前面的玉石栏杆和华表，瑞全的心忽然跳得快了。伟大的建筑是历史、地理、社会与艺术综合起来的纪念碑。它没声音，没有文字，而使人受感动，感动得要落泪。况且，这历史，这地理，这社会与艺术，是属于天安门，也属于他的。他似乎看见自己的胞衣就在那城楼下埋着呢。这是历史与地理等等的综合的建筑，也是他的母亲，活了几百年，而且或者永远不会死的母亲。

是的，在外边所看到的荒村，与两岸飞沙的大河，都曾使他感动。可是，那感动似乎多半来自惊异；假若他常常看着它们，它们也许会失去那感动的力量。这里，天安门，他已看见过不知多少次，可是依然感动他。这里的感动力不来自惊异与新奇，而是仿佛来自一点属于"灵"的什么。那琉璃瓦的光闪，与玉石的洁白，像一点无声的音乐荡漾到他心里，使他与那伟大的建筑合成一体。

真的，天安门前是多么静寂呀。行人车马都带着短短的影子，像不敢出声的往东往西走。地方的空旷与城楼的高大，使蠕动的人马像一些小小的什么虫子。一阵凄凉的小风吹过，似乎把树影儿都吹淡了一些。电线随着小风颤动，发出一些响声。

他真愿意去看看中山公园与太庙，不是为玩耍，而是为看看那些建筑，花木，是否都还存在。不，他不能去。扛起捎马子游公园或太庙，是会招起疑心的；焉知身后没有人钉他的梢呢。

一想走进公园，他也不由的想起招弟。她变成了什么样子呢？他

498

想起，在战前，他与她一同在公园里玩耍的光景。他特别记得：那老柏的稀疏影儿落在她的脸上与白的衣服上，使她的脸和浑身都有光有暗，而光暗都又不十分明显，仿佛要使她带着那些柔软的影与色，渐渐变成个无可捉摸的仙女似的。不，不要想她！他应当自庆，他没完全落在爱的网里，而使他为了妻室，不敢冒险，失去自由！

到哪里去呢？他不能马上去找他的秘密的机关。万一有人跟随他的呢？那岂不泄露了秘密？好的，他须东西南北的乱晃一阵，像兔儿那样东奔一头，西跳两下，好把猎犬弄糊涂了。

他往西走。走出不远，并没回头，他觉出背后有人跟着他呢！轻巧的，他把一只鞋弄掉，而后毛下腰去提鞋。一斜眼，他看明白了跟着他的人，高第！

高第从他的身旁走过去，用极低的声音说了句："跟我走！"

看着高第的后影，那颇好看的，有淡淡的阳光的后影，他觉得北平一切都变了，变得丑恶，无耻，像任凭人家奸污的妇女。

这时候，高第已和他走并了肩。她忽然的说出来："我入了狱，作了特务；要不然，我没法出狱！不用防备我，我和钱先生通气，明白吧？"

"钱先生？哪个钱先生？"

"钱伯伯！"

"钱伯伯？"瑞全松了口气。忽然的，连那灰色的城墙都好像变成了玻璃，发了光！北平并没有死，连钱先生带高第都是在敌人鼻子底下拼命呢！他真想马上跪在地上，给高第磕个头！

"他晓得你要来！你要是愿意先看他去，他在西边的小庙里呢。你应当看看他去，他知道北平的一切情形！到小庙里说：敬惜字纸！"说到这里，她立住，和瑞全打了对脸。

在瑞全眼中，她的脸上没有多余的表情，而只有一股正气，与坚定的眼神。这点正义与眼神，并没使她更好看一点，可是的确增多了她的尊严。她的鼻眼还和从前一样，但是她好像浑身上下全变了，变成了一个他所不认识的高第。这个新高第有一种美，不是肉体的，而是一些由心中，由灵魂，放射出来的什么崇高与力量。这点美恰好是和他心中那点劲儿一样,使他仿佛要忘记她的五官四肢,而单独的把那点劲儿抓住,和她心心相印。他低下了头去。他错想了她。

"招弟呢?"他低声的问。

"她也——跟我一样!"

"一样?"瑞全抬起头来,硬巴巴的脸上布满了笑纹。他的心中,北平,全世界,都光亮起来。

"只有这一点分别:我跟钱先生合作,她,她给敌人作事!"

瑞全的笑纹全僵在了脸上。

"你要留神,别上了她的当!再见!"高第用力的看了他一眼,转身走开。

虽然已是秋天,钱诗人却只穿着一件蓝布的单道袍。他的白发更多了;两腮深陷,四围长着些乱花白胡子。他已不像个都市里的人,而像深山老谷里修道的隐士。静静的他坐在供桌旁的一个蒲圈上,轻轻的敲打着木鱼。

听见了脚步声,老人把木鱼敲得更响一点。用一只眼,他看明白进来的是瑞全。他恨不能立刻过去拉住瑞全的手。可是,他不敢动。他忍心的控制自己。同时,他也要看看瑞全怎样行动,是否有一切应有的谨慎。他知道瑞全勇敢,可是勇敢必须加上谨慎,才能成功。

瑞全进了佛堂,向老人打了一眼,而没认出那就是钱伯伯。他安详的把捎马子放下,而后趴下恭恭敬敬的给佛像磕头。他晓得怎么作戏,不管他怎么急于看到钱伯伯。他必须先拜佛;假若有人还钉他的梢,他会使钉梢的明白,他是乡下人,也就是日本人愿意看到的迷信鬼神的傻蛋。

老人,看到瑞全的安详与作戏,点了点头。他轻轻的立起来,嗽了声;而后,向佛像的后面走。

瑞全虽然仍没认出老人,可是听出老人的嗽声。"钱伯伯"三个字,亲热的,有力的,自然的,冲到他的唇边。可是,他把它们咽了下去。拾起捎马子,他也向佛像后面走。绕过佛像,出了正殿的后门,他来到一个小院。

院中有个小小的砖塔，塔旁有一棵歪着脖的柏树。西边有三间小屋。钱诗人在最南边的一间外面，和一位五十多岁的和尚低声的说了两句话。和尚，看了瑞全一眼，打了个问讯，走入正殿，去敲打木鱼。

钱诗人向瑞全一点手，拐着腿，走进最北边的那间小屋。瑞全紧跟在老人的后面。

一进屋门，"老三"与"钱伯伯"像两个火团似的，同时喷射出来。瑞全一歪肩，把行李摔在地上。四只手马上都握在一处。瑞全又叫了声"钱伯伯"，可就想不起任何别的话来。在他记忆中，钱伯伯是个胖胖的，厚敦敦的，黑头发的，安良温善的，诗人。他也想到，钱伯伯的左右应该是各色的鲜花与陈古的图书。他万想不到钱伯伯会变成这个狼狈的样子，和在这些个破小庙里。愣了一会儿，他认识了钱伯伯，正像他细看一会儿那被轰炸过的城市之后，便依稀的认出街道与方向。老人的眼正像从前那么一闪一闪的。老人的声音还是那么低柔和善。

"我看看你！我看看你！"老人笑着说。他的深陷的双腮不帮忙使他的笑容美好，可是眼角上的笑纹还很好看。"我看看你，老三！"

瑞全这才看到屋中只有一张木板床，一张非靠墙不能立稳的小桌，和一把椅子。老人坐在床沿上，瑞全把椅子拉过来，凑近老人，坐下。

"伯伯，您怎么变成这个样子了?"瑞全打破了沉寂。

老人的唇动了动。他想把入狱受刑的经过，与一家人的死亡，一股脑儿像背书似的背给瑞全听。可是，他以为瑞全刚由外面回来，必定看见过战场；战场上一天或一点钟内，也许有多少流血的与死亡的；他自己的一点苦痛有什么可说的价值呢？他坚定，勇敢，可是他还谦卑。

"教日本人收拾的。"老人低声的说，希望就用这么一句话满足了瑞全。

"什么?"瑞全猛的立起来，一双黑豆子眼钉住老人的脑门。

瑞全万也没想到钱诗人，钱伯伯，天下最老实的人，会受毒刑。

在外面三四年，因为不肯想家，他冷淡了北平。他以为北平在这几年里必是一声不出的，一滴血不流的，用它的古老的城墙圈着百万以上的亡国奴。谁知道，连钱先生这样的老实人也会受刑呢，并且因受刑而反抗呢？

现在，听到钱伯伯这一句话，他可是马上想起家里的人。假若钱伯伯会受刑，一切人都有受刑的可能，他家中的人也不能是例外。特别是他的大哥；大哥比钱先生更多着点下狱受刑的资格。他不由的问出来：

"我家里的人呢？"

钱老人低声的，温和的，说："坐下！"

瑞全傻乎乎的又坐下。

钱老人不愿教瑞全刚一回到北平就听到家中的惨事。可是，他若不说，瑞全会不会到别处去打听？他决定实话实说，知道瑞全也许可以在他面前 一点不害羞的哭出来。他是瑞全的老友，老邻居；瑞全小时候怎样穿着开裆裤，他都知道。好，瑞全若是要哭，就应当在他的面前。他的头低得无可再低，极慢极慢的说："你父亲和老二都完了！别人还都好！"

看过敌人的狂炸都市，看过山河间的战场，看见过杀伤与死亡，瑞全的心仿佛，像操作久了的手掌似的，长了一层厚皮。听到老人的话，他并没有马上受到强烈的刺激。他问了声"什么？"仿佛没有听明白似的。可是，没有等老人再说什么，他低下头去，泪像潮水似的流出来，低声的叫着："爸爸！爸爸！"

老人十分难堪的，把一只手放在瑞全的肩上，轻轻的叫："老三！老三！"他不敢劝阻瑞全，谁死了父亲能不伤心呢？他又不肯不安慰瑞全，谁能看着朋友伤心而不去劝慰呢？可是用什么话去安慰呢？老人一边叫着"老三"，一边急得出了汗。

哭了半天，瑞全猛的一挺脖子，"告诉我，小羊圈怎样了？"他似乎忘了中国，甚至于忘了北平，而只记得小羊圈，他的生身之地。

老人乐得的说些足以减少瑞全的悲苦的事；简单的，他把冠家的，小文夫妻的，小崔的，和棚匠刘师傅的事，说了一遍。

502

瑞全听完，愣了起来。他没想到，连小羊圈那么狭小僻静的地方，会出了这么多的事，会死这么多的人。哼，他走南闯北的去找战场，原来战场就在他的家里，胡同里！他不敢再正眼看钱伯伯。钱伯伯才是英雄，真正的英雄，敢在敌人的眼下，支持着受伤的身体，作复国报仇的事。

　　钱诗人见瑞全不出声，也不敢再张口说什么，虽然他急于听瑞全由外面带回来的消息和新闻。在这个青年面前，老人觉得自己所作的不过是些毫无计划的，无关宏旨的小事情。反之，瑞全身上的灰土才是曾经在沙场上飞扬过的，瑞全所知道的才是国家大事。

　　这样，一老一少本都想一见面就把积累了好几年的话倾倒出来，可是反倒相视无言了。他们都听着前殿的木鱼声。

　　还是瑞全先出了声："钱伯伯，告诉我点您自己的事！"

　　"我自己的事？"老人瘪着嘴一笑，他本不想说，可是又觉得不应当拒绝青年朋友的要求。再说，瑞全刚刚哭完，老人的话也许能比无聊的，空洞的，安慰，强一些。"我的事很多，可也很简单。让我这么解释吧；我的工作有三个阶段：第一阶段是在我受刑出狱之后。那时候，我没有计划，只想报仇。我心中有一口气，是怒，是恨，催动着我放弃了安静的生活，像疯了似的去宣传，去暗杀。那时候，我急，我怒，所以我不能容纳别人的意见。凡是与我主张不同的，我便把他们看成仇敌。那时候，我是唱独角戏。

　　"慢慢的，我走到第二阶段。我的肯作，敢作，招引来朋友。好，我看清楚，我应当有朋友，协力同心的去作。虽然我还没改了这一头儿是我，那一头儿是国家的态度，可是我知道了独自拼命远不及大家合作的更有效，更有力量。好，我不管别人的计划是什么，派别是什么，只要他们来招呼我，我就愿意帮忙。他们教我写文章，好，我写。他们教我把宣传品带出城去，好，我去。他们教我去放个炸弹，只要把炸弹给我预备下，好，我去。这样，我开始摸清了道路，有了作不过来的工作；而且，我也不生闲气了。我变成一个抗敌的机器，谁要用我，我都去尽力。同时，我没有顾忌，没有对报酬与前途的算计。我属于一切抗敌的人，作一切抗敌的事，一直作到死。假若第一阶段是个人的英雄主义或报仇主义，这第二阶段是合作的爱国主义。前者，我是要给妻儿与自己报仇，后者是加入抗敌的工作，忘了私仇，而要复国雪耻。

"现在，我走到第三阶段。刚才你看见了那位和尚?"老人指了指前殿。"他是明月和尚，我的最好的朋友。我们两个人的交情很纯真，也很奇怪。我呢，当我初一认识他的时候，是一心要报仇，要杀人。他呢，尽管北平城亡了，还不改变他的信仰，他不主张杀生。这样，我以为即使佛生在北平，佛也得发怒，也得去抗敌，假若佛的父母兄弟被敌人都杀害了的话。明月和尚不这样看，他以为这侵略、战争，只是劫数，是全部人间的兽性未退，而不是任何一个人的罪过。说也奇怪，我们两个人的见解是这么不同，而居然成了好朋友。他不主张杀人，因为他以为仇杀只足助长人的罪恶，而不能消灭战争。可是，他去化缘，供给我吃。他不主张杀人，而养着手上有血的朋友；叫学！

"不过，虽然我不接受他的信仰，可是我多少受了他的影响。他教我更看远了一步——由复国报仇看到整个的消灭战争。这就是说，我们的抗敌不仅是报仇，以眼还眼，以牙还牙，而是打击穷兵黩武，好建设将来的和平。

"这样，我又找到了我自己，我又跟战前的我一致了。这就是说，在战争一开始，我忽然受了毒刑，忽然的家破人亡，我变成疯狂。只有杀害破坏，足以使我泄恨。我忘记了我平日的理想与诗歌，而去和野兽们拼命。那时候，我是视死如归，只求快快的与敌人同归于尽。现在，说句也许教你笑我的话，我似乎长成熟了。我一边工作，一边也又有了理想。我不只糊里糊涂的去扔掉我的脑袋，而是要稳稳当当的，从容不迫的，心平气和的，去作事，以便达到我的理想。所以，我说，我又找到了自己。以前，我是爱和平的人；现在，还是那样。假若这里有点不同的地方，就是在战前，我往往以苟安懒散为和平；现在呢，我是用沉毅坚决勇敢去获得和平。

"我不必告诉你，一件一件的，我都作过什么。我倒真高兴能告诉你，我的这点小小的变化。变化是生长的阶段。我并没死，也并不

504

专凭一口怒气去找死，我是像个小孩，或小树，天天在生长。这样，危险困苦也就都不可怕了，因为我的眼是看着远处，正像明月和尚老看着西天那样。我不必再老咬着牙，拧着眉了，而可以既不着急，又不妥协的往前干去；我知道我所干的是任何一个有心思，有理想的人，所应当干的；我能自信了。是的，今天我没有，将来也不会，皈依佛法；不过，明月和尚的确给了我好的影响。我很感激他！他是从佛说佛法要取得永生；我呢是从抗敌报仇走到建立和平——假若人类的最终的目的是相安无事的，快快活活的活着，我想，我也会得到永生！"

用心的，瑞全一字不落的，把钱伯伯的话都听进去。

他没想到钱伯伯会这样概括的述说。他原来以为老人必定婆婆妈妈的告诉他一些有年月，有地点的事实。听完这一大段话，他呆呆的看着钱伯伯。是的，钱伯伯的身上，正像他的思想，全变了。他好像不认识了，又好像更多认识了一点，钱老人。

他很想把自己的经验都告诉给老人，可是，他鼓不起勇气来说了。事实，假若没有一个以思想作线索的纲领，不过是一些零散的砖头瓦块，说不说都没有关系。

"老三，说说你的事呀！"老人微笑着说。

老三伸了伸腿。"钱伯伯，用不着说了吧？我也正在变！"

"那可好，好！"老人的眼对准了瑞全的。"你看，要是对别人，我决不会说刚才那一套话，怕人家说我老王卖瓜，自卖自夸。对你，我不能不那么说，因为那是千真万确的事实。只有那么对你说，你才真能看见我的心。假如我只说些陈谷子烂芝麻，你也许早发了困！呕，老三，你不以为我是瞎吹，铺张？"

"我怎能呢？钱伯伯！"

"好！好！还是说说吧，说说你的事！我愿意多知道事情，只有多知道事情，心里才能宽绰！"

瑞全没法不开口了。他源源本本的把逃出北平后的所见所闻，都说出来。说着说着，瑞全感到空前未有的痛快，与兴奋。这是和钱伯伯谈心，他无须顾忌什么；在事实之外，他也发表了自己的意见与批评。

一直等老三说完，钱诗人才出了声："好！你看见了中国！中国正跟你，我一样，有多少多少矛盾！我希望我们用不灰心与高尚的理想去解决那些困难与矛盾！"

十三

瑞全须马上去工作，愉快的，坚定的，去工作。

他须先到东城的一家鞋铺去拿钱，马上买上一辆脚踏车，好开始奔走。

在东四牌楼附近，他找到了鞋铺。

铺子是两间门面，门窗牌匾的油饰都已脱落，连匾上的字号也已不甚清楚。窗上的玻璃裂了一大道璺，用报纸糊着。玻璃窗里放着两三双鞋，落满了尘土。

瑞全怀疑他是否找对了地方。再看看匾上的字号与门牌，他知道并没有找错。想起钱伯伯的道袍与那个小庙，他告诉自己：只有这种地方才适于作暗中进行的事体。他走了进去。

屋中相当的暗，而且有一股子潮湿的，掺夹着臭浆糊与大烟的味道。他嗽了一声，没有人答理他。他说出暗号："有双脸鞋吗？掌柜的！"

里面有了响动。他耐心的等着。又过了一会，里面的门吱的响了一声，出来个又高又瘦的人，口中正嚼着一口什么东西。他像个大烟鬼。

瑞全知道，在日本的统治下，吸鸦片是一种好的掩护。他掏出那副风镜来。在风镜的遮挡里藏着他的很小的证章。他取出证章，教瘦子看。而后，他低声的说："我来拿钱。"

瘦人翻了翻眼："什么钱？"

瑞全知道事情不妙。"你弟弟拨来的！"

"我，我没有弟弟！"瘦鬼把口中的东西咽净。

"没有……"瑞全的黑眼珠盯住那个又黄又瘦的脸，立刻想用手掐住那细长的脖子。可是，他得控制自己。他是在北平；只要瘦鬼一喊叫，他必会遇到危险。"别开玩笑！老哥！"他勉强的笑着说："你知道，那点钱多么重要！"

瘦鬼反倒不耐烦了："走，快走！我没有工夫跟你捣乱！"

瑞全看明白，瘦鬼是安心要炸他的酱。他猛的往前一扑，一手攥住瘦鬼的右腕，一手掐住脖子。他不能教瘦鬼高声喊叫，也不愿伤了瘦鬼的性命。但是，他必须给瘦鬼一点厉害。

瘦鬼，虽然那么大的个子，可是一点力气也没有，从未被瑞全扣紧的嗓子里发出急切而声音不大的央求："放开我！放开！"

瑞全稍把手扣紧一点："你一嚷，我就掐死你！"

"我不嚷！我不嚷！放开我！"

瑞全把手挪开。"有什么话快说！"

瘦鬼舐了舐嘴唇，看了瑞全一眼。"好，我实话实说！有那末一笔钱，我接到了。可是，可是，教我给用了！我没生意，我得吸烟，没钱！我知道，你跟我的弟弟都是了不起的人。我，我可是没有别的办法！我并不是坏人，可是，哼，四年了，四年在日本人脚下活着，连神仙也得变成坏蛋！"

瑞全一挺脖子走了出去。

他去找地下工作者的机关，一来是为报到，二来是看看能否借到一辆自行车。

走着，走着，他看见一辆自行车，斜倚着一株柳树。他愿去偷过它来，真的。有一辆车，他就长了翅膀，可以城里城外到处去奔走。那么，他的工作似乎应当抵消了他的偷窃的罪过！他笑了。

可是，他并没去偷车。好吧，日本人可以偷去整个北平，而他不屑于偷一辆车。这是不是一个道德的优越呢？他又笑了笑。

快走到目的地，他放慢了脚步，把一切思索都赶出心外。他必小心，像鼠儿在白天出来那么小心。他忘去了一切，好使他的每一根汗毛都警觉，留神。

街门开着呢。他不便敲门，而大模大样的闯进去。一个小院，四四方方的包着一块儿阳光，使他感到温暖。他不由的说出来："小院子怪可爱！"

南墙上放着一个木梯。他向梯子走去。他不敢马上进屋子，而必须在院中磨蹭一会儿，用耳目探听屋中的动静。

北屋的门轻轻的开了。瑞全用眼角撩了一下，门口立着个完全像日本人的中国人。

瑞全心中说："糟了！"可是，他反倒有点高兴。这是战斗，不像刚才鞋铺中的那一幕那么闷气与无聊。

他转过身来，和那个中日合璧的，在战争的窑里烧出的假东洋料，打了对脸。

"干什么的？"假东洋料板着脸问。

"贵姓呀？你老！"瑞全慢慢的凑过来，满脸赔笑的说："你是管房子的？我，三顺木厂的，来看看房。"

那个假东洋货的眼盯住瑞全的脸，一声没出。

瑞全更凑近一些，把声音放低："房东要三万！三万！"他吐了吐舌头。"好家伙，三万！才有几间小房啊！小院倒怪可爱，可是，怎么也不值三万哪！"说完，他搭讪着躲开。"我得上去看看，三万！非仔细看看不可！"他又走到南墙根，把梯子搬起来。这时候，他看清小东屋的玻璃窗子上还有个人脸呢。

他上了房，细细的敲验砖瓦，检看房椽。把上面看够，他由梯子上爬下来，再细心的看墙壁，阶石，与柱子。一边看，一边嘟囔着："木料还好，墙里可有碎砖！不值三万！"

把外面都看完，他把梯子放回原处，而后到屋中去看。假东洋货的眼始终不错眼珠的跟着瑞全。

瑞全一共磨蹭了半个钟头。因为登梯爬高的，他的腮上发了红，鼻子上出了汗。用毛巾擦了擦脸，他出来坐在台阶上，有声无声的盘算："屋进身太小！也别说，要盖新的，大概五万也盖不下来！"盘算了一阵，他高声的说："辛苦了，你老！"而后依依不舍的，东瞧西望的，向院外走。

看见街门，他恨不能一下子飞出去！他猜得出，这个机关是刚刚

509

被破获，说不定全数的工作者已都被捉了去。被捉去的，他知道，就不会再生还。假若机关里的文件也落在敌人手里，他自己的秘密便已泄漏了一大半！

可是，他不能，万不能，因此而慌张。他轻轻敲了敲门垛子与街门，看看工料如何。而后，坐在门坎上，用毛巾扇了扇脸。这样耽误了一会儿，约摸着院中的人若是在后边监视他，必定已经看清楚他的不慌不忙，而且也相信了他是木厂子的人，他才伸了伸腰，慢慢立起来，走开。这时候，他的心才真要从口里跳出来；轰的一下，他全身都出了汗。

十四

珍珠港！在东京，上海，北平，还有好多其他的都市，恶魔的血口早已在发音机前预备好；飞机一到珍珠港的附近上空，还没有投弹，血口已经张开，吐出预备好了的："美国海军全体覆没！"

北平的日本人又发了疯。为节省粮食，日本人久已摸不到酒喝。今天，为庆祝战胜美国，每个日本人都又得到了酒。

这样的喜酒是不能在家里吃的。成群的矮子，拿着酒瓶，狂呼着大日本万岁，在路上东倒西歪的走，跳，狂舞。他们打败了美国，他们将是人类之王。汽车，电车，行人的头，都是他们扔掷酒瓶的目标。

与醉鬼们的狂呼掺杂在一处的是号外，号外的喊声。号外，号外！上面的字有人类之王的头那么大，那么疯狂：美国海军覆没！征服美洲，征服全世界！

学生们，好久不结队游行了，今天须为人类之王出来庆祝胜利。

这消息并没教瑞全惊讶。自他一进北平城，便发现了日本人用全力捉捕，消灭，地下工作者。这是，他猜到，日本人为展开对英美的战争，必须首先肃清"内患"。

从另一方面，他几次看到招弟陪着西洋人在街上摆丑相。他妒，他恨，他想用条绳子把她勒死。可是，他不敢碰她，他必须压着怒气。把气压下去，他揣测得到，招弟的工作后面必含有更大的用意；她的诱惑是一片蛛网，要把西洋的蜂蝶都胶住，而后送到集中营去。

由高第的报告，他知道火车站上一方面加紧搜查来客，而另一方面却放松了北平的妇孺出境。日本人要节省粮食，所以任凭妇孺出走。积粮为是好长期作战。

同时，他因想到日本掀起了世界战争，而觉得自己的工作也许会更紧张，更惊险。比如说，他将负责刺探华北的军事情形与消息，那够多么繁难，危险！哈，假若他真去探听军事消息，他便是参加了世界战争！他高了兴，他的黑眼珠子亮得像两个小灯！

在小羊圈里，一号的老太婆把街门关得严严的，不肯教两个孩子出来。

战争的疯狂已使她家的男人变成骨灰，女的变成妓女；现在，她看见整个日本的危亡。但是，她不敢说出她的预言，而只能把街门关起，把疯狂关在门外。

三号的日本男女全数都到大街上去，去跳，去喊，去醉闹。在街上闹够，他们回到小羊圈，东倒西歪的，围着老槐树欢呼跳跃。他们的白眼珠变成红的，脸上忽红忽绿。他们的脚找不到一定的地方，一会儿落在地上，一会儿飞到空中。有时候，像猫狗似的，他们在地上乱滚。啊，这人类之王！

在中国人里，丁约翰差不多已死了半截。他的英国府被封，他的大天使富善先生被捕，他的上帝已经离开了他。他可以相信，天会忽然塌下来，地会忽然陷下去；可是，他不能相信，英国府会被查封；他的世界到了末日！

他亲眼看见富善先生被拖出去，上了囚车！他自己呢，连铺盖，衣服，和罐头筒子，都没能拿出来，就一脚被日本兵踢出了英国府！他连哭都哭不上来了。

天还没亮，富善先生便被打入囚车。同时，日本随军的文人早已调查好，富善先生收藏着不少中国古玩，于是"小琉璃厂"里的东西也都被抄去。他们也知道，富善先生的生平志愿是写一本《北平》。于是，他们就细心的搜检，把原稿一页一页的看过，而后封好，作为他们自己著书的资料。他们是"文明"的强盗。

像被魔鬼追着似的，他跑回小羊圈来。顾不得回家，他先去砸祁家的门。小羊圈，甚至于全北平，没有他的一个知心人，除了瑞宣。这并不是说，瑞宣平日对他有什么好感，而不过是丁约翰想：瑞宣既也吃着英国府的饭，瑞宣就天然的和他是同类。

虽然已是冬天，丁约翰可是跑得满身大汗。他忘了英国府的规矩，而像报丧似的用拳头砸门。

瑞宣还没有起床。韵梅在生火。听见敲门的声音，她忙着跑出来。

"祁太太，我！"约翰没等让，就往门里迈步。"祁先生呢？有要紧的事！要紧的事！"说着，他已跑到院中。他忘了安详与规矩，而想抓住瑞宣大哭一场。

祁老人已早醒了，可是因为天冷，还在被窝里蜷蜷着老腿，忍着呢。听到院中的人声，他发了话："谁呀？"

丁约翰在窗外回答："老太爷，咱们完啦！完啦！全完！"

"怎回事？"老人坐起来，披上棉袍，开开门闩。

丁约翰闯进门去。"英国府！"他呛了一口。"英国府抄封啦！富善先生上了囚车！天翻地覆响！"

"英国府？富善先生？"祁老人虽然不是吃洋教与洋饭的，可是多少有点迷信外国人。自从他的幼年，中国就受西洋人的欺侮，而他的皇帝与总统们都不许他去反抗。久而久之，他习惯了忍辱受屈。经过了四年的日本侵略，他的确知道了他应当恨日本人，可是对于西洋人他并没有改变他的固定的意见。日本人居然敢动英国府？

"一点不错，英国府，富善先生，全完！"丁约翰揉了揉眼，因为热汗已流进去一点。

这时候，瑞宣披着棉袍，走了进来。

"祁先生！"丁约翰像见着亲人那样，带着哭音儿叫。"祁先生！咱们完啦！"

瑞宣对这坏消息的反应并没像祖父的那么强烈。他早猜到会有这么一天。他的关切几乎完全在富善先生的身上。富善先生，是，无论怎么说，他的多年的良师益友。

祖父又发了问："咱们怎么办呢？我饿死不算回事，我已经活够了！你的妈，老婆，儿女，难道也都得饿死吗？"

瑞宣的脸热起来。他既没法子帮富善先生的忙，也无法回答祖父的问题。他走到了绝路。

韵梅在门外说了话："丁先生，你回去歇歇吧！天无绝人之路，哪能……"她明知道天"有"绝人之路，可是不能不那么说。她愿把丁约翰先劝走，好教瑞宣静静的想办法。她晓得瑞宣是越着急越没办法的。

正在小羊圈里的日本男女围绕着大槐树跳跃欢呼的时节，有一条小小的生命来给程长顺接续香烟。

程长顺像喝醉了似的，不知道了东西南北。恍惚的他似乎听到了珍珠港被炸的消息，恍惚的他似乎看见了街上的日本醉鬼。可是，那都只是恍惚的，并没给他什么清楚的印象。他忙着去请收生婆，忙着去买草纸与别的能买到的，必需的，小东西。出来进去，出来进去，他觉得他自己，跟日本人一样，也有点发疯。

他极愿意明白珍珠港是什么，和它与战局的关系，可是他更不放心他的老婆，这时候，他觉得他的老婆比世界上任何人都更重要，生小孩比世界上任何事情都更有价值；好像世界战争的价值也抵不过生一个娃娃。

马老寡妇也失去平日的镇静，不是为了珍珠港，而是为了外孙媳妇与重孙的安全。她把几年来在日本人手下所受的苦痛都忘掉，而开始觉出自己的真正价值与重要。是她，把长顺拉扯大了的；是她，给长顺娶了老婆；是她，将要变成曾祖母。她的地位将要和祁老人一边儿高，也有了重孙！

她高兴，又不放心；她要镇定，而又慌张；她不喜多说多道，而言语会冲口而出。她的白发披散开，黄净子脸上红起来一两块。她才不管什么珍珠港不珍珠港，而只注意她将有个重孙。

小羊圈里的人们听到这吉利的消息，马上都把战争放在一边，而把耳目放在程家的事情上。至少，这将要降生的娃娃已和全世界的兵火厮杀相平衡了；战争自管战争，生娃娃到底还是生娃娃：生娃娃永远，永远，不是坏事！他们都等待着娃娃的哭声，好给马老太太与程长顺道喜。是的，他们必须等着道喜：他们觉得在这时候生娃娃是勇敢的，他们不能不佩服程长顺与小程太太。

小程太太什么也不知道，不知道珍珠港，不知道世界在血泪里将变成什么样子。她甚至于顾不得想起小崔，与杀死小崔的日本人。她只知道自己身上的疼痛，和在疼痛稍停时的一种最实际的希望——生个娃娃。她忘了一切，而只记得人类一切的根源，生孩子！

　　娃娃生下来了，是个男的。全世界的炮火声并没能压下去他的啼哭。这委屈的，尖锐的，脆弱而伟大的啼声，使小羊圈的人们都感到兴奋，倒好像他们都在黑暗中看见了什么光明与希望。

　　孩子生下来的第二天，英美一齐向日本宣战。程长顺本想给那个满脸皱纹的娃娃起个名子，可是他安不下心去。看一眼娃娃，他觉得自己有了身分。可是，一想到全世界的战争，他又觉得自己毫无出息——在这么大的战争里，他并没尽丝毫的力气。他只是由没出息的人，变成没出息的父亲。

　　小儿的三天，中国对德意与日本宣战。程长顺，用尽他的知识与思想，也不明白为什么中国到今天才对日本宣战。可是，明白也罢，不明白也罢，他觉得宣战是对的。宣战以后，他想，一切便黑是黑，白是白，不再那么灰漉漉的了。而且，他也想到，今天中国对日宣战，想必是中国有了胜利的把握。哈，他的儿子必是有福气的。想想看，假若再打一年半载，中国就能打胜，他的儿子岂不是就自幼儿成为太平时代的人？儿子，哼，不那么抽抽疤疤的难看了。细看，小孩子也有眉毛啊！是的，这个娃娃的名子应当叫"凯"。他不由的叫了出来："凯！凯！"娃娃居然睁了睁眼！

　　可是，凯的三天过得并不火炽。邻居们都想过来道喜，可是谁也拿不出贺礼，也就不便空着手过来。马老太太本想预备点喜酒，招待客人。可是，即使她有现成的钱，她也买不到东西。战争是不轻易饶恕任何人的，小凯的三天只好鸦雀无声的过去吧。

　　只有李四妈不知由哪里弄来五个鸡蛋，用块脏得出奇的毛巾兜着，亲自送了来。把五个蛋交出去，她把多年积下的脏野的字汇全搬出来，骂她自己，"那个老东西"，与日本人，因为她活了一世，向来没有用过五个鸡蛋给人家贺喜。"五个蛋，丢透了人喽！"她拍打着自己的大腿，高声的声明。

515

可是，马老太太被感动得几乎落了泪。五个鸡蛋，在这年月，上哪儿找去呢！

祁家的老人，早已听到程家的喜信儿，急得不住的叹气。他是这胡同里的老人星，他必须到程家去贺喜，一来表示邻居们的情义，二来好听人家说："小娃娃沾你老人家的光，也会长命百岁呀！"可是，他不能去，没有礼物呀。

天佑太太，听到老人的叹气，赶紧到处搜寻可以当作礼物的东西。从掸瓶底儿上，她找出一个"道光"的大铜钱来。把大铜钱擦亮，她又找了几根红线，拴巴拴巴，交给了妞妞，教妞妞去对老人说："把这个给程家送去好不好？"

老人点了头。带着重孙子，孙女，他到程家去证实自己是老人星。

祁老人带着孩子们走后，瑞宣在街门外立了一会儿。他刚要转身回去，一位和尚轻轻的走过来，道了声"弥陀佛"。瑞宣立定。和尚看左右无人，从肥大的袖口中掏出一张小纸，递给了瑞宣；然后又打了个问讯，转身走去。

瑞宣赶紧走进院内，转过了影壁才敢看手中的纸条。一眼，他看明白纸条上的字是老三瑞全的笔迹。他的心跳得那么快，看了三遍，他才认明白那些字："下午二时，中山公园后门见面，千万！"

握着纸条，他跑进屋中，一下子躺在了床上。他好像已不能再立住了。躺在床上，第一个来到心中的念头是："我叫老三逃出去的！"这使他得意，自傲。

他想去告诉韵梅："你说对了，老三确是回来了！"他也想去告诉母亲，祖父，和邻居们："我们祁家的英雄回来了！"可是，他没有动。他必须替自家的英雄严守秘密。这个，使他难过，又使他高兴——哈，只有他自己知道老三回来，他是英雄的哥哥！

天气相当的冷，可是没有风，冷得干松痛快。穷破的北平借着阳光，至少是在瑞宣心里，显出一种穷而骄傲的神色。

远远的，他看见了禁城的红墙，与七十二条脊的黄瓦角楼。他收住脚步，看了看表，才一点钟。他决定先进到公园里去，万一瑞全能早来一些呢。

公园里没有什么游人。御河沿上已没有了茶座，地上有不少发香的松花。他往南走。有几个青年男女在小溜冰场上溜冰。

他找了松树旁的一条长凳，坐下。阳光射在他的头上，使他微微的发倦。他急忙立起来，他必不可因为困倦而打盹儿，以至误了会见老三的时间。

好容易到了两点钟，他向公园后门走去。还没走到，迎面来了个青年，穿着件扯天扯地的长棉袍。他没想到那能是老三。

老三扑过大哥来。"哈，不期而遇！瑞大哥！"老三的声音很高，似乎是为教全公园的人都能听到。

兄弟坐在了一棵老柏的下面。

瑞宣想把四年来的积郁全一下子倾吐出来。老三是他的亲弟弟，也是最知心的好友。他的委屈，羞愧，都只能向老三坦白的述说；而且，他也知道，只能由老三得到原谅与安慰。

可是，他说不出话来。身旁的老三，他觉得，已不是他的弟弟，而是一种象征着什么的力量。那个力量似乎是不属于瑞宣的时代，国家的。那个力量，像光似的，今天发射，而也许在明天，明年，或下一世纪，方能教什么地方得到光明。他没法对这样的一种力，一种光，诉说他自己心中的委屈，正像萤火不敢在阳光下飞动那样。这样，他觉得老三忽然变成个他所不认识的人。他本极想细看看弟弟，现在，他居然低下头去了；离着光源近的感到光的可怕。

老三说了话："大哥，你怎么办呢？"

"嗯？"瑞宣似乎没听明白。

"我说，你怎么办呢？你失了业，不是吗？"

"啊！对！"瑞宣连连的点头。

"大哥！"瑞全放低了声音："我不能在这里久坐！快告诉我，你教书去好不好？"

"上哪儿去教书？"瑞宣以为老三是教他到北平外边去教书。他愿意去。一旦他离开北平，他想，他自己便离老三的世界更近了一点。

"在这里！"

517

"在这里?"瑞宣想起来一片话:"这四年里,我受了多少苦,完全为不食周粟!积极的,我没作出任何事来;消极的,我可是保持住了个人的清白!到现在,我去教书,在北平教书,不论我的理由多么充足,心地多么清白,别人也不会原谅我,教我一辈子也洗刷不清自己。赶到胜利的那一天来到,老朋友们由外面回来,我有什么脸再见他们呢?我,我就变成了一个黑人!"瑞宣的话说得很流畅了。他没想到,一见到老三,他便这样像拌嘴似的,不客气的,辩论。同时,他可是觉得他应当这么不客气,不仅因为老三是他的弟弟,而且也因为老三是另一种人,他须对老三直言无隐。他感到痛快。"叫我去教书,也行,除非……"

"除非怎样?"

"除非你给我个证明文件,证明我的工作是工作,不是附逆投降!"

老三愣了一会儿才说:"我没有给任何人证明文件的权,大哥!"没等大哥回话,他赶紧往下说:"我得告诉你,大哥:当教员,当我所要的教员,可就是跟我合作,有危险!哪个学校都三天两头的有被捕的学生和教员。因此,我才需要明知冒险而还敢给学生们打气的教员。日本人要用恐怖打碎青年们的爱国心,我们得设法打碎日本人的恐怖。"

瑞宣没敢说什么。

"还有,大哥,太平洋上的战争开始,我也许得多往乡下跑,去探听军事消息。我所担任的宣传工作,顶好由钱伯伯负责。我不能把那个责任交给你,因为太危险;可是你至少可以帮助钱伯伯一点,给他写点文章。假若你到学校里去,跟青年们接近,你自然可以得到写作的资料。你看怎样?大哥!"

瑞宣的脑子里像舞台上开了幕,有了灯光,鲜明的布景,与演员。他自己也是演员之一。他找到了自己在战争的地位。

他心中一亮,脸上浮出笑容:"老三,我都听你的就是了!你说怎办就怎办!"

十五

蓝东阳勾搭上特务，在一天里，就从铁路学校逮走了十二个学生和一位教员。十三个人，罪名全一样，都是"通敌"的"奸细"；下场也全一样，一律枪毙。

铁路学校的校长给撤了，蓝东阳当上了代理校长。

他图的就是吃空额，打学生身上挤出粮食来。花了十三条人命，他达到了目的。他兴奋，他得意。如今，他既是处长，又是校长，真抖了起来；简直就跟在南京大肆奸淫烧杀的日本兵一样神气。

他花了整整两个钟头，为他的就职典礼预备讲稿。用的是文言。他知道，日本人喜欢用文言写文章的中国人。

写好的讲稿还没用上，胖菊子就把东阳任命的会计主任轰跑了，自己当上了主任。十三条人命换来的肥缺，掌握着全校的财政大权，倒叫胖菊子夺了去！东阳气得把自个儿的指甲都啃出了血！他恨不得下道命令，叫工友把她捆起来送回家。可是，她如今有招弟做靠山。招弟是学校的女学监，东阳惹不起她。

珍珠港事变之前，招弟的任务是监视西洋人，她干这种事很在行。她，不光能盯住美国人、英国人，还能弄得德国人、意大利人、法国人、俄国人，一古脑都拜倒在她的石榴裙下。她的肉体已经国际化了。

跟西洋人混惯了，她瞧不上中国人，中国人太没劲。找不到西洋人，日本人也能凑和。中国妇女的温柔、恬静，跟她沾不上边；她呢，总觉着自己是在开风气之先。

为了对付这三个人，瑞全仔仔细细盘算了个够。

他拿定了主意，假装在无意中遇上了招弟。招弟这会儿有的是闲空。在北平的西洋人，该进集中营的早就进去了；没关起来的，胳臂上也都带上了袖标，写明是哪国人，用不着她再去下工夫。

学校里的事儿她没兴趣，不过是帮胖菊子一把罢了。她去学校的时候总在下午，瞧瞧有谁该管一管，唬一唬。而后，她就大摇大摆走出校门，到玩乐的地方去消磨时间。妈在的时候，总还有个家，而她自己，连个招待客人的地方都没有。她闲暇无事，走到哪儿，哪儿有人款待，谁也不敢冷落她。赌场、大烟馆、窑子、戏馆子、电影院，都欢迎她。只要跟她攀上了交情，就是有点为难的事，也好对付。

今天，招弟着意修饰了一番，显得分外的妖冶。梳妆打扮，如今是她最大的安慰和娱乐。她明白，自己是一朵快要萎谢的花儿，穿衣服、描眉抹红，都需要加倍细心。每天早晨她都怕照镜子。要是不涂口红，不擦胭脂抹粉的，她简直就认不得自己了。

她的脸蛋儿、嘴唇，都涂得通红，眉毛画得像两片弯弯的竹叶。虽然没有风，头上还是扎了一条白纱巾，红色的薄呢子旗袍，紧紧裹住她的身子，衬托出她鼓鼓的乳房和屁股。旗袍外面，披了一件短短的滩羊皮大衣，露出两条圆滚滚的、结实匀称的腿。

白纱巾、红旗袍和滩羊皮大衣，都是用她的肉体换来的。她记不清，哪件是那个白俄给的，哪件是那个法国商人给的。她只觉得骄傲，在这个要什么没什么的北平，她倒还能打扮得神气十足。

瑞全在招弟身后不远跟着，心里直扑腾。这个阴险凶狠的女人，就是他少年时代的心上人，他心目中的天使！他望着她的背影，心里七上八下一个劲儿地翻腾。

他嘱咐自己：别忘了她如今是什么人，别忘了现在是在打日本。要冷静，要坚定沉着。他挺了挺身子，坚定果敢地向前走去。

到了北海前门，他抢上前去，买了两张门票。"招弟，不记得我啦?"他微笑着问她。他怕自己穿得太褴褛，招弟不肯认他。

招弟一下子就认出他来，笑得相当自然："敢情是你呀，老三。"

这一笑，依稀有点像战前的招弟，就像有的时候瑞全自己照镜子，也能模模糊糊辨别出自己十年前的模样。

他又看了看她。不，这已经不是战前的招弟了。他爱过的是另外一个招弟——在梦幻中爱过。他勉强笑了一笑，跟着她走进公园，又抢上几步，和她并肩走起来。她自然而然伸出手去，挎住他的胳臂。

一碰到她的胳臂，瑞全马上警惕起来："留神！留神！稍一不留神，就许上当。"

她拿身子挤他。"这几年你上哪儿找乐子去了？"她的口气很随便，漫不经心。

他又看了看她的脸，不由得起心里发呕。"我吗？你还不知道？"如今他是地下工作者，面对着个女特务，得拿出点儿机灵劲来。

"我真的不知道。"

"知道也罢，不知道也罢。"他的声音硬梆梆，冷冰冰。

走了几步，她忽然笑了起来。"有女朋友了吗？"

瑞全不明白她是在逗他，还是在笑话她自个儿。"没有。我一直想着你。"

"谁信得过你！"她又笑了，不过马上又沉默了。

公园里人不多。走到一棵大柳树下，招弟的肩膀头蹭到了瑞全的胳臂。俩人走到大树后面，她伸出胳臂，搂住他的脖子。

瑞全低下头来看她。她的眉毛、眼睛和红嘴唇都油光锃亮，活像一张花狸狐哨的鬼脸儿①。他想推开她，可是她的胸脯和腿都紧紧贴着他——对他施展开了诱惑手段。

她亲了他一下。

然后，她拖着长腔，柔声柔气地说："老三，我还跟以前一样爱你，真个的。"

瑞全做出受感动的样子，低下了头。"怎么了？话都不会说啦！"她又变了一副脸，抖了抖肩头上的大衣，走了开去。

瑞全紧走几步，撵上了她。不能让她就这么跑掉。别看她甜嘴蜜舌的，他知道她手上沾了不少青年人的血。不行，不能让她跑掉。对付她，就得以眼还眼，以牙还牙。

---

① 鬼脸儿，即儿童在年节时玩耍的面具。

521

瑞全走上前去，一把抓住她的胳臂。"喝，你的脾气一点儿也没改，一不顺心就变脸，使性子。"

"本来嘛，"她把嘴唇噘得老高，"你别装蒜，我可不能白亲你。"

"我拿不出东西来，要，就是我爱你。"老三自己也觉着自己的话空空洞洞，没法让人信服。

"哟，你倒还是从前的老样子——"她猛的住了口。

"你——那么你呢？"

招弟没搭茬儿，往他身边靠了靠。又走了几步，她扬着脸看他。"老三，你要什么我都肯给。真的，我真的爱你。"

老三不知道该怎么回答。

"真的，凡是你要的，我都乐意给。"她又说了一遍。

老三晓得，在招弟看来，爱情和肉欲是一回事。见了他，她动了旧情，而且只知道拿淫欲来表达。她是个出卖肉体的婊子，是日本人的狗特务。

他们来到白塔脚下，塔尖在淡淡的阳光中显得又细又长。"到下面山洞里待会儿，好吗？"她一点也不害臊。

"下边不冷吗？"瑞全故意装傻。

"冬暖夏凉。"她加快了脚步。

刚一进去，眼前漆黑一片，招弟紧紧抓住瑞全的手。他俩慢慢走下台阶，走进一个小小的山洞，里面有一张方方的石桌，四个小石头凳子。山洞顶上有个窟窿，一线微光透了进来。招弟在一个小石头凳子上坐下来，瑞全也挨着她坐下。

朦胧中，招弟脸上的胭脂口红不那么刺眼了，瑞全仿佛又看见了当年的招弟。

"你想什么呢，老三？"招弟问。

"我吗？什么也没想。"

"你呀！"她冲他笑了笑，"别净说瞎话了，我知道你是干什么的。"

瑞全朝四周扫了一眼；他怕这儿藏的有人。

"别害怕，就我在这儿，我自个儿就对付得了你。"

"你这是什么意思？"

"你不明白？瞧，咱们从前不是相好来着吗？"

瑞全点了点头。

"好，咱们现在是同行了。俗话说，'同行是冤家'。不过咱们倒不一定……"

"咱俩是怎么个同行呢？"

"别跟我装蒜了，死不开口。打开天窗说亮话，你的小命攥在我手心里。我要是想叫你死，你马上就活不成。"

"那你怎么不叫我死呢？"瑞全笑了一笑。

"我有我的打算。"招弟也笑了。

"要我帮着你干，是不是？"

"差不多。你拿情报来，我呢，就爱你。"

"你拿什么给我呢？"

"爱情呀，我爱你。"

瑞全拿起了她的手。"好吧，那就来吧！"

"忙什么？还没讲好条件呢！"

"来吧，来了再说。"他拉着她就往山洞深处走去。

往前，山洞越来越窄，越来越黑。招弟起了疑。"就这儿不好吗，干吗还往里走？"

瑞全没言语。他猛地用双手卡住她的脖子，她一声没哼，就断了气。

瑞全把尸首拖到山洞尽头，擦了擦脑门上的汗，把招弟的证章摘下来，把她的戒指褪下一个，一齐放在自个儿的口袋里。

他站起身来，低低叫了一声："招弟。"他仿佛又听见了她的笑声，多年以前的清脆的笑声。

他很快跑了出来。山洞外面，阳光并不很强烈，可也亮得叫他睁不开眼。过了一会儿，他才睁开眼，快步走了开去。

走出公园，瞧着路上的行人，大车，马匹，他有点怕。刚才，在那黑森森的山洞里……而现在，又是明晃晃的太阳，大街，走着道儿的人群和来往的车辆。他那双手，刚才还那么强壮有力，这会儿竟微

523

微地抖了起来。他低头望着筒子河，想把手伸进冰窟窿里洗一洗。可是他还得赶紧去找胖菊子。哼！也是个叫人恶心的臭娘们。他胃里直翻腾，想吐。然而没法子，这是他的工作，必须完成的工作。

他在蓝家附近等着胖菊子。每当他抬起头来，总看得见白塔，映着蓝蓝的天，它是那么洁白，那么高，那么美。

"二嫂"，胖菊子刚要跨进家门，瑞全就抢上一步，叫住了她。

没等他走到跟前，她就听出了是他的话音儿。她的脸吓得发了白，腿也不听使唤了。"进去，到里边说话，"瑞全低声下了命令。

胖菊子耷拉着脑袋走进大门，老三紧紧跟在她身后。进了屋，她像是累瘫了，一下把她那胖身子倒在沙发里。她没什么可后悔的，但非常害怕。她怕瑞全来给瑞丰报仇。她也就是有那么点儿对不起瑞丰，别的事，她并没觉着有什么不合适，不过是迎时当令的赶了点儿风头罢了。

瑞全把招弟的证章和戒指放在掌心里让她看。"认得吗？"

菊子点了点头。

"她完蛋了。她是第一个，你，第二个。"

菊子的一身胖肉全凝成团了。她不由自主地想跑，可是挪不动步。"老三，老三呀，我跟招弟可不是一码子事儿，她的事我不沾边，我真不知道。"

"你自个儿做的事，你明白。"

"我——我没干过啥坏事。"

瑞全把证章和戒指放下，举起了他那刚刚掐死过人的手。得给胖菊子点颜色看看。他左右开弓，狠狠朝她那张胖脸上打去。

她杀猪也似地喊了起来。瑞全马上揪住她的头发，这头发用谋害别人性命得来的钱烫得卷卷的。"敢哼一声，我立刻宰了你。"胖菊子赶紧闭上嘴，血打她嘴角流出来。她从来没有挨过打，这是头一次，她尝到了疼的滋味。

"别打了，别打了，"她两手捂住脸，"你要什么我都答应。"

听了这话，老三更气了。她说的话跟招弟一个样，都那么下贱，无耻。"你怕死么？"瑞全问，"不论什么时候，什么地方，只要我想

524

要你的狗命，你就跑不了。"

"饶了我吧，老三。"

"听着——要是你再从学生身上克扣一斤粮食，我就打发你去见招弟。明白了没有?"

"明白了!"

"要是蓝东阳敢再杀一个学生，我就找你算账。"

"他的事——我——"

"我有办法对付他。我告诉你，你要是知情不报，我先宰了你。明白了没有?"

"明白了。"

"学校里现在正缺个语文教员，你叫蓝东阳请大哥来干。如果你们俩胆敢合起来算计我，那就打错了算盘。我在一天，你们俩的狗命也留着;我要是下了牢，你们就得给我抵命。城里有的是我们的人，有人替我报仇。听清楚了吗?"

"听清楚了。"

"拿去!"瑞全掏出个小信封，里面有一颗子弹。"把这交给蓝东阳，告诉他，是我捎给他的。还有这个!"他把招弟的戒指往她怀里一扔。"把这个也交给他。要是你狗胆包天，敢不照我的话办，就跟招弟一起去见阎王!"说完，老三收起招弟的证章，大踏步跨出了门。

十六

明月和尚给瑞宣捎了个信来。"去，很危险；不去，也难保无祸。老路子走不通了，希望你能另觅新途。抗战嘛，人人都得考虑自己应当站在哪一边，中间道路是不存在的。"

这封信，没头没脑，连下款也没有。瑞宣读了，高兴得打心眼儿里笑出了声。他一扑纳心的等着学校发聘书，聘书一来，就去上课。哪怕是火坑呢，他也得上。

仗，已经打了四年，他第一次觉着自己有了主心骨，心里也亮堂多了。如今，他跟老三肩并肩地战斗。哪怕连累全家，大家一起都闷死，他也不能打退堂鼓。

聘书真的来了，由蓝东阳签字盖章。要是在过去，瑞宣会觉着这是天大的耻辱，宁肯饿死，也不能管蓝东阳叫"校长"。不过这一回，他高兴极了。

家里人听见这个好消息，忙不迭地都围拢来打听。瑞宣只说是有了新差事，有指望弄点儿粮食。差事怎么得来的，谁是校长，他一句没提。

祁老人听见好消息，拧着白眉毛，不住地点头咂嘴。"哎，还是老天有眼，老天有眼。"

瑞宣仔细地瞧了瞧爷爷，看出爷爷已经有了生气，不再像是在阴阳界上徘徊的人了。他不知道究竟是该笑，还是该哭。

胖菊子打算耐着性子把瑞宣安抚下来，让他知道，她还是把他当大哥看待，希望他能忘了老二瑞丰那档子事。她指望蓝家能跟祁家攀

上交情，让东阳保住校长的位子，学校的财务大权也照旧归她。

她觉着，自己这一番盘算，非常的得体在理儿。起初，为了瑞全扇她的耳光，她光想着报仇，叫东阳马上去报告日本人，把城门四下里关上，准能把瑞全搜出来，然后把祁家满门抄斩。她那张肥脸蒙受的羞辱与疼痛，必得用祁家的血才洗得干净。

东阳一见子弹头和招弟的戒指，吓得尿湿了裤子！他所有的成就全仗着两样东西：自己的厚颜无耻与北平人的逆来顺受，如今见了这子弹头，他看见了不怕死的北平人。他的绿脸起了一层白霜，俩眼珠一块往上吊。危险和死亡就在眼前，他是真怕死。

他连忙把大门关上，把房门和窗户也堵死，加锁。然后，把发着抖的手指头搁进嘴里，使劲啃指甲。他首先想到找日本人来保护他。比方说，派一个班，最好是一个连来，在他宅子周围站岗放哨，那他也许就可以高枕无忧了。可是，这能办到吗？如果他去要求保护，而日本人只派一两个便衣来，又有什么用？

他想了又想，最后拿定主意，最好的办法是：第一，先请上几天病假，把自个儿锁在屋里，躲过风头再说；第二，想法子跟瑞全讲和；第三，要是瑞全不肯讲和呢，他就找门路上日本去。总不能老呆在北平，等着挨枪子儿。

胖菊子见东阳真害了怕，只好揉了揉自家的脸，琢磨缓兵之计。她得先上祁家去一趟。给老的小的买上一份礼物，讨讨他们的欢心，然后说话之间，保不定就能套出老三的下落。要是他们都挺加小心，守口如瓶，不肯提老三，起码她能察言观色，看看有什么空子可钻。即便什么也看不出来吧，"亲善亲善"总没有什么害处，只要恢复了"邦交"，总能慢慢劝他们回心转意，跟她合作。

她拿着两三样礼物，亲自上了祁家。她很得意，觉着自己既聪明，又勇气十足。

走进小羊圈，她周遭瞧了瞧。小羊圈一点没变，只不过各户的街门和院墙都更加破旧，看起来跟电影里的贫民窟一样。她认为，自己非常有见识，居然逃出了这么个穷窝子。要不然，真是一朵鲜花插在狗屎上了。

太阳挺暖和，天佑太太正坐在屋门坎儿上晒太阳呢。两个孩子都在台阶前玩。小妞子已经饿得皮包骨，连玩的精神都没有了，无精打采地站在旁边，看着哥哥玩。小顺儿也瘦极了，不过还总算有力气蹦来蹦去。

　　俩孩子先看见菊子。他们已经不大记得她了。平日说起闲话来，还常常提起"胖二婶"，不过她的形象在他们的小脑袋瓜儿里已经逐渐模糊。小顺儿只说了一声"哟"，就再没别的可说了。

　　天佑太太慢慢睁开眼睛，一眼就认出了菊子。她晃晃悠悠站起来招呼说："小顺儿，妞子，快进来!"拉起两个孩子的手，迈进了自个儿的屋门坎。四世同堂的一大家子人，老太太很知道该怎么和和睦睦过日子。可是像胖菊子这么个臭娘们，她受不了。胖菊子生了气；真是给脸不要脸。

　　不，她不能动真气。办外交就不能动肝火。别忘了，来的目的是为了恢复邦交。她甜腻腻地叫了一声："大嫂。"知道大嫂比较好对付。

　　韵梅正在厨房里，没往外瞧，凭语声就听得出来是胖菊子，刷地一下变了脸色。她向来不愿意得罪人，然而，是非还是分明的。到底该不该出来迎接这位胖弟妹呢?

　　她知道，胖菊子是夜猫子进宅，无事不来。这趟，究竟是为了什么? 她咂摸不透。她拿定主意不作声。不能随便招呼这么个不要脸的臭娘们；要是她来瞎搅和，岂不是自个儿惹一身骚。

　　祁老人听见喊"大嫂"，以为来了客人，慢慢打开了房门。一见是菊子，老人很快抬头看了看天，好像是在问老天爷，该怎么对付这个娘们。

　　"爷爷，我给您送礼来了!"胖菊子憋着一肚子气，拿出办外交的手段。

　　老人的胡须动了几下，没说出话来。胖菊子想走进老人屋里，她把带来的东西高高举在眼前，好引起他注意。

　　老人拦住了她。他声音不高，可是清清楚楚："滚!"然后像河水开闸似的，连声嚷："滚开! 出去! 还有脸上门，给我送礼来! 我要是受了你的礼，我家坟里祖宗都不得安宁。滚！给我滚！”

韵梅从厨房里走了出来，她怕这个胖娘们会说出什么话，让老人听了不受用。她站在厨房门口高声说：“你还没走哪？快走吧！”

胖菊子没辙了，只好向后转。起初，她还想要点脾气，把礼物重重地摔在地上。可是一转念，又把礼物紧紧搂在了怀里。

韵梅很快地走过来，招呼爷爷说：“爷爷，您歇着吧！”老人本来有一肚子话要说，气得发晕，就是不知道打哪儿说起。

等瑞宣回家，听家里人一念叨，他自言自语说：“干得好！祁家人到底是有骨头的。”

十七

　　蓝东阳续了病假。他帮日本人搞恐怖的时候，自己从来没有尝过恐怖的滋味。不论青年男女在被捕的时候怎么惊惶失措，他们的父母怎么悲恸欲绝，他都无动于衷。他就知道自己有了钱又有了势，这，就心满意足了。

　　这一回，瑞全把子弹头给他摆在了眼前。他不敢碰它。他怕只要轻轻沾它一下，就会嘣的一声炸了。它，亮晶晶，冷冰冰，老瞧着他，像个叽里咕噜的眼珠子似的——老跟着他转。

　　老实说，他从来没有想过冤有头，债有主的话，他根本不认为自己造了什么孽，犯了什么罪。现在，死算是找上他了。他既不承认有罪，自然也就不存在赎罪的问题。信教的人相信罪是可以赎的，这能使人改恶从善；而蓝东阳可是死心塌地，不可救药了。

　　他总是害怕，非常害怕。啃着啃着指甲，他会尖声大叫起来，一头钻到床上，拿被子把头蒙起来，能一憋多半天，大气也不敢出，捂得浑身大汗淋漓。他不敢掀被子，觉得死神就站在被窝外头，等着他呢。

　　只有等胖菊子回了家，他才敢推开被子坐起来。他把她叫过来，发疯似的乱搂一气，在她的胖胳臂上瞎咬。她是他的胖老婆，他死以前，得痛痛快快地咬咬她，把她踩在脚底下，踩个够。只有这样，为她花的钱才不冤。

　　咬完她，他朝屋里周遭瞧了瞧，把他的东西细细看了又看，再算了算还剩下多少钱，他大声喊着："我不能死，不能死啊！"

　　他顾不得穿鞋，光着脚下地，抓过一只铅笔，一张纸，把所有的

530

家具、衣服、茶壶、饭碗什么的，一一登记上，连笤帚和鸡毛掸子都没有落下。开列的项目越多，他就越得意，也越害怕。眼看活不成了，这么些个东西可留给谁呢？不，不能留给胖菊子。她嫁给他，不过是图他的钱财和地位。东西不能留给她。

他又搂了搂她，把嘴伸到她的胖腮帮子上："你一定得跟我一块儿死，咱俩一块儿死。"对，哪怕是躺在棺材里，他身边也得有个伴儿，要不，就是死了，也得日日夜夜担惊受怕。

胖菊子挣脱了他的拥抱，他恨得直咬牙。哈！她到底是祁家的人，没准儿还打算回祁家去，好嫁给瑞全！

他求胖菊子别甩下他，跟她商量，一块儿逃出北平去。

对，得逃出北平！出了北平，瑞全就再也找不着他了。天底下不过一个瑞全跟他作对，只要到了别的地方，他就又可以大红大紫地穿戴起来。

要跑，这么些个东西可怎么带？桌椅板凳，当然远不如金子银子值钱，可是，不论怎么说，总还是他的东西。木头的也好，瓷的也好，都是他费尽心机弄来的。不过，话又说回来了，要是东西拿得太多，日本人该截住他了。

到了晚上，一听见砰砰的声音——也许是洋车轱辘放了炮——他就一路滚儿钻到床下，两手捂住脸。

白天黑夜提心吊胆，担惊受怕，他倒了胃口，吃不下饭。不过他还是强打精神，硬塞下许多吃食。他得吃，有了劲儿才能想出逃命的办法。勉强吃下去，克化不动，他呼出来的气就更臭了。他屋子里的门窗，都死死地关着，不消一两天，屋子里的味儿就臭得跟骚狐狸洞似的。

他病了这么久，日本人起了疑，派个日本大夫来瞧他。大夫把门敲开，一股子骚臭味儿差点没把他熏得闭过气去，赶紧跑过去把所有的窗户都给打开。

要是往常，来个日本大夫，东阳还不跟瞌头虫似的，鞠多少个躬。可是这一回，他不怎么高兴，担了心思。替日本人办事儿的，不是常被日本人毒死吗？

大夫给了他点儿助消化的药，他不敢吃。大夫左说右劝，费了九牛二虎之力，才把药硬给他灌了下去。

东阳躺在床上，认定自己快死了，大声哭了起来。

药慢慢打嗓子眼里往下窜，不多一会儿，只听得肚子里咕噜咕噜一个劲儿地响。准是给他下了砒霜！他挣扎着爬下床来，把门窗又紧紧关上，稍微自在了一些。肚子松快了点，不那么难受了，他笑了。唔，没有，没给他下毒，可见日本人对他还是信得过。好吧，想个招儿，逃出北平。

唔，干吗不，干吗不到日本去呢？那儿不也是他的国家吗？

胖菊子另有她的打算。她不乐意再伺候东阳了。这不算对不住他。她耐着性子，用她那一身肥肉供他取乐，足有三年之久。现在，用不着再低三下四地去讨好他了。

她要是真打算走，就得快——把东阳所有的钱都敛了去。不能等他病好，趁他卧病在床，正是大好机会。

她从东阳那儿弄来的钱，早已换成金铢藏到娘家去了。可是东阳一死，谁敢保日本人不会到她娘家去搜呢？要走就得快，跑得远远的。马上走，不但能保住她存在娘家的东西，还能把东阳身边的细软也带走。

有了金子，她也许就能跑到上海，或者南京那些大地方去，凭她这些年跟着大赤包和东阳学来的一身本事，还不能另起炉灶，大干一场？

不能老这么犹犹豫豫的，她得赶快动手，趁东阳不死不活地躺在床上，赶紧把细软敛到娘家去，然后拿上东阳的图章，把他在银行里存的现款卷个精光。

就这么着，她把最值钱的东西和现钱带在身边，把笨重的东西存在娘家，一溜烟上了天津。

菊子跑了，东阳并不留恋。如今天下大乱，一口袋白面就能换一个大姑娘，胖菊子算个什么！他喜欢胖娘们，要是女人按分量计价，他也可以用两袋子白面换一个更肥的来。

不过，等他发现菊子把他的钱财拐跑了，他两只眼珠一齐往上吊，足足半个钟头没缓过气来。虽说屋子里的东西没动，银行里也还有背着菊子的存款，然而这些都不足以安慰他。

东阳真的病重了。焦躁，寒冷，恐惧，打四面八方向他袭来。他忽冷忽热，那张绿脸，一会儿灰，一会儿紫。发冷的时节，那副黄牙板，一个劲儿地直磕打。他想好好盘算盘算，可是，一股透心凉的寒气，逼得他没法集中思想。他想来想去，摆脱不开一个死字。

猛地，他又全身发热，脑子里跑马似的乱哄哄，像一大群蝗虫嗡嗡地猛袭了来。稍一清醒，他就大声叫唤："我不想死，给我钱，上日本去——"

日本大夫又来了，东阳吃了点儿药，迷迷糊糊地睡了。他的脑子静不下来，觉也睡不踏实。他放不下钱和菊子。

东阳病得久了，上头又派了个校长到铁路学校来。

要是往常，瑞宣就该考虑按规矩辞职。可是这一回，他连想也没想仍然照常到校上课。只要新校长不撵，他就按瑞全的意思，照旧教他的书。要是新校长真不留他，到时候再想办法对付。

新校长是个中年人，眼光短浅，不过心眼儿不算坏。虽说这个位置是他费了不少力气运动来的，他倒并不打算从学生身上榨油，也不想杀学生的头。他没撤谁的职。瑞宣就留了下来。

对于瑞宣说来，这份差事之可贵，不在于有了进项，而是给了他一个机会，可以对祖国，对学生尽尽心。他逐字逐句给学生细讲——释字义、溯字源，让学生对每一个字都学而能用。除了教科书，还选了不少课外读物。他精心选出的那些文学教材，都意在激起学生的爱国热忱，排除他们的民族自卑感。他装作漫不经心地选了一些课外读物，仿佛只是为了帮助学生更好地理解课文。这样做起来，即使学生中有个把隐藏的特务，也不容易挑出他的毛病。

最难的是出作文题。根据他的教学原则，他不愿意给学生出些空空洞洞的题目，让学生作起来，只能拿"人生于世……"开头，然后咬着毛笔杆，怎么也想不起下句该写什么。但他又不能出些与时事相关的大题目。要是他胆敢在黑板上写点什么跟学生生活密切相关的东西，他马上就会给抓起来。为了避免空洞，也为了不被抓起来，他出的题目总得跟课文沾上边。这样的题目学生有话可说，他也能从而了解学生的反应。

改作文卷子的时候，他总是兴高采烈。很多学生的作文说明，他们不但理解他的苦心，而且还小心翼翼地向他倾诉了压在心底的痛苦。批改作文原是件枯燥无味的事，现在倒成了他的欢乐。他简直是在用隐语和一群青年人对话。

他特别注意那些可疑的学生，观察他们是不是会自觉或不自觉地接受日本人的奴化教育。

使他高兴的是，有一两个汉奸家庭的子弟，观点和他们父亲的截然不同。有了这个发现，他反躬自省，觉得自己以前过于悲观了。他原以为，北平一旦被日本人占领，就会成为死水一潭。他错了。

他决定让小顺儿去上学，没时间自个儿教。现在他看清了，学校里的老师并不像他原来想的那么软弱无能。

东邪骗什休上，19 阵热一阵乎前熬的时候，冬天不声不响地离开了北平。这一冬，冻死了许多衣不敝体，食不果腹的人。乍和暖春风，还没拿定主意到底该怎么个刮法。它，忽而冷得像冰，把墙头上的雪一扫而光；忽而又暖烘烘，带来了湿润的空气，春天的彩云。古老城墙头上的积雪也开始融化，雪水渗进城墙缝里。墙根下有了生机。浅绿的小嫩草芽儿，已经露了头。白塔的金刹顶，故宫的黄琉璃瓦，都在春天的阳光下闪闪发光。可是，忽然间又来了冰冻，叫人想起肃杀的隆冬。

人们扒掉了厚重、破烂的棉袄。一阵寒风吹来，感冒了，一些人很快就死了。冬春之交，最容易死人。

春天终于站稳了脚跟。冰雪融化了，勇敢的蜜蜂嗡嗡地在空中飞翔。忽然传来了比春风还要温暖的消息，使所有的北平人都忘掉了一冬来的饥寒：美国空军轰炸了日本本土。瑞宣从老三送来的传单里得到了这个消息。

读了这些传单，瑞宣欣喜若狂，不知不觉地走到了学校。

走进教室，只见一双双眼睛都闪着快活的光芒。他明白，日本挨炸的消息已经传开了。大家眼睛里的光亮，照得整个教室异常温暖。

他一句话也没说，只用闪烁着同样光芒的眼睛看着大家。每个人的脸上全带着笑，许多双眼睛里闪烁着泪光。

瑞宣开始讲课了。他很想插一句："日本挨炸了。"可是拼命控制住自己，这几个字像音乐一样老在他的胸间荡漾。

他还想对学生们说："小兄弟们，这个好消息是我弟弟送来的呀"，不过他不敢说出口来。

他现在懂得宣传的力量了。以前，他太悲观，总以为宣传不过是讲空话，没有价值。可如今——瞧吧，这条消息能使他、他的学生和全北平的人，都兴奋、欢快。

为什么不多搞点这样的宣传？他决定帮老三搞起来。耍笔杆子的事，他在行。他知道，老三有本事，能把他写的东西印出来；钱伯伯也有本事，能把它散发出去。

他在街上遇到明月和尚，把想为地下组织写东西的打算讲了讲。和尚交代给他几个地址，写出来的东西就往那儿送。和尚要他注意化装，留神特务。

跟和尚分手的时候，瑞宣觉出北平春天的阳光照亮了他的心，快活极了。他有了具体任务，不能再自惭形秽或踌躇不前了。

头年的萝卜空了心，还能在顶上抽出新鲜的绿叶儿；窖藏的白菜干了，还能拱出嫩黄的菜芽儿。连相貌不扬的蒜头，还会蹿出碧绿的苗儿呢。样样东西都会烂，样样东西也都会转化。

十八

日本人颁布防空令，家家户户都得用黑布把窗户蒙起来。

小羊圈谁家也买不起黑布，白巡长和李四爷犯了愁。他们不敢违抗上面的命令，可是他们也很知道，连衣裳都穿不上的人，自然也买不起黑布。

白巡长一见李四爷就叹了口气，说："我刚才还在说，乐极必生悲，这不是——家家户户都得用黑布蒙窗户了。"

"哼——这一回，我又该挨剋了。"

"唉——先别扯那个。怎么办？这是最要紧的事。大家拿不出黑布来，咱俩可怎么交差？"

"把报纸拿墨涂黑了——拿它当黑布。日本人来检查的时候——唔——反正大家的窗户是黑的，不就成了吗？"

"你说的倒有点门儿，可是上哪儿找浆子去？共和面打浆子不黏。"

"我想法打一桶浆子分给大家，不要钱。说真的，就是白给浆子，还背不住要挨骂呢。"

白巡长马上说："这回我不能让你一个人挨骂，我先去叫大家拿黑布，完了，你再去说糊报纸的事儿。给大家把浆子一分，他们要是还不领情，可就是真不知道好歹了。"

李四爷点了点头。

"事情到这儿，还不算完。"

"怎么着？没完了！"李四爷嚷了起来。

白巡长笑了笑。"你还是得跟大家说说，要是来了空袭，家家户

536

户都得把灯火和火炉子弄灭，人也不许出屋子。"

"让炸弹把大伙儿都给炸死？"

白巡长没答老人的茬，还接着讲上面命令的事儿。"家家户户都得出个人在街门外头站岗，空袭的时候不准关门。家里要是没人站岗，就得雇人。官价，一个钟头三块钱。"

"这都是些什么乱七八糟的？"

"我要是明白，那才怪呢！您保不住会说，要是不关街门，日本人撞进来就方便多了，想逮谁就逮谁。"

"说得不错。根本不是为了防空，是为了逮人方便。"

白巡长到各户去通知防空的事。所到之处，怨声载道。不过大家转而又一想："这么看来，日本真的挨炸了！"跟着又高兴起来。

李四爷去找程长顺，跟他要旧报纸。

程长顺说，旧报纸，破布，他都有，随便拿就是了。"四爷爷，您就拿一捆旧报纸去，比他们一家一家的来要强。我是个做小买卖的，要是大家知道我是白给，该不肯要了，话是这么说不是？"

"你说得也是。"李四爷点了点头。

"再说破布——要是有人想要的话——我就按买来的价儿卖，不能白给。"

李老人拿起一大捆报纸，打了一大桶浆子，就到各户去。

大家都很感激，连丁约翰也受了老人拿来的东西。

唯独韵梅没有要李老人拿来的报纸和浆子。她已经想到可以用报纸，早就把窗户糊好了。报纸上用墨汁涂得黑黑的。

夜里十点，头一回响起了防空演习警报。小羊圈的人多一半都上床睡觉了。

大人们迷迷瞪瞪的，有的找不着衣裳，有的穿错了鞋。孩子们从梦中惊醒，大声哭号。大家糊里糊涂，推推搡搡，拖儿带女，一齐拥到院子里。这才想起白巡长的话："遇到空袭，赶快灭灯，在屋子里坐着，别出来。"

瞧瞧院子，瞧瞧天，他们悟出来，就是想走，也没个藏身之处。日本人压根儿没给挖防空洞，大伙儿只能回屋子里去坐着。

瑞宣，韵梅，都披上衣服起来了，悄悄走到院子里，招呼南屋的街坊。"是空袭警报——你们起不起来都成。"然后他走到爷爷窗户外头听了听，老人要是还在睡，就不惊动他了。

韵梅打开街门，坐在门前的台阶上，决心一直等到解除警报。她不乐意叫瑞宣来守街门，他第二天还有课；她也不乐意花三块钱一小时雇个人来替她守着。

瑞宣走到门口来看她，她一个劲儿说："你回去睡吧。"

"我先在这儿站一会儿，过一时半会儿的，你再来替我。谁知道这一闹得几个钟头呢！"

"你还是去睡吧，我反正也睡不着。"

说着，只见三号的日本人悄悄地，飞快地，走出大门，贼似的，溜着墙根，往大街那溜儿跑。

"他们要干什么？"韵梅压低了嗓门问。

"他们得上防空洞里去呆着。哼！"瑞宣静静地站了一会儿，然后走回院子里。

在黑暗中，韵梅凭身影儿和咳嗽的声音，慢慢地看出来，李四爷大门口站的是他的胖儿子，马寡妇门外是程长顺，六号门外是丁约翰。谁也不作声。

过了半个多小时，一点儿动静没有，祁老人也出来了。"到底是怎么档子事儿？什么事也没有嘛，你还是进来吧！"

"您回屋歇着去吧，爷爷。我得在这儿瞧着，没准儿，日本人会来查呢！"韵梅好说歹说，把老人劝了回去。

韵梅果然想得不错。全城的宪兵和警察，都动员起来了，挨家挨户的查。不过是防空演习，可日本人做得跟真的一样。他们拼着通宵不睡，也得把全北平的人折腾个够，叫他们熄灭了灯火、炉子，坐在屋子里不出来。这么着，日本人才能顺顺当当地撤到安全地带，日本人的家也不会挨抢了。

他们果真来了。韵梅一见西头有四个人影儿奔这儿来，赶紧站了起来。俩高个儿的，她估摸是李四爷和白巡长，那俩矮的呢，就是日本鬼子。

他们打一号和三号门前走过，直奔韵梅。她往一边闪了闪，没作声。李四爷和白巡长也不言语，跟着日本人进了院子。

没有灯，没有火。日本人拿电筒把每个窗户都照了照，黑的。他们走了出来。

六号也没有差错。

走到七号大杂院，李四爷和白巡长都捏了把汗。

情况不坏。家家户户都黑灯瞎火——七号里住的人家，压根儿就没有灯油，也没有煤。

宪兵拿电筒往窗户上刷地照去，白巡长吓得直冒汗。至少有三户人家没把窗户给糊黑。李四爷忍不住骂出声来了："他妈的——！我连浆子都给了，怎么……"

白巡长知道事情闹大了。为了这，他就得丢差事。他气急败坏地连忙问道："为什么不把窗户糊起来？为什么？李四爷跟我不是嘱咐又嘱咐吗？"他这话是冲七号的人说的，可主要还是讲给日本人听，好洗刷他自己和李四爷。

"真对不住，"站在一边的一个女人可怜巴巴地说，"孩子把浆子给吃了，白巡长，给我们说几句好话吧，一年四季孩子们都没见过白面。"

白巡长没了话说。

日本宪兵懂的中国话不多，听不懂那个女人说的是什么。他不分青红皂白，上去就给了李四爷俩嘴巴。

李四爷愣住了。虽说为了生活他得走街串巷，跟各种各样的人打交道，可他从来没跟人动过手；要是看见别人打架，不管人家拿的是棍棒还是刀枪，他都要冒着危险把人家拽开。

他气炸了肺。他忘记了自己一向反对动武，忘记了自己谨小慎微的处世哲学，只看见眼前站着俩畜牲，连个白了胡子的老头也敢打。他从容不迫，一声没吭，举起手来，照着日本人的脸就是一下子。他忽然觉着非常痛快，得意。他没作声，把所有的劲儿全用在拳头上了。

宪兵的大皮靴，照着李老人的腿一阵猛踢，老人倒下了。

539

白巡长不敢拦，他想救出自己的老伙伴，可又惹不起那两个发了狂的野兽。

院子里的人谁也没动一动。老人抱住一个宪兵的腿，把他拖倒在地，俩人就在院子里滚成一团。

另一个宪兵，跟着地上滚的人转来转去，找准机会，冲着老人的太阳穴就是一下，李老人一下子就不动了。

两个宪兵住了手，叫白巡长把所有没把窗户糊严实的住户，都抓走下狱。

宪兵和白巡长都走了，院子里的人一窝蜂似的围上了李四爷。自从他当了里长，不知道挨了他们多少骂。那是贫困逼得他们平白无故地骂人。如今，为了他们，他躺下起不来了。大家都哭了。

大伙儿把李四爷抬回家，四爷两个多小时人事不知。虽说还没有解除警报，四大妈什么也不管不顾了，大声哭了许久。她生着了火，给老人熬升水喝。小羊圈的人把警报忘了个一干二净，进进出出，都是来看李四爷的人。

凌晨两点才解除警报。祁老人一直没睡下。他过一小会儿就走出来看看韵梅，然后回到自个儿屋里躺下。

韵梅披了一件破棉袄，靠在门框上，再不就半醒半睡地坐在门前台阶上。她很想去看看李四爷，可又不敢走开。不管是不是真有空袭，她都得坚守岗位。不论怎么说，不能给家里人惹麻烦。

解除警报前几分钟，三号的日本人咭咭呱呱说笑着回了家，韵梅知道快完事了。

解除警报的信号一响，韵梅马上跑到李家，祁老人跟在她后面。李四爷睁开眼睛看了看他们，又把眼睛闭上了。大家都找不到安慰他的话说。祁老人见多年的老伙伴半死不活地躺在床上，想放声大哭。

"爷爷，咱们回去吧?"韵梅悄悄问祖父。

祁老人点了点头，由她搀着，回了家。

又过了三天，李四爷还是人事不醒。末了，他睁开眼，看了看老伴，看了看家里的人，慢慢闭上眼，从此不再睁开了。

虽说四大妈拿不出东西款待来吊丧的人，守灵、出殡还是按规矩办得体体面面。没得过李家好处的人，知道四爷是个实诚人，都赶来磕了三个头。得过他好处的，哭得特别伤心，斟酒浇奠一番。那得过他的好处又时常骂他的人，也跑来哭灵，借机倾诉一下心里的烦恼与不幸，骂自己对老人不够公道。

祁老人哭得很伤心。他和李四爷都是小羊圈的长者。论年纪、经历和秉性，他俩都差不多。虽说不是亲戚，多年来也真跟手足不相上下。李四爷一死，整条街上，也可以说全世界，就再也没有人能懂得祁老人那一套陈谷子烂芝麻了。他俩知根知底地交往了一辈子。

李四爷的丧事办得挺像那么一回事，来的人很多。那些窝脖儿的扛大个儿，杠房的，还有清音吹鼓手和打执事的，都跟他有交情。他们穿了孝，诚心诚意来发送这位老相好，一直把他送出了城。他们没法给他报仇，只能用祭奠、吹打、送殡和友情来表示他们的心意，把他一直送到坟地，让他好好安息。但愿日本人不致于把他的尸骨挖出来。日本人为了修飞机场，修公路，挖了数不清人家的坟。

十九

夏天，膏药旗飘扬在南海和太平洋。太阳神的子孙，征服了满是甘蔗田和橡胶园的许多绿色岛屿。北平倒很少见得着短腿的日本兵了。他们不敢见天日，来来去去，总在夜晚，因为他们的军装上有补钉，鞋也破了。皇军成了一群破衣烂衫的人。

皇军为了遮丑，到夜里才敢出来；普通的日本人倒不在乎，不怕到外头人现眼。一些穿着和服、低着头走路的日本娘们，在市场上，胡同里，见东西就抢。她们三五成群，跑到菜市场，把菜摊子或水果摊子围上。你拿白菜，我拿黄瓜，抓起来就往篮子里头塞。谁也不闲着，茄子，西葫芦，一个劲儿地往袖筒里装。抢完了，一个个还像漂漂亮亮的小瓷娃娃似的，叽叽呱呱有说有笑地各回各家。

配给他们的粮食，虽说比中国人的多，质量也好些，可也还是不够吃。征服者和被征服者都过的是穷鬼的日子。抢最简便，中国警察不管，日本宪兵不问，做小买卖的也不敢拦。

日本娘们的开路先锋是高丽棒子——高级的奴才。他们不单是抢还可着兴儿作践。她们一个子儿不花地吃你几个西瓜，还得糟蹋几个。相形之下，日本娘们反而觉乎着她们的风格不那么低了——她们只是抢东西，不毁东西。

入夏以来，见不着卖蔬菜和水果的小贩了，小羊圈的人只能将就着活下去。小贩们都怕三号的日本女人们抢。

这样一来，给中国妇女带来了很大的不方便，像韵梅就再也不能在自己家门口买点葱和菠菜什么的了。哪怕买头蒜呢，也得上趟街。再说，小贩们遭了抢，就得打中国人身上捞回本儿来。东西全涨了

542

价。韵梅发现她还得交一笔抢劫税。

打李四爷过世那会儿起，白巡长就一天比一天烦恼。虽说他也能琢磨出两条理由来原谅自己，可不论他怎么想，总还是觉着屈心，对不住李四爷。是他，硬拉四爷出来当的里长，日本宪兵打四爷的时候，他也没上前拦。他没法不到小羊圈来巡查，可他又很怕见四大妈和她儿子。每回见了他们，他都低下头，不敢正着眼瞧。他在人前挺不起腰杆，简直是个苟且偷生的可怜虫。

他不让手下人去管日本娘们抢东西的事。"我们要是去报告，或者管上一管，保不住这些混账东西就会想方设法把做小买卖的抓起来。我说弟兄们，最好的法子就是把眼睛闭上。整个北平都让人家给占了，哪儿还有是非呢？"

小羊圈不能没有里长，他想到祁瑞宣和程长顺，不过他们都面慈心软，办不了事。

李四爷一死，丁约翰就看上了这份儿差事。他如今有的是时间。自打英国府出来，他就没再谋差事。既在英国府里做过事，他不愿意到西餐馆里去当摆台的。就算他乐意降低身份，也不见得准能找到工作，因为日本人既反英，又反美，多一半的西餐馆都关了门。

白巡长不喜欢丁约翰那副洋派头，不过找不到合适的人，只好点了头。

安排好里长的事，白巡长仍然日夜里牵肠挂肚。还有桩事让他揪心，又难于说出口：年纪太大了。

见天儿，他拿一把老掉了牙的剃刀，细细把胡子茬刮个精光，旧制服收拾得整整齐齐，干干净净，一双旧皮鞋，也用破布擦得亮堂堂的，走路的时候，强打精神挺起胸脯，可是他明白，自己的老态是遮盖不住的。他并不愿意给日本人当走狗，然而也的确怕日本人撤他的差。查街的时候，他总怕抽冷子会碰上个日本人对他说："滚！谁要你这么个老东西来当巡长？"

他最头疼的是，自打日本女人们抢开东西以后，中国人也学会了这一手。他叫手底下的人别管日本女人们抢东西，那他又怎么能叫他们去管中国人呢？中国人抢得再多，也赛不过日本人。要是他不敢管日本人，也就不该管中国人。

他低下头，对手下人说："别管他们，肚子都饿瘪了，谁没尝过挨饿的滋味？就是把他们抓起来，日本人也不会说咱们好。监牢都住满了，犯人也没有粮食吃。唉——还是那话，睁只眼闭只眼吧，等咱们的眼睛都闭上，永远不再睁开，世界兴许就太平了。"

因为不够吃，居于统治地位的异族露出了狐狸尾巴；因为饥饿，奴隶们也顾不得羞耻了。忍饥挨饿的人，一心想的是弄点什么往嘴里填，体面不体面，早就顾不上了，偷点抢点都算不了什么事儿。

在北平卖生熟猪肉的铺子里，切肘花和香肠的肉墩子足有一人多高。这是因为掌柜的怕买主伸手抓肉，把手指头剁掉一截。可是现在这些高高的肉墩子（原本就是半截大树干）已经拦不住人们往那儿伸手。卖生肉的肉铺一向是在肉案子上切，因为再贪的人也不会把生肉，或者大油抓起来往嘴里送。然而现在真有抢生肉吃的人。

自打日本人实行粮食配给以来，肉铺的生意就冷清起来。常常一连三五天没有肉卖。偶尔有点儿肉，就连夜的出来，不比生熟，都切成小块，拿纸或者荷叶包上，藏在柜橱里。买主得先交钱，然后才能接过一小点肉。

这种先交钱后交货的办法，在北平风行一时。要是不先掏钱，什么也甭想买。

卖烧饼、包子和别种吃食的做小买卖的，都用细铁丝网子把篮子罩上，加锁。买主先交钱，随后打开篮子上的锁，把东西拿出来。小贩们还一边交货一边说，东西一倒手，他就不负责了。因为买东西的时候，摊子或担子旁边总有人等着，见吃的东西就抢。

韵梅给抢过两回，再也不敢打发小顺儿去买东西了。虽说东西不值什么，她可是害了怕。

天佑太太犹犹豫豫地出了个主意："让小顺儿跟着你去不好么？四只眼总比两只眼管用。"

韵梅觉着，不论小顺儿有用没用，叫他跟着总能壮壮胆子，可是小顺儿得上学。

"唉，"祁老人叹了口气，"这年月，上不上学有什么要紧！"

小顺儿一听给他派了这份差事，美得不行，马上想到要随身带根棍子。"谁要是敢夺您的口袋，妈，我就拿棍子敲打他。"

"你安静一会儿吧，"韵梅哭笑不得，"把眼睛睁得大大的，仔细瞧着点就行了。要是有人老跟着咱们，你就大声嚷嚷。"

"叫警察吗？"小顺儿爱打岔。

"哼——他们要管，那才叫怪呢。"

"那我嚷什么呢？"小顺儿样样事情都要闹个一清二楚，不然怎么能当好妈妈的保镖呢。

"嚷什么都可以——嚷嚷一通就是了。"奶奶直帮着解释。

祁老人，为了让大家瞧瞧，自己虽说是年老体弱，却还足智多谋，找来几块破布和绳子，对韵梅说："拿去把篮子罩上，买来东西，把绳头一紧，就跟那些做小买卖用的篮子一样了。这不牢靠多了吗？"

韵梅说："您的主意真不错，爷爷。"她可没说，"要是连篮子一块儿给抢了大呢？"

瑞宣当然也想出把力。每次打学校往家走，他都尽量顺路买点儿东西，省得韵梅一趟趟上街，减少挨抢的机会。

有一天，他从学校回家，想起韵梅仿佛要他带点什么来着，可是忘了她究竟要的是什么东西。

走了一会儿，看见一个卖烧饼油条的。战前卖烧饼的多得是，可这会儿倒很稀罕了。篮子上的铁丝网也显得新奇、古怪。

他想买上俩烧饼油条，好补偿他忘了买东西的过错，也让妞子乐一乐。她还是一见共和面就哭。

手里拿着烧饼油条，他一路走，一路想着富善先生。他不是常给妞子送饼干、面包来吗？他很惦记这位老朋友，不过他心里明白，就是知道老先生在哪儿，也不敢去看他。日本人特别恨跟西洋人有来往的中国人。

想着想着，猛孤丁打旁边伸过来一只手，一只非常脏，非常瘦的手。他还没明白过来是怎么回事，烧饼油条已经不翼而飞了。他住了脚，回过头去看。

545

抢烧饼的人是个极瘦、极弱的人，没命的跑，可又跑不快。他冲着烧饼油条吐了几口唾沫，就是给追上，人家也不要了。

瑞宣撵上了他。这瘦子像只走投无路的老母鸡，脸冲墙站住了。瑞宣见他还有羞恶之心，可怜起他来，后悔不该撵他。

"朋友，你拿着吃吧，我不要了。"瑞宣温和地说，希望这个瘦子会转过身来。

瘦子把脸往墙上贴得更紧了。

瑞宣想说，"是日本人害得我们顾不得廉耻也没法要面子了，不是你一个人的错。"可是，这一番话他想说可又说不出来。因为怎么说都是空话。讲道理，劝慰，饱不了肚皮。于是他说："朋友，吃吧！"

瘦子仿佛受了感动，慢慢转过身来。

瑞宣一下子看清楚了：是钱诗人的舅爷野求。他把准备要说的话都抛到九霄云外，好不容易才憋出一句："野求！"

野求耷拉着脑袋，身子倚在墙上，木呆呆地站着。他的头发好几个月没理了，又长又乱，在头上乱糟糟的卷成一团。他的脸，瘦成一条儿，好多天没洗了。眼睛里没有泪，愣坷坷地望着手里的油条出神。

瑞宣一把抓住野求的胳臂，野求想挣扎开，可是没有力气，他踉踉跄跄跟着瑞宣走了几步，强打着精神问："上哪儿？"

"找个地方坐一坐。"瑞宣说。

俩人走进一家小饭铺。一进门，跑堂的就过来挡驾。"对不起您哪，今儿我们什么也没有，压根儿没生火。没生意。"

没有生火，没有杯盘碗盏相碰的叮当之声，这也算饭馆？桌椅板凳，都收拾得整整齐齐，铺子里还有多年来留下的一股子大油味儿和饭菜味儿。

"让我们坐一会儿好不好？"瑞宣客客气气地问，"这位先生有点儿不舒服。"他指的是野求。

"没说的，坐吧，凳子都空着呢。"跑堂的笑着说道。"您瞧，先生，我们这生意怎么做？没可卖的东西，还不许关门，真是笑话。"

俩人都坐下了。因为瘦，野求的脸显得越发长了，眼珠子跟死鱼的一样。他平静下来，呆呆地坐着，一动也不动。

　　野求叹了口气。"没什么可说的——如今，我不过是行尸走肉罢了。"他说话的时候，脸上的肌肉纹丝不动。他说的是实话，用不着带表情。

　　"我把一切都毁了，"野求静静地说，"为了养活我的孩子和病病歪歪的老婆，我给日本人做事，抽大烟麻醉自己。是呀，我出卖灵魂，为的是老婆孩子不挨饿。出卖一个灵魂，拯救全家的性命，倒也划算。"他住了口，冲着桌子发愣。

　　瑞宣不敢催他往下说，只咳了一声。

　　这一声咳嗽，仿佛惊醒了野求，他接着又说："说来也怪，老婆有了吃食，身体反倒更弱了，仿佛我给她吃的东西都有毒似的。她死了。"他脸上还是木然没有表情，说起话来，像背诵一个听过许多遍的故事。"死了的，倒还算有福。我满以为儿女长大成人，就能挣钱养活我。可是，大儿子刚能挣钱，就二话不说离开了北平。他不但不感恩图报，还恨我，恨我出卖了灵魂。另外三个儿子也跟大儿子一模一样。我出卖灵魂把他们抚养大，可他们是怎么报答我的？一场空，没有心肝。"他舐了舐嘴唇。

　　"可笑的事情多着呢。我刚才说，因为我抽大烟，日本人对我还算不错。可是烟瘾一大，我动都懒得动了，他们就撤了我的差。我没了进项，只剩下几个不能挣钱、靠我养活的孩子。等他们能挣钱了，大概也得打我这儿跑掉。我不能再拉扯他们了，就是能，他们也不感激我。唉，要说是不拉扯吧，他们又得挨饿，真没法子。我现在还抽大烟，大烟能醉人——这就是它的好处。有什么见不得人的？连我自己的孩子都不认我这个爸爸了。我今天抢了你的东西，可是我用不着道歉，我知道你能原谅一个快死的人。"

　　"你不能就这么死了。"瑞宣想帮他一把。

　　"谁也不该落这么个下场，可是我只能这么死。也许就是明天，我会躺在大街上，让人家拿大卡车拉走，扔到城外去。我不指望人家把我埋在祖坟里，没脸见祖宗。"他站起来，跟瑞宣拉了拉手，就往外走了。

　　走出饭铺，野求一屁股坐在台阶上，吃起烧饼来。

二十

　　金三爷发了财，置下三处房产。虽说他的相貌，神态，穿戴，都没有变；而心，可跟以前不一样了。如今，他跟那些站在大街上抢东西吃的人大不相同，成了个小财主，有了点儿派头。每天，他还照常上茶馆去坐坐，然而小笔的生意，他已经看不上眼。跟同行在一起，他总是把腰挺得笔直，独自坐在一边，好像在说："小事儿甭麻烦我。金三爷不能为了仨瓜俩枣的事儿跑腿。"

　　对于那些打算买卖房产的主顾，他的态度也变了。他逢人便说："我自个儿也有点产业。"恨不得再添上一句："您以为我跟平常的中人纤手一样，呼之即来，挥之即去吗？哼——我有我的身份。"

　　他并没有忘记，是日本人害了他亲家钱默吟一家子。不过，他更不能忘记，打从日本人进占北平，他的生意一天天兴隆起来，如今，自个儿也置下了产业。为了钱先生，他应当恨日本人；替自个儿盘算盘算，他又应当感激他们。恨和感激，这两种感情揉不到一块儿，他只好不偏不倚地同时摆在心里。

　　然而不偏不倚并维持不了多久。不偏不倚就是偏倚的开始。为了长远保住他的产业，他不由得相信了日本人的宣传：他们侵略中国并不是为了打中国人，而是为了帮中国人消灭共产党。金三爷那四方脑袋里想的是：要是日本人真的消灭了共产党，也就等于保护了他那三所宅子。

　　他老惦着钱默吟。不论在街上遛弯儿，还是在茶馆里坐着，他总留着神寻觅，找他极敬慕的这位亲家。见了和他亲家模样相仿的人，他总要跑上前去看个究竟，希望自己没看错。一旦发现认错了人，他就揉揉眼睛，埋怨自己老眼昏花，看不真切。

他非常疼爱外孙子，几乎把孩子给惯坏了。钱先生在监牢里受罪的当儿，外孙子倒给宠得不行。金三爷宁可自个儿吃共和面，喝茶叶末儿，也要想尽法儿让外孙子吃好喝好。外孙子只要有点头疼脑热，他就赶紧去请北平最好的大夫。他把外孙子当菩萨供养着。

外孙子犯了错儿，钱少奶奶要罚，金三爷就把外孙子搂在怀里，数落她："真是身在福中不知福，这么好的孩子，还要罚！要是没有他，你又不知道该怎么样了。"

孩子刚会迈步，金三爷就想让他见世面。他把孩子扛在肩膀头上，或者干脆让他骑在脖子上，挺起胸脯，迈着大步，带他去逛大街，赶庙会，上市场。不论这东西吃了有没有好处，也不论这东西该不该玩，只要孩子说一声"要"，金三爷就赶紧掏钱买。

孩子会说话了，金三爷又苦恼起来。孩子跟妈学会了说："打倒日本鬼子，给爹报仇。"还会挺起小胸脯说，"我姓钱"金三爷不能把个常叫"打倒日本鬼子"的小外孙子带着到处跑，也不能跟自个儿的闺女吵；没准儿会让邻居听了去，报告日本人。他不怕给抓起来，他身强力壮，挨几下子也没什么，然而要是日本人没收了他的产业，那可就真要了命了。

金三爷那四方脑袋里琢磨着要跟日本人套套近乎。他并不想跟日本人合作，当他们的走狗。不，他还没有坏到那步田地，他只不过是为了自己的安全，想要不即不离的跟日本人攀点儿交情。

他加入了三清会。三清会专收那种有点儿小聪明，或者像金三爷这样有点儿本事，而脑子又糊里糊涂的人。日本人不久就把他列入"有用"的人一类，要跟他交朋友。

等金三爷真的以为日本人是安着好心，他们就突然追问起钱默吟，吓得金三爷瞠目结舌。是他造的孽，招惹来的日本人。日本人向他担保，决不会伤害钱先生。他们赌咒发誓地说，金三爷崇拜亲家，他们也佩服钱先生的学问，人品和胆识。他们要是找到他，一定不记前仇，好好跟他交朋友。金三得帮忙找人。他们暗示，要是他不肯帮忙——哼！——小心他那三处房产和他的外孙子！

550

金三爷精明了一辈子，这下子掉进了人家的圈套。他又气又恼，红里透亮的鼻子尖发了紫。哪怕日本人保证不害钱先生，他也不乐意帮着日本人去逮钱先生。

金三琢磨又琢磨，终于想出了主意。他决定去向钱先生讨教。

上哪儿找钱先生去呢？

他想起了野求。多日不见那瘦猴儿了，他可是很关心钱先生的。

这条路子没走通。野求的街坊说，他们全家都搬得无影无踪，不知道上哪儿去了。

金三爷又想到了瑞宣。

祁家的人，全都侧着耳朵仔细听他说话，都想知道钱少奶奶和她的孩子日子过得怎么样。

金三爷没时间谈他的闺女和外孙子，他单刀直入，打听钱先生住在哪儿。

一起头，瑞宣以为金三爷是惦记钱先生，才这么急着打听他的住处。过了一会儿，他觉着事情有点蹊跷，就盘问起金三爷来。

金三爷很不耐烦，一个劲儿敲他那烟袋锅，拿定主意不吐真情。瑞宣也谨慎小心，什么都不说；憋了半天，金三爷泄了气，拔腿走了。

瑞宣心里犯了嘀咕。他不明白，为什么金三爷要找钱先生，情况有点儿不妙。他想马上去找钱先生，嘱咐他多加小心；可是反复一想，又怕自己过于大惊小怪。不能听见风就是雨，随便惊扰钱先生。不论怎么说，金三爷总算是钱先生的亲家。

他拿定主意，先别忙，等他向明月和尚交稿的时候，先跟明月商量商量。

金三爷见瑞宣的嘴这么严实，起了疑。他觉着瑞宣准知道钱先生的下落，只不过不肯告诉他罢了。他拿定主意，跟着瑞宣看个究竟。

金三发现瑞宣在个小铺子里跟明月见面，便又钉上了明月，发现了那座小庙。

金三不敢贸然进庙，要是钱先生真的在那儿，他冒里冒失地撞进去，劝亲家跟日本人合作，而钱先生不肯听他的，就会马上换个地方躲起来，那——

再说，要是钱先生不听他的，他能昧着良心叫日本人来逮吗？

他去看瑞宣的时候，看见了小羊圈一号和三号的宅子。他想起了几年前背着钱先生去找冠晓荷的事。难道如今他自己也跟冠晓荷一样了？冠家的人是一群狗，而我金三爷可是黄帝的子孙。

要是钱亲家真的在小庙里，他又不去报告日本人，岂不是就犯了包庇亲戚的罪，不但人受连累，连产业也得玩完！

他的良心跟恶念展开了斗争，谁对谁也不肯让步。是万恶的侵略战争，逼得他为了个人的安危，竟想出卖自己的亲戚。

他常在小庙附近徘徊，不敢进去。他想见见他最敬佩的亲家兼朋友，可是，他也怕见了钱先生会挨骂。

他在小庙门外踯躅不前的时候，有几个人在后面跟着他。他虽然不敢往小庙里进，可是那些人却悄悄地摸了进去。

钱先生被捕了。

二十一

意大利投降了，日本皇家海军打太平洋一点一点往后撤。北平的日本人奉命每人结交十个中国朋友。

小羊圈三号的日本人也出门"交朋友"来了。他们向来不跟左邻右舍的中国人来往，可是现在，就连他们脸上的表情，也得按照上面的命令来一个变化。

四大妈头一个拒绝和他们交朋友。她谁都能爱，就是不能爱那打死她老伴的日本人。虽说打死她老伴的并不是三号的日本人，然而，日本人总归是日本人——她闹不清他们谁是谁，也犯不着去闹清楚。

这位居孀老太太的嘴，可不像个寡妇嘴，什么脏字儿都敢出口。日本人听不懂她用的那些字眼儿，光知道冲她傻笑。

程长顺几乎要跟他外婆吵起来。马寡妇向来不肯得罪人，更不敢得罪日本人。她对他们既恨又怕，人家上门来了，还能不给杯茶喝？总不能把人家撵出去吧。然而，长顺决定把门插上，不招待这种"朋友"。

小羊圈的人觉着，一边儿杀人，一边儿交朋友，简直是 莫名其妙，叫人恶心。大家都不约而同地不理那些日本人。

只有丁约翰例外。

其实，他在英国府当差那会儿，最瞧不起的就是日本人。如今长期失业在家，回英国府的希望越来越渺茫了。得早日改换门庭，另找洋主子才好。他已经当惯了洋奴。

一当上里长，他就施展手段，弄了点煤来。有了煤，他每天就多少有点进项。他在院子里点了个小煤炉卖火。没钱自家起火的街

553

坊，可以到他这儿来烧点儿茶水，做点吃的。他盯着他那只大钟，按钟点收钱。

三号的日本人不明白，中国人为什么这么不通人情，不讲道理，不友好。他们走了一遭，只有丁约翰一个人来回拜，还把他们高兴得不得了。他们怕要是连一个朋友也交不上，就该挨罚了。他们原打算去访问一号那位老婆婆，问问她跟街坊和睦相处有什么诀窍。老婆婆要是不肯说实话，就吓唬她一气，要不然编个罪名暗害她。幸而里长丁约翰知趣，肯跟他们交朋友。那就得牢牢地抓住他，施展侵略者惯用的伎俩，像蚕吃桑叶一样，把一家一家人通通攥到手里。

丁约翰跟所有的洋奴一样，恨不得人人是洋奴，而由他当奴才总管。他在三号跟日本人吹牛说："我是里长，能下命令叫他们跟你们交朋友。"走出三号大门，丁约翰就挺胸凸肚，那副神气劲儿，几乎跟他在英国府当差的时候差不多。

他去找白巡长，干干脆脆给白巡长下了命令，叫他帮着通知街坊们，好好跟日本人交朋友。

白巡长是个讲究实际的人，通情达理。他一向精明能干，也会见风使舵。然而他不能因此就不爱国，不爱自己的同胞。他不同意丁约翰那一套。

"哼，"他对丁约翰说，"日本人跟咱们交朋友？岂不是黄鼠狼给鸡拜年？"

丁约翰恼了。他是几百年来民族自卑的产儿，是靠呼吸散发着国耻味儿的空气长大的。他的最高理想就是求外国人高抬贵手，不打他，让他好好当洋奴。在他想来，日本人能打败英国佬，而中国一定打不过日本。即使日本人不幸败了，英国和美国也会卷土重来，再当他的主子。唯独中国人挺不起腰杆，不能跟英国人和美国人平起平坐。他不乐意再跟白巡长多废话。

丁约翰找上了瑞宣。瑞宣吃过英国府的洋面包，一定能够明白他的意思。

要是早先，瑞宣没准儿会笑上一笑，说两句俏皮话把丁约翰打发走。可是而今，他决不肯放过进行宣传的任何机会。他不管丁约翰懂不懂，也不管他爱不爱听，详详细细对他讲开了世界大势，末了告诉丁约翰："白巡长和街坊们做得对，错的是你。"

丁约翰把瑞宣的话仔仔细细琢磨了一番，不禁恍然大悟。"哦，这下子我明白了。英国和美国一定会赢，你我就都可以回英国府去作事了。那才好呢，好极了。"

瑞宣真想唪他一口，可又忍住了。"你又错了。咱们谁也甭靠，自己当家作主人。"

丁约翰没再言语，客客气气告辞了。他不明白瑞宣说的是什么意思。

他又到三号去，告诉日本人说白巡长不乐意合作。他并没成心背地里给白巡长使坏，可他得让日本人知道知道，他是真想帮他们拉朋友的。要是不幸日本人恨上了白巡长，他也没辙。

日本人果然恨上了白巡长，他们的仇恨比友情来得快。

他们没把这件小事拿去惊动他们的长官，而是给白巡长的上司写了封信，说他玩忽职守。这位上司当然是中国人。

白巡长的上司怕丢差事，怕饿死。为了保饭碗，不敢护着白巡长，撤了他的差。

白巡长的好日子算是走到了头。他有经验，有主张，受街坊邻居爱戴。然而，他没有积蓄，没有前途。他一辈子没攒下一个钱。哼，要是他再滑一点，连蒙带骗，常常使点坏心眼，在这么个兵荒马乱的年月，就不说飞黄腾达吧，总不至于丢差事。

好吧，既然好心没好报，干脆就杀人放火去！日本人杀人放火，倒成了北平的主人！他决心要杀丁约翰。杀人是善是恶，有谁来管？战争最大的教训，就是教那些从来没有杀过人的人去杀人。

再一想——既杀，何不杀日本人？

他没跟家里人提丢了差事，把菜刀往袄襟里一掖，走出了门。

他往小羊圈走。每条胡同里都住的有日本人。可是，他不假思索，出于习惯，走到了小羊圈。他最熟悉这里。在背后使坏的准是住在三号的日本人。好，——先拿他们开开刀。

他的长脸煞白，一脑门汗珠；背挺得笔直，眼睛直勾勾朝前看，

555

可什么也看不见。他已经不是白巡长，而是阴风惨惨，五六尺高的一个追命鬼！他已经无所谓过去，也无所谓将来，无所谓滑头，也无所谓老实。他万念俱灰，只想拿一把菜刀深深地斫进仇人的肉里，然后自己一抹脖子了事。

走到三号的影壁跟前，他颓然站住，仿佛猛地苏醒过来。他安分守己过了一辈子，如今，难道真的要去杀人么？他迷迷糊糊地站着发愣。

迎面来了瑞宣。

一见瑞宣，白巡长的杀人念头忽然消散了一多半。他耷拉下肩膀，手脚瑟瑟地哆嗦起来。

"怎么啦，白巡长？"瑞宣问道。

白巡长伸手摸了摸怀里的菜刀，仿佛怕瑞宣搜他。

瑞宣明白，准是出了事。他拉着白巡长的胳臂说："来，上我屋里呆会儿。"

白巡长不知道怎么是好，被瑞宣拽着朝家走。一进人门，他把杀人的念头摆在一边，恢复了彬彬有礼的态度："祁先生，我——我不进去了。"他真的不想进屋去跟瑞宣说话。他觉着，杀人，哪怕是杀一个害他丢了差事的日本人，也是一件见不得人的事情。

瑞宣看出白巡长心里有事，"你要是不乐意上屋里去，咱们就在这儿聊聊。"说着，就把院门掩上了。

白巡长悔恨自己竟然起了杀人的念头，也埋怨自己勇气不足，下不去手。他只好把心事抖搂出来，让瑞宣给拿个主意。于是，急急忙忙，一五一十地把事情告诉了瑞宣。

瑞宣听了他的话，半天没言语。白巡长的遭遇就是许多、许多北平人的遭遇；他的话也说出了大家的心思。老百姓是不甘心受日本人奴役的，他们要反抗。可是几千年来形成的和平、守法思想，束缚了他们的手脚，使他们力不从心。

瑞宣理解白巡长的心情，劝他不必单枪匹马去杀日本人，最好是跟大家同心合力，做点地下工作。能不能跟白巡长提钱先生和老三呢？他思忖再三，觉得还是应该多加小心，开头只说自个儿，不提钱

556

先生和老三。

瑞宣试探着慢慢地说，白巡长听得很仔细。他听了一会儿，打断了瑞宣的话："祁先生，你要说什么——就痛痛快快说吧。我不会去当走狗，出卖朋友。我没了出路，只想宰他几个日本人，然后一抹脖子了事。不能为了几块钱出卖朋友。你要不信，我可以起誓。"

瑞宣心里一块石头落了地，跟他说了实话。"白巡长，咱俩能做的事儿，理当比钱先生还多。钱先生能做到，咱俩为什么做不到？干吧！怎么样？我知道你没了进项，没了活路，那好办。但凡我有的，就有你一份，这不在话下。没准儿老三也能帮你拿点主意。咱们今天一块干，明儿个要是给逮起来，可不能做孬种。古人说过，人生自古谁无死，留取丹心照汗青嘛。"

"你说得有理。让我先干点儿什么好呢？"白巡长毫不犹豫地说。

"我跟钱先生和老三已经多日不见了，我不能上那小庙里去，我怀疑金三。那天他忽然跑来看我，到底是什么意思？要是钱先生又让人给逮了去，日本人准会把明月留在庙里当诱饵，好逮老三和别的人。我上那儿去很不方便，你敢不敢去走一趟？"

"瞧，这不是，"白巡长惨笑了一下，打大襟里把菜刀掏了出来。"我原本就想拼了，还有什么不敢的呢？"

"用不着拿菜刀，"瑞宣也笑了。"你上庙里去最合适。你有眼力，一眼就能看得出来到底该不该进去。明月和尚不认识你，这又是个好条件。你们俩谁也不认识谁，见了面不会在无意之间露出点什么破绽让人家发现。该不该往庙里进，你到那儿掂量着办。你要是真的进了庙里，千万可别跟和尚说话。得假装求神讨签，还得装得真像那么回事。先到佛前磕个头，祝告祝告，说你丢了差事，问问前途凶吉。等你摇出签来，到佛龛上去拿签帖的时候，记住一定要拿最下面的那一张。那上头写着咱们要知道的事儿。有了那张帖儿，老三的下落也就有了，还有……你拿到那张帖儿，千万别直接给我送来。我到白塔寺庙会上去见你。得找个人多的地方见面，比如说，那些变戏法的，卖估衣的地方，得找这样的地方。"

"这事儿我能办。"白巡长高兴起来。

557

"我知道你必能办到。还有，你得做点儿小买卖什么的，哪怕是卖点儿花生呢，也好。这么着，丁约翰就不会怀疑你。你得常去他那儿走走，跟他聊聊天，恭维恭维他的基督精神。一句话，你得哄着他点儿，别让他再怀疑你，跑去报告。"

"好吧，祁先生，我又活了，哪怕过两天就得去死呢，我也感您的恩。"白巡长藏起刀，伸手要开街门，准备出去。

"你要是让人逮住，哪怕粉身碎骨，也不能拉扯别人。"瑞宣又低声告诫他。

白巡长点了点头，而后打开了街门。他把菜刀送回家，一径上了小庙。

他耷拉着脑袋走近小庙，打眼角往四下里瞅。庙门开着，院子里，佛堂里都没个人影儿。他走到庙门旁边，想买点儿香烛拿着，像个求神讨签的样子。

忽然瞧见金三爷在庙门外不远的地方蹲着。他认得金三的红鼻子和大方脑袋。他咳了一声，金三一下子横了起来。白巡长神马上堆起了笑，说："混得不错吧，金三爷?"他态度亲切，丝毫不显莽撞，只有当过多年警察的人，才能做得这么自然。

"怎么啦? 您是谁?"金三不知所措了。

"不记得我啦?"白巡长做得像个老相识。"我姓白，家离小羊圈不远。"

小羊圈三个字，像一把匕首插进了金三的心脏。

白巡长往西头走，金三不知不觉地也跟着他走了过去。

金三的鼻子还是那么红，可是不亮了；原来油光锃亮的脑门发了暗，有了深深的纹路。眼皮红红的，像好多天没睡觉似的。鞋上，肩膀头上，裤子上都蒙了厚厚一层灰，仿佛他在街上已经站了好几天。"找个地方坐坐。"白巡长说。

金三点了点他那四方脑袋。"嗯?"刚一坐下，金三就搭起茬来，仿佛他心里憋了一肚子话，正等着机会蹦出来。哪怕来条狗冲他摇摇尾巴呢，他也会把心里话跟它说一说。"亲家，我那亲家，让人逮去了。"他没头没脑地说起来。

"钱先生?"白巡长说着,想起了七年前抓钱先生那会儿的事。"您怎么知道的?"

　　"是他们告诉我的——他们日本人。哎,这一回我算是造了孽了!为了保住我的产业,好让我闺女和外孙有口吃喝,我跟日本人去攀交情。结果呢,我只在庙门口张望了一下,他们就摸进庙里,偷偷把我亲家绑走了。而后,他们又哄我说,别发愁,亏待不了他。哼,七年前,日本人差点没把他的脊梁骨给打折了。我不是人,我没脸回家去见外孙子。我把他爷爷送进了虎口——还有什么脸去见那孩子?"金三说了又说,想把憋在心里的苦闷一气儿抖搂出来。

　　"得想个法子搭救钱先生。"白巡长说着,指望金三能琢磨出点主意来。

　　"救他?那是当然。"金三打衣襟底下掏出一沓子钞票,"我带了钱来,一个劲儿在这儿转悠,想把亲家赎出来。要是这些钱还不够,我可以卖房子,我舍得花钱,钱、房子算什么!不管怎么为难,我也得见上亲家一面,告诉他我是个混蛋,简直不是人。我知道,跟他一说,他明白了,一定饶了我。他是个有学问的人,通情达理。要是他们把他打死了,没能当面跟他说清楚,我在九泉之下可怎么跟他见面呢。我在棺材里都不得消停。帮兄弟一把吧,帮兄弟一把——可怜可怜我吧。"

　　"我当然要帮忙。"

　　"怎么个帮法呢?"金三乐意给钱,可是他得先知道,这笔钱究竟用在什么地方。

　　"得先找到钱先生的朋友,然后,再一块儿想办法救他。"

　　"上哪儿打听去呢?"

　　"上那小庙里去。"

　　"好,我去。"金三说着,站了起来。

　　"等会儿,"白巡长也站了起来,拦住金三。"我去,您站在远处瞭着点儿。万一我被他们逮了去,您就带个信儿给瑞宣。"

　　"好吧,"金三脸上有了点血色。虽说救钱先生的事儿八字还没有一撇儿,可他总算有了指望。他给了白巡长几张票子。"拿着,你要是不肯收，我就是狗养的。你这是为我的亲家办事。我不能让你自个儿掏钱买吃喝。"

二十二

钱少奶奶双手托腮，坐在门口的台阶上。不过是几个钟头以前的事情，她却仿佛已经记不清楚了。她费尽心思想了又想，结结巴巴地说："他说是出去买点儿零嘴……"

"后来呢？快说呀。"金三爷不耐烦起来。

"出去了——半天没回来。"

"你干吗让他独自个儿出去？"

她不想分辩，"我以为他在大门里头吃着玩呢。过了一会儿，我有点不放心，跑出来瞧。他没在，我到大街上去找他，找了又找——喊了又喊。"她又低下了头。

金三爷也在台阶上坐了下来。他忍住气，静下心来思索。想了半天，把几天来的事儿跟闺女说了一遍，说不定从这些乱七八糟的事情里能看出点眉目，找出丢孩子的原因来。

钱少奶奶听爸爸这么一说，噌的一下站了起来。"准是让日本鬼子给偷去了！"

"日本鬼子？"

"他们把我公公逮了去，又把我儿子偷走了。老爷子就是铁打的心肠，见孩子受委屈也得心软，只好叫说什么就说什么了。他们会把我那孩子折磨死！您倒好——为了三所房子，绝了钱家的后！"

金三一句话也说不出来。他筋疲力尽，又气又羞，迷迷忽忽冲着院墙发愣。

第二天，白巡长来了。他告诉金三，钱先生果真下了牢，不过还没有受刑。

这是从小庙里拿来的签帖上得来的消息。还有些别的话，他不能都告诉金三。

"哦——他没受刑?"金三露出了笑脸。

"哼——日本鬼子马上就要完蛋，不敢乱来了。他妈的——! 都是些欺软怕硬的东西!"

"可我的外孙子丢了。"金三又没了笑意。

"丢了?"白巡长愣住了。

"丢了。"

"也是日本人干的?"

金三无话可答。他只想抽自己的嘴巴，可他的胳臂沉得举不起来。他呆呆的，坐了好一阵，然后问道:"您能给打听打听吗?"

白巡长知道自己没处可打听去，而又不愿意把话说死，让金三绝望。"我试试，尽力而为吧!"

白巡长走了。他知道金家这场祸事不小，自己无能为力。还是忙自个儿的事情为妙。瑞宣和他已经把签帖上的意思弄明白了:

第一，钱先生下了牢，不过还没有受刑，日本人想拉拢他;

第二，明月和尚目前不便多活动，老有特务盯着;

第三，瑞全的工作重点在城外，不能常回北平来;

第四，瑞宣应当接替钱先生，当好地下报刊的编辑，想法把稿件送出城去。得找个腿脚利索的人。

瑞宣乐意当编辑，而白巡长也乐意跑腿。他俩都知道这个事弄不好就会掉脑袋，不过俩人都毫不迟疑的把担子担了起来。两人冲着签帖出了一会儿神，又相对笑了一笑，仿佛在说:"要是非死不可，这么着去死最痛快，也最值。"

白巡长每天把稿件送出城去，而后带回报纸来。他化装成做小买卖的，天天走不同的路线。

他常上小羊圈来，却不是找瑞宣。他和瑞宣商量好，不在小羊圈附近碰头。他每次上小羊圈，都是找丁约翰。他跟丁约翰絮叨他的买卖、他的难处，还有别的鸡毛蒜皮的事儿，好让丁约翰不怀疑他。只要丁约翰不怀疑他，小羊圈就没别人会造他的谣。

钱少奶奶天天上街找儿子。她的生命分成了两半儿，一半已经死去，另一半还活着。她跟死人一样不吃不喝，不管家务。只有当她跑遍全城，呼唤儿子的时候，才有了生命。她四下里奔走，只要看见跟她儿子身量相仿的孩子，马上跑过去看个仔细，常常吓孩子一大跳。一看不是儿子，她一声不出，极轻地在孩子头上拍一拍就走开了。

一天找下来，累得浑身都散了架，任凭两条腿把她拖回家去。她不跟爸爸说话，好像他已经不是她爸爸了。到了夜里，她跪在院子里祷告："孩子他爹，保佑保佑你那儿子吧。"她只会说这一句，反反复复，说了又说。

金三时常把他那大拳头攥得紧紧的，绷得骨节格格发响。他雇了些人来帮他找孩子。那些雇来的人敲着铜锣，大声吆喝着走遍大街小巷。他还叫人写了许多寻人启事，到城里各处去张贴。

日本人对他说，钱先生在狱里很受优待，叫他别担心。日本人还说，他和他闺女最好一起写封信，劝钱先生别固执。只要钱先生肯跟日本人合作，不但钱先生能做大官，连他金三也能得着好处。

金三打听外孙子的下落。日本人只微微一笑，不搭茬。他明白孩子八成是让日本人给弄了去了，钱先生若是不答应他们的条件，他们就要对孩子下毒手。金三只好答应给钱先生写信。要是信能起作用，孩子目前也许不至于遭罪。他求人写了封信，交给了日本人。

信一送出去，他后了悔。他知道亲家的脾气多硬，多倔。要是钱先生见信后还不肯跟日本人合作，那金三不就是把孩子往死里送了吗？

他又去求日本人让他见见钱先生。他想，只要见了亲家的面，他就可以把一切都说清楚，求得原谅；然而日本人一个劲儿地摇头。

二十三

　　德国无条件投降了。

　　北平的报纸不敢议论德国投降的原因，竭力转移人们的注意力，大讲皇军要作战到底，哪怕盟军打到日本本土，也决不屈服。这种"圣战"的滥调天天都在弹，弹了又弹。

　　住在北平的日本人使出全身解数，要跟中国人交朋友。他们如今这样做并不见乘乎了上司的旨意，而是自个儿的主张。有的日本人死皮赖脸地巴结着要跟中国人拜把兄弟，有的认个北平的老太太当"干娘"。

　　在这么个时候，日本军方也不得不表示宽容，把一些还没有死利落的犯人放了出来。他们还打监牢里挑出几个没打折骨头的败类，要他们写悔过书，然后打发他们去内地探听和平的消息，散布和平的谣言。说："皇军是爱好和平的，如果中日两国立即缔和，携起手来对英美作战，岂不大大的好？"

　　日本人以外，最着忙的是汉奸。他们最会见风使舵。德国一投降，他们就乱了营。有的宣布跟老婆离婚，万一自个儿难逃法网，起码老婆孩子的产业能保住。有的偷偷把孩子送往内地，脚踩两只船，好减轻自己卖国的罪责。有的把亲友送到内地工作，用"曲线救国"的鬼话，掩盖他们附逆投降的丑行。

　　就说小羊圈吧，教育局的牛局长住在门口有四棵大柳树的宅院里，从来不承认自己是汉奸，这下子也沉不住气了。他不能再埋头于书堆和实验仪器之间，想偷偷溜出北平。他只走到前门车站，就让日本人抓了回来，下了牢。

仗着这一阵宽容之风，说相声的黑毛儿方六也打牢里放了出来。

小羊圈的街坊邻居，对牛局长的被捕，毫不理会，对方六的出狱，却大为轰动。大家一窝蜂把方六围上，七嘴八舌地给他压惊。虽说他被捕的时候大家没勇气联名保他，可是他出来了，大家决不能冷落了他。

方六已经不是早先大家熟悉的方六了。他下过牢，见识过死亡和刑罚，已经不会说说笑笑了。

为了挣钱吃饭，他很快又说上了相声，可是，来来去去，总是耷拉着脑袋。他不能回电台，茶馆也不肯再雇他。他只能到天桥和东西两庙去撂地，挣几个铜子儿。

不论是在天桥，还是在别的什么地方，他总能运用最尖刻的语言来宣泄胸中的愤恨。他不光会逗哏，还会见景生情，把时事材料"现挂"到相声段子里去，激发听众的爱国情怀。

他能用隐语和冷嘲热讽，引起听众的共鸣。他每次说相声，里三层，外三层，人挤得水泄不通。能激起人们的仇恨，给人以力量的相声，的确很受欢迎。他还常去找瑞宣，要他给解释报上的新名词儿，讲讲他看不懂的新闻。

瑞宣乐意当义务教员，可是不让方六常上门来。最好是趁瑞宣上下班的时候，在街上碰头，利用走道的时候说说话。瑞宣已经接替钱先生，负责编辑地下报刊，所以得加倍小心。要是方六到家里来，让丁约翰碰上，就许出事儿。

瑞宣喜欢方六，讨厌丁约翰。丁约翰自从知道了德国投降的消息以后，就常来看瑞宣。瑞宣最怕他碰上自己在写稿子，然而又不敢不让他来，只好推说太忙。

在丁约翰看来，德国必是英国给打败的。他对国际事务的知识很欠缺，然而又自有他的一孔之见。

除了英国，丁约翰最佩服的就数德国。他佩服德国人，主要原因恐怕跟德国制造的自行车和化学染料有关系。他在言谈之中总爱说上一句："英国货而外，德国牌子最靠得住。"他说这话，为的是显排他也懂得国际上的事。提到德国，他必定要在前边儿加个"老"字，仿佛他和德国早就是街坊老邻了。

丁约翰不能不跟瑞宣维持着交情，那是他的老本儿！要是英国府又重打鼓另开张，而瑞宣跑去诉说，他跟日本人有过一手——那他还受得了？

他跟瑞宣讲英国如何了不起，比德国强大得多。他还想引出瑞宣的看法，直问："要是日本也战败了，我们是不是应当把北平所有的日本人都杀了呢？"

瑞宣一声不吭，恨不得一脚把丁约翰踢出门去。

丁约翰见瑞宣不言语，以为自己说对了，很快又补了一句："我在小羊圈，大小也算个里长，走着瞧吧。我要不给一号和三号那些人点颜色看看，才怪呢。祁先生，您可是亲眼看见的，我自始至终都是英国府的人。等富善先生回来，我还回去伺候他老人家。您说是不是？"

瑞宣明白他要是说一声"是"，丁约翰就会点头哈腰求瑞宣照应，好像他回不回得去英国府，全仗着瑞宣一句话；而要是说声"不哪"，丁约翰又会絮絮叨叨要他给说个明白。他绝不想跟这么个走狗多废话。

程长顺给瑞宣带了个消息来。他说日本人开始卖东西了。长顺不乐意跟日本人做买卖，没跟他们买什么。可是他们招揽过他，别的打鼓儿的也真的买过日本人的东西。"祁先生，这么说日本鬼子真的快完蛋了。他们忙着要把零碎东西卖掉，换点现钱好回日本去。"

瑞宣认为长顺说得不错。

"祁先生，您注意到没有，打从德国投了降，"长顺囔着鼻子说，"日本人就改了样。直冲咱们鞠躬，赔笑。您瞧，三号老关着大门，好像怕人家进去宰了他们。"

有一天，瑞宣意外地收到一封信，虽说署的是假名，可他一眼就看出是老三的笔迹。他奇怪，老三居然敢直接把信寄到家里来。以往老三的信总是通过秘密渠道送来，从来不经过邮局。

才读了几行，他就放了心。就是碰上检查，这么一封信也挑不出毛病来。

"我在落马湖见着胖嫂，她带的东西都给没收了，只好卖她那身胖肉度日。她长了一身烂疮，手指头缝都流着脓。我不可怜她，也犯不着去骂她，她会烂死在这儿。"

瑞宣知道胖嫂指的就是胖菊子，虽说他不知道落马湖在哪儿，从字里行间可以看出那不是个体面地方。他问方六，方六告诉他，那是天津最下等的窑子窝儿。

北平的日本人忙于认干娘，卖东西，在日本的中国人却千方百计找路子回中国。日本本土给轰炸得很厉害，在日本的中国人，不论是汉奸，还是留学的学生，都怕葬身日本，怕破财。见了炸弹，他们就想起祖国来了。

在北平，原来削尖脑袋钻着想去日本的人，也怕到日本去出差、开会了。他们能推就推，能赖就赖，想方设法，就是不去。性命最要紧，不能上那弹如雨下的地方去找死。

唯独蓝东阳还是一心一意想去日本。他病了好长时间。在他生病期间，一个日本大夫，一个日本护士看守着他。日本大夫是军方派来的，有生杀大权。要是蓝东阳在说胡话的时候说上一两句不满意日本人的话，大夫就会喂他点儿毒药，叫他两眼扯得上去再也落不下来。可东阳就是在烧得说胡话的时候，都在喊"天皇万岁！"大夫护士受了感动，很替他向上美言了一番，夸他是个最最忠于天皇的中国人。他们小心翼翼地看护他，尽了一切力量治好他。他全身每一处都用 X 光拍了照，片子送回日本作科研材料，看看他的心、肝、脑子和肺有些什么特殊构造，怎么能这么效忠于日本。

东阳还是怕瑞全的子弹会送他的命。病一好，他立时想到日本去，躲开瑞全的枪子儿。

因为病，他那新民会处长的职务已经给了别人。他对这倒无所谓，因为日本大夫和护士都告诉过他，要是上日本去，做的官还要大，他们的话还能不信？

牛局长被捕，教育局的局长出了缺。日本人想起了蓝东阳。他是他们忠顺的奴才，驯服的狗。他有功绩记录在案，绝对可靠。

是呀，东阳乐意当教育局长。不过他得先上一趟日本，名义上是

567

考察日本的教育。要是他去了日本，而瑞全又给抓起来杀了，他岂不就可以放心大胆地回来，太太平平地当他的局长了吗？再说，没准儿，他在日本兴许还能弄个日本老婆呢，那他岂不就成了日本的皇家女婿啦？

蓝东阳上了日本。

去给他送行的人都扑了空，因为他化了装，由两个便衣保护着，夜里悄悄离开了北平。他怕上了火车站，让一大群人闹哄哄地围着，瑞全一下子就会认出他来，给他一枪。

那些买了礼物准备给他送行的人，在他走了以后，都叹着气，面面相觑地说："还是人家蓝东阳厉害！日本天天挨炸，他倒还敢往那儿跑。哼，瞧瞧咱们吧，咱们是又想吃，又怕烫。像咱们这样儿的，一辈子也发不了。"他们万万没有想到，东阳到日本是有去无回，连块尸骨都找不着了！

蓝东阳和中华民族五千年的文化毫不相干。他的狡猾和残忍是地道的野蛮。他属于人吃人，狗咬狗的蛮荒时代。日本军阀发动侵略战争，正好用上他那狗咬狗的哲学，他也因之越爬越高。他和日本军阀一样，说人话，披人皮，没有人性，只有狡猾和残忍的兽性。

他从来不考虑世界应该是什么样子，他不过是只苍蝇——吸了一滴血，或者吃块粪便，就心满意足。世界跟他没关系，只要有一口臭肉可吃，世界就是美好的。

科学突飞猛进，发明了原子弹。发现原子能而首先应用于战争，这是人类的最大耻辱。由于人类的这一耻辱，蓝东阳碰上了比他自己还要狡诈和残忍的死亡武器。他没能看到新时代的开端，而只能在旧时代——那人吃人，狗咬狗的旧时代里，给炸得粉身碎骨。

二十四

如果孩子的眼睛能够反映战争的恐怖，那么妞子的眼睛里就有。

因为饿，她已经没有力气跑跑跳跳。她的脖子极细，因而显得很长。尽管脸上已经没有多少肉，这又细又长的脖子却还支撑不起她那小脑袋。她衣服陈旧，又太短，然而瞧着却很宽松，因为她瘦得只剩了一把骨头。看起来，她已经半死不活了。

她说不吃共和面的时候，那眼神仿佛是在对家里人说，她那小生命也自有它的尊严：她不愿意吃那连猪狗都不肯进嘴的东西。她既已拿定主意，就决不动摇。谁也没法强迫她，谁也不会为了这个而忍心骂她。她眼睛里的愤怒，好像是代表大家表达了对侵略战争的憎恨。

发完了脾气，她就半睁半闭着小眼，偷偷瞟家里的人，仿佛是在道歉，求大家原谅她。她不会说："眼下这么艰难，我不该发脾气。"她的眼神里确实有这个意思。然后，她就慢慢闭上眼睛，把所有的痛苦都埋在她那小小的心里。

虽说是闭上了眼，她可知道，大人常常走过来看她，悄悄地叹上一口气。她知道大人都可怜她，爱她，所以她拼命忍住不哭。她得忍受痛苦。战争教会她如何忍受痛苦。

她会闭上眼打个小盹，等她再睁开眼来，就硬挤出一丝笑容。她眨巴着小眼，自个儿骗自个儿——妞妞乖，睁眼就知道笑。她招得大家伙儿都爱她。

要是碰巧大人弄到了点儿吃食给她，她就把眼睛睁得大大的，以为有了这点儿吃的，就能活下去了。她的眼睛亮了起来，仿佛她要唱歌——要赞美生活。

569

吃完东西，她的眼睛像久雨放晴的太阳那样明亮，好像在说："我的要求并不多，哪怕吃这么一小点儿，我也能快乐地活下去。"这时候，她能记起奶奶讲给她听的故事。

然而她眼睛里的笑意很快就消失了。她没吃够，还想吃。那块瓜，或者那个烧饼，实在太小了。为什么只能吃那么一丁点儿呢？为什么？可是她不问。她知道哥哥小顺儿就连这一小块瓜也还吃不上呢。

瑞宣不敢看他的小女儿。英美的海军快攻到日本本土了，他知道，东方战神不久也会跟德国、意大利一样无条件投降。该高兴起来了。然而，要是连自己的小闺女都救不了，就是战胜了日本，又怎么高兴得起来呢？人死不能复生，小妞子犯了什么罪，为什么要落得这么个下场？

祁老人，现在什么事都没有力气去照应，不过还是挣扎着关心妞妞。最老的和最小的总是心连心的。每当韵梅弄了点比共和面强的吃食给他，老人看都不看就说："给妞子吃，我已经活够了，妞子她——"接着就长叹一口气。他明白妞子就是吃了这口东西，也不见得会壮起来。他想起死了的儿子，和两个失了踪的孙子。要是四世同堂最幼小的一代出了问题，那可怎么好！他晚上睡不着的时候，老是祷告："老天爷呀，把我收回去，收回去吧，可是千万要把妞子留给祁家呀！"

韵梅那双作母亲的眼睛早就看出了危险，然而她只能低声叹息，不敢惊动老人。她会故意做出满不在乎的样子说："没事儿，没事儿，丫头片子，命硬！"

话是这么说，可她心里比谁都难过。妞子是她的闺女。在她长远的打算里，妞子是她一切希望的中心。她闭上眼就能看见妞子长大成人，变成个漂亮姑娘，出门子，生儿育女——而她自个儿当然就是既有身份又有地位的姥姥。

小顺儿当然是个重要的人物。从传宗接代的观点看，他继承了祁家的香烟。可他是个男孩子，韵梅没法设身处地仔细替他盘算。妞子是个姑娘，韵梅能根据自己的经验为妞子的将来好好安排安排。母女

570

得相依为命哪。

妞子会死，这她连想都不敢想。说真的，要是妞子死了，韵梅也就死了半截了。说一句大不孝的话吧——即便祁老人死了，天佑太太死了，妞子也必须活下去。老人如同秋天的叶子——时候一到，就得落下来，妞子还是一朵含苞未放的鲜花儿呢。韵梅很想把她搂在怀里，仿佛她还只有两三个月大。在她抚弄妞子的小手小脚丫的时候，她真恨不得妞子再变成个吃奶的小孩子。

妞子总是跟着奶奶。那一老一少向来形影不离。要是不照看，不哄着妞子，奶奶活着就一点儿用处也没有了。韵梅没法让妞子离开奶奶。有的时候，她真的妒忌起来，恨不得马上把妞子从天佑太太那儿夺过来，可她没那么办。她知道，婆婆没闺女，妞子既是孙女，又是闺女。韵梅劝慰婆婆："妞子没什么大不了的，没有大病。"仿佛妞子只是婆婆的孙女，而不是她身上掉下来的肉。

当这条小生命在生死之间徘徊的时候，瑞宣打老三那儿得到了许多好消息，作为撰稿的材料，且用不完呢。美国的第三舰队已经在攻东京湾了，苏美英缔结了波茨坦协定，第一颗原子弹也已经在广岛投下。

天很热。瑞宣一天到晚汗流浃背，忙着选稿、编辑、收发稿件。他外表虽然从容，可眼睛放光，心也跳得更快了。他忘了自己身体软弱，只觉得精力无限，一刻也不肯休息。他想纵声歌唱，庆祝人类最大悲剧的结束。

他不但报导胜利的消息，还要撰写对于将来的展望。经过这一番血的教训，但愿谁也别再使用武力。不过他并没有把这意思写出来。地下报刊篇幅太小，写不下这么多东西。

于是他在教室里向学生倾诉自己的希望。人类成了武器的奴隶，没有出息。好在人类也会冷静下来，结束战争，缔结和议。要是大家都裁减军备，不再当武器的奴隶，和平就有指望了。

然而一见妞子，他的心就凉了。妞子不容许他对明天抱有希望。他心里直祷告："胜利就在眼前，妞子，你可不能死！再坚持半年，一个月，也许只要十天——小妞子呀，你就会看见和平了。"

祈求也是枉然，胜利救不了小妞子。胜利是战争的结束，然而却无法起死回生，也无法使濒于死亡的人不死。

当妞子实在没有东西可吃，而只能咽一口共和面的时候，她就拿水或者汤把它冲下肚里去。共和面里的砂子、谷壳卡在阑尾里，引起了急性阑尾炎。

她肚子阵阵绞痛，仿佛八年来漫长的战争痛苦都集中到这一点上了，痛得她蜷缩成一团，浑身冒冷汗，旧裤子、袄都湿透了。她尖声叫喊，嘴唇发紫，眼珠直往上翻。

全家都围了来，谁也不知道该怎么办。打仗的年头，谁也想不出好办法。

祁老人一见妞子挺直身子不动了，就大声喊起来："妞子，乖乖，醒醒，妞子，醒醒呀！"

妞子的两条小瘦腿，细得跟高粱秆似的，直直地伸着。天佑太太和韵梅都冲过去抱她，韵梅让奶奶点了头。天佑太太把孙女抱在怀里不住地叫："妞子，妞子！"小妞子筋疲力竭，只有喘气的份儿。

"我去请大夫。"瑞宣好像大梦初醒，跳起来就往门外奔。

又是一阵绞痛，小妞子在奶奶怀里抽搐，用完了她最后一点力气。天佑太太抱不动她，把她放回到床上。

妞子那衰弱的小身体抗不住疾病的折磨，几度抽搐，她就两眼往上一翻，不再动了。

天佑太太把手放在妞子唇边试了试，没气儿了。妞子不再睁开眼睛瞧奶奶，也不再用她那小甜嗓儿叫"妈"了。

天佑太太出了一身冷汗，伸出去的手停在半空。她动不了，也哭不出。她迷迷糊糊站在小床前，脑子发木，心似刀绞，连哭都不知道哭了。

一见妞子不动了，韵梅扑在小女儿身上，把那木然不动，被汗水和泪水浸湿了的小身子紧紧抱住。她哭不出来，只用腮帮子挨着小妞子的胸脯，发狂地喊："妞子，我的肉呀，我的妞子呀。"小顺儿大声哭了起来。

祁老人浑身颤抖，摸摸索索坐倒在一把椅子里，低下了头。屋子

里只有韵梅的喊声和小顺儿的哭声。

老人低头坐了许久，许久，而后突然站了起来，他慢慢地，可是坚决地走向小床，搬着韵梅的肩头，想把她拉开。

韵梅把妞子抱得更紧了。妞子是她身上掉下来的肉，她恨不得再和小女儿合为一体。

祁老人有点发急，带着恳求的口吻说："一边去，一边去。"

韵梅听了爷爷的话，发狂地叫起来："您要干什么呀？"

老人又伸手去拽她，韵梅一屁股坐在了地上。老人抱起小妞子，一面叫："妞子，"一面慢慢往门外走。"妞子，跟你太爷爷来。"妞子不答应，她的小腿随着老人的步伐微微地摇晃。

老人踉踉跄跄地抱着妞子走到院里，一脑门都是汗。他的小褂只扣上了两个扣，露出了硬绷绷干瘪瘪的胸膛。他在台阶下站定，大口喘着气，好像害怕自己会忘了要干什么。他把妞子抱得更紧了，不住地低声呼唤："妞子，妞子，跟我来呀，跟我来！"

老人一声声低唤，叫得天佑太太也跟着走了出来。她直愣愣朝前瞅着，僵尸一样痴痴地走在老人后面，仿佛老人叫的不是妞子，而是她。

韵梅的呼号和小顺儿的哭声惊动来了不少街坊。

丁约翰是里长，站在头里。从他那神气看来，到了该说话的时候，他当然是头一个张嘴。

四大妈的眼睛快瞎了，可她那乐于助人的热心肠，诚恳待人的亲切态度，还和往日一样。她拄着一根拐棍儿，忙着想帮一把手，好像自从"老东西"死了以后，她就得独自个承担起帮助四邻的责任来了。

程长顺抱着小凯，站在四大妈背后。他如今看着像个中年人了。小凯子虽说不很胖，可模样挺周正。

马老寡妇没走进门来。祁家的人为什么忽而一齐放声大哭起来，她放心不下。然而她还是站在大门外头，耐心等着长顺出来，把一切告诉她。

相声方六和许多别的人，都静悄悄站在院子里。

祁老人迈着坚定的步子，走得非常慢。他怕摔，两条腿左一拐，右一拐地，快不了。

瑞宣领着大夫忙着闯进院子。他绕过影壁，见街坊四邻挤在院子里，赶紧用手推开大家，一直走到爷爷跟前。大夫也走了过来，拿起妞子发僵了的手腕。

祁老人猛然站住，抬起头来，看见了大夫。"你要干什么？"他气得喊起来。

大夫没注意到老人生气的模样，只悄悄对瑞宣说："孩子死了。"

瑞宣仿佛没听见大夫说的话，他含着泪，走过去拉住爷爷的胳臂。大夫转身回去了。

"爷爷，您把妞子往哪儿抱？她已经——"那个"死"字堵在瑞宣的嗓子眼里，说不出来。

"躲开！"老人的腿不听使唤，可他还是一个劲儿往前走。"我要让三号那些日本鬼子们瞧瞧。是他们抢走了我们的粮食。他们的孩子吃得饱饱的，我的孙女可饿死了。我要让他们看看，站一边去！"

二十五

祁老人挣扎着走出院子的时候，三号的日本人已经把院门插上，搬了些重东西顶住大门，仿佛是在准备巷战呢！

他们已经知道了日本投降的事。

他们害怕极了。日本军阀发动战争的时候，他们没有勇气制止。仗打起来了，他们又看不到侵略战争的罪恶，只觉着痛快，光荣。他们以为，即便自己不想杀人，又有多少中国人没有杀过日本兵呢？

他们把大门插好，顶上，然后一起走进屋去，不出声地哭。光荣和特权刷地消失了，战争成了噩梦一场。他们不得不放弃美丽的北平，漂亮的房子与优裕的生活，像囚犯似的让人送回国去。要是附近的中国人再跑来报仇，那他们就得把命都丢在异乡。

他们一面不出声地哭泣，一面倾听门外的动静。如果日本投降的消息传到中国人耳朵里，难道中国人还不会拿起刀枪棍棒来砸烂他们的大门，敲碎他们的脑袋？他们想的不是发动战争的罪恶，而是战败后的耻辱与恐惧。他们顶多觉得战争是个靠不住的东西。

一号的日本老婆子反倒把她的两扇大门敞开了。门一开，她独自微笑起来，像是在说："要报仇的就来吧。我们欺压了你们八年，这一下轮到你们来报复了。这才算公平。"

她站在大门里头瞧着门外那棵大槐树，日军战败的消息并不使她感到愉快，可也不觉着羞耻。她自始至终是反对战争的。她早就知道，肆意侵略的人到头来准自食其果。她静静地站在门里，悲苦万分。战事算是停下来了，然而死了成千上万的该怎么着呢！

她走出大门来。她得把日本投降的消息报告给街坊邻居。投降没有什么可耻，这是滥用武力的必然结果。不能因为她是日本人，就闭着眼睛不承认事实。再说，她应当跟中国人做好朋友，超越复仇和仇恨，建立起真正的友谊。

一走出大门，她自然而然地朝着祁家走去。她认为祁老人固然代表了老一辈的尊严，而瑞宣更容易了解和接近。瑞宣能用英语和她交谈，她敬重、喜爱他的学识和气度。她的足迹遍及全世界，而瑞宣没有出过北平城；但是凡她知道的，他也全明白。不，他不但明白天下大势，而且对问题有深刻的认识，对人类的未来怀有坚定的信心。

她刚走到祁家大门口，祁老人正抱着妞子转过影壁。瑞宣搀着爷爷。日本老太婆站住了，她一眼看出，妞子已经死了。她本来想到祁家去报喜，跟瑞宣谈谈今后的中日关系，没想到看见一个半死的老人抱着一个死去了的孩子——正好像一个半死不活的中国怀里抱着成千上万个死了的孩子。胜利和失败有什么区别？胜利又能带来什么好处？胜利的日子应该诅咒，应该哭。

投降的耻辱并不便她伤心，然而小妞子的死却使她失去自信和勇气。她转过身来就往回走。

祁老人的眼睛从妞子身上挪到大门上，他已经认不得这个他迈进迈出走了千百次的大门，只觉得应当打这儿走出去，去找日本人。这时，他看见了那个日本老太婆。

老太婆跟祁老人一样，也爱好和平，她在战争中失去了年轻一辈的亲人。她本来无需感到羞愧，可以一径走向老人，然而这场侵略战争使黩武分子趾高气扬，却使有良心的人惭愧内疚。甭管怎么说，她到底是日本人。她觉得自己对小妞子的死也负有一定的责任。她又往回走了几步。在祁老人面前，她觉得自己有罪。

祁老人，不假思索就高声喊起来："站住！你来看，来看看！"他把妞子那瘦得皮包骨的小尸首高高举起，让那日本老太婆看。

老太婆呆呆地站住了。她想转身跑掉，而老人仿佛有种力量，把她紧紧地定住。

瑞宣的手扶着爷爷，低声叫着："爷爷，爷爷。"他明白，小妞子的死，跟一号的老太婆毫不相干，可是他不敢跟爷爷争，因为老人已经是半死不活，神志恍惚了。

老人仍然蹒跚着朝前走，街坊邻居静静地跟在后面。

老太婆瞧见老人走到跟前，一下子又打起了精神。她有点儿怕这个老人，但是知道老人秉性忠厚，要不是妞子死得惨，决不会这样。她想告诉大家日本已经投降了，让大家心里好受一点。

她用英语对瑞宣说："告诉你爷爷，日本投降了。"

瑞宣好像没听懂她的话，反复地自言自语；"日本投降了？"又看了看老太婆。

老太婆微微点了点头。

瑞宣忽然浑身发起抖来，不知所措地颤抖着，把手放在小妞子身上。

"她说什么？"祁老人大声问。

瑞宣轻轻托起小妞子一只冰凉的小手，看了看她的小脸，自言自语地说："胜利了，妞子，可是你——"

"她说什么来着？"老人又大声嚷起来。

瑞宣赶快放下小妞子的手，朝爷爷和邻居们望去。他眼里含着泪，微微笑了笑。他很想大声喊出来："我们胜利了！"然而却仿佛很不情愿似的，低声对爷爷说："日本投降了。"话一出口，眼泪就沿着腮帮子滚了下来。几年来，身体和心灵上遭受的苦难，像千钧重担，压在他心头。

虽说瑞宣的声音不高，"日本投降"几个字，就像一阵风吹进了所有街坊邻居的耳朵里。

大家立时忘记了小妞子的死，忘了对祁老人和瑞宣表示同情，忘了去劝慰韵梅和天佑太太。谁都想做点什么，或者说点什么。大家都想跑出去看看，胜利是怎样一幅情景，都想张开嘴，痛痛快快喊一声"中华民族万岁！"连祁老人也忘了他原来打算干什么，呆呆地，一会儿瞧瞧这个，一会儿瞧瞧那个。悲哀，喜悦和惶惑都掺和在一起了。

所有的眼光一下子都集中在日本老太婆身上。她不再是往日那个爱好和平的老太婆，而是个集武力，侵略，屠杀的化身。饱含仇恨怒火的眼光射穿了她的身体，她可怎么办呢？她无法为自己申辩。到了

577

算账的日子，几句话是无济于事的。她纵然知道自己无罪，可又说不出来。她认为自己应当分担日本军国主义者的罪恶。虽说她的思想已经超越了国家和民族的界限，然而她毕竟属于这个国家，属于这个民族，因此她也必须承担罪责。

看着面前这些人，她忽然觉着自己并不了解他们。他们不再是她的街坊邻居，而是仇恨她，甚至想杀她的人。她知道，他们都是些善良的人，好对付，可是谁敢担保，他们今天不会发狂，在她身上宣泄仇恨？

韵梅已经不哭了。她走到爷爷身边，抱过妞子来。胜利跟她有什么关系？她只想再多抱一会儿妞子。

韵梅紧紧抱住妞子的小尸体，慢慢走回院子里。她低下头，瞅着妞子那灰白，呆滞，瘦得皮包骨的小尖脸，低声叫道："妞子。"仿佛妞子只不过是睡着了。

祁老人转回身来跟着她。"小顺儿他妈，听见了吗？日本投降了。小顺儿他妈，别再哭了，哭坏了就要末了。刚才我心里恶得难受，糊涂了。我想抱着妞子去找日本人，我错了。不能这么糟践孩子。小顺儿他妈，给妞子找两件干净衣服，给她洗洗脸。不能让她脸上带着泪进棺材。小顺儿他妈，别伤心了，日本鬼子很快就会滚蛋，咱们就能消消停停过太平日子了。你和老大都还年轻，还会再有孩子的。"

韵梅像是没有听见老人的劝慰，也没注意到他是尽力在安慰她。她一步一步慢慢朝前挪，低声叫着："妞子。"

天佑太太还站在院子里，一瞧见韵梅，她就跟着走起来。她好像知道，韵梅不乐意让她把妞子抱过去，所以在后面跟着。

李四大妈本来跟天佑太太站在一块儿，这会儿，也就不假思索地跟着婆媳俩。三个妇女前后脚走进屋里去。

影壁那边，相声方六正扯着嗓门在跟街坊们说话，"老街坊们，咱们今儿可该报仇了。"他这话虽是说给街坊邻居们听的，可眼睛却只盯着日本老太婆。

大家都听见了方六的话，然而，没明白他的意思。北平人，大难临头的时候，能忍，灾难一旦过去，也想不到报仇了。他们总是顺应历史的自然，而不想去创造或者改变历史。哪怕是起了逆风，他们也要本着自己一成不变的处世哲学活下去。这一哲学的根本，是相信"善有善报，恶有恶报"。——用不着反击敌人。瞧，日本人多凶——可日本投降了！八年的占领，真够长的！然而跟北平六七百年的历史比起来，八年又算得了什么？……谁也没动手。

方六直跟大家说，"咱们整整受了八年罪，天天提溜着脑袋过日子。今儿个干嘛不也给他们点儿滋味儿尝尝？就说不能杀他们，还不兴啐口唾沫？"

一向和气顺从的程长顺，同意方六的话。"说的是，不打不杀，还不兴冲他们脸上啐口唾沫？"他囔囔着鼻子，大喊一声："上呀！"

大家冲着日本老太婆一哄而上。她不明白大家说了些什么，可看出了他们来得不善。她想跑，但是没有挪步。她挺了挺腰板儿，乍着胆子等他们冲过来。她愿意忍辱挨打，减轻自己和其他日本人的罪过。

瑞宣到这会儿一直坐在地上，好像失去了知觉。他猛然站起，一步跨到日本老太婆和大家中间。他的脸煞白，眼睛闪着光。他挺起胸膛，人仿佛忽地拔高了不少。他照平常那样和气，可是态度坚决地问道："你们打算干什么？"

谁也没敢回答，连方六也没作声。中国人都尊重斯文。瑞宣合他们的口味，而且是他们当中唯一受过教育的。

"你们打算先揍这个老太婆一顿吗？"瑞宣特别强调了"老太婆"三个字。

大家看看瑞宣，又看看日本老太婆。方六头一个摇了摇头。谁也不乐意欺侮一个老太婆。

瑞宣回过头来对日本女人说："你快走吧。"

老太婆叹了一口气，向大家深深一鞠躬，走开了。

老太婆一走，丁约翰过来了。

方六一见丁约翰过来，觉着自己有了帮手。自从德国战败以后，丁约翰就跟大家说过，只要日本一战败，就好好收拾收拾北平的日本人。

"约翰，你是什么意思？咱们该不该上三号去，教训教训那帮日本人？"

"出了什么事？"丁约翰还不知道胜利的消息。

"日本鬼子完蛋了，投降了。"方六低声回答。

丁约翰像在教堂里说"阿门"那样，把眼睛闭了一闭。二话不说，回头就跑。

"你上哪儿去？"瑞宣问他。

"我——我上英国府去。"丁约翰大声回答。

二十六

在重庆，成都，昆明，西安和别的许多城市里，人们嚷呀，唱呀，高兴得流着眼泪；北平可冷冷清清。北平的日本兵还没有解除武装，日本宪兵还在街上巡逻。

一个被征服的国家的悲哀和痛苦，是不能像桌子上的灰尘那样，一擦就掉的。然而叫人痛快的是：日本人降下了膏药旗，换上了中国的国旗。尽管没有游行，没有鸣礼炮，没有欢呼，可是国旗给了人民安慰。

北海公园的白塔，依旧傲然屹立。海子里的红荷花、白荷花，也照常吐放清香。天坛，太庙和故宫，依然庄严肃穆，古老的琉璃瓦闪烁着锃亮的光彩。

北平冷冷清清。在这胜利的时刻，全城一点动静都没有。只有日本人忙于关门闭户，未免过于匆忙。

最冷清的莫过于祁家了。瑞宣把爷爷扶回屋里，老人坐在炕沿儿上，攥着瑞宣的手。他想起八年来的种种困难，恨不得高声大骂；想到死去的儿子，孙子，重孙女，又恨不得放声痛哭。

他慢慢松开了瑞宣的手，又慢慢躺下了。瑞宣把小顺儿叫进来，要他给太爷爷做伴。

这差事小顺儿愿意承担。他不敢上妞子躺着的屋里去，也不乐意一个人傻站在院子里。没了妞子，他不知道该上哪儿去。跟太爷爷一块儿呆着，总算有点事做。他乖乖地让老人攥着他的手。

老人闭上眼睛，仿佛想要打个盹似的，小顺儿的手热乎乎的，一股热气顺着胳臂一直钻进老人的心里。他觉着自己不但活着，而且还

581

攥着重孙子的手——从战争中活过来的最老的和最小的——他像是在腾云驾雾，身子也化到云彩里去了。他把小顺儿的手攥得更紧了。小顺儿以后可以安享太平，生儿育女，祁家世世代代，香烟不断。他把小顺儿的手越攥越紧，老手和小手合成了一体。老人睁开眼睛，好像要对小顺儿说，你我是四世同堂的老少两辈，咱俩都得活下去。只要咱俩能活下去，打仗不打仗的，有什么要紧？即便我死了，你也得活到我这把年纪，当你那个四世同堂的老祖宗。

小顺儿看见老人睁开眼睛，想找两句话说。他问："太爷爷，您醒啦？"

老人没回答，又把眼睛闭上，脸上浮起一丝笑容。

瑞宣在院子里转来转去，绕了好几个圈，打窗户外向里望了望，母亲和媳妇还坐在床头上瞧着妞子。眼泪一下子流了出来，他走开，站在枣树下。

这当儿白巡长和金三爷走进来。

白巡长跑得浑身是汗。他用一只手擦脑门上的汗，把另一只手伸向瑞宣。"喝，——祁先生，咱们胜利了！"他准备亲亲热热跟瑞宣握一握手，可一见瑞宣脸上那副难过的样子，不由得把手缩了回去。"怎么了，祁先生？"

瑞宣还没搭茬，金三爷就开了口："祁先生，帮帮我吧。胜利了，还不赶快去找找钱先生和我那外孙子？求求你，帮着找找，看看他们到底给弄到哪儿去了。"

瑞宣很愿意马上跟着金三爷去找钱先生，可是打不起精神来。他不能把妈妈和妻子留在家里陪妞子，自己跑出去。没准儿妈妈伤心得会背过气去，甚至于死掉。他指了指屋里。

白巡长走过去，金三跟在后头。白巡长打窗户玻璃往里瞧，一眼就看明白是怎么回事。他当了多年巡长，什么悲痛的场面都见过。他知道，两个女的一定得哭出声来，要是静静的光坐在那儿瞅着妞子，心里的悲痛一定会把人憋坏，特别是天佑太太准受不住。

"祁先生，您得领头大哭，"白巡长低声对瑞宣说，"您要是大声哭起来，她们就会跟着您哭。得哭出来，要不，伤心过了劲儿，气憋

582

在心里，会把人憋坏，憋死。"

瑞宣还没想好是不是应当按白巡长说的办，只见门外头走进来一男一女。

那男的，像个又细又高的黑铁塔，身子骨结实，硬棒。他没戴帽子，大兵似的剃着光头。脸庞又黑又瘦，漆黑明亮的眼睛闪着愉快的光辉。他穿了一身小了两三号的学生服，上身长不及腰，裤子短得露出小腿。衣服虽说没个样子，又不合身，可他穿在身上却显得很得体，朴素。他扬着头，硬棒的脸上透着笑，右手拉着一个女的，是高第。

高第也瘦了，因为瘦，那副厚嘴唇显得好看多了。短鼻子周遭纵起不少条笑纹。头发烫烫，嘴唇也没抹口红。看来，她已经完全摆脱了大赤包和招弟对她的束缚，毫不做作地显出了她的本来面目。她也扬着头，仿佛盯着老三的腮帮子，又像是在看那高高的蓝天。

转过影壁，老三就大声喊了起来："妈！"他的声音响亮，连金三爷都吓了一跳。瑞宣原本没打算惊动人，可是不由自主地喊了起来。多年没叫过的这个字，一下子打他心眼里蹦出来了。

"老三！"瑞宣也大声喊了起来。一刹时，他几乎把妞子的死都忘了。老三是中国青年的代表——象征着勇敢，强有力的新中国。瑞宣走过来，认出了高第。他一手一个把他们拉到身边，滚滚的热泪在眼睛里转了好几个圈。

白巡长很想过去招呼老三，一见瑞宣抓住老三的手不放，他就悄悄地往边上站了站。他知道一家人重逢的时候，最不乐意外人打搅。"咱们走吧。"白巡长一边说着，一边把金三爷拽出门外。

老三的语音像一股春风，融化了屋子里的冰块。天佑太太始终哭不出声来，恍恍惚惚地坐在那里，两眼直勾勾地瞅着妞子发呆。一听见老三的声音，她的心怦怦地跳了起来，像胎儿在妈妈肚子里乱踹似的。她的孩子，老三，在院子里叫她呢。她又活过来了，憋在心里的眼泪刷地流了出来。老三一进门，她连妞子也顾不得照看了。妞子已经死了，儿子可还活着呢。泪水迷了她的眼睛，她摸索着走出屋门。

一见她出了屋门，老三就松开大哥的手，冲妈妈奔过来。

天佑太太大声哭了起来。老三攥住她那冰凉的手，不住的叫"妈"。

老三越过妈妈的肩头，看见了坐在妞子床边的大嫂。"大嫂，我回来了。"

韵梅没有回过头来瞧小叔子，却扑倒在妞子身上，大声哭开了。

"怎么了？怎么了?"老三让妈妈和嫂子哭胡涂了。他拉着妈妈的手，走进韵梅坐着的那间屋里，一眼就看见了床上的妞子，愣住了。

瑞宣听见妈妈和韵梅哭出了声，放了心。他明白，哭，是减轻痛苦的最好办法。他准备去把老三回家的消息告诉爷爷。

"爷爷，爷爷。"瑞宣压低了嗓门叫。

老人仿佛睡着了，闭着眼睛嘟囔了两句。

"爷爷，老三回来了。"

"什么?"老人还没睁眼。

"老三家来了。"

老人一下子睁开了眼睛。"小二儿，我的小二儿，在哪儿?"老人坐了起来，"他在哪儿?"老人着急地问。没等瑞宣答话，他就大声喊了起来："小三儿，小三儿，上这儿来，我要瞧瞧你。"一边喊着，他扶着瑞宣站起来，急忙往屋子外头走。"到家了，还不先来看看爷爷，这小子!"

老三听见爷爷叫，连忙走出屋来，一见爷爷，猛地站住了。爷爷已经不是他记忆中那硬硬朗朗的样子，变成了个弯腰驼背，又瘦又弱的老头儿。不光头发胡子是白的，连眉毛也全白了。

老人把干瘪枯瘦的手放在孙子肩膀上，说："好，好，小三，你又长高了，也结实多了。哎——你走了八年，爷爷一直等着你呢。这下子好了，我放心了，就是死了，也踏实了，我的小三到底回来了。"

天佑太太还在哭着，也走出屋子，朝儿子扑过去。

老人瞧着儿媳妇叹了口气，非常温和地说："别再哭了，小三回来了——还不该高兴高兴吗?"

天佑太太点了点头，用衣襟擦了擦眼泪。

老人看见高第，又揉了揉眼睛，问："你不是冠家的大小姐吗？"

高第点了点头。

"是跟小三儿一块儿来的吗？"虽说老人知道高第的人品跟大赤包和招弟不一样，可是，他终究不喜欢冠家的人。

"是呀。"高第说着迎上去，拉起天佑太太的手。

"哦——"老人不想难为高第，没再问下去。

过了一会儿，老人把老三叫到自己屋里。"小三儿，冠家的这个闺女是怎么回事？"

老三一点也不犹豫，直截了当地回答："她没处去，想在咱们家呆几天。"

"哦——"老人慢慢躺下了"你们——"

老三明白爷爷的意思。"说不定——"

老人半天没言语——就是高第再好，他也还是不喜欢冠家。

"爷爷，您不是盼着咱家人丁兴旺吗？"老三说着笑了起来。

老人想了一想："你说得对。"

二十七

妞子没有新衣裳，只穿一身过于短小，总还算干净的旧衣服。买个小小的木头匣子，装殓起来，埋在城外了。

韵梅病得起不了床。幸好有老三和高第在家。老三不打算老呆在家里，准备出去做跟抗日一样重要的工作。他对国家的现状有了认识，懂得祖国最需要他去做什么。他不能婆婆妈妈的，成天守在家里，跟油盐酱醋打交道。不过，眼下他还走不开。首先，得把钱伯伯救出来，安置安当，然后才能松口气。何况目前事事，妈妈和哥嫂都离不开他。他明白，自己的有说有笑和无忧无虑的态度，能够打破家里死一般的沉寂。

老三对付大嫂的办法很简单，然而甚有成效。他不去安慰她，只是从早到晚要这要那，闹得她一会儿都不得安宁。

"大嫂，还没起来哪？我想饺子吃了。八年没吃过你包的饺子了。"再不就是："大嫂，起来吧，给我找两件旧衣服。瞧瞧我穿的都是些什么——紧绷绷的，箍得我都出不来气了。"他知道嫂子心眼好，一定会上他的当，挣扎着爬起来做事。她只要能起床做事，那心头的创伤就会慢慢好起来。

他一面跟大嫂要这要那，不让她得空去想那些揪心的事儿，一面跟她叨叨他见过的许多惨事——被敌机炸死的孩子，逃难时被挤到河里的孩子……在战争中，无辜死去的孩子成千上万，妞子不过是其中的一个。

大嫂终于能起床做活了。她瘦了，越瘦，眼睛就越显得大。她做活的时候，会忽然停下来，仿佛想起了什么似地。老三总不让她得着

586

机会去胡思乱想，叫小顺儿陪着妈妈，跟她说话儿。

老三跟大哥在一起的时候，话最多。哥俩干脆搬到一间屋里住，让高第陪韵梅。

谈过三四个晚晌，哥俩把要说的话都说了，还不乐意就此罢休。又扯起家事，国事，世界大势，仿佛国家的繁荣昌盛与世界和平，全仗着他俩筹划。等到实在没的可说了，就把已经说过的话，拿出来再重温一遍。

全家都喜欢高第。她已经不是什么"小姐"，样样活都乐意干——战争把她调教出来了。她伺候祁老人和天佑太太，做全家的饭。她做饭的手艺不高，可是这难为不了她。不论好歹，饭总算是做出来了，这顿做得不可口，下顿还不能改进改进？

这样，韵梅就更觉着自己应当赶快爬起来干活，不能让客人替她操持一切。连祁老人也受了感动，忘记了他对冠家的成见。他偷偷对老三说："别让客人来伺候咱们呀，那像什么话呢！"

老三笑了一笑，没说什么。

胜利后第七天，钱诗人打监牢里出来了。

老三打算来次小小的聚会，欢迎欢迎钱伯伯。胜利以来，北平一直冷冷清清，瑞全不喜欢这股子冷清劲儿。

他去跟爷爷商量。爷爷答应了，叮咛说："得买瓶酒，他喜欢喝两口。"

"那是自然，我知道上哪儿弄酒去。"

他还跟韵梅和高第商量，得做上几个菜？韵梅觉乎着，有豆腐干和花生米下酒，就满够了。她安排不了那么些个人的饭食，没什么钱，精神也不济。

"就这么办吧，大嫂，再给沏点儿茶。"

他去找妈妈："妈，钱伯伯要来，您得起来招待招待他。"

天佑太太点了头。

瑞全邀大哥一起去接钱先生。瑞宣当然乐意。他也想到了富善先生。他花了一整天去找这位老朋友，后来听人说，几个月以前，富善先生给弄到山东潍县的集中营里去了。

老三去找金三爷，要他跟钱少奶奶一起到祁家来。然后他又邀了李四大妈，程长顺和小羊圈所有的街坊邻居。老邻居们高兴得跟刚听到胜利的消息时一样。

瑞宣和瑞全把钱先生接了出来。

钱先生，除了一身衣服，什么也没有。他一手扶着老三的胳臂，一手领着孙子，跟跟跄跄走出监牢的门。瑞宣跟在后面。

这回钱先生在牢里过堂的时候，没有受刑。日本人要他投降，他拒绝了他们的"亲善"，他们就把他的孙子偷来，也给下在牢里。他们让爷儿俩每天见一面。钱先生明白，他们是想要利用这个孩子，来对他施加压力。要是他低头，投降了，孙子就有了活命；要是他不肯呢，他们就会当着他的面给孩子用刑。

钱先生一点也没发愁。他一不发脾气，二不惹他们，尽量不让孩子遭罪；当然他更不能为了救孩子而屈服。他那斯斯文文的脸上老带着笑，顺其自然。要是到时候他确实保护不了自己的孙子，那也没有法了。反正也不能投降。打便嘛，多死一个两个的又怎么样？即便那死去的就是他的孙儿。

孩子初进监牢里来，是又哭又闹。日本人头一回带他见钱先生的时候，他满脸都是泪。他使劲拍打爷爷的腿，喊着："我要妈妈，我要妈妈。"

钱先生，轻轻拍了拍孩子的脑袋，一再说："别闹，乖乖的，别哭了。"孩子安静了一点，问："干嘛要把咱们关在这儿？干嘛不让咱们回家去？"

"没有道理。"

"怎么没有道理？"

"就是没有道理。"

过了几天，孩子习惯了一点，不再大哭大闹了。每逢人家带着他来看爷爷，他总是特别高兴。他拿好多问题来问爷爷——为什么要打仗，监牢是干什么的，日本人打哪儿来，为什么要到北平来。爷爷很耐心地一一讲给他听。

孙子要求爷爷给起个名字。他记得妈妈常说，他的名字得让爷爷

来起。

孩子还没有出世，爷爷就给起好了名字，钱仇——不忘报仇的意思。而这会儿孩子倚在膝下，他又觉得不能让孩子一辈子背着这么一个叫人痛心的名字。老人问孩子，"你觉着'仇'字怎么样？"

孙子的小眼睛直眨巴，像是在认真考虑。他能想象出猫，狗，牛是什么样子，然而"仇"，"仇"是什么呢？他闹不明白，一准不是什么好词儿。他说："我不要这个。"

爷爷赶紧道歉："好，等一等，让我再好好想想，一定要给你起个好名字。"

于是有一天，他说了："钱善怎么样，善，是正义，善良的意思，是打我教你的那本《三字经》的头一行上取来的，'人之初，性本善，'记得吗？"孩子同意了。

起初，日本人每次只让孩子跟爷爷在一块儿呆几分钟，后来爷爷跟孙子在一块儿呆惯了，他们就把时间延长，让他们多谈谈，希望用孩子来打动钱先生。等爷俩谈得正热闹，他们就突然把孩子带走，故意让他哭闹。

钱少奶奶和小顺儿站在小羊圈口上，等她的公公和儿子。她模样大变，变得叫人认不出来了；瘦得皮包骨，只有一双眼睛还亮堂堂的，仿佛她把整个生命都注入了这一对眼睛，好去找儿子。这会儿，她知道儿子快要回到她的身边来了，她的眼睛几乎要冒出火星来。

钱少奶奶一见公公和儿子的人影儿，就没命地跑起来。她一下子把小善搂在怀里，紧紧抱住。她蹲在地上，把脸紧紧贴在儿子脸上。

走到一号门口，钱少奶奶习惯地站住了，可是钱先生连朝大门都没瞧一眼，就慢条斯理地走了过去。

祁家大门外站了一群人。大伙儿见了钱先生，都想跑上前来，可是谁也没挪窝。钱先生是大家的好邻居，老朋友，英雄。他穿了一件旧的蓝布僧袍，短得刚刚够得着膝盖。他的头发全白了，乱蓬蓬的，双颊下陷，干巴巴的没有一点血色。他外表上并没有什么英雄气概，浑身满布战争的创伤。大家不禁相互打量了一番，他们自己的衣服也很破烂，每个人的脸都瘦骨棱棱的，白里带青。大家又朝小羊圈扫了一眼，家家户户，大门上的油漆已经完全看不出来了，墙皮也剥落了。一切都显着凄凉，使人不忍得看。

相声方六，点起一小挂鞭，按老规矩欢迎英雄归来。

大家都想第一个跟钱先生拉手，又都不约而同，一致把优先权让给了祁老人。祁老人双手捧着钱先生的手，只说了一句："到底回来了！"就再也说不出话来。他想起了天佑。在小羊圈，论年纪，身量和人品，就数钱先生跟天佑最相近。

钱先生热烈地握住老人的手，也说不出话来。

老三想把欢迎会弄得热热闹闹的，一个劲往里让着街坊："进去吧，里面请，到院子里头喝一盅。"

祁老人转过身来，站在门边让钱先生，嘴里不住地说："请！请！"

钱先生的确想喝一盅。他起过誓，抗战不胜利，他决不沾酒盅子，今儿他可得喝上一大杯。

他走进大门，边走边跟高第，天佑太太和刘太太打招呼。

祁老人等大家都进了院子，才慢慢跟了进来。瑞全早就跟大家伙儿说笑开了，瑞宣在一边等着搀爷爷。走了几步，老人点了点头，说："瑞宣，街坊都到齐啦？得好好庆祝庆祝。"他脸上逐渐现出了笑容。

"等您庆九十大寿的时候，比这还得热闹呢。"瑞宣说。

小羊圈里，槐树叶儿拂拂地在摇曳，起风了。

破 镜 重 圆

——记《四世同堂》结尾的丢失
和英文缩写本的复译

胡絜青　　舒乙

它是完整的吗

老舍的《四世同堂》是一九八〇年首次出版的。在作者生前，这部百万字的长篇小说从来出过上书的单行本。解放前出过《四世同堂》的第一部《惶惑》和第二部《偷生》，第三部《饥荒》写于一九四九年，仅在解放后在上海《小说》月刊上连载过。国内多数读者到一九八〇年才有机会阅读这部小说的全文。从读后的反映来看，不少敏感的读者猜测说，老舍的《四世同堂》好像没写完，国外专家们也有这么说的，只是说的时间稍早一点，因为香港一九七五年出版过第三部的单行本。

他们的看法不无道理。首先，如果现在出版的最后一章就是原著的最后一章，结尾显得有些仓促。"后来呢?"人们不免要这么追问。其次，小说第三部名曰《饥荒》，可是《饥荒》的内容并未得到充分的扩展，这可不大像是作者的疏忽。第三，从字数上看，第三部只有十三万字，不及前两部各自的二分之一。这种比例失调的确也很令人费解。

对照老舍一九四五年写的"序"，问题就更大了。"序"是这么写的:

"假若诸事都能'照计而行'，则此书的组织将是:

1. 段——一百段。每段约有万字。

2. 字——共百万字。

3. 部——三部。第一部容纳三十四段，二部三部各三十三段，共百段。"

从出版的实际情况看，第一部《惶惑》和第二部《偷生》，的确是"按计行事"，各有三十四段和三十三段，加起来约六十七万字。那么第三部《饥荒》，就应有三十三段和三十三万字。可实际上，一九五〇年的连载和一九八〇年的出版，只有二十段和十三万字，比计划少十三段和将近二十万字。

这么看来，第三部的结尾，即全书的结尾肯定是出了问题。

他 写 完 了

根据我们掌握的情况来分析，老舍按计划把《四世同堂》写完了，只是没有发表全。

根据有三：

一、老舍在美国的时候，曾经亲自帮助译者艾达·普鲁伊特将《四世同堂》手稿节译成英文。这个节译本是个很珍贵的版本，因为它是直接由老舍的中文手稿翻译的，不是由印刷的中文版翻译的，它包括了中文版中没有包括的结尾。两者相比，英文节译本，虽说是节译本，却比中文版多了整整十三段。这十三段正是老舍在写作计划中提到的而在实际印刷版本中又丢失的十三段。

二、一九五〇年日本中国研究所出版了一本《四世同堂》的日文缩写本，其中虽然只包括《四世同堂》的第一部和第二部内容的缩写，但是在此书的后记中却透露了一些有关第三部的重要情况。后记提到老舍一九四八年由纽约写给在日本的谢冰心夫妇的信件。在这些信件中老舍写了《四世同堂》第三部的内容提纲。此提纲的详细内容一九四九年十一月由日本学者波多野太郎初次发表在《横滨大学论丛》上，后来收入波多野太郎的《中国文学史研究》文集。日本老舍研究者杉本达夫最近将此文的副本寄来，使我们得知了《四世同堂》第三部的一些写作情况。老舍本人写的第三部内容提纲如下：

（一）、"大赤包死在狱中，她的西太后似的气焰至死也没改。"

（二）、"冠晓荷被日本人活埋，但本性难移，始终把日本人称为'朋友'。"

（三）、"瑞全回到北平，和高第结婚。"

（四）、"招弟当了日本特务，被瑞全杀死。"

（五）、"钱默吟成为地下工作者的领袖，由于金三爷告密，被捕。"

（六）、"瑞丰被蓝东阳害死。"

（七）、"蓝东阳冻死在雪中。"

（八）、"瑞宣活跃在地下工作者中。"

这个提纲中的八点内容在中文版中只能找到三点半，即（一）、（二）、（六）和（三）的前一半，但在英文节译本里却可以全部找到，只是其中个别点在情节上稍有出入，如第（七）点"蓝东阳冻死在雪中"在英文节译本中是"蓝东阳被炸死在日本"。由此可见，英文节译本在结构上是完整的。

三、在旅美期间，老舍写了两部长篇小说，一部是《鼓书艺人》，另一部是《四世同堂》第三部《饥荒》。这两部小说有个共同特点，就是在正式出版之前，都在老舍亲自帮助之下翻译成了英文，在老舍离美回国后不久，分别在美国出版。但是，这两本书的手稿命运却很不一样。《饥荒》的手稿肯定是带回了国。一则一九五〇年老舍把它给了《小说》月刊以连载的方式发表，二则家人至今记得很清楚，《饥荒》的手稿并非写在稿纸上，而是写在大十六开的厚厚的美国笔记本中，有很硬的黑纸面，字是用钢笔写的，很规整，本数很多，摞起来足有十几公分高，《小说》杂志的连载就是根据这份手稿印刷的。可惜，这批手稿全部毁于十年内乱，后十三段就包括在其中。

以上三点足以证明《饥荒》的手稿已全部按计划完成，而且带回了北京。

他 是 个 忙 人

由此又产生一个新问题：为什么英文节译本的内容反而比中文版全？

先讲讲英文节译本。

英文节译本取了个新名字，叫做《The Yellow Storm》(《黄色风暴》)，它的翻译过程是非常有趣的。去年，法国老舍研究者保尔·巴迪带来了一份他收集到的信，专门谈到了老舍如何和译者合作的情节。信是《黄色风暴》译者艾达·普鲁伊特一九七七年二月二十二日写给威尔马·费正清的。后者是费正清夫人，她本人也是东方问题专家。一九四六年费正清在促成老舍和曹禺访美讲学一事中起了很大作用。下面是信的译文：

"对你提的关于老舍的问题，我只能表示抱歉，因为我没保存日记。我不记得老舍是什么时间离开的。我们一直工作到他离开。他曾非常苦恼，因为我翻译得'太慢'。他想回家，回中国去，他为此而焦急。

"《黄色风暴》并不是由《四世同堂》逐字翻译过来的，甚至不是逐句的。老舍念给我听，我则用英文把它在打字机上打出来。他有时省略两三句，有时则省略相当大的段。最后一部的中文版当时还没有印刷，他向我念的是手稿。Harcourt Brace 出版社的编辑们做了某些删节，他们完整地删掉了一个角色，而他是我所特别喜欢的。他们认为有必要减少一些字数，以便压缩一下书的块头。对结尾没有做变动。

"我猜想，他和郭镜秋合作的方式也和我一样，对《鼓书艺人》我甚至也不敢肯定是真正完整的。

"老舍和郭镜秋白天一起工作，而晚上七点到十点则和我。他是个忙人。"

这封信，虽短，但内容丰富，对研究老舍在美国的创作生活很有参考价值。对他的这一时期的情况，现在人们还知道得太少。

对《四世同堂》英文节译本的描述，这封信显然是最权威的了。

完整地被出版社删去的角色，很可能是书中的常二爷，一位可爱可敬的农村老人。

"对结尾没有做变动"，这是一句格外重要的话，有了这个情况，人们完全有可能从英文节译本的结尾中找回《四世同堂》全书的结尾来，而且是比较完整地找回来。

它 是 个 谜

一九五〇年《饥荒》在《小说》月刊上发表时，老舍为什么要删去最后十三段？这是个很难解答清楚的问题，因为作者本人生前并没留下任何解释。它可能永远都是个谜。人们可以做一些推测，但也仅仅是推测而已。

谁都知道，老舍一九五〇年曾对《骆驼祥子》的结尾做了大段的删节。在时间上，砍《骆驼祥子》的结尾和砍《四世同堂》的结尾恰属同期，什么想上可能找到一些共同之处来。根据《老舍选集》开明书店一九五〇年版的"自序"，删改《骆驼祥子》归纳起来有以下两点理由：

第一点是太悲，没有光明的出路；

第二点是没有正面写革命者。

把这两点搬到《四世同堂》身上，是否合适呢？应该先看看后十三段写了什么。

大致内容是：

第二十一段：瑞全杀死日本特务招弟。

第二十二段：蓝东阳害了怕，菊子到祁家拉关系。

第二十三段：蓝东阳病倒，菊子弃家出走，瑞宣教书并搞抗战宣传。

第二十四段：李四爷死在日本人的拳下。

第二十五段：北京发生饥荒，野求抢瑞宣手中的食物。

第二十六段：金三爷告密，钱先生被捕。

第二十七段：白巡长被撤职，丁约翰接任里长，瑞宣派白巡长去找地下工作者。

第二十八段：钱先生的外孙被日本人抢走。

第二十九段：牛局长被捕，方六获释，菊子到天津当了妓女，蓝东阳到了日本，遇上原子弹爆炸。

第三十段：小妞子饿死。

第三十一段：祁老人抱着死去的妞子找日本人算账，遇到了日本老太太，日本投降。

第三十二段：瑞全、高第回北平。

第三十三段：钱先生出狱。

这十三段，作为结尾，整体上说，不完全像《骆驼祥子》或者《月牙儿》和《我这一辈子》，不是十足的悲剧，也不是十足的绝望型。从大局上看，时代不同了，毕竟是中国胜了，日本败了。但是小说的结尾气氛与其说是喜悦欢呼，不如说是悲壮。在第二十四段、第二十五段和最后四段里，几乎充满了眼泪。李四爷作为中国人老一代的代表，小妞子作为中国人少一代的代表，在胜利前夕，双双死在日本人的暴虐之下。活着的人，也是人人骨瘦如柴，衣不掩体，面无血色，就像小羊圈胡同里的那些破门一样，油漆剥落了，显得破烂不堪，浑身上下布满了战争的创伤。

这副模样和"胜利者"似乎不太相称，这可能成为删砍的原因。看来，一种简单化了的、模式化了的处理办法影响了作家。应该说，这种处理办法在五十年代初是比较流行的，受波及的著作也绝非《四世同堂》一部。作家们都有一种自觉的接受改造的强烈愿望，诚心诚意地否定自己的过去，要脱胎换骨，要接受新思想。良好的愿望反映在对待解放前的作品上，往往不是删改就是补加些新思想。应该说，这种急于求成是前进中和探索中出现的曲折，于是，《骆驼祥子》和《四世同堂》的砍尾巴便成了这短暂的一瞬的历史见证，成了文学创作史上一种有趣的特殊现象。

现在，回过头去看，作者的精神是可嘉的，愿望也是良好的，但是，从后果上看，作者的担心是多余的。一句话，结尾删得太可惜了。

请看，表面上毫无英雄气概的人们最后成了胜利者，他们经受了最冷酷、最严峻的摧残和折磨，没有下跪，没有死绝，他们高傲地站着，挣扎着，宁死不屈，反抗着，迎来了胜利，这难道不是历史的本来面目？如实地写下并无损于他们的高大。

年迈的李四爷忍无可忍，以死相拼，像个可敬的斗士，牺牲在搏斗之中。年幼而脆弱的小妞子宁肯挨饿，愣是不吃日本人发的混合面，绝食而亡。死得光荣，死得悲壮，死得高大！

民族，带着鞭痕，悲壮地生存着。

国家，带着创伤，骄傲地屹立着。

人民，带着鲜血，顽强地站立着。

正义，带着它的庄严、神圣和人道，光荣地战胜了邪恶、侵略和野蛮。

这就是老舍《四世同堂》的结尾的基调。老舍忠实地描写了沦陷区人民的八年艰难岁月。老舍的结论是清楚的，中国人民觉醒了，中国大有希望。以北平人民为代表的沦陷区的男女老少经受了一场深重的大灾难，这场灾难既摧残了中国人民也教育了中国人民。

老舍的写法毕竟是比较奇特的。《四世同堂》是以整个抗战的历史为背景的作品。作为文学家，在严格地按着抗战发展阶段来安排自己故事的顺序的时候，并不是去写历史教科书，他没有写解放区，也没有写八路军、新四军的战场和功勋，他只是解剖了一个小细胞，一个不上经传的沦陷了的小胡同，透过这个小胡同看民族和国家的命运。

《四世同堂》是"反抗型"的，比起"绝望型"的《骆驼祥子》《月牙儿》《我这一辈子》，无疑是个巨大的进步。《饥荒》写于一九四八年，新与旧的决战，当时已经基本定局，时代的烙印在《饥荒》里基本得到了正确的反映。沦陷区人民对蒋介石的幻想完全破灭了，北平西山的枪声给他们带来了希望，自己组织起来走反抗的路，在斗争中保存古老的文明，凡此等等，都是历史的必然。

"起风了。"

这是《四世同堂》的最后一句话，象征着抗战之后第三次国内革命战争序幕的拉开。

由此看来，《四世同堂》结尾的精神是健康的，向上的，删改的必要性实在是不大。

但是，已写好的结尾，由于时代的剧变，由于新中国的成立，在发表的时候，使老舍为了难。

强调共产党的领导作用，实事求是和恰如其分地歌颂共产党在历史上的进步作用，是解放初宣传部门的义不容辞的责任，作为一个热爱共产党和新社会的文学家，老舍在发表《饥荒》手稿时自然也把这点记在心上。或许，老舍认为，当全书的最激进的主人公瑞全以战斗员的身份回北平的时候，及时地闭幕，从而把全书的结局落在一个新的战斗时期的开始上，最能体现这个要求。老三瑞全代表地下工作者，代表进步，代表反抗，代表光明，代表希望，以他的入城来结束这段历史似乎更妥当一点。

不过，话又说回来，瑞全不是共产党，地下工作者钱先生也不是，他们是地地道道的爱国者，他们是有高度民族气节的人，他们有许多可爱可敬的品德和不少可歌可泣的行为，但是他们的行动在老舍笔下比起老舍在解放初了解到的以共产党为核心的民族统一战线的抗战活动来，不论是规模、效果，还是水平，都相距甚远。老舍可能觉得，如果以瑞全式的和钱先生式的抗战活动写到彻底胜利，大概会给读者以错觉，有冲淡整个抗战的艰巨性和宏伟性的可能。与其如此，不如删去结尾，使整出戏不到抗战胜利就闭幕，留点余地。有的时候，留点空隙比满腔满馅好。

以瑞全为代表的地下工作者的所作所为，比起城外的游击战士们的战功来，当然是渺小的，而且愈写得具体，会愈显得琐碎和无足轻重。《饥荒》第二十一段是写瑞全的具体抗战活动的，他进城后第一个动作是杀女特务招弟，那么，干脆就由这儿删起吧。此处无声胜有声。这可能是由第二十一段起不再往下发表的原因。当然，顺手也减少了一点由于可爱的人物的死亡带来的悲剧气氛，减少了一点由于严重创伤带来的消极刺激作用，减少了一点故事中那些麻木落后者的行为带来的沉闷和不快。瑞全重回北平，行了。就此刹车，因为希望回到了人间。

不过，猜测总归是猜测，想办法把结尾找回来才是真的。

她是咱们的朋友

随着被删去的十三段一起丢失的最感人的故事，是关于一位日本老太婆的故事。她的这段故事对《四世同堂》有极为重要的价值。

《四世同堂》全书出版之后，电台曾经连续广播过，改编成话剧和电视连续剧的尝试也出现过，但是，同时也存在着不以为然的看法，理由是中日关系正常化了，演《四世同堂》恐怕有点不合拍吧。姑且不谈这后一种说法的浅薄，假如丢失的关于日本老太婆的故事早一点为人们所知的话，这种争论很可能根本不会出现。

这位日本老太婆是位居住在北平的日本反战者，她同情中国人民，认为侵华战争给日本人民同样带来了巨大痛苦，所以当她得知日本无条件投降的消息之后，她松了一口气，她感到高兴，她在家里呆不住，她要把这个消息告诉给中国人，告诉给她的邻居们，她上了街。迎面走来的是祁老人，手里托着饿死的小妞子，他的重孙女，老人要找日本人算账，老人再也忍受不住了，重孙女倒死在他这位太爷爷的前面了，这成什么世道，老人觉得他本人活着不再有任何意义了，他决心一死，但是在死以前他要把一肚子愤怒倒出来，他要痛斥日本人。老人和日本老太婆走了对脸，就在小胡同当中相遇。

这时，胡同里的中国居民已经得知日本投降的消息，纷纷拥上街头，奔走相告，跳跃欢呼。他们一下子发现了孤单一人的日本老太婆和托着死妞子的祁老人，一股复仇的心理突然爆发，人们围上了她。老太婆明白了自己的处境，她温顺而坦然地低下了头。故事到了高潮，气氛极为紧张。

长孙瑞宣及时赶到，一脚插到了爷爷和老太婆的中间，他把愤怒的爷爷安抚回家，告诉邻居们：她，这个日本老太婆，是咱们的朋友。

《四世同堂》中有许许多多妙笔；但是，这一笔，价值无穷。

《四世同堂》是一本揭露和控诉日本军国主义罪行的书，但是，这一笔，把日本人民和日本军国主义者划分得清清楚楚。

《四世同堂》是一本表现和歌颂中国人民爱国主义的书，但是，这一笔，把日本人民和中国人民的心连在了一起，人民的心是相通的。

《四世同堂》的日译本早在五十年代初就在日本出版了，日本的有识之士给了它很高的评价，其中丰岛与志雄先生的一句话最有代表性，他说：《四世同堂》是全日本人必读的书。《四世同堂》在日本被当作战争反省教科书看待，看来决非偶然。

三十多年过去了，在日中关系恢复正常后，重读《四世同堂》，人们不能不被老舍先生的远见所折服。

老舍先生去世之后，日本的作家们是第一批站出来为他说话的朋友，就像瑞宣出来保护日本老太婆一样。

她是咱们的朋友！

他是咱们的朋友！

《四世同堂》在中日两国人民之间，真仿佛是一颗埋得很深的种子，它经受了时间的考验，结出了丰硕的果实。今天，《四世同堂》结尾的再现，日本老太婆故事的复活，更是锦上添花，为这牢固的友谊增添了新的光彩。

它有了一百段

一年半以前，马小弥同志曾经把老舍《The Drum Singers》翻成中文，在国内首次出版，就是《鼓书艺人》。当时，大家都说，这是一件中国现代文学史上的趣闻。现在，《The Yellow Storm》的结尾也是由马小弥同志翻译的。一回生，二回熟，她的翻译笔调愈来愈有味了。译稿由语言学家吴晓铃同志最后审定。他（她）们在翻译和审定工作中都力求接近老舍的风格，其用心十分令人感动。

《四世同堂》的结尾，由英文节译本中找回来了，绕了一个复杂的大圈，先"中"再"英"又"中"。当然，这又是一件趣闻。非但是一件趣闻，简直是一件巧事。非但是一件巧事，更是一件喜事，谁不为它的复原而庆幸，而高兴呢！

不久的将来，可能会出现一种新的《四世同堂》版本，它既包括目前出版的最全的中文单行本的全文，即按老舍中文手稿排印的前八十七段，也包括由英文节译本转译回来的后十三段，全书共一百段，正好是老舍原来计划和实际完成的一百段。

一百段，总算是找齐了，虽然并不完全等于原来的一百段，但不论从哪个角度上讲，都是一件很有价值的事。

出版说明

　　老舍先生于 1944 年在重庆北碚开始创作长篇小说《四世同堂》。至 1945 年底已写完第一部《惶惑》与第二部《偷生》。第三部《饥荒》是 1947 年至 1948 年在美国纽约写完的。至此,《四世同堂》三部共一百万字全部完成。

　　1948 年春至夏,在老舍先生口述并删节下,由美国人 Ida Pruitt(中文名浦爱·德)女士将《四世同堂》翻译成英文节译本。1951 年由纽约 Harcourt, Brace and Company 出版了《四世同堂》的英文节译本 The Yellow Storm(中文本名《黄色风暴》)。

　　现在由北京十月文艺出版社出版的《四世同堂》即是英文节译本的中文本,全书五十万字。书中第一段至第八十七段的文字均出自中文版的《四世同堂》。第八十八段至第一〇〇段因其中文未发表出版,且中文稿已毁,现根据英文节译本的最后十三段,由马小弥从英文再翻译为中文。此中文译文曾连载于 1982 年的《十月》杂志上,收入本书时进行了校勘。

图书在版编目(CIP)数据

四世同堂／老舍著.—北京:北京十月文艺出版社,2008.2
ISBN 978 – 7 – 5302 – 0922 – 6

Ⅰ.四… Ⅱ.老… Ⅲ.长篇小说—中国—现代 Ⅳ.I246.5

中国版本图书馆 CIP 数据核字(2008)第 012044 号

四世同堂
SISHITONGTANG

老 舍 著

*

北 京 出 版 社 出 版 集 团
北 京 十 月 文 艺 出 版 社 出 版
(北京北三环中路 6 号)
邮政编码:100011
网址:www.bph.com.cn
新 经 典 文 化 有 限 公 司 发 行
新 华 书 店 经 销
北京彩虹伟业印刷有限公司印刷

*

880×1230 32 开本 20.5 印张 500 千字
2008 年 7 月第 1 版 2010 年 4 月第 5 次印刷
ISBN 978 – 7 – 5302 – 0922 – 6
Ⅰ·889 定价:36.00 元
质量监督电话:010 – 58572393